## 상상 그 이상

모두의 새롭고 유익한 즐거움이
비상의 즐거움이기에

아무도 해보지 못한 콘텐츠를 만들어
학교에 새로운 활기를 불어넣고

전에 없던 플랫폼을 창조하여
배움이 더 즐거워지는 자기주도학습 환경을
실현해왔습니다

이제, 비상은
더 많은 이들의 행복한 경험과
성장에 기여하기 위해

글로벌 교육 문화 환경의
상상 그 이상을 실현해 나갑니다

**상상을 실현하는 교육 문화 기업 비상**

한 권 으 로 끝 내 기

# 한끝

비상교육 교과서편

중등 **국어 3-1**

## 이 책의 구성과 특징

◆ 새 교육과정과 그에 따른 **교과서의 내용**을 충실하게 담은 교재
◆ **다양한 유형의 문제**를 충분하게 수록한 교재
◆ **학습에 대한 흥미를 돋우는** 교재

교육과정이 바뀌어도
새 교육과정과 그에 따른
새 교과서의 내용을 꼼꼼하게
정리한 한끝만 있다면
문제없어!

## 1 교과서 내용 완벽 분석 및 정리_본책(진도 교재)

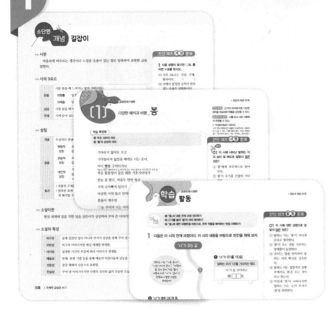

1 **소단원 개념 길잡이**
소단원의 학습 요소와 갈래에 대한 내용을 확인할 수 있습니다.

2 **교과서 본문 학습**
학습 포인트 와 학습콕 을 통해 교과서 본문을 꼼꼼하게 학습하고, 간단 체크 내용 문제 , 간단 체크 어휘 문제 , 간단 체크 활동 문제 를 풀어 보면서 배운 내용을 확인할 수 있습니다.

3 **학습 활동**
학습 활동의 예시 답안을 확인하고, 활동을 응용한 문제를 풀어 볼 수 있습니다.

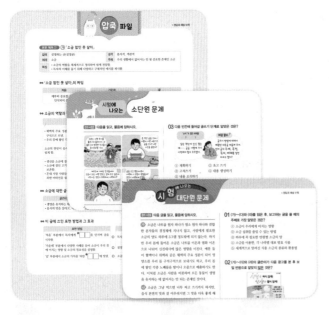

4 **압축 파일**
각 소단원의 주요 내용만을 뽑아 정리하여 핵심을 한눈에 파악할 수 있습니다.

5 **시험에 나오는 소단원 문제 / 시험에 나오는 대단원 문제**
출제 가능성이 높은 소단원 문제와 대단원 문제를 풀어 보면서 배운 내용을 확인할 수 있습니다.

이렇게 다양한 문제가
수록되어 있다니!
문제를 풀면서 내 실력이 어느 정도인지
확인해 볼 수 있겠는걸?
한끝 한 권만으로도 시험 준비 끝!

# 2 철저한 시험 대비_시험 대비 문제집

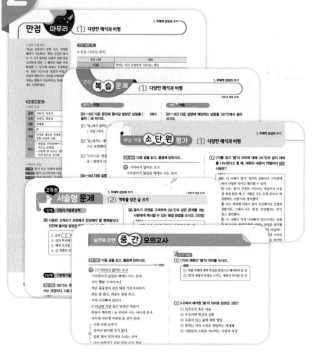

① **만점 마무리**
소단원의 학습 내용을 정리한 코너로, 시험 전 핵심 정리
에 유용합니다.

② **간단 복습 문제**
간단한 확인 문제를 통해 스스로 복습할 수 있습니다.

③ **예상 적중 소단원 평가 / 예상 적중 대단원 평가**
시험에 나올 만한 문제들을 엄선하였습니다.

④ **고득점 서술형 문제**
단계별 서술형 문제를 통해 고득점에 한발 다가갈 수 있
습니다.

⑤ **실전에 강한 모의고사**
실제 시험과 유사한 모의고사로 시험 직전 마무리 문제
풀이로 사용하면 좋습니다.

# 3 공부에 대한 흥미 유발

한끝은 재미도 놓치지 않았어!
소설은 길어서 내용 정리가 쉽지 않았는데,
'한끝의 한 꾻'과 함께라면
재미있게 공부할 수 있어.

① **한끝의 한 꾻**
한끝만의 특별한 '한 꾻'을 제공하여 좀 더 재미있게 공
부할 수 있도록 하였습니다.

• '4(1) 사회를 비추는 문학'에서는 희곡 「오아시스 세탁
소 습격 사건」의 중요 인물인 '강태국'의 가상 인터뷰
와, 주요 소재 및 상징적 장면에 대한 내용을 기사문으
로 재구성하여 희곡의 줄거리와 주제를 한눈에 정리해
볼 수 있도록 하였습니다.

이 책의

# 차례

# 1

문화 향유 역량

# 주체적 감상과 쓰기

## 왜 배울까?

문학 작품에 대한 해석이나 평가는 사람마다 다르다. 이는 자신의 고유한 가치관과 경험을 토대로 작품을 감상하기 때문이다. 하지만 이렇게 개인의 가치관이나 경험만으로 작품을 감상하다 보면 자칫 너무 주관적으로 작품을 해석하여 다른 사람의 공감을 이끌어 내지 못할 수도 있다. 객관적으로 문학 작품을 해석하거나 평가하기 위해서는 적절한 근거가 뒷받침되어야 한다. 설득력 있는 근거를 바탕으로 작품을 해석하고 평가하면 작품의 내용과 작가의 의도 등을 깊이 있게 이해할 수 있을 뿐만 아니라, 작품을 능동적으로 감상할 수 있다. 이와 같은 주체적인 태도는 글을 쓸 때에도 필요하다. 자신의 생각을 글로 표현하는 과정에서 부딪히는 여러 문제를 주체적으로 해결해 나가면 개성적이고 훌륭한 한 편의 글을 완성할 수 있을 것이다.

## 뭘 배울까?

이 단원에서는 문화 향유 역량을 기르기 위해 문학 작품을 해석하는 여러 방법을 알아보고 이를 바탕으로 타당한 근거를 들어 작품을 직접 해석해 볼 것이다. 그리고 주제, 목적, 독자, 매체를 고려하여 서평을 쓰면서 글쓰기가 문제 해결 과정임을 이해해 볼 것이다.

## ⚙️ 시란

마음속에 떠오르는 생각이나 느낌을 운율이 있는 말로 압축하여 표현한 글을 말한다.

## ⚙️ 시의 3요소

| 운율 | 시를 읽을 때 느껴지는 말의 가락(리듬) | |
| --- | --- | --- |
| | 외형률 | 일정한 규칙이 반복되어 시의 표면에 드러나는 운율 |
| | 내재율 | 일정한 규칙 없이 시 속에서 은근히 느껴지는 운율 |
| 심상 | 시를 읽을 때 마음속에 떠오르는 감각적인 모습이나 느낌 | |
| 주제 | 시에 담겨 있는, 말하는 이의 느낌이나 중심 생각 | |

## ⚙️ 상징

| 개념 | 추상적인 관념이나 사상 등을 구체적인 대상으로 표현하는 방법 | |
| --- | --- | --- |
| 종류 | 원형적 상징 | 동서양을 막론하고 인류에게 보편적으로 인식되는 상징 <br> 예 불: 정열, 파멸 / 물: 생명력, 정화 |
| | 관습적 상징 | 오랫동안 쓰여 왔기 때문에 그 뜻이 굳어져 널리 알려진 상징 <br> 예 대나무: 절개, 지조 / 비둘기: 평화 / 십자가: 희생, 고난 |
| | 개인적 상징 | 개인이 작품 속에서 새롭게 창조해 낸 상징 <br> 예 별을 노래하는 마음으로 / 모든 죽어 가는 것을 사랑해야 지.(윤동주, 「서시」) → 별: 순수, 이상, 희망 등 |
| 효과 | • 작품의 주제를 효과적이고 독창적으로 드러냄. <br> • 압축된 표현 속에 여러 가지 의미가 담겨 있어 작품을 다양하고 깊이 있게 해석할 수 있음. | |

## ⚙️ 소설이란

현실 세계에 있음 직한 일을 글쓴이가 상상하여 꾸며 쓴 이야기를 말한다.

## ⚙️ 소설의 특성

| 허구성 | 실제 있었던 일이 아니라 작가가 상상을 통해 꾸며 낸 이야기임. |
| --- | --- |
| 모방성 | 허구의 이야기지만 현실 세계를 반영함. |
| 서사성 | 일정한 시간의 흐름에 따라 이야기가 전개됨. |
| 예술성 | 문체, 표현 기법 등을 통해 예술적 아름다움과 감동을 전함. |
| 산문성 | 줄글 형태의 산문으로 표현함. |
| 진실성 | 꾸며 낸 이야기이지만 인생의 진리와 삶의 진솔한 모습을 담음. |

**1** 다음 설명이 맞으면 ○표, 틀리면 ✕표를 하시오.

(1) 시의 3요소는 심상, 주제, 화자이다. (　　　)

(2) 시에서 일정한 규칙이 반복되는 운율은 외형률이다. (　　　)

(3) 시에서 느껴지는 이미지를 심상이라고 한다. (　　　)

(4) 상징은 구체적인 사물을 추상적인 대상으로 표현할 때 사용하는 방법이다. (　　　)

**2** 다음 빈칸에 들어갈 알맞은 말을 쓰시오.

□□적 상징은 오랫동안 사용되어 그 뜻이 굳어져 널리 알려진 상징이다. 비둘기를 평화의 상징으로, 대나무를 지조와 절개의 상징으로 여기는 것 등을 말한다.

**3** 소설의 특성 중, '진실성'에 대한 설명으로 알맞은 것은?

① 줄글 형태의 산문으로 표현한다.

② 허구의 이야기이만 현실 세계를 반영한다.

③ 인생의 진리와 삶의 진솔한 모습을 담는다.

④ 일정한 시간의 흐름에 따라 이야기가 전개된다.

⑤ 문체, 표현 기법 등을 통해 예술적 아름다움과 감동을 전한다.

## 소설의 구성

| 평면적 구성 | 사건을 시간의 흐름에 따라 일어난 순서대로 구성하는 방식 |
| --- | --- |
| 입체적 구성 | 시간 순서를 바꾸어 사건을 구성하는 방식 |
| 액자식 구성 | 하나의 이야기 속에 또 다른 이야기를 포함시켜 사건을 구성하는 방식 |

## 소설의 배경

| 개념 | 소설 속 인물이 행동하고 사건이 발생하는 시간적, 공간적, 시대적·사회적 환경(장소)을 의미함. |
| --- | --- |
| 역할 | • 인물의 행동이나 사건이 사실적으로 느껴지게 함.<br>• 소설의 전반적인 분위기를 조성하여 주제를 암시하기도 함.<br>• 인물의 심리를 드러내거나, 앞으로 전개될 사건의 방향을 알 수 있게 함. |

## 소설의 소재

| 개념 | 작가가 이야기를 전개할 때 의도적으로 사용하는 재료로, 작가가 말하고자 하는 의미를 효과적으로 드러내기 위해 선택하는 일이나 사물 등을 말함. |
| --- | --- |
| 역할 | • 인물의 행동이나 심리를 상징적으로 드러냄.<br>• 인물 간의 갈등을 일으키거나, 갈등을 해소하는 계기가 됨.<br>• 작품의 주제를 암시하거나, 작품의 배경을 효과적으로 형상화함. |

## 문학 작품의 해석에 영향을 미치는 요인

같은 문학 작품이라도 작품에 대한 해석 방법이나 독자의 인식 수준, 관심, 경험, 가치관 등에 따라 그 해석이 달라질 수 있다.

## 문학 작품을 해석하는 방법

• 작품에 사용된 표현 방식이나 구성을 중심으로 작품을 해석하는 방법
• 작가의 생애 및 성향, 창작 의도 등을 중심으로 작품을 해석하는 방법
• 작품 속의 시대적·사회적·문화적 상황과 관련지어 작품을 해석하는 방법
• 교훈이나 감동 등 작품이 독자에게 미치는 영향을 중심으로 작품을 해석하는 방법

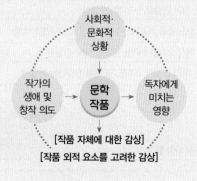

[작품 자체에 대한 감상]
[작품 외적 요소를 고려한 감상]

**4** 소설의 구성 중, 〈보기〉에 해당하는 것은?

┤보기├
　사건의 전개가 시간의 흐름을 따르지 않고 순서를 바꾸어 진행된다.

① 순행적 구성
② 평면적 구성
③ 액자식 구성
④ 입체적 구성
⑤ 옴니버스식 구성

**5** 소설의 배경에 대한 설명으로 알맞지 <u>않은</u> 것은?

① 사건 전개에 현실감을 준다.
② 소설의 전반적인 분위기를 조성한다.
③ 현실에 실제로 존재하는 공간만 설정된다.
④ 앞으로 전개될 사건의 방향을 알 수 있게 한다.
⑤ 작품 속 사건이 일어나는 공간이나 환경을 말한다.

**6** 작품 자체의 내적 특징을 중심으로 해석하는 방법에 해당하는 것은?

① 작가의 생애를 고려하여 해석한다.
② 작가의 성향과 창작 의도를 중심으로 해석한다.
③ 작품에 반영된 시대적 배경을 중심으로 해석한다.
④ 작품에 사용된 표현 방식이나 구성 등을 중심으로 해석한다.
⑤ 교훈이나 감동 등 작품이 독자에게 미치는 영향을 중심으로 해석한다.

# [1]

## 다양한 해석과 비평 _ 봄

학습 목표 근거의 차이에 따른 다양한 해석을 비교하며 작품을 감상할 수 있다.

즐겁게 책 읽기 시를 읽고 다른 사람에게 추천할 수 있다.

▶ 이성부(1942~2012)
시인. 현실 참여적인 내용을 다루면서도 서정성을 느낄 수 있는 시를 많이 썼다. 주요 작품으로는 「우리들의 양식」, 「벼」, 「전라도」 등이 있다.

### 학습 포인트

❶ 주요 시어의 의미
❷ '봄'의 상징적 의미

기다리지 않아도 오고

기다림마저 잃었을 때에도 너는 온다.

어디 뻘밭 구석이거나
개흙의 방언. 갯바닥이나 늪 바닥에 있는 거무스름하고 미끈미끈한 고운 흙
썩은 물웅덩이 같은 데를 기웃거리다가

한눈 좀 팔고, 싸움도 한판 하고,

지쳐 나자빠져 있다가

다급한 사연 들고 달려간 바람이

흔들어 깨우면

㉠눈 부비며 너는 더디게 온다.

더디게 더디게 마침내 올 것이 온다.

너를 보면 눈부셔

일어나 맞이할 수가 없다.

입을 열어 외치지만 소리는 굳어

나는 아무것도 미리 알릴 수가 없다.

가까스로 두 팔을 벌려 껴안아 보는

너, 먼 데서 이기고 돌아온 사람아.

### 학습콕

**❶ 주요 시어의 의미**

| 시어 | 의미 |
|---|---|
| 너(봄) | 말하는 이가 간절하게 기다리는 대상 |
| 뻘밭 구석, 썩은 물웅덩이 | '봄'이 오는 것을 가로막는 □□□, 시련과 역경 |
| 다급한 사연 | '봄'이 어서 오기를 바라는 말하는 이의 간절함 |
| □□ | 말하는 이의 간절한 소망을 '봄'에게 전달하는 매개체 |

**❷ '봄'의 상징적 의미**

| 봄 | • 희망의 이미지<br>• 간절한 기다림의 대상<br>• 계절의 순환에 따라 당연히 와야 할 대상 | ○ | 반드시<br>도래할 희망 |
|---|---|---|---|

### 간단 체크 내용 문제

중요

**01** 이 시에 나타난 말하는 이의 심리 및 태도로 알맞지 않은 것은?

① '봄'에게 적극적으로 찾아 간다.
② '봄'이 오기를 간절히 기다린다.
③ '봄'이 반드시 올 것이라고 확신한다.
④ '봄'에 대해 예찬적인 태도를 보인다.
⑤ '봄'을 맞아 격한 감격과 기쁨을 느낀다.

**02** 말하는 이의 소망을 '봄'에게 전하는 매개체를 쓰시오.

**03** ㉠과 같은 표현 방법이 쓰인 것은?

① 쟁반같이 둥근 달
② 내 마음은 호수요.
③ 환하게 웃음 짓는 꽃들
④ 세상은 그 얼마나 아름다운가?
⑤ 그 길을 만들 줄도 몰랐었네, 나는.

# 학습 활동

**이해**
① 「봄」의 내용 전개 과정 정리하기
② 근거를 들어 '봄'의 의미 해석하기
③ 「봄」에 대한 비평문을 바탕으로, 문학 작품을 해석하는 방법 이해하기

## 1 다음은 이 시의 전개 과정이다. 이 시의 내용을 바탕으로 빈칸을 채워 보자.

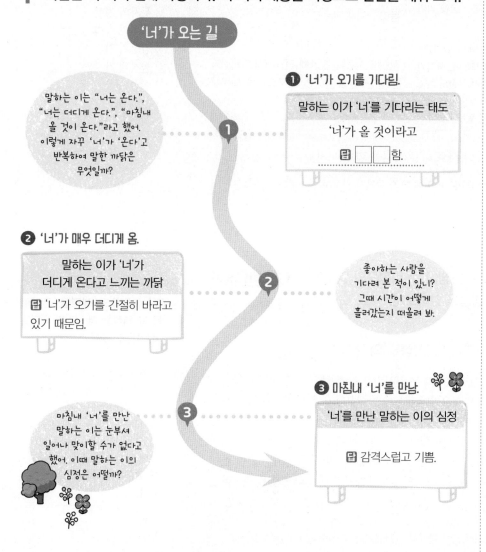

**'너'가 오는 길**

말하는 이는 "너는 온다.", "너는 더디게 온다.", "마침내 올 것이 온다."라고 했어. 이렇게 자꾸 '너'가 '온다'고 반복하여 말한 까닭은 무엇일까?

① '너'가 오기를 기다림.

말하는 이가 '너'를 기다리는 태도

답 '너'가 올 것이라고 ☐☐함.

② '너'가 매우 더디게 옴.

말하는 이가 '너'가 더디게 온다고 느끼는 까닭

답 '너'가 오기를 간절히 바라고 있기 때문임.

좋아하는 사람을 기다려 본 적이 있니? 그때 시간이 어떻게 흘러갔는지 떠올려 봐.

③ 마침내 '너'를 만남.

'너'를 만난 말하는 이의 심정

답 감격스럽고 기쁨.

마침내 '너'를 만난 말하는 이는 눈부셔 일어나 맞이할 수가 없다고 했어. 이때 말하는 이의 심정은 어떨까?

## 간단 체크 활동 문제

**01** 이 시에 대한 설명으로 알맞지 <u>않은</u> 것은?

① 말하는 이는 '봄'이 더디게 온다고 생각한다.
② '봄'이 오는 것을 가로막는 장애물이 등장한다.
③ '온다'는 말을 반복하여 말하는 이의 확신을 강조한다.
④ 말하는 이는 절망적인 상황 속에서도 '봄'은 오는 것이라고 믿는다.
⑤ 마침내 '봄'이 나타나지만 말하는 이는 눈이 부셔서 '봄'을 외면한다.

**02** '봄'의 의미로 적절하지 <u>않은</u> 것은?

① 짝사랑하는 사람
② 자신이 이루고자 하는 꿈
③ 도저히 해결할 수 없는 문제
④ 시련을 극복하고 난 후의 성공
⑤ 병을 이겨 내고 몸이 건강해지는 것

## 2 1을 바탕으로 이 시의 제목인 '봄'의 의미를 해석해 보자.

**(1)** 다음 선생님의 말을 참고하여 '봄'이 함축하고 있는 의미가 무엇일지 근거를 들어 말해 보자.

> 시어는 표면적 의미 외에도 다양한 의미를 함축하고 있어요.
> 여러분의 경험이나 배경지식, 가치관에 비추어, '봄'의 의미를 생각해 보세요.

예시 답》 짝사랑하는 사람. 내가 간절히 기다리는 대상이기도 하고, 마침내 나에게 왔을 때 큰 기쁨을 느낄 수 있는 대상이기도 하기 때문이다.

**(2)** (1)에서 각자 해석한 '봄'의 의미에 대해 친구들과 이야기해 보고, 친구들의 해석과 그 근거를 비교해 보자.

예시 답》》

|  | 친구 1 | 친구 2 |
|---|---|---|
| '봄'의 의미 | '봄'은 우리가 이루고자 하는 꿈을 의미하는 것 같아. | 몸이 건강해지는 것 |
| 해석의 근거 | 시에서 '너'는 '지쳐 나자빠져 있다가', '먼 데서 이기고 돌아온' 존재잖아. 우리가 꿈을 이루어 나가는 과정에서 좌절도 하고 시련도 겪지만 계속 노력하면 마침내 꿈을 이룰 수 있다는 점에서 그렇게 생각했어. | 작년에 아팠는데. 그때 건강해지길 바랐던 마음이 '봄'을 간절히 기다리는 마음과 비슷하다. |

**(3)** (2)와 같이 '봄'을 해석한 내용이 서로 다른 까닭을 말해 보자.

📑 사람마다 인식 수준, 관심, 경험 등이 다르며 이에 따라 작품을 감상하는 기준이나 해석의 [    ] [    ]가 다르기 때문이다.

**3** 다음은 「봄」을 감상한 후, 한 학생이 쓴 비평문의 일부이다. 이를 바탕으로 문학 작품을 해석하는 다양한 방법을 알아보자.

### 자유를 꿈꾸는 시, '이성부'의 「봄」

이성부가 이 시를 지었을 당시인 1970년대는 군사력을 등에 업은 독재 정권이 강한 권력으로 국민을 ¹통제하던 시기였다. 그러한 정부에 반대하던 많은 사람들은 ²민주주의를 외치다가 감옥에 갇히기도 했다.

이러한 시대적 상황이 이 시에 반영되어 있다고 볼 때, '봄'은 그 시대 사람들이 간절하게 원했던 '민주주의', 혹은 '자유'를 상징한 것이라고 볼 수 있다. 겨울이 지나면 반드시 봄이 오듯이, 이 시는 '민주주의'나 '자유' 역시 언젠가 반드시 우리에게 올 것이라는 믿음을 노래했던 것이다.

---

**1 통제하다** 1. 일정한 방침이나 목적에 따라 행위를 제한하거나 제약하다. 2. 권력으로 언론·경제 활동 따위에 제한을 가하다.
**2 민주주의** 국민이 권력을 가지고 그 권력을 스스로 행사하는 제도.

**(1)** 이 비평문을 읽고, 이 글을 쓴 학생이 해석한 '봄'의 의미와 그 근거를 찾아 정리해 보자.

예시 답》》

| 학생이 해석한 '봄'의 의미 | 민주주의, 자유 |
|---|---|
| 해석의 근거 | 시인이 이 시를 지은 1970년대는 독재 정권이 강한 권력으로 국민들을 통제하고 있었고, 그러한 시대 상황이 이 시에 반영되어 있다고 생각했기 때문이다. |

간단 체크 **활동** 문제

**03** '봄'의 의미에 대한 해석이 사람마다 다른 이유와 관련된 요인이 **아닌** 것은?
① 독자의 경험
② 해석의 방법
③ 감상의 기준
④ 독자의 가치관
⑤ 작품 내용 자체

**04** 〈보기〉의 설명을 근거로 「봄」을 해석할 때, '봄'의 의미로 가장 적절한 것은?

보기
이성부가 이 시를 지었을 당시인 1970년대는 군사력을 등에 업은 독재 정권이 강한 권력으로 국민을 통제하던 시기였다. 그러한 정부에 반대하던 많은 사람들은 민주주의를 외치다가 감옥에 갇히기도 했다.

① 자유
② 개인주의
③ 경제 성장
④ 평화 통일
⑤ 조국의 광복

(2) 보기 는 문학 작품을 해석하는 네 가지 방법이다. 이를 바탕으로 이 비평문을 쓴 학생이 「봄」을 해석한 방법은 무엇인지 골라 보자.

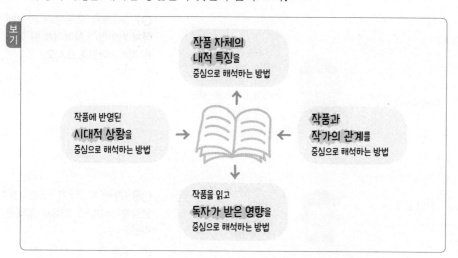

이 비평문을 쓴 학생은 📄 작품에 반영된 시대적 상황을 중심으로 「봄」을 해석하였다.

### 학습콕

**❶ 문학 작품의 해석**
- 문학 작품을 해석할 때는 다양한 근거를 들어 해석을 뒷받침해야 함.
- 같은 문학 작품이라도 작품의 해석 방법이나 독자의 인식 수준, 관심, 경험, 가치관 등에 따라 그 해석이 달라질 수 있음.

**❷ 문학 작품을 해석하는 방법**

| 작품 자체의 내적 특징 | 작품의 외적 요소 |
|---|---|
| 작품의 내용이나 형식 등을 중심으로 작품을 해석함. | • 작품에 반영된 시대적 배경을 중심으로 작품을 해석함.<br>• 작품과 작가의 관계를 중심으로 작품을 해석함.<br>• 작품을 읽고 독자가 받은 영향을 중심으로 작품을 해석함. |

❶ 근거를 들어 '코르니유' 영감의 행동 평가하기
❷ 문학 작품을 해석하는 방법 중 하나를 골라 소설 해석하기
❸ 다양한 해석을 비교하여 문학 작품을 감상할 때의 효과 파악하기

다음은 알퐁스 도데의 소설 「코르니유 영감의 비밀」의 일부이다. 이 소설을 주체적인 관점으로 해석해 보고, 근거의 차이에 따른 다양한 해석을 비교해 보자.

| 갈래 | 단편 소설, 외국 소설 | 성격 | 서정적, 낭만적, 상징적 |
|---|---|---|---|
| 배경 | 산업화가 이루어지던 시기의 풍차 방앗간 마을 | 시점 | 1인칭 관찰자 시점 |
| 제재 | '코르니유' 영감의 풍차 방앗간 | | |
| 주제 | 전통을 지키려고 하는 '코르니유' 영감의 집념 | | |
| 특징 | • 극적 반전을 통해 주제를 효과적으로 드러냄.<br>• 상징적 의미를 지닌 소재를 통해 '전통'과 '산업화'를 표현함. | | |

---

간단 체크 활 동 문제

**05** 다음 중 작품에 반영된 시대적 상황을 중심으로 해석할 때 고려하는 요소로 알맞은 것은?

① 독자가 받은 영향
② 작품의 내용과 형식
③ 작품과 작가와의 관계
④ 작품이 주는 교훈과 감동
⑤ 작품에 영향을 준 역사적 사건

**06** '봄'의 의미를 〈보기〉와 같이 해석했을 때, 해석에 영향을 미친 요소로 적절한 것은?

┤보기├
　작년에, 좋아하는 친구에게 편지를 썼다가 답장을 기다린 적이 있었는데, 그때의 마음이 '봄'을 간절히 기다리는 마음과 비슷하네.

① 독자의 경험
② 역사적 사실
③ 시대적 상황
④ 독자의 가치관
⑤ 작가의 작품 경향

## 코르니유 영감의 비밀

알퐁스 도데 지음 / 한정영 옮김

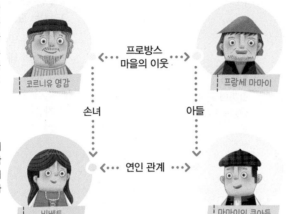

최신식 증기 방앗간이 출현하면서 풍차 방앗간이 몰락하던 시기에 프로방스 마을에 하나 남은 풍차 방앗간의 주인.
코르니유 영감

프로방스 마을에 사는 늙은 피리 연주자. 코르니유 영감의 이야기를 '나'에게 전달해 줌.
프랑세 마마이

프로방스 마을의 이웃

손녀

아들

코르니유 영감의 손녀. 코르니유 영감이 돌보지 않아 이 집 저 집을 옮겨 다니며 생활함.
비베트

연인 관계

비베트의 연인. 비베트와 결혼하기 위해 코르니유 영감을 찾아감.
마마이의 큰아들

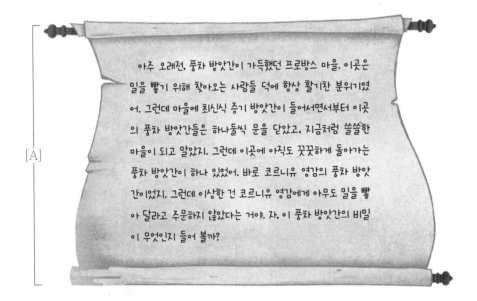

[A] 아주 오래전, 풍차 방앗간이 가득했던 프로방스 마을. 이곳은 밀을 빻기 위해 찾아오는 사람들 덕에 항상 활기찬 분위기였어. 그런데 마을에 최신식 증기 방앗간이 들어서면서부터 이곳의 풍차 방앗간들은 하나둘씩 문을 닫았고, 지금처럼 쓸쓸한 마을이 되고 말았지. 그런데 이곳에 아직도 꿋꿋하게 돌아가는 풍차 방앗간이 하나 있었어. 바로 코르니유 영감의 풍차 방앗간이었지. 그런데 이상한 건 코르니유 영감에게 아무도 밀을 빻아 달라고 주문하지 않았다는 거야. 자, 이 풍차 방앗간의 비밀이 무엇인지 들어 볼까?

**(가)** 어느 화창한 날이었네. 젊은이들이 내 피리 소리에 맞춰 춤을 추고 있었지. 그날 나는 우연히 코르니유 영감의 손녀 비베트와 내 큰아들이 서로 사랑하고 있다는 것을 알게 되었어. 물론 나는 싫지 않았지. 코르니유는 한때 이 마을에서 존경을 받는 이름이었거든. 두 아이가 결혼이라도 한다면 코르니유 가문과 인연을 맺는 것이니 전혀 나쁠 것이 없지 않은가.

게다가 그토록 예쁜 비베트라는 참새가 내 집 안팎을 종종거리며 오가는 모습을 볼 수 있다면 그보다 즐거운 일이 어디에 있겠는가. 그래서 나는 이 일을 서둘러 해결하기로 마음먹었네. 그러고는 서둘러 영감의 방앗간으로 달려갔지. 아, 그런데 글쎄 이럴 수가 있나? 영감이 나를 어떻게 대했는지 말이야.

**(나)** 그 영감이 나를 그토록 푸대접할 줄은 꿈에도 생각하지 못했다네. 도무지 문조차 열어 주려고 하지 않는 거야. 하는 수 없이 나는 자물통에 난 틈으로 내가 방앗간을 찾아온 이유를 낱낱이 설명해야 했네.

---

**간단 체크 활동 문제**

**07** [A]에서 프로방스 마을에 풍차 방앗간이 사라지게 된 이유를 찾아 4어절로 쓰시오.

**08** (가)에서 '나'가 '코르니유' 영감에게 찾아간 이유로 알맞은 것은?
① 예쁜 참새를 보여 주고 싶어서
② 풍차 방앗간에서 밀을 빻기 위해서
③ 혼자 살고 있는 '코르니유' 영감을 위로하기 위해서
④ '비베트'와 '나'의 큰아들의 결혼을 성사시키기 위해서
⑤ '코르니유' 영감의 풍차 방앗간의 비밀을 밝혀내기 위해서

**09** 이 글의 시점에 대한 설명으로 알맞은 것은?
① 작품 속의 주인공인 '나'가 자신의 이야기를 전달한다.
② 작품 속의 '나'가 주인공을 관찰하는 입장에서 이야기를 전달한다.
③ 작품 밖의 서술자가 객관적인 입장에서 인물의 말과 행동을 전달한다.
④ 작품 밖의 서술자가 모든 것을 아는 입장에서 사건의 속사정을 전달한다.
⑤ 여러 명의 서술자가 하나의 사건에 대해 각자의 관점으로 이야기를 전달한다.

그러는 동안 고양이가 내 머리 위쪽의 창살 위에 올라앉아서는 끊임없이 울더군. 마치 악마의 숨소리와도 같은 울음소리를 내며 말이야. 그놈마저도 나를 무시하고 있는 것 같았어.

참, 영감이 뭐랬는지 아나? 내 말이 채 끝나기도 전에 영감은 아주 무례한 말투로 돌아가라고 소리치더군.

"이봐! 자네는 그 잘난 피리나 불게. 정 자네 아들을 빨리 결혼시키려거든 저 증기 방앗간에 가서 알아보라는 말이야."

**다** 그런 말을 들었으니 ㉠나는 피가 거꾸로 솟을 수밖에. 하지만 분별 있는 내가 참아야지 어찌하겠나? 나는 하는 수 없이 영감을 내버려 두고 집으로 돌아왔네. 그리고 내가 코르니유 영감에게 당한 일을 아들 녀석과 비베트에게 이야기해 주었지.

오오, 하지만 두 아이는 내 말을 믿을 수 없어 하는 것 같았어. 내가 사실이라고 거듭 말하자 아이들은 자기들이 직접 코르니유 영감을 찾아가 말해 보겠다며, 나에게 허락해 달라고 간청하더군. 처음에는 말렸지만, 허락하는 수밖에 없었어. 그러자 아이들이 기다렸다는 듯이 영감의 방앗간으로 달려갔다네.

**라** 아이들이 방앗간에 도착했을 때, 코르니유 영감은 보이지 않았네. 문을 이중으로 자물쇠를 걸어 놓은 채 외출한 모양이야. 하지만 영감은 사다리를 안에다 들여놓고 가는 것을 깜빡한 거야. 사다리가 문 옆에 세워져 있었어. 아이들은 그 사다리를 이용해서 2층의 창문으로 올라갔지. 그리고 안으로 들어갔어. 도대체 코르니유 영감이 무엇을 그 안에 숨겨 놓았는지 확인해 보기로 했던 거야.

간단 체크 **활동** 문제

**10** ㉠을 통해 알 수 있는 인물의 심리 상태로 알맞은 것은?

① 슬픔
② 흥분
③ 절망
④ 우울함
⑤ 부끄러움

**11** (라)에서 '코르니유' 영감의 비밀을 밝히는 데 도움을 주는 역할을 하는 소재를 찾아 쓰시오.

**마** 아아, 그런데 이게 웬일이란 말인가? 방앗간 안이 텅텅 비어 있던 거야. 산더미처럼 쌓여 있을 줄 알았던 밀가루 부대는 하나도 없었고, 밀알 한 톨도 보이지 않았어. 심지어 벽이나 구석에 쳐진 거미줄 위에도 밀가루가 내려앉은 흔적이라고는 찾아보려야 찾아볼 수가 없었지. 아무리 눈을 씻고 보아도 최근에 밀을 빻았다는 흔적 같은 것은 어디에도 없었어. 풍차 방앗간이라면 항상 풍기기 마련인 향긋한 냄새조차도 맡을 수 없었지. 오히려 풍차 방아 위에는 먼지만 뽀얗게 쌓여 있었고, 그 위에서 말라 비틀어진 고양이가 꾸벅꾸벅 졸고 있지 뭔가.

**바** 아래층도 썰렁하기는 마찬가지였어. 오래된 이불이 흐트러져 있는 낡은 침대와 옆의 벽에 걸린 누더기 같은 옷 몇 벌, 계단을 굴러다니는 빵 한 조각이 그 방에 놓인 것의 전부였다네. 아, 방구석에 서너 개의 자루가 보였어. 그 자루에는 자갈과 허연 흙이 들어 있었지. 그것은 다름 아닌 깨진 회벽 조각과 백토 부스러기들이었다는 말일세.

자, 이제 코르니유 영감의 비밀을 알겠나? 영감은 마을 사람들에게 아직도 자신의 풍차 방앗간이 밀을 빻고 있다고 믿게 하려고 저 자루를 노새에게 짊어지게 하여 오솔길을 오르내렸던 것이야.

그래, 맞아. 영감이 밀이라고 싣고 오가던 것은 바로 부서진 옛 방앗간의 폐기물들이었어. 그렇게 해서라도 풍차 방앗간의 명예를 지키고 싶었던 것이지. 아아, 불쌍한 코르니유 영감……. 사실 영감도 증기 방앗간에 일거리를 빼앗긴 지 한참이 지났던 거야. 늘 풍차 날개는 돌아가고 있었지만, 방아는 헛돌고 있었던 것이지. 아이들은 눈물을 흘리면서 돌아왔네. 그리고 내게 모든 것을 이야기해 주었지. 아이들의 말을 듣고 나는 가슴이 찢어지는 줄 알았네. 나는 즉시 달려 나가 마을 사람들에게 그 이야기를 해 주었네. 그리고 말했지.

"우리가 모을 수 있는 밀을 최대한 많이 모아서 코르니유 영감에게 가져다줍시다."

그러자 마을 사람들도 고개를 끄덕이고 밀을 모아 당나귀에게 실어 코르니유 영감의 풍차 방앗간으로 향했지.

**사** 그런데 이게 웬일인가? 영감의 풍차 방앗간이 활짝 열려 있는 것이 아닌가? 그리고 문 옆에서는 코르니유 영감이 흙 부대를 끌어안고 울고 있는 거야. 왜냐고? 방금 전에 누군가 자신의 방앗간으로 들어와 비밀을 눈치챈 것을 알았기 때문이지. 영감은 그것이 슬펐던 거야.

"아아, 이 초라한 꼴이라니. 이젠 죽어야겠지. 이 방앗간이 온 동네 사람들에게 놀림 감이 되었으니……."

**아** 코르니유 영감은 그렇게 말하면서 정말 슬프게 울었다네. 자신의 방앗간을 온갖 이름으로 부르면서, 마치 진짜 사람에게 하듯이 말을 걸면서 말이야. 바로 그 무렵에 밀을 실은 마을 사람들의 당나귀들이 방앗간 앞에 도착하기 시작했어. 우리는 주저앉아 있는 영감을 향해 크게 외쳤지. 옛날 이 방앗간에 수많은 사람이 드나들 때처럼 말이야. / "이봐요! 거기 방앗간! 코르니유 영감님!"

간단 체크 **활동** 문제

**12** 이 글에서 알 수 있는 내용으로 알맞지 **않은** 것은?

① 풍차 방앗간은 그동안 빈 채로 돌아가고 있었다.

② '코르니유' 영감은 풍차 방앗간의 명예를 지키고자 했다.

③ '코르니유' 영감의 노새들은 그동안 자갈과 허연 흙을 싣고 다녔다.

④ '코르니유' 영감은 마을 사람들에게 밀을 빻고 있다고 믿게 하려 했다.

⑤ '코르니유' 영감은 스스로의 노력으로 증기 방앗간에 일거리를 빼앗기지 않게 되었다.

**13** 다음 ⓐ, ⓑ에 해당하는 소재를 이 글에서 찾아 쓰시오.

| ⓐ |
| --- |
| 전통적인 삶의 방식을 상징함. |

↕ 대조적 의미

| ⓑ |
| --- |
| 근대화된 기계 문명을 상징함. |

그리고 사람들은 앞다투어 밀가루 부대를 방앗간 앞에 쌓기 시작했지. 그러자 잘 익은 금빛의 밀알들이 부대에서 쏟아졌어. 그것을 본 코르니유 영감은 울음을 뚝 그쳤다네. 그러고는 놀란 듯 눈을 크게 뜨고 쏟아진 밀 알갱이를 주워 담으며 말하더군.

"아아, 밀이다! 이렇게 잘 익은 밀은 처음이야."

**자** 우리는 코르니유 영감의 얼굴이 금방 환해지는 것을 알 수 있었어. 우리도 덩달아 기분이 좋았지.

영감이 우리를 돌아보면서 말했어.

"하하, 나는 자네들이 다시 돌아올 줄 알았어. 증기 방앗간 놈들은 전부 도둑놈들이거든."

우리는 영감이 무척 자랑스러웠다네. 그래서 영감을 아주 성대히 마을로 모셔 가려 했지. 하지만 영감은 고개를 젓더군.

"아닐세. 아니야. 그보다 먼저 내 방앗간에 먹이부터 주어야지. 저 놈은 아주 오랫동안 굶었거든. 입에 아무것도 대지 못했단 말일세."

그렇게 말하고 영감은 부산스럽게 움직였어. 밀이 담긴 부대를 열고, 방아를 살펴보기도 하면서 말이야. 우린 그런 영감의 모습을 보면서 눈물이 났다네. 그러는 동안 밀 알은 풍차 방아에 빨아져 고운 가루를 날리기 시작했지.

우리는 비로소 그동안 우리가 무엇을 잘못했는지 알 수 있었어. 그래서 다짐했지. 영감에게 끊임없이 일감을 주기로 말이야. 물론 그 다짐은 오래도록 지켜졌네.

**차** 하지만 오랜 세월이 흐른 뒤 어느 날, 코르니유 영감이 세상을 떠나자, 결국 우리의 마지막 풍차 방앗간도 멈췄지. 이번에는 잠시 동안이 아니라 아주 영원히 말일세. 안타깝게도 영감의 풍차 방앗간을 물려받으려 하는 사람이 아무도 없었거든.

뭐, 어쩌겠는가? 이 세상 모든 일에는 끝이 있는 법 아니겠나. 론 강을 거슬러 올라가던 배들이 지나가는 것처럼, 마을에 있던 지방 법원이나 큰 꽃을 수놓은 외투가 유행하던 시대가 지나간 것처럼, ㉠풍차의 시대도 지나가고 말았지. 우리도 이제는 그 사실에 익숙해질 수밖에 없을 것일세.

**간단 체크 활동 문제**

**14** (아)~(자)에 나타난 '코르니유' 영감의 심리 변화로 알맞은 것은?
① 슬픔 – 기쁨 – 놀람
② 슬픔 – 화남 – 기쁨
③ 슬픔 – 놀람 – 기쁨
④ 안타까움 – 놀람 – 화남
⑤ 안타까움 – 슬픔 – 화남

**15** ㉠을 통해 알 수 있는 내용을 〈보기〉에서 모두 골라 그 기호를 쓰시오.

┌보기┐
ㄱ. 풍차 방앗간이 영원히 멈춤.
ㄴ. 큰 꽃을 수놓은 외투가 유행함.
ㄷ. 프로방스 지방의 전통이 사라짐.
ㄹ. 풍차 방앗간을 물려받으려 하는 사람이 없음.

## 1 이 소설의 주인공인 '코르니유' 영감의 행동을 평가해 보자.

**(1)** '비베트'와 '마마이의 큰아들'이 확인한 '코르니유' 영감의 방앗간은 어떤 모습이 었는지 써 보자.

- 밀가루 부대는커녕 밀알 한 톨도 보이지 않음.
- 📖 벽이나 구석에 거미줄이 쳐져 있음.
- 📖 풍차 방아 위에는 먼지만 뽀얗게 쌓여 있음.
- 📖 서너 개의 자루에는 회벽 조각과 백토 부스러기들이 들어 있음.

**(2)** 적절한 근거를 들어 '코르니유' 영감이 마을 사람들을 속인 행동을 평가해 보자.

**예시 답 》** • 나는 '코르니유' 영감의 행동은 ◻◻을 지키기 위한 어쩔 수 없는 선택이었다고 생 각해. 그는 시대의 변화에도 끝까지 풍차 방앗간의 가치를 지키고 싶어 했던 인물이잖아. 마을 사 람들이 그의 방앗간에 일감이 떨어진 것을 알면 풍차 방앗간의 가치를 지킬 수 없었을 거야. 이러 한 '코르니유' 영감과 마을 사람들의 행동을 통해 옛것이 쉽게 폄하되는 세태를 반성할 수 있어.

• 나는 '코르니유' 영감의 행동은 시대에 적응하지 못한 결과라고 생각해. 이미 마을에는 최신식 증기 방앗간이 성행하는데, 그가 마을 사람들을 속이면서까지 풍차 방앗간만 고집하는 것은 변 화하는 현실을 직시하지 못했기 때문이야. 소설의 마지막 부분에서도 '코르니유' 영감이 세상을 떠나자, 결국 마지막 풍차 방앗간이 영원히 멈췄다고 하잖아. 결국 세월의 흐름과 시대의 변화를 막을 수 없다는 점에서 그의 행동은 부정적으로 볼 수 있어.

## 2 적절한 근거를 들어 이 소설을 해석해 보자.

**(1)** 다음 중 이 소설을 해석할 때 사용할 방법을 하나 골라 보자.

**예시 답 》**

☐ **기준1**
작품 자체의 내적 특징을 중심으로 해석하는 방법

☑ **기준2**
작품에 반영된 시대적 상황을 중심으로 해석하는 방법

☐ **기준3**
작품과 작가의 관계를 중심으로 해석하는 방법

☐ **기준4**
작품을 읽고 독자가 받은 영향을 중심으로 해석하는 방법

**(2)** 자신이 선택한 방법에 따른 근거를 마련하여 이 소설을 해석해 보자.

> **예** 알퐁스 도데는 그의 고향인 남프랑스 프로방스 지방을 배경으로 많은 작품을 썼 다. 특히 그는 프로방스 주민들의 순수하고 인간적인 면모를 프로방스 지역의 정겨운 풍경과 함께 마치 한 폭의 수채화처럼 아름답게 묘사하였다고 한다. 나는 이 소설에서 '코르니유' 영감의 비밀이 밝혀진 후, 프로방스 마을 사람들이 '코르니유' 영감을 조롱 하지 않고 그의 풍차 방앗간이 다시 돌아갈 수 있도록 돕는 것이 인상적이었다. 이는 알퐁스 도데가 그 당시 프로방스 주민들이 지닌 순수하고 인간적인 면모를 작품 안에 담아낸 것이라고 볼 수 있다.

**예시 답 》** 이 소설이 쓰인 당시는 산업화가 급격히 진행되던 1860년대이다. 이 시기는 신기술이 도 입되면서 기존의 것과 새로운 것이 충돌하던 때였다. 이 소설의 결말 부분에서는 ◻◻의 시대 가 지나가고 있다는 사실에 익숙해질 수밖에 없을 것이라고 하며 이러한 시대의 변화를 인정하고 있다. 그런데 '코르니유' 영감은 이러한 변화를 거부하고 기존의 것을 고수하려는 인물이다. 그러 나 이 소설은 이러한 '코르니유' 영감을 따뜻한 시선으로 그림으로써 전통을 지키기 위해 노력하 는 일 또한 매우 가치 있는 일임을 드러내고 있다.

---

간단 체크 **활동** 문제

**16** '비베트'와 '마마이의 큰아 들'이 확인한 풍차 방앗간의 모 습으로 적절하지 <u>않은</u> 것은?

① 밀가루 부대가 하나도 없었 다.

② 밀알이 산더미처럼 쌓여 있 었다.

③ 최근에 밀을 빻았던 흔적이 없었다.

④ 벽이나 구석에 거미줄이 쳐 져 있었다.

⑤ 풍차 방아 위에 먼지가 쌓 여 있었다.

**17** 이 글을 〈보기〉와 같이 해 석했을 때, 무엇을 중심으로 해 석한 것인지 4어절로 쓰시오.

> **┤보기├**
> 이 소설이 쓰인 당시는 산업 화가 급격히 진행되던 1860년 대이다. 이 시기는 신기술이 도입되면서 기존의 것과 새로 운 것이 충돌하던 때였다. 그 런데 '코르니유' 영감은 이러 한 변화를 거부하고 기존의 것 을 고수하려는 인물이다. 이 소설은 이러한 '코르니유' 영 감을 따뜻한 시선으로 그림으 로써 전통을 지키기 위해 노력 하는 일 또한 매우 가치 있는 일임을 드러내고 있다.

(3) (2)에서 해석한 내용을 친구들과 서로 나누어 보고, 그 근거가 적절한지 판단해 보자.

예시 답≫

| 친구의 해석과 근거 | 근거의 적절성 |
| --- | --- |
| 예 알퐁스 도데의 작품 성향을 바탕으로, 마을 사람들이 '코르니유' 영감을 돕는 행동을 그 당시 프로방스 주민들이 지닌 순수하고 인간적인 면모를 작품 안에 담아낸 것이라고 해석하였다. | 예 작가가 이 소설에 담아내려고 했던 프로방스 주민들의 면모를 근거로 마을 사람들의 행동을 타당하게 해석하였다. |
| 이 소설이 ☐☐☐가 급격히 이루어진 시기에 쓰였다는 점을 바탕으로, '코르니유' 영감은 변화를 거부하고 기존의 것을 고수하려는 인물이라고 해석하였다. 또한 '코르니유' 영감처럼 전통을 지키는 일도 매우 가치 있는 일이라고 하였다. | 작품이 창작된 당시의 시대적 배경을 근거로 '코르니유' 영감의 태도를 타당하게 해석하였다. |

**3** 다양한 해석을 비교하며 문학 작품을 감상하면 어떤 효과가 있는지 써 보자.

예시 답≫

- 문학 작품을 다양한 측면에서 살펴볼 수 있어 작품을 보다 폭넓게 이해할 수 있다.
- 문학 작품에 대한 해석이나 평가는 문학 작품을 해석하는 방법이나 독자의 인식 수준이나 관심, 또는 독자의 경험이나 가치관에 따라 달라질 수 있음을 이해할 수 있다.

**18** 다양한 해석을 비교하며 문학 작품을 감상할 때의 좋은 점으로 가장 알맞은 것은?

① 작품의 중심 내용을 정리하기 쉽다.
② 작품의 내용을 미리 예측할 수 있다.
③ 작품을 보다 폭넓게 이해할 수 있다.
④ 다양한 해석을 참고하여 좋은 글을 쓸 수 있다.
⑤ 작품에 대한 자신의 해석이 옳음을 확신할 수 있다.

**활동 마당**

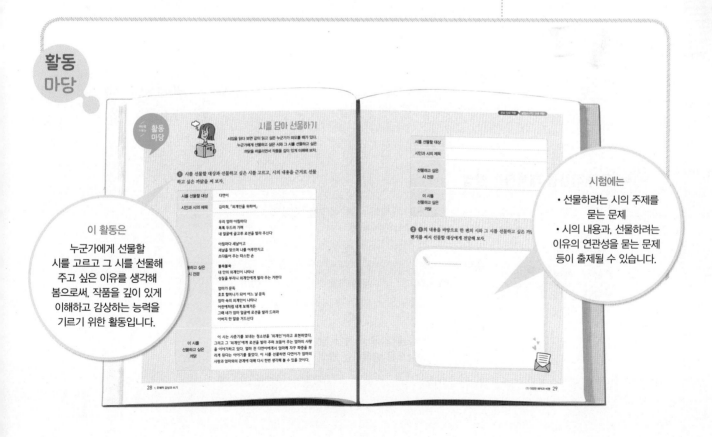

이 활동은

누군가에게 선물할 시를 고르고 그 시를 선물해 주고 싶은 이유를 생각해 봄으로써, 작품을 깊이 있게 이해하고 감상하는 능력을 기르기 위한 활동입니다.

시험에는

- 선물하려는 시의 주제를 묻는 문제
- 시의 내용과, 선물하려는 이유의 연관성을 묻는 문제 등이 출제될 수 있습니다.

(1) 다양한 해석과 비평 **019**

![압축 파일]

## 본문 제재 「봄」

| 갈래 | 자유시, 서정시 | 성격 | 상징적, 희망적 |
|---|---|---|---|
| 운율 | 내재율 | 제재 | 봄 |
| 주제 | 다가올 새로운 시대에 대한 강한 신념과 소망 | | |
| 특징 | • 대상을 의인화하여 상징적으로 표현함.<br>• 신념에 찬 어조로 말하는 이의 믿음을 강조함. | | |

### ●● 「봄」의 짜임

| 1~2행 | | 3~10행 | | 11~16행 |
|---|---|---|---|---|
| '봄'이 오는 자연의 당위성 | ▷ | '봄'이 오기까지의 더딘 과정 | ▷ | '봄'을 맞이하는 ❶□□과 기쁨 |

### ●● 주요 시어의 의미

| 주요 시어 | 의미 |
|---|---|
| 너(❷□□) | 말하는 이가 간절하게 기다리는 대상 |
| 뻘밭 구석, 썩은 물웅덩이 | '봄'이 오는 것을 가로막는 장애물, 시련과 역경 |
| 다급한 ❸□□ | '봄'이 어서 오기를 바라는 말하는 이의 간절함 |
| 바람 | 말하는 이의 간절한 소망을 '봄'에게 전달하는 매개체 |

### ●● '봄'의 상징적 의미

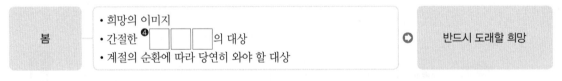

| 봄 | • 희망의 이미지<br>• 간절한 ❹□□□의 대상<br>• 계절의 순환에 따라 당연히 와야 할 대상 | ▷ | 반드시 도래할 희망 |
|---|---|---|---|

### ●● 문학 작품을 해석하는 방법

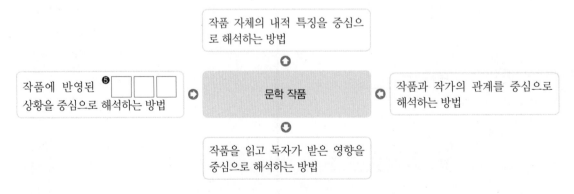

작품 자체의 내적 특징을 중심으로 해석하는 방법

작품에 반영된 ❺□□□ 상황을 중심으로 해석하는 방법 ▷ 문학 작품 ◁ 작품과 작가의 관계를 중심으로 해석하는 방법

작품을 읽고 독자가 받은 영향을 중심으로 해석하는 방법

**적용 제재** 「코르니유 영감의 비밀」

| 갈래 | 단편 소설, 외국 소설 | 성격 | 서정적, 낭만적, 상징적 |
|---|---|---|---|
| 배경 | 산업화가 이루어지던 시기, 풍차 방앗간 마을 | 시점 | 1인칭 관찰자 시점 |
| 제재 | '코르니유' 영감의 풍차 방앗간 | 주제 | 전통을 지키려고 하는 '코르니유' 영감의 집념 |
| 특징 | • 극적 반전을 통해 주제를 효과적으로 드러냄.<br>• 상징적 의미를 지닌 소재를 통해 '전통'과 '산업화'를 표현함. | | |

## •• '코르니유' 영감의 비밀

| '코르니유'<br>영감의 비밀 | • 풍차 방앗간에 일거리가 떨어졌는데도 일거리가 있는 것처럼 계속 ❻☐☐를 돌림.<br>• 밀가루 대신 깨진 회벽 조각과 백토 부스러기들을 당나귀에 싣고 다님. |
|---|---|

⬇

| 비밀을 만든 까닭 | '코르니유' 영감은 전통적인 방식으로 돌아가는 풍차 방앗간을 지키기 위해 풍차 방앗간의 일이 많은 것처럼 마을 사람들을 속임. |
|---|---|

## •• 소재의 상징적 의미

| 풍차 방앗간 | | 증기 방앗간 |
|---|---|---|
| • ❼☐☐ 혁명 이전에 자연적인 바람을 이용하여 곡물을 가루로 만들던 곳<br>• 전통적인 삶의 방식 | ↔ | • 산업 혁명 이후에 연료를 사용하여 곡물을 가루로 만들던 곳<br>• 근대화된 기계 문명 |

## •• '코르니유' 영감의 비밀이 밝혀진 후 등장인물의 반응

| '코르니유' 영감 | '나'를 비롯한 마을 사람들 |
|---|---|
| 비통함, ❽☐☐☐이 상함. | '코르니유' 영감에 대한 동정심, 안타까움, 미안함 |
| ⬇ | ⬇ |
| 풍차 방앗간의 명예를 지키지 못했다고 생각했기 때문에 | 혼자서 전통을 지키려 한 영감의 행동을 오해했기 때문에 |

## •• 다양한 해석을 비교하며 문학 작품을 감상할 때의 효과

• 문학 작품을 다양한 측면에서 살펴볼 수 있어 작품을 보다 ❾☐☐☐ 이해할 수 있다.
• 문학 작품에 대한 해석이나 평가는 문학 작품을 해석하는 방법이나 독자의 인식 수준이나 관심, 또는 독자의 ❿☐☐이나 가치관에 따라 달라짐을 이해할 수 있다.

## 시험에 나오는 소단원 문제

**[01~05]** 다음 시를 읽고, 물음에 답하시오.

기다리지 않아도 오고
기다림마저 잃었을 때에도 너는 온다.
어디 ㉠뻘밭 구석이거나
㉡썩은 물웅덩이 같은 데를 기웃거리다가
한눈 좀 팔고, 싸움도 한판 하고,
지쳐 나자빠져 있다가
다급한 사연 들고 달려간 바람이
흔들어 깨우면
눈 부비며 너는 더디게 온다.
더디게 더디게 마침내 올 것이 온다.
너를 보면 눈부셔
일어나 맞이할 수가 없다.
입을 열어 외치지만 소리는 굳어
나는 아무것도 미리 알릴 수가 없다.
가까스로 두 팔을 벌려 껴안아 보는
너, 먼 데서 이기고 돌아온 사람아.

**01** 이 시에 대한 설명으로 알맞지 <u>않은</u> 것은?
① 계절의 순환을 제재로 삼고 있다.
② 유사한 문장 구조를 반복하고 있다.
③ 대상에 대한 예찬적 태도를 드러내고 있다.
④ 수미상관의 구성으로 의미를 강조하고 있다.
⑤ 말하는 이는 반드시 도래할 희망을 노래하고 있다.

**02** 이 시에서 대상에 대한 간절한 기다림을 강조하기 위해 사용한 방법으로 알맞은 것은?
① 단정적인 어조를 사용했다.
② 풍자적인 표현을 사용했다.
③ 대립적인 상황을 제시했다.
④ 비유적 표현을 다양하게 사용했다.
⑤ 원래 의도와 반대되는 표현을 사용했다.

★ 학습 활동 응용
**03** 이 시에 대한 해석이 〈보기〉와 같이 다양할 수 있는 이유로 적절하지 <u>않은</u> 것은?

├ 보기├
진희: '봄'은 나에게 오길 간절히 바라고 있는 대상이니까, 짝사랑하는 사람이 아닐까?
명수: 작년에 아팠는데 그때 건강해지길 바랐던 마음이 '봄'을 간절히 기다리는 마음과 비슷했어.
수아: '봄'은 좌절과 시련 속에서도 간절히 노력하면 결국 이루게 되는 꿈을 의미하는 것 같아.

① 시의 주제가 분명하지 않기 때문에
② '봄'이 상징적 의미를 지녔기 때문에
③ 시어는 다양한 의미를 함축하고 있기 때문에
④ 사람마다 인식 수준이나 경험이 다르기 때문에
⑤ 사람마다 작품을 감상하는 기준이나 해석의 근거가 다르기 때문에

★ 학습 활동 응용
**04** 〈보기〉와 같이 이 시를 해석한 관점으로 알맞은 것은?

├ 보기├
이성부가 이 시를 지었을 당시인 1970년대는 군사력을 등에 업은 독재 정권이 강한 권력으로 국민을 통제하던 시기였다. 그러한 정부에 반대하던 많은 사람들은 민주주의를 외치다가 감옥에 갇히기도 했다.
이러한 시대적 상황이 이 시에 반영되어 있다고 볼 때, '봄'은 그 시대 사람들이 간절하게 원했던 '민주주의', 혹은 '자유'를 상징한다고 볼 수 있다.

① 작품의 내용이나 형식을 중심으로 해석한 것이다.
② 독자에게 미치는 영향을 중심으로 해석한 것이다.
③ 다른 작품과의 관련성을 중심으로 해석한 것이다.
④ 작가의 생애와 작품 경향을 중심으로 해석한 것이다.
⑤ 창작 당시의 사회·문화적 상황을 중심으로 해석한 것이다.

 서술형
**05** ㉠과 ㉡에 담긴 공통적인 의미를 쓰시오.

**06~09** 다음 글을 읽고, 물음에 답하시오.

**가** 자, 이제 코르니유 영감의 비밀을 알겠나? 영감은 마을 사람들에게 아직도 자신의 풍차 방앗간이 밀을 빻고 있다고 믿게 하려고 저 자루를 노새에게 짊어지게 하여 오솔길을 오르내렸던 것이야.

그래, 맞아. 영감이 밀이라고 싣고 오가던 것은 바로 부서진 옛 방앗간의 폐기물들이었어. 그렇게 해서라도 풍차 방앗간의 명예를 지키고 싶었던 것이지. 아아, 불쌍한 코르니유 영감……. 사실 영감도 증기 방앗간에 일거리를 빼앗긴 지 한참이 지났던 거야. 늘 풍차 날개는 돌아가고 있었지만, 방아는 헛돌고 있었던 것이지.

**나** 코르니유 영감은 그렇게 말하면서 정말 슬프게 울었다네. 자신의 방앗간을 온갖 이름으로 부르면서, 마치 진짜 사람에게 하듯이 말을 걸면서 말이야. 바로 그 무렵에 밀을 실은 마을 사람들의 당나귀들이 방앗간 앞에 도착하기 시작했어. 우리는 주저앉아 있는 영감을 향해 크게 외쳤지. 옛날 이 방앗간에 수많은 사람이 드나들 때처럼 말이야.

"이봐요! 거기 방앗간! 코르니유 영감님!"

그리고 사람들은 앞다투어 밀가루 부대를 방앗간 앞에 쌓기 시작했지. 그러자 잘 익은 금빛의 밀알들이 부대에서 쏟아졌어. 그것을 본 코르니유 영감은 울음을 뚝 그쳤다네. 그러고는 놀란 듯 눈을 크게 뜨고 쏟아진 밀 알갱이를 주워 담으며 말하더군.

"아아, 밀이다! 이렇게 잘 익은 밀은 처음이야."

우리는 코르니유 영감의 얼굴이 금방 환해지는 것을 알 수 있었어. 우리도 덩달아 기분이 좋았지.

**다** 하지만 오랜 세월이 흐른 뒤 어느 날, 코르니유 영감이 세상을 떠나자, 결국 우리의 마지막 풍차 방앗간도 멈췄지. 이번에는 잠시 동안이 아니라 아주 영원히 말일세. 안타깝게도 영감의 풍차 방앗간을 물려받으려 하는 사람이 아무도 없었거든. / 뭐, 어쩌겠는가? 이 세상 모든 일에는 끝이 있는 법 아니겠나. 론 강을 거슬러 올라가던 배들이 지나가는 것처럼, 마을에 있던 지방 법원이나 큰 꽃을 수놓은 외투가 유행하던 시대가 지나간 것처럼, 풍차의 시대도 지나가고 말았지. 우리도 이제는 그 사실에 익숙해질 수밖에 없을 것일세.

**06** 이 글에서 알 수 있는 내용으로 알맞지 않은 것은?

① 결국 풍차의 시대는 지나가고 말았다.
② '코르니유' 영감의 노새는 폐기물을 실어 날랐다.
③ '코르니유' 영감은 증기 방앗간에 일을 빼앗겼다.
④ 마을 사람들은 풍차 방앗간이 헛돌고 있다는 사실을 이미 알고 있었다.
⑤ 마을 사람들은 '코르니유' 영감이 죽을 때까지 풍차 방앗간을 이용했다.

**07** '코르니유' 영감에 대한 평가를 〈보기〉에서 골라 바르게 묶은 것은?

〈보기〉
ㄱ. 잘못된 현실을 개혁하려 하였다.
ㄴ. 시대의 변화에 적응하지 못했다.
ㄷ. 본질을 무시하고 실용성에만 가치를 두었다.
ㄹ. 속임수를 써서라도 전통의 가치를 지키려 하였다.

① ㄱ, ㄴ  ② ㄱ, ㄹ  ③ ㄴ, ㄷ
④ ㄴ, ㄹ  ⑤ ㄷ, ㄹ

**08** 이 글을 작품과 작가의 관계를 중심으로 해석한 것은?

① 이 글은 극적 반전을 통해 주제를 효과적으로 드러내고 있어.
② '코르니유' 영감의 집념을 보며, 편한 것만 좇고 있던 나의 태도를 반성하게 되었어.
③ 이 글은 1인칭 관찰자 시점으로, 마치 누군가에게 이야기를 들려주는 듯한 느낌을 주고 있어.
④ 창작 당시의 사회적 상황을 고려할 때, '증기 방앗간'은 근대화된 기계 문명을 상징하는 것 같아.
⑤ 이 글에는 '알퐁스 도데'의 고향이었던 프로방스 지역 주민들의 순수하고 인간적인 면모가 반영되어 있어.

**09** '코르니유' 영감이 빈 풍차 방앗간을 돌린 궁극적인 이유가 드러난 문장을 (가)에서 찾아 쓰시오.

교과서 31~45쪽

# 맥락을 담은 글 쓰기

이해
❶ 글을 쓰는 과정에서 겪을 수 있는 어려움 파악하기
❷ 글쓰기 과정에서 겪을 수 있는 어려움을 해결하는 방법 알아보기
❸ 문제 해결 과정으로서의 글쓰기의 성격 이해하기

**학습 포인트**
❶ 글쓰기 과정에서 부딪히는 문제를 해결하는 방법
❷ 문제 해결 과정으로서의 글쓰기

**1** 다음은 한 학생이 자신의 블로그에 올릴 글을 쓰는 과정이다. 이를 바탕으로 글을 쓰는 과정에서 겪을 수 있는 어려움은 무엇인지 알아보자.

**(1)** 이 학생이 쓰고자 하는 글의 내용을 정리해 보자.

| 주제 | 📝 제주도 ☐☐ 후기 |
|------|------|
| 목적 | • 블로그에 방문한 친구들에게 재미를 주려고<br>• 📝 제주도에 가려는 친구들에게 여행 정보를 알려 주려고 |
| 독자 | 블로그에 방문하는 친구들 |
| 매체 | 블로그 |

**(2)** 이 학생이 글을 쓰면서 겪은 문제 상황이 무엇인지 말해 보자.

📝 이 학생은 글쓰기의 주제, 목적, 독자와 글을 게재할 매체를 결정한 상태이다. 하지만 막상 글을 쓰려니 어떤 내용으로 글을 써야 할지, 또 어떤 사진을 첨부해야 할지 막막해하고 있다. 또 제주도를 방문할 계획이 있는 친구들에게 도움이 되는 여행 ☐☐를 알려 주고 싶은데 기억나는 정보가 부족해 곤란을 겪고 있다. 아울러 자신이 사용한 표현과 문장이 어색하다고 생각하면서 이에 대한 해법을 고민하고 있다.

---

간단 체크 **활동** 문제

**01** 이 만화에서 학생이 블로그에 쓰고자 하는 글의 주제를 쓰시오.

중요
**02** 이 만화에서 학생이 글을 쓰면서 겪은 문제 상황에 해당하지 **않는** 것은?
① 글의 내용을 마련하기 어려워하고 있다.
② 글을 게재할 매체를 결정하지 못하고 있다.
③ 표현과, 문장의 연결 문제로 고민하고 있다.
④ 어떤 사진을 첨부해야 할지 막막해하고 있다.
⑤ 제주도에 대해 기억나는 정보가 부족해 곤란해하고 있다.

**2** 다음은 '수지'가 소설 「일가」를 읽고 쓴 서평이다. '수지'가 이 글을 쓰면서 겪은 어려움과 이를 해결하는 과정을 알아보자.

---

제38호 　　　　　　　　　　　　　　　　　○○ 중학교 신문

서평 공모전 수상 작품

「일가」가 나에게 알려 준
## '일가'의 의미

**가** 　얼마 전에 텔레비전에서 남북한 이산가족이 만나는 장면을 보았다. 만나자마자 서로를 얼싸안고 눈물 흘리는 모습을 보니, 나도 코끝이 찡해졌다. 헤어진 지 오십 년이 넘어 다들 할머니, 할아버지가 되셨는데도 어린 시절 모습이 기억나시나 보다. 함께 텔레비전을 보던 아빠께서 어쩌면 북한에 우리 친척이 있을지도 모른다는 이야기를 하셨다. 아빠 쪽 친척 중에 육이오 전쟁 때 피란을 오신 분이 있다는 거다. 그 이야기를 듣자 문득 작년에 읽었던 「일가」의 등장인물, '아저씨'가 떠올랐다. 특이한 성격에 북한 말투를 사용하던, 다롄에서 갑작스레 찾아온 손님 '아저씨'가.

**나** 　「일가」는 나와 비슷한 또래인 주인공이 자신의 집에 당숙 아저씨가 머물면서 겪게 되는 사건을 담은 소설이다. 가족들은 처음에는 '아저씨'를 환대하지만, '아저씨'가 집에 돌아가지 않고 계속 머무르자 '엄마'와 주인공은 점점 불만이 쌓여 간다. 하루는 주인공에게 온 편지를 '엄마'가 압수한 일로 부모님이 크게 다툰다. 이 사건으로 '엄마'가 며칠 집을 비우는데, 이를 자신의 탓으로 여긴 '아저씨'는 집을 떠나게 된다. 일 년이 지나고, 그때서야 '아저씨'의 외로움을 이해하게 된 주인공이 눈물을 흘리며 소설은 끝이 난다.

**다** 　처음 「일가」를 읽었을 때 '아저씨'에 대한 나의 감정은 '엄마'와 비슷했다. 아무리 일가친척이라도 모르는 사람이 집에 오래 머무르면 불편한 감정이 들 것이다. 그런데 일 년이 지난 지금, 다시 「일가」를 읽어 보니 '아저씨'가 안쓰러웠다. 한국에 아는 사람이라고는 주인공의 가족뿐이었을 텐데 자신을 싫어하는 기색을 눈치챘을 때 매우 속상했을 것이다. 주인공이 일 년이 지난 뒤에야 '아저씨'를 떠올리며 눈물을 흘린 것과 같이, 나 역시 나이를 한 살 더 먹고 나니 다른 사람의 마음을 헤아릴 수 있게 된 것 같다.

**라** 　이 소설의 작가 '공선옥'은 이처럼 상처 입고 소외받는 사람들의 이야기를 많이 써 왔다. 작가의 다른 작품에는 1980년 광주 민주화 운동에서 아픔을 겪는 사람들, 가난 때문에 무시당하는 사람들의 모습도 담겨 있다. 「일가」 역시 쓸쓸하게 떠난 '아저씨'의 외로운 모습이 담겨 있다. 이 소설은 이처럼 소외받는 사람들을 통해 정이 사라져 가는 현대 사회를 비판하고 있다.

---

**03** (가)의 중심 내용으로 알맞은 것은?
① 「일가」의 줄거리
② 「일가」의 주제 의식
③ 자신의 일가를 만났던 경험
④ 「일가」의 등장인물에 대한 평가
⑤ 「일가」에 대한 서평을 쓰게 된 동기

**04** '수지'가 생각하는 「일가」의 주제 의식으로 알맞은 것은?
① 능력보다 학벌이 중시되는 사회 고발
② 인정을 찾을 수 없는 현대 사회 비판
③ 가족마저 믿을 수 없는 불신의 시대 조명
④ 전통과 현대가 조화를 이루는 문화의 정착
⑤ 외국인 이주 노동자와 상생하는 방법의 모색

## (2) 맥락을 담은 글 쓰기

**마** 최근에 한 신문 기사를 본 적이 있다. 명절이면 가족들이 모여 음식을 해 먹으며 담소를 나누던 과거와 달리, 최근에는 혼자 여행을 가는 사람들이 많다는 내용이었다. 나도 이번 명절에는 공부를 해야 한다는 핑계로 큰댁에 가지 않으려고 했다. 하지만 이 소설을 읽은 뒤 마음을 고쳐먹고 큰댁에 가기로 했다. 친척들은 분명히 같은 자리에서 나를 반겨 줄 것이다. 명절뿐 아니라 평소에도 친척들을 자주 찾아뵈면서 일가의 정을 나누어야겠다. 또한 내 주변 이웃들과 친구들도 소중히 여겨야겠다는 깨달음을 얻었다.

**바** 이 소설은 가족이라는 연결 고리가 희미해지는 요즘 시대에 꼭 읽어 볼 만한 가치가 있는 작품이다. 이 소설을 통해 '일가'의 의미를 되새기며 그 소중함을 깨달을 수 있기 때문이다. 친구들도 이 책을 읽고 '일가'의 소중함에 대한 이야기를 함께 나눌 수 있기를 기대해 본다.

**(1)** 다음은 학교에 붙은 안내문을 보고 '수지'가 글쓰기 계획을 세우는 과정이다. '수지'가 쓴 서평을 바탕으로 '수지'가 계획한 내용을 추측해 보자.

## 당신의 서평을 모집합니다

오! 서평을 모집하는구나. 당선되면 선물도 준다니! 나도 작년에 읽었던 「일가」를 친구들에게 추천해 볼까?

책을 사랑하는 여러분, 자신이 감명 깊게 읽은 책을 혼자만 알고 있기는 아깝지 않으신가요? 여러분이 읽은 소중한 책을 친구들에게 공유해 주세요. 당선된 서평은 학교 신문에 실릴 예정이며, 소정의 선물도 드립니다.

\* 대상: ○○ 중학교 학생 누구나
\* 기간: ○○월 ○○일~○○월 ○○일
\* 방법: 추천하고 싶은 책에 대한 서평을 200자 원고지 10매 내외로 작성하여 ○○ 중학교 신문부에 메일로 제출함.

– ○○ 중학교 신문부

'수지'가 겪은 어려움 **1**
계획하기

일단 책상에 앉긴 했는데……. 글을 어떻게 쓰기 시작해야 할지 모르겠어.

**해결 열쇠**

글쓰기 방법에 대해서 배웠던 내용을 떠올려 보자. 먼저 글의 **주제, 목적, 독자, 매체**를 설정하라고 했지?

### 간단 체크 활동 문제

**05** (마)로 보아, '수지'가 「일가」를 통해 얻은 깨달음으로 알맞은 것은?

① 불우한 이웃을 도와야 한다.
② 자기 주변 사람들을 소중히 여겨야 한다.
③ 멀리 사는 친척보다 가까운 이웃이 소중하다.
④ 어린 세대에게 '일가'의 의미를 교육해야 한다.
⑤ 웃어른께 감사하는 마음을 지니고 공경해야 한다.

**중요**

**06** '수지'가 글쓰기 과정에서 다음과 같은 어려움을 겪었을 때, 이를 해결하기 위해 고민할 요소가 아닌 것은?

> 일단 책상에 앉긴 했는데 ……. 글을 어떻게 쓰기 시작해야 할지 모르겠어.

① 글의 주제
② 글의 분량
③ 글을 실을 매체
④ 글을 읽을 예상 독자
⑤ 글을 쓰려는 구체적인 목적

| 주제 | 🔲「일가」에 대한 감상과 평가 |
|---|---|
| 목적 | 감명 깊게 읽은 소설 「일가」를 친구들에게 소개하기 위해 |
| 독자 | 🔲 ○○ 중학교 학생 |
| 매체 | ○○ 중학교 신문 |

**(2)** 다음은 '수지'가 글의 내용을 생성하는 과정이다. '수지'가 사용한 방법이 무엇인지 알아보자.

> **'수지'가 겪은 어려움 ②**
> **내용 생성하기**
>
> 이제 글에 들어갈 내용을 마련해야 하는데……. 후유, 창작의 고통이란 말이 괜히 나온 말이 아니구나. 어떤 내용을 써야 하지?

> **해결 열쇠 🔑**
>
> 자유 연상하기, 생각 그물 등의 방법으로 글에 들어갈 내용을 떠올릴 수 있을 거야. 글에 들어가면 좋을 내용을 떠오르는 대로 적어 볼까?

**「일가」**

- 이 소설의 내용
  - '아저씨'가 방문한 사건
  - '나'와 '미옥'의 편지 사건
- 이 소설을 읽은 느낌: 처음 → 두 번째
- 이 소설을 읽은 까닭
- 이 소설에서 각 인물들의 성격
- 작가 '공선옥'의 작품 성향
- 이 소설에 대한 나의 평가
- 이 소설을 읽고 깨달은 점

• '수지'가 사용한 방법: 🔲 자유 ☐☐ 하기

**(3)** 다음 중 '수지'가 이 글을 쓸 때 활용한 자료가 무엇인지 골라 보자.

> **'수지'가 겪은 어려움 ③**
> **자료 수집 및 선별**
>
> 서평을 쓰려면 작품을 해석하고 평가하기 위한 근거가 있어야 하는데 내가 가진 지식이 부족하네. 어떡하지?

> **해결 열쇠 🔑**
>
> 책, 인터넷, 신문 기사 등을 활용하여 자료를 찾고 그중에서 글을 쓸 때 필요한 자료를 선별하면 되지.

🔲

| ✓ | | ✓ |
|---|---|---|
| 작가 '공선옥'의 작품 성향을 서술한 비평집 | '일가'의 사전적 의미를 설명한 국어사전 | 최근 명절 풍경의 변화를 다룬 신문 기사 |

간단 체크 활동 문제

중요
**07** '수지'가 글의 내용을 생성하기 위해 사용한 방법으로 알맞은 것은?

① 책에서 필요한 자료를 찾아보았다.
② 주변 사람들에게 주제에 대한 내용을 물어보았다.
③ 주제와 관련한 자신의 경험을 최대한 많이 떠올려 보았다.
④ 글에 들어가면 좋을 내용을 자유롭게 연상하여 적어 보았다.
⑤ 글에 들어갈 내용이 생각날 때까지 자리에 앉아 계속 고민해 보았다.

**08** '수지'가 서평을 쓸 때 수집하여 활용한 자료가 바르게 묶인 것은?

┤보기├
ㄱ. 다른 사람이 「일가」에 대해 쓴 서평
ㄴ. '일가'의 사전적 의미를 설명한 국어 사전
ㄷ. 최근 명절 풍경의 변화를 다룬 신문 기사
ㄹ. 작가 '공선옥'의 작품 성향을 서술한 비평집

① ㄱ, ㄴ    ② ㄱ, ㄷ
③ ㄴ, ㄷ    ④ ㄴ, ㄹ
⑤ ㄷ, ㄹ

## [2] 맥락을 담은 글 쓰기

**(4)** 다음은 '수지'가 이 글을 쓰기 위해 개요를 작성하는 과정이다. '수지'가 완성한 글을 바탕으로 빈칸을 채워 보자.

'수지'가 겪은 어려움 ④
**내용 조직하기**

내가 떠올린 생각과 자료를 바탕으로 생성한 내용을 어떻게 글로 옮기지?

**해결 열쇠** 🔑

내가 쓸 글의 설계도인 **개요를 짜 보자.** '처음 - 가운데 - 끝'에 어떤 내용을 쓸지 정리하면 글을 쉽게 쓸 수 있을 거야.

| 처음 | • 이 소설을 떠올리게 된 계기<br>　- 아빠와 〖답〗 □□□□ 상봉 장면을 보고 이야기를 나누다가 |
|---|---|
| 가운데 | • 이 소설의 〖답〗 줄거리<br>• 이 소설을 〖답〗 처음 읽었을 때 의 느낌과 〖답〗 다시 읽었을 때 의 느낌<br>• 작가 '〖답〗 공선옥 '의 작품 성향과 이 소설에 대한 해석 |
| 끝 | • 이 소설을 읽고 얻은 〖답〗 깨달음 및 평가<br>• 이 책을 친구들에게 추천하는 까닭 |

**(5)** 다음은 '수지'가 이 글의 초고를 쓰는 과정이다. '수지'가 완성한 글을 바탕으로 빈칸을 채워 보자.

'수지'가 겪은 어려움 ⑤
**초고 쓰기와 고쳐쓰기**

개요를 짠 대로 글을 써야 하는데 어떻게 표현해야 할지 모르겠어. 어떤 단어와 표현을 쓰지? 문단은 어떻게 배열하지?

**해결 열쇠** 🔑

문맥에 맞고, 독자가 이해할 수 있는 **적절한 단어와 표현**이 무엇인지 찾아야겠어. 그리고 어떻게 **문단을 배열**해야 글의 내용이 잘 전달될지 생각해 봐야겠어.

'난리를 피하여 옮겨 감.'을 뜻하는 단어가 뭐였지? →

아빠 쪽 친척 중에 육이오 전쟁 때 〖답〗 피란 을 오신 분이 있다는 거다. 그 이야기를 듣자 문득 작년에 읽었던 「일가」의 등장인물, '아저씨'가 떠올랐다. 특이한 성격에 북한 말투를 구사하던, 다롄에서 갑작스레 찾아온 손님 '아저씨'가.

〖답〗 사용 하던 →

더 쉬운 표현은 없을까?

→ 이 소설을 떠올리게 된 계기를 먼저 적은 후 줄거리를 적으니 독자를 작품 속으로 안내하는 느낌이 들어서 〖답〗 문단 배열 이 자연스러운 것 같아.

「일가」는 나와 비슷한 또래인 주인공이 자신의 집에 당숙 아저씨가 머물면서 겪게 되는 사건을 담은 소설이다. 가족들은 처음에는 '아저씨'를 환대하지만, '아저씨'가 집에 돌아가지 않고 계속 머무르자 '엄마'와 주인공은 점점 불만이 쌓여 간다. 하루는 주인공에게 온 편지를 '엄마'가 압수한 일로, 부모님이 크게 다툰다. 이 사건으로 '엄마'가 며칠 집을 비우는데, 이를 자신의 탓으로 여긴 '아저씨'는 집을 떠나게 된다. 일 년이 지나고, 그때서야 '아저씨'의 외로움을 이해하게 된 주인공이 눈물을 흘리며 소설은 끝이 난다.

소설의 줄거리를 소개하고 싶은데 사건의 흐름대로 배열하는 것이 좋겠지? →

**09** '수지'가 서평의 개요를 작성할 때 '처음' 부분에 넣은 내용으로 가장 적절한 것은?

① 작품의 전체 줄거리
② 작품을 떠올리게 된 계기
③ 이 작품을 친구들에게 추천하려는 이유
④ 작가의 작품 세계와 해당 작품의 창작 동기
⑤ 작품을 읽고 얻은 깨달음이나 작품에 대한 평가

**10** 서평의 초고를 쓰는 과정에서 할 수 있는 고민의 내용과 거리가 먼 것은?

① 여기에서 문맥에 맞는 적절한 단어는 뭘까?
② 읽는 이가 이해하기 더 쉬운 표현은 없을까?
③ 개요대로 글을 써야 하는데 문단은 어떻게 배열해야 할까?
④ 작품의 줄거리는 사건의 흐름대로 배열하는 것이 좋겠지?
⑤ 작품을 해석하고 평가하기 위한 근거가 부족한데 어떡하지?

soobakc | visang

중등 공부, 성적을 플러스 알파하다

# 수박씨 알파S

전 학년 전 강좌
무제한 수강

전용기기
무료 제공

방끝생끝
학습 플래너

수행평가 가이드
자료 포털

특목·자사고
골든클래스

## S급 내신 학습

전과목 100% 우리 학교 맞춤 학습
중등 베스트셀러 비상교재 독점 강의
영/수 전문 수준별 강좌
중간/기말고사 시험대비 & 서술형 특강

## S급 평가 시스템

수강 전 실력 진단 과목별 레벨테스트
핵심내용 암기 사/과 복습 마스터
단원별 성취도 점검 단원평가
실전 시험대비 내맘대로 테스트

01 / 02 / S / 03 / 04

## S급 학습 서비스

실시간 원격 화상코칭 알파ON 클래스
온라인 독서실 알파ON LIVE 캠스터디
쉽고 편리한 AI 음성인식 서비스
베스트/개념별/교재별 콕강의

업계
최초

## S급 진로 설계

프리미엄 진로 컨설팅 진행
4차 산업시대 대비 미래교육 강좌
학습성향검사 4종 실시
학습/입시/진로 고민 알파ON 멘토

업계
최초

### 수박씨알파S란?

성적 향상을 위한 S급 노하우를 담아 2020년 12월 신규 론칭되었으며,
강좌 무제한 수강 및 1:4 학습 관리가 종합된 중등 학습 서비스입니다.
수박씨알파S의 강좌는 앞면 콕 강의 체험권으로 수강해볼 수 있습니다.

수박씨알파S는 비상교육 1등* 교과서·교재 컨텐츠와 TOP급 강사진의 강의,
실시간 학습 관리로 중등내신 97.1%** 성적향상 환경을 제공합니다.

*2014~2021 국가브랜드대상 <교과서> <중고등 교재> 부문 8년 연속 1위
**알파ON 클래스를 이용한 1,732명 회원 전수조사 결과 6개월~1년 6개월 만에 1,681명이 97.1% 성적 향상 (2019.09 기준)
(회원들이 자발적으로 제출한 성적에 근거한 자료로서, 성적표 결과와 완전히 일치하지 않을 수 있습니다.)

## 문의 1544-7380 I www.soobakc.com

**3** **2**에서 '수지'가 글을 쓴 과정을 돌아보며, '수지'가 글을 쓰면서 겪은 어려움과 그 해결 방법을 정리해 보자. 또한 이 외에 다른 해결 방법이 있다면 말해 보자.

| 글쓰기 과정 | '수지'가 겪은 어려움 | 해결 방법 |
|---|---|---|
| 1. 계획하기 | ❶ '글을 어떻게 쓰기 시작해야 할지 모르겠어.' | 📝 글의 주제, 목적, 독자, 글이 실릴 매체를 설정함. |
| 2. 내용 생성하기 | ❷ '이제 글에 들어갈 내용을 마련해야 하는데……. 어떤 내용을 써야 하지?' | 📝 자유 연상하기, 생각 그물 등의 방법으로 글에 들어갈 내용을 떠올림. |
| | ❸ '서평을 쓰려면 작품을 해석하고 평가하기 위한 근거가 있어야 하는데 내가 가진 지식이 부족하네. 어떡하지?' | 다양한 매체를 활용하여 자료를 찾고, 그중에서 글을 쓸 때 필요한 자료를 선별함. |
| 3. 내용 조직하기 | ❹ '내가 떠올린 생각과 자료를 바탕으로 생성한 내용을 어떻게 글로 옮기지?' | 📝 글의 구조에 따라 개요를 짜면서 내용을 조직함. |
| 4. 초고 쓰기, 고쳐쓰기 | ❺ '어떤 단어와 표현을 쓰지? 문단은 어떻게 배열하지?' | 문맥에 맞고, 독자가 이해할 수 있는 적절한 단어와 표현이 무엇인지 찾고, 글의 내용이 잘 전달되도록 문단을 배열함. |

**학습콕**

❶ 글쓰기 과정에서 부딪히는 문제를 해결하는 방법

| 계획하기 | 글의 주제, 목적, 예상 독자, ☐☐ 등을 설정함. |
|---|---|
| 내용 생성하기 | 글의 성격이나 갈래, 목적에 따라 생각 그물, 자유 연상하기, 경험 적어 보기 등의 방법을 통해 내용을 마련함. |
| 내용 조직하기 | 내용의 적절성을 판단하여 글에 들어갈 내용을 선정하고, 글의 목적을 고려하여 구조에 맞게 ☐☐를 짬. |
| 초고 쓰기와 고쳐쓰기 | 문맥에 맞는지, 예상 독자가 이해할 수 있는 수준인지 판단하여 적절한 단어나 표현을 생성하고, 내용을 잘 전달할 수 있도록 문단을 배열함. |

❷ 문제 해결 과정으로서의 글쓰기

　　쓰기는 구체적인 쓰기 상황과 맥락 안에서 주제, 목적, 독자, 매체 등을 고려하면서 이루어지는 목표 지향적인 문제 ☐☐ 과정이다.

❶ 서평을 쓸 책 한 권을 골라 읽기
❷ 글쓰기 과정에서 생기는 문제를 해결하며 서평 쓰기

도서관에서 평소에 읽고 싶었던 책을 한 권 골라 읽어 보자. 그리고 글쓰기 과정에서 마주치는 어려움을 해결하면서 한 편의 서평을 써 보자.

1단계 계획하기

**1** 평소에 읽고 싶었던 책 중에서 서평을 쓸 책을 한 권 정해 보자.

- 내가 읽을 책 제목과 작가: 예시 답》 『콤플렉스의 밀도』, 이경혜 외
- 이 책을 고른 까닭: 예시 답》 나도 콤플렉스가 있어서 책의 내용이 궁금했다.
- 책을 읽을 기간: 예시 답》 _3_ 월 _10_ 일 ~ _3_ 월 _31_ 일

간단 체크 **활동** 문제

★
**11** 글을 쓰는 과정에서 생길 수 있는 문제를 해결하는 방법으로 적절하지 **않은** 것은?
① 어떻게 글을 쓰기 시작해야 할지 모르겠어.: 글의 주제, 목적 등을 설정한다.
② 글에 넣을 내용을 어떻게 마련해야 할까?: 생각 그물 등의 방법을 활용한다.
③ 생성한 내용을 어떻게 글로 옮길까?: 글의 구조를 생각하며 개요를 짠다.
④ 어떤 단어와 표현을 쓰지?: 자료를 찾고 내용을 선별한다.
⑤ 문단은 어떻게 배열하지?: 글의 내용이 잘 전달되도록 배열한다.

★
**12** 쓰기의 성격을 고려하여 〈보기〉의 빈칸에 들어갈 적절한 말을 2어절로 쓰시오.

┤보기├
　쓰기는 구체적인 쓰기 상황과 맥락 안에서 주제, 목적, 독자, 매체 등을 고려하면서 이루어지는 목표 지향적인 (　　　　) 과정이다.

## [2] 맥락을 담은 글 쓰기

**2** 1에서 선정한 책을 읽은 후, 다음 질문에 답을 적으며 서평을 쓸 계획을 세워 보자.

예시 답 》》

> 서평의 주제는 무엇으로 할까?
> 콤플렉스를 극복하는 방법

> 내가 서평을 쓰는 목적은 무엇인가?
> 콤플렉스가 있는 친구들에게 이 책을 추천하여 콤플렉스를 함께 극복하고 싶다.

> 누구를 예상 독자로 삼을까?
> 콤플렉스가 있는 친구들

> 서평을 어떤 매체에 공유할까?
> 예 나는 우리 반 누리집 게시판에 서평을 올릴 거야.

**2 단계** 내용 생성하기

**3** 서평을 쓰기 위해 떠오르는 생각을 자유롭게 써 보자.

예시 답 》》

> 내가 읽은 책
> 『콤플렉스의 밀도』

- **이 책을 선택한 이유는 뭐지?**
  『콤플렉스의 밀도』라는 책 제목을 보고 그 내용이 궁금했기 때문이야. 친구들과 이야기를 나누어 보면 누구나 콤플렉스를 하나쯤은 가지고 있거든. 나도 마찬가지이고.

- **전체 줄거리를 소개할까, 아니면 중심 사건만 소개할까?**
  이 소설집에는 일곱 가지 이야기가 등장하니, 각각의 전체 줄거리나 중심 사건을 소개하기는 어려워. 각 이야기가 공통적으로 무엇을 말하고자 한 것인지를 간추려서 전달해야겠어.

- **인상적인 장면이나 인물의 대사는 뭐였지?**
  「저주의 책」에서 자신에게서 나는 냄새 때문에 스스로를 저주하는 '규리'에게 "난 축농증이라 냄새 잘 못 맡아."라고 말해 주었던 '다빈'의 말이 무척 인상 깊었어. 이 내용을 꼭 넣을 거야.

- **이 책을 읽으면서 어떤 생각이 들었지?**
  이 소설집은 내 삶의 모습이 나의 마음가짐에 달렸다는 것을 알려 준 책이었어. 콤플렉스 때문에 열등감에 사로잡혀 살 것인지, 이를 나의 한 부분으로 받아들이고 사랑할 것인지 말이야.

- **이 책을 평가한다면 어떻게 해야 할까?**
  이 소설집을 읽으면서 나는 나처럼 콤플렉스가 있는 주인공들이 콤플렉스를 극복해 가는 과정을 보게 됐어. 이를 통해 나도 콤플렉스를 극복할 수 있겠다는 생각이 들었어. 또한 이 소설집은 콤플렉스로 고민을 하는 내게 따뜻한 위로를 전해 주었어.

**4** 서평을 쓸 때 필요한 자료를 찾아보자.

예시 답 》》

| 자료 출처 | 자료의 내용 |
|---|---|
| 출판사 누리집 | • 작가 소개<br>• 이 책을 추천하는 말 |
| 텔레비전 프로그램 | 작가와의 인터뷰 |
| 신문 기사 | 다른 작가, 평론가, 기자 등이 이 책을 평가한 내용 |

**간단 체크 활동 문제**

**13** 서평을 쓰기 전 다음과 같이 계획했을 때, 글쓴이가 고려한 요소에 해당하는 것은?

> 나는 우리 반 누리집 게시판에 서평을 올릴 거야.

① 누구를 예상 독자로 삼을까?
② 서평의 주제는 무엇으로 할까?
③ 서평을 어떤 매체에 공유할까?
④ 내가 서평을 쓰는 목적은 무엇인가?
⑤ 서평에서 반드시 소개해야 할 내용은 무엇인가?

**14** 서평을 쓰는 과정에서 〈보기〉의 질문을 할 수 있는 단계를 쓰시오.

┤보기├
• 이 책을 선택한 이유는 뭐지?
• 이 책을 읽으면서 어떤 생각이 들었지?
• 이 책을 평가한다면 어떻게 해야 할까?

③
단계 **내용 조직하기**

**5** 앞에서 떠올린 내용을 다음 개요표에 정리하면서 서평의 내용을 조직해 보자.

예시 답》

| 주제 | 콤플렉스를 극복하는 방법 |
|---|---|

| 처음 | • 이 책을 읽게 된 계기 |
|---|---|

| 가운데 | • 이 책의 등장인물이 가진 콤플렉스<br>• 이 책의 등장인물이 □□□□를 극복하는 방법<br>• 이 책을 읽으면서 든 느낌 |
|---|---|

| 끝 | • 이 책을 추천하고 싶은 까닭　　　• 이 책에 대한 평가 |
|---|---|

④
단계 **표현하기**

**6** 5의 개요를 바탕으로 서평의 초고를 써 보자.

예시 답》 ※ 괄호 안의 내용은 **7**에서 고쳐 쓸 방안을 미리 제시한 것임.

**제목:** 내 콤플렉스와 화해하게 만들어 준 『콤플렉스의 밀도』

　　내가 이 책을 읽게 된 것은 '콤플렉스의 밀도'라는 제목을 보고 의구심(→ 호기심)이 생겼기 때문이다. 친구들과 이야기를 나누어 보면, 누구나 콤플렉스를 하나쯤은 가지고 있다. 나도 마찬가지이다. 나는 남들 앞에 서는 것이 무척이나 떨리고 겁이 난다. 그래서 매사에 자신감이 없고, 선생님께서 발표를 해야 하는 과제를 내 주시면 숨이 콱 막힌다. 그래서인지 이 책의 제목을 보자마자 읽어야겠다는 생각이 들었다.

　　이 책에 등장하는 주인공들도 나와 마찬가지로 콤플렉스를 안고 있는 청소년이다. 「젤잘 자르 헤어」의 '연희'는 혀에 털이 자라는 것이, 「학교에 안 갔어」의 '은수'는 너무 모범생인 것이 콤플렉스이다. 「연꽃 소녀」, 「곰이 춤춘다」 등의 주인공은 외모가, 「저주의 책」의 '규리'는 간질과 액취증(→ 냄새가 고약한 땀이 나는 병)이 콤플렉스이다. 그런데 이들은 제각각의 방법으로 콤플렉스와 화해를 시도한다. 그들은 자신만이 아니라 다른 사람도 콤플렉스가 있다는 것을 깨닫거나, 자신의 약점을 인정하게 되는 사건을 겪으면서 콤플렉스를 극복한다. 이처럼 이 책은 (콤플렉스를 극복하는 방법으로) 세상에 완벽한 사람은 없으므로 나의 약점을 부끄러워하지 말라는 것, 또한 나 자체를 소중히 여겨야 한다는 것을 제시하고 있다.

　　〈이 책은 콤플렉스로 힘들어했던 나에게 희망을 심어 주고, 나를 위로해 준 책이다. 또한 앞으로 열등감에 사로잡혀 살 것인지, 약점을 극복하고 살 것인지는 나에게 달렸다는 깨달음을 얻게 해 주었다. 나와 같은 고민을 가진 친구들과 이 책을 함께 읽고, 앞으로 콤플렉스를 어떻게 극복해 나갈 것인지 이야기를 나누고 싶다. 그리고 자신에게서 나는 냄새 때문에 스스로를 저주하는 '규리'에게 "난 축농증이라 냄새 잘 못 맡아."라고 말해 주었던 '다빈'처럼 그들을 격려하고 싶다.〉《　》→ 마지막 문단으로 이동)

　　이 책은 청소년 소설을 집필해 온 작가 7명이 모여 요즘 청소년들의 불안과 고민의 대표 화두인 콤플렉스를 주제로 다채롭고 기발한 이야기를 풀어내고 있다. 나는 이 책을 읽으면서 각각의 이야기 속에서 작가들이 우리에게 '자! 너도 이런 콤플렉스가 있지? 이렇게 한번 해 볼래? 그럼 지금의 괴로움에서 벗어날 수 있을 거야.'라고 조언하는 것 같았다. 청소년 시기에 있었던 일은 벌써 까맣게 잊었을 것 같은 어른들이 건네는 조언임에도 불구하고 귀가 솔깃해지고, 내 마음을 가만히 쓰다듬는 손길처럼 느껴졌다.

간단 체크 **활동** 문제

**15** 서평을 쓰기 위해 내용을 조직할 때, '끝' 부분의 내용으로 적절한 것은?
① 책을 읽게 된 계기
② 책을 읽으면서 든 느낌
③ 책을 추천하고 싶은 까닭
④ 책의 중심 내용이나 줄거리
⑤ 책에 등장하는 인물의 성격

**16** 다음 빈칸에 들어갈 알맞은 말을 쓰시오.

> '□□ 쓰기'는 글을 완성하는 단계가 아니라 시작하는 단계로, 독자가 이해할 수 있는 적절한 단어와 표현을 사용하고 내용이 잘 전달되도록 문단을 배열하여 표현하는 과정이다.

5단계 고쳐쓰기

**7 다음 항목에 따라 초고를 점검하고, 글을 고쳐 쓸 방안을 마련해 보자. 그리고 이를 바탕으로 한 편의 서평을 완성해 보자.**

| | | |
|---|---|---|
| 글의 주제에 어긋나지 않게 썼는가? | 글의 목적에 맞게 썼는가? | 예상 독자를 고려하여 썼는가? |
| 글의 흐름이 자연스러운가? | 부족하거나 빠진 내용은 없는가? | 문장 성분 간의 호응이나 맞춤법이 올바른가? |

**예시 답》** • 예상 독자를 고려하여 썼는가?: '액취증'이라는 단어를 친구들이 알까? '냄새가 고약한 땀이 나는 병'과 같이 예상 독자가 이해하기 쉽게 써야겠어.

• 글의 흐름이 자연스러운가?: 네 번째 문단의 내용인 책에 대한 정보와 이 책을 읽으면서 든 느낌을 먼저 제시한 후, 세 번째 문단의 내용인 이 책에 대한 평가와 이 책을 추천하고 싶은 까닭을 나중에 제시하는 것이 독자가 내용을 이해하는 데 더 도움이 될 것 같아.

• 문장 성분 간의 호응이나 맞춤법이 올바른가?: '의구심'은 '믿지 못하고 두려워하는 마음.'이라는 뜻이므로 '새롭고 신기한 것을 좋아하거나 모르는 것을 알고 싶어 하는 마음.'이라는 뜻의 '호기심'으로 바꾸어야겠어. 또한 문장의 의미가 완전하도록 문장 사이에 '콤플렉스를 극복하는 방법으로'를 추가해서 '이처럼 이 책은 콤플렉스를 극복하는 방법으로 세상에 완벽한 사람은 없으므로~나 자체를 소중히 여겨야 한다는 것을 제시하고 있다.'로 고쳐야겠어.

## 간단 체크 활동 문제

**17 서평을 고쳐 쓰려고 할 때, 점검할 항목으로 적절하지 않은 것은?**

① 글의 목적에 맞게 썼는가?
② 글의 흐름이 자연스러운가?
③ 예상 독자를 고려하여 썼는가?
④ 부족하거나 빠진 내용은 없는가?
⑤ 처음에 작성한 개요와 일치하는가?

## 활동 마당

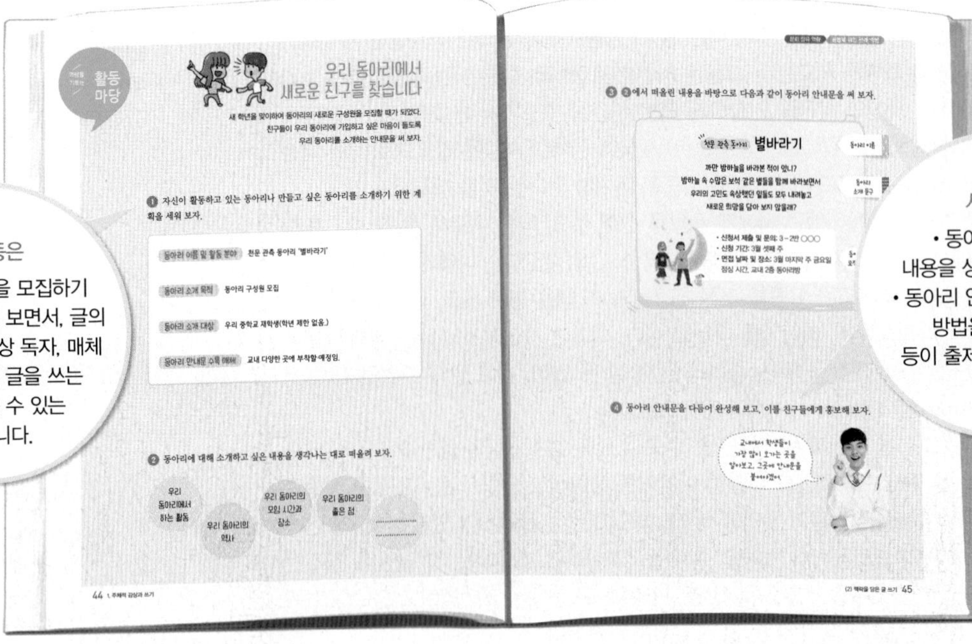


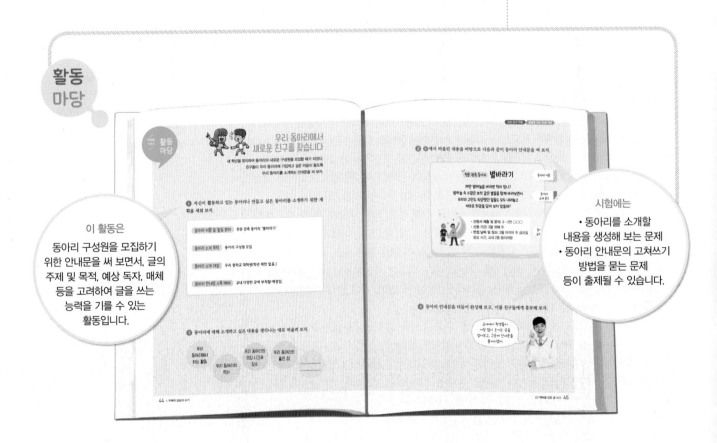

이 활동은
동아리 구성원을 모집하기 위한 안내문을 써 보면서, 글의 주제 및 목적, 예상 독자, 매체 등을 고려하여 글을 쓰는 능력을 기를 수 있는 활동입니다.

시험에는
• 동아리를 소개할 내용을 생성해 보는 문제
• 동아리 안내문의 고쳐쓰기 방법을 묻는 문제
등이 출제될 수 있습니다.

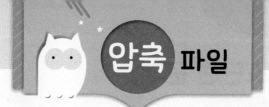

● 정답과 해설 05쪽

## ●● 소설 「일가」를 읽고 쓴 서평의 주요 내용

| | |
|---|---|
| 이 소설을 떠올리게 된 ❶ ☐☐ | 아빠와 이산가족 상봉 장면을 보고 이야기를 나누다가 「일가」의 등장인물인 '아저씨'가 떠오름. |
| 이 소설을 읽고 난 소감 | 이 소설을 다시 읽어 본 후에 소외된 사람인 '아저씨'의 ❷ ☐☐☐을 이해하게 됨. |
| 이 소설을 읽고 난 후 얻은 깨달음 | 일가친척과 주변 이웃들, 친구들을 소중히 여겨야겠다고 생각함. |

## ●● 글쓰기 과정에서 부딪히는 어려움과 이를 해결하는 방법

| | 글쓰기 과정에서 부딪히는 어려움 | 해결 방법 |
|---|---|---|
| 계획하기 | 글을 어떻게 시작해야 할지 어려움. | 글의 전체적인 방향인 주제, 목적, 예상 독자, ❸ ☐☐ 등을 먼저 설정함. |
| 내용 생성하기 | • 글의 내용을 마련하기 어려움.<br>• 글을 쓸 때 필요한 배경지식이 부족함. | • 글의 성격이나 갈래, 목적에 따라 생각 그물, 자유 ❹ ☐☐하기, 경험 적어 보기 등의 방법을 통해 내용을 마련함.<br>• 책, 인터넷, 신문 기사 등의 다양한 매체에서 필요한 자료를 찾아봄. |
| 내용 조직하기 | 글을 어떻게 조직해야 할지 어려움. | 내용의 적절성을 판단하여 글에 들어갈 내용을 선정하고, 글의 목적을 고려하여 글의 구조에 따라 ❺ ☐☐를 짬.<br>• 정서 표현: 시간의 흐름이나 공간의 이동, 사건의 전개 과정 등에 따라 내용을 조직함.<br>• 정보 전달 및 설득: '처음(서론) – 가운데(본론) – 끝(결론)'의 짜임에 따라 내용을 조직함. |
| ❻ ☐☐ 쓰기 | 어떤 단어와 표현을 쓸지, 문단을 어떻게 배열할지 어려움. | • 문맥에 맞는지, 예상 독자가 이해할 수 있는 수준인지 판단하여 적절한 단어나 표현을 생성함.<br>• 내용을 잘 전달할 수 있도록 문단을 배열함. |
| 고쳐쓰기 | 초고를 어떻게 수정해야 할지 어려움. | 점검 항목을 바탕으로 글을 점검하고 조정하여 고쳐 씀.<br>• 글의 주제, 목적, 예상 독자를 고려하여 점검하기<br>• 글 전체의 흐름이 자연스러운지 점검하기<br>• 불필요하거나 ❼ ☐☐해야 할 내용이 있는지 점검하기<br>• 문장과 단어가 바르고 정확한지 점검하기 |

## ●● 문제 해결 과정으로서의 글쓰기

| | |
|---|---|
| 글을 쓸 때 부딪힐 수 있는 문제 상황의 예 | • 화제와 관련된 ❽ ☐☐☐☐의 부족 문제<br>• 떠올린 내용을 옮길 적절한 단어나 표현의 생성 문제<br>• 독자의 이해를 돕기 위한 문단의 배열 문제 |

⊕

| | |
|---|---|
| ❾ ☐☐☐☐ 과정으로서의 글쓰기 | '계획하기 – 내용 생성하기 – 내용 조직하기 – 초고 쓰기 – 고쳐쓰기'와 같은 글쓰기 과정에서 부딪히는 문제를 효과적으로 해결해야 한 편의 글을 완성할 수 있음. |

**01~02** 다음을 읽고, 물음에 답하시오.

제주도 여행 후기를 블로그에 올려야지. 내 블로그에 방문한 친구들이 흥미로워할 거야.

흠. 막상 글을 쓰려니 어렵네. 어떤 내용으로 글을 쓰지? 어떤 사진을 올릴까?

제주도에 가려는 친구들에게 도움이 되는 여행 정보도 알려 주고 싶은데 기억나는 정보가 부족하네. 어떡하지?

글을 쓰긴 했는데 왠지 어색해. 이 표현이 괜찮을까? 문장이 어색하게 연결된 것 같은데…….

★ 학습 활동 응용

**01** 이 만화에서 학생이 글을 쓰려는 목적으로 알맞은 것은?

① 블로그의 방문자 수를 늘리기 위해서이다.
② 제주도를 여행했던 기억을 잊지 않기 위해서이다.
③ 블로그에 방문한 친구들에게 재미를 주기 위해서이다.
④ 제주도에 대해 조사한 내용을 여러 사람에게 알리기 위해서이다.
⑤ 제주도에 살고 있는 친구에게 자신의 경험을 들려주고 싶어서이다.

★ 학습 활동 응용

**02** 이 만화에서 학생이 겪은 문제 상황에 해당하는 것은?

① 글을 읽을 독자를 예측하지 못하고 있다.
② 글의 주제가 명확하지 않아 곤란을 겪고 있다.
③ 글에 담을 정보가 너무 많아 막막해하고 있다.
④ 자신이 사용한 표현이 적절한지 고민하고 있다.
⑤ 글의 분량을 어느 정도로 해야 할지 결정하지 못하고 있다.

**03** 다음 빈칸에 들어갈 글쓰기 단계로 알맞은 것은?

'수지'가 겪은 어려움 ( )

일단 책상에 앉긴 했는데……. 글을 어떻게 쓰기 시작해야 할지 모르겠어.

 해결 열쇠

글쓰기 방법에 대해서 배웠던 내용을 떠올려 보자. 먼저 글의 주제, 목적, 독자, 매체를 설정하라고 했지?

① 계획하기
② 초고 쓰기
③ 고쳐쓰기
④ 내용 생성하기
⑤ 내용 조직하기

★ 학습 활동 응용

**04** 글을 쓰는 과정에서 겪는 어려움 중, 〈보기〉와 같은 해결 방법을 쓰기에 알맞은 것은?

┤ 보기 ├

책, 인터넷, 신문 기사 등을 활용하여 자료를 찾고, 그중에서 글을 쓸 때 필요한 자료를 선별하면 돼.

① 글의 내용을 어떻게 조직해야 할까?
② 글에 들어갈 내용을 어떻게 마련하지?
③ 좋은 글을 쓰기 위해 무엇부터 해야 할까?
④ 어떤 단어와 표현을 쓰지? 문단 배열은 또 어떻게 해야 할까?
⑤ 내가 떠올린 생각과 자료를 바탕으로 생성한 내용을 어떻게 글로 옮기지?

★ 학습 활동 응용

**05** 다음 고민에 대한 해결 방법을 적절하게 제시하지 못한 사람은?

내가 떠올린 생각과 자료를 바탕으로 생성한 내용을 어떻게 글로 옮기지?

① 미희: 글의 설계도인 개요를 짜 보는 게 어때?
② 경희: 적절한 단어나 표현이 당장 떠오르지 않더라도 일단 글을 써 봐.
③ 수연: '처음 – 가운데 – 끝'에 어떤 내용을 쓸지 정리하면 글을 더 쉽게 쓸 수 있을 거야.
④ 민정: 글을 읽는 독자의 입장에서 글의 내용을 쉽게 이해할 수 있도록 내용을 조직해야 해.
⑤ 다은: 어떤 순서로 내용을 배치해야 자신의 생각이나 느낌을 잘 나타낼 수 있을지 생각해 봐.

**06~10** 다음 글을 읽고, 물음에 답하시오.

**가** ㉠얼마 전에 텔레비전에서 남북한 이산가족이 만나는 장면을 보았다. 만나자마자 서로를 얼싸안고 눈물 흘리는 모습을 보니, 나도 코끝이 찡해졌다. 헤어진 지 오십 년이 넘어 다들 할머니, 할아버지가 되셨는데도 어린 시절 모습이 기억나시나 보다. 함께 텔레비전을 보던 아빠께서 어쩌면 북한에 우리 친척이 있을지도 모른다는 이야기를 하셨다. 아빠 쪽 친척 중에 육이오 전쟁 때 피란을 오신 분이 있다는 거다. 그 이야기를 듣자 문득 작년에 읽었던 「일가」의 등장인물, '아저씨'가 떠올랐다. 특이한 성격에 북한 말투를 사용하던, 다롄에서 갑작스레 찾아온 손님 '아저씨'가.

**나** 처음 「일가」를 읽었을 때 '아저씨'에 대한 나의 감정은 '엄마'와 비슷했다. 아무리 일가친척이라도 모르는 사람이 집에 오래 머무르면 불편한 감정이 들 것이다. 그런데 일 년이 지난 지금, 다시 「일가」를 읽어 보니 '아저씨'가 안쓰러웠다. 한국에 아는 사람이라고는 주인공의 가족뿐이었을 텐데 자신을 싫어하는 기색을 눈치챘을 때 매우 속상했을 것이다. 주인공이 일 년이 지난 뒤에야 '아저씨'를 떠올리며 눈물을 흘린 것과 같이, 나 역시 나이를 한 살 더 먹고 나니 다른 사람의 마음을 헤아릴 수 있게 된 것 같다.

**다** 이 소설의 작가 '공선옥'은 이처럼 상처 입고 소외받는 사람들의 이야기를 많이 써 왔다. 작가의 다른 작품에는 1980년 광주 민주화 운동에서 아픔을 겪는 사람들, 가난 때문에 무시당하는 사람들의 모습도 담겨 있다. 「일가」 역시 쓸쓸하게 떠난 '아저씨'의 외로운 모습이 담겨 있다. 이 소설은 이처럼 소외받는 사람들을 통해 정이 사라져 가는 현대 사회를 비판하고 있다.

**라** 이 소설은 가족이라는 연결 고리가 희미해지는 요즘 시대에 꼭 읽어 볼 만한 가치가 있는 작품이다. 이 소설을 통해 '일가'의 의미를 되새기며 그 소중함을 깨달을 수 있기 때문이다. 친구들도 이 책을 읽고 '일가'의 소중함에 대한 이야기를 함께 나눌 수 있기를 기대해 본다.

**06** 이와 같은 글의 특징으로 알맞지 않은 것은?

① 책에 대한 감상과 평가를 담고 있다.
② 교훈을 주기 위한 목적으로 쓰는 글이다.
③ 타당한 근거를 바탕으로 내용을 전개한다.
④ 해당 책과 관련된 여러 가지 정보를 제공한다.
⑤ 다른 사람이 해당 책을 선택하는 데 도움을 준다.

★ 학습 활동 응용

**07** 이 글에서 작품을 해석하기 위한 근거로 활용했을 자료에 해당하는 것은?

① 이산가족 상봉 다큐멘터리 영상
② '일가'의 의미를 설명한 국어사전
③ 최근 명절 풍경을 다룬 신문 기사
④ 작가의 작품 성향을 서술한 비평집
⑤ 광주 민주화 운동을 기록한 역사책

✏ 서술형

**08** 글쓴이가 소설 「일가」를 추천하는 이유가 드러난 문장을 찾아 쓰시오.

✏ 서술형   ★ 학습 활동 응용

**09** 다음은 이 글을 쓰기 위해 글쓴이가 생성한 내용이다. (나)를 쓸 때 활용한 내용을 찾아 쓰시오.

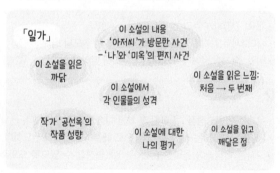

**10** ㉠을 글의 '처음' 부분에 제시한 이유로 적절한 것은?

① 글의 신뢰성을 높이기 위해서
② 글의 주제를 강조하기 위해서
③ 독자의 흥미를 유발하기 위해서
④ 설득력 있는 근거를 제시하기 위해서
⑤ 글의 목적을 명확하게 드러내기 위해서

## 어휘력 키우기

교과서 46~47쪽

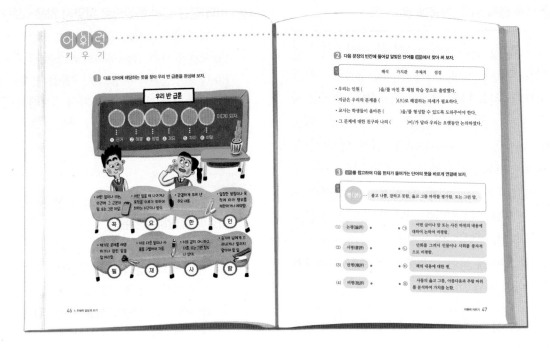

 예 시 답 안

### 1.

• 근거: 어떤 일이나 의논, 의견에 그 근본이 됨. 또는 그런 까닭. → 꼭
• 해결: 제기된 문제를 해명하거나 얽힌 일을 잘 처리함. → 필
• 방법: 어떤 일을 해 나가거나 목적을 이루기 위하여 취하는 수단이나 방식. → 요
• 개요: 간결하게 추려 낸 주요 내용. → 한
• 차이: 서로 같지 아니하고 다름. 또는 그런 정도나 상태. → 사
• 비밀: 숨기어 남에게 드러내거나 알리지 말아야 할 일. → 람

### 2.

• 우리는 인원 ( 점검 )을 마친 후 체험 학습 장소로 출발했다.
• 지금은 우리의 문제를 ( 주체적 )으로 해결하는 자세가 필요하다.
• 교사는 학생들이 올바른 ( 가치관 )을 형성할 수 있도록 도와주어야 한다.
• 그 문제에 대한 친구와 나의 ( 해석 )이 달라 우리는 오랫동안 논의하였다.

### 3.

(1) 논평 – ㉠ 어떤 글이나 말 또는 사건 따위의 내용에 대하여 논하여 비평함.
(2) 서평 – ㉢ 책의 내용에 대한 평.
(3) 만평 – ㉡ 만화를 그려서 인물이나 사회를 풍자적으로 비평함.
(4) 비평 – ㉣ 사물의 옳고 그름, 아름다움과 추함 따위를 분석하여 가치를 논함.

### 확인 문제

**01 낱말의 뜻풀이가 바르지 않은 것은?**

① 개요: 간결하게 추려 낸 주요 내용
② 근거: 어떤 일이나 의논, 의견에 그 근본이 됨.
③ 방법: 서로 다른 일이나 사물을 구별하여 가름.
④ 해결: 제기된 문제를 해명하거나 얽힌 일을 잘 처리함.
⑤ 차이: 서로 같지 아니하고 다름. 또는 그런 정도나 상태

**02 〈보기〉의 빈칸에 들어갈 낱말로 알맞은 것은?**

┌ 보기 ┐
아직도 신문에는 네 컷짜리 (          )이 연재되어 사람들의 흥미를 이끌어 낸다.

① 만평          ② 논평          ③ 서평
④ 비평          ⑤ 수평

**01~04** 다음 글을 읽고, 물음에 답하시오.

**가** 기다리지 않아도 오고
기다림마저 잃었을 때에도 너는 온다.
어디 뻘밭 구석이거나
썩은 물웅덩이 같은 데를 기웃거리다가
한눈 좀 팔고, 싸움도 한판 하고,
지쳐 나자빠져 있다가
다급한 사연 들고 달려간 바람이
흔들어 깨우면
눈 부비며 너는 더디게 온다.
더디게 더디게 마침내 올 것이 온다.
너를 보면 눈부셔
일어나 맞이할 수가 없다.
입을 열어 외치지만 소리는 굳어
나는 아무것도 미리 알릴 수가 없다.
가까스로 두 팔을 벌려 껴안아 보는
너, 먼 데서 이기고 돌아온 사람아.

**나** 이성부가 이 시를 지었을 당시인 1970년대는 군사력을 등에 업은 독재 정권이 강한 권력으로 국민을 통제하던 시기였다. 그러한 정부에 반대하던 많은 사람들은 자유를 외치다가 감옥에 갇히기도 했다.
이러한 시대적 상황이 이 시에 반영되어 있다고 볼 때, '봄'은 그 시대 사람들이 간절하게 원했던 '민주주의', 혹은 '자유'를 상징한 것이라고 볼 수 있다. 겨울이 지나면 반드시 봄이 오듯이, 이 시는 '민주주의'나 '자유' 역시 언젠가 반드시 우리에게 올 것이라는 믿음을 노래했던 것이다.

**01** (가)에 나타난 말하는 이의 정서 및 태도로 알맞지 않은 것은?

① '너'가 올 것이라고 확신한다.
② '너'가 오기를 간절히 기다린다.
③ '너'가 매우 더디게 온다고 느낀다.
④ '너'를 좋아하면서도 만나는 것을 두려워한다.
⑤ '너'를 만났을 때 감격스럽고 기쁜 마음으로 맞이한다.

**02** (가)에 사용된 표현 방법을 〈보기〉에서 골라 바르게 묶은 것은?

┤보기├
ㄱ. '봄'을 사람을 대하듯 '너'라 부르며 친근감 있게 표현한다.
ㄴ. '온다'라는 단정적인 표현의 시어를 사용하여 의미를 강조한다.
ㄷ. 비슷한 문장 구조를 반복하여 말하는 이의 정서와 태도를 드러낸다.
ㄹ. 상징적인 시어를 통해 '봄'이 오는 것을 기다리는 대상들을 표현한다.
ㅁ. '겨울'이 끝나고 '봄'이 오는 과정을 공간의 이동에 따라 구체적으로 전개한다.

① ㄱ, ㄴ, ㄷ
② ㄱ, ㄷ, ㅁ
③ ㄴ, ㄷ, ㄹ
④ ㄴ, ㄹ, ㅁ
⑤ ㄷ, ㄹ, ㅁ

**03** (가)를 다음과 같이 해석하였을 때, 해석의 근거가 된 관점으로 알맞은 것은?

작년에 아팠는데, 그때 건강해지길 바랐던 마음이 '봄'을 간절히 기다리는 마음과 비슷해.

① 문학 작품의 내적 가치를 중심으로 한 해석
② 작품에 반영된 시대적 상황을 중심으로 한 해석
③ 작품을 읽고 독자가 받은 영향을 중심으로 한 해석
④ 작품을 쓴 작가의 삶과 작품과의 관계를 중심으로 한 해석
⑤ 작품의 주제가 비슷한 다른 작품과의 관련성을 중심으로 한 해석

**04** (나)에서 (가)의 '봄'의 의미를 '민주주의', '자유'로 해석하게 된 근거를 찾아 쓰시오.

① 의미 해석의 근거가 된 시대적 상황을 쓸 것

**[05~08]** 다음 글을 읽고, 물음에 답하시오.

**가** 아이들이 방앗간에 도착했을 때, 코르니유 영감은 보이지 않았네. 문을 이중으로 자물쇠를 걸어 놓은 채 외출한 모양이야. 하지만 영감은 사다리를 안에다 들여 놓고 가는 것을 깜빡한 거야. 사다리가 문 옆에 세워져 있었어. 아이들은 그 사다리를 이용해서 2층의 창문으로 올라갔지. 그리고 안으로 들어갔어. 도대체 코르니유 영감이 무엇을 그 안에 숨겨 놓았는지 확인해 보기로 했던 거야.

**나** 산더미처럼 쌓여 있을 줄 알았던 밀가루 부대는 하나도 없었고, 밀알 한 톨도 보이지 않았어. 심지어 벽이나 구석에 쳐진 거미줄 위에도 밀가루가 내려앉은 흔적이라고는 찾아보려야 찾아볼 수가 없었지. 아무리 눈을 씻고 보아도 최근에 밀을 빻았다는 흔적 같은 것은 어디에도 없었어. 풍차 방앗간이라면 항상 풍기기 마련인 향긋한 냄새조차도 맡을 수 없었지. 오히려 풍차 방아 위에는 먼지만 뽀얗게 쌓여 있었고, 그 위에서 말라 비틀어진 고양이가 꾸벅꾸벅 졸고 있지 뭔가.

**다** 자, 이제 코르니유 영감의 비밀을 알겠나? 영감은 마을 사람들에게 아직도 자신의 풍차 방앗간이 밀을 빻고 있다고 믿게 하려고 저 자루를 노새에게 짊어지게 하여 오솔길을 오르내렸던 것이야.

그래, 맞아. 영감이 밀이라고 싣고 오가던 것은 바로 부서진 옛 방앗간의 폐기물들이었어. 그렇게 해서라도 풍차 방앗간의 명예를 지키고 싶었던 것이지. 아아, 불쌍한 코르니유 영감……. 사실 영감도 증기 방앗간에 일거리를 빼앗긴 지 한참이 지났던 거야. 늘 풍차 날개는 돌아가고 있었지만, 방아는 헛돌고 있었던 것이지. 아이들은 눈물을 흘리면서 돌아왔네. 그리고 내게 모든 것을 이야기해 주었지. 아이들의 말을 듣고 나는 가슴이 찢어지는 줄 알았네. 나는 즉시 달려 나가 마을 사람들에게 그 이야기를 해 주었네. 그리고 말했지.

"우리가 모을 수 있는 밀을 최대한 많이 모아서 코르니유 영감에게 가져다줍시다."

그러자 마을 사람들도 고개를 끄덕이고 밀을 모아 당나귀에게 실어 코르니유 영감의 풍차 방앗간으로 향했지.

---

**05** 이와 같은 글을 감상하는 방법으로 알맞은 것은?
① 글 속에 담긴 글쓴이의 경험에 공감하며 감상한다.
② 단어가 나타내는 함축적 의미를 중심으로 감상한다.
③ 사건의 전개와 갈등의 해결 과정을 파악하며 감상한다.
④ 글 속에 담긴 정보의 객관성과 정확성을 확인하며 감상한다.
⑤ 글쓴이가 중요하게 여기는 가치관을 파악하고 이를 비판하며 감상한다.

**06** 이 글을 영상으로 표현한다고 할 때, 적절하지 <u>않은</u> 것은?
① 아이들이 사다리로 방앗간에 들어가는 장면
② 풍차 방아 위에 마른 고양이가 졸고 있는 장면
③ 벽의 거미줄에 밀가루가 하얗게 내려앉은 장면
④ 자물쇠로 굳게 잠겨 있는 방앗간의 문을 강조한 장면
⑤ '나'가 마을 사람들에게 '코르니유' 영감의 비밀을 말하는 장면

**07** '코르니유' 영감이 마을 사람들을 속인 행동을 평가한 내용으로 가장 적절한 것은?
① 자신의 우월함을 자랑하기 위한 방편이었다.
② 마을 사람들의 환심을 사기 위한 수단이었다.
③ 풍차 방앗간을 다시 돌리기 위한 노력이었다.
④ 전통을 지키기 위한 어쩔 수 없는 선택이었다.
⑤ 시대의 흐름을 거슬러 과거로 돌아가기 위한 방법이었다.

**08** 이 글을 〈보기〉와 같이 해석했다고 할 때, 해석의 기준이 된 것을 3어절로 쓰시오.

┌─보기├─────────────
알퐁스 도데는 그의 고향인 남프랑스 프로방스 지방을 배경으로 많은 작품을 썼다. 특히 그는 프로방스 주민들의 순수하고 인간적인 면모를 프로방스 지역의 정겨운 풍경과 함께 마치 한 폭의 수채화처럼 아름답게 묘사하였다고 한다. (다)의 내용도 그러한 알퐁스 도데의 작품 성향을 잘 드러낸다.
└──────────────────

**09~10** 다음을 읽고, 물음에 답하시오.

**09** 이 만화에서 학생이 쓰고자 하는 글에 대한 설명으로 적절하지 <u>않은</u> 것은?

① 글의 주제는 제주도 여행 후기이다.
② 자신이 직접 경험한 내용을 중심으로 한다.
③ 블로그를 방문한 친구들의 흥미를 고려한다.
④ 제주도에 대한 여행 정보를 알려 주려고 한다.
⑤ 제주도를 자주 여행한 친구들이 공감할 만한 내용을 마련하고 있다.

**10** 이 만화의 학생이 글을 쓰는 과정에서 겪은 어려움이나 문제가 <u>아닌</u> 것은?

① 글의 내용을 마련하는 것
② 첨부할 사진을 선택하는 것
③ 문장이 어색하게 연결된 것
④ 글을 쓰는 목적을 선정하는 것
⑤ 화제에 대한 정보가 부족한 것

**11** 정서 표현을 목적으로 하는 글의 내용을 조직할 때의 구성 방법으로 적절하지 <u>않은</u> 것은?

① 시간의 흐름에 따라 구성한다.
② 공간의 이동에 따라 구성한다.
③ 사건의 전개 과정에 따라 구성한다.
④ 일화와 그에 따른 깨달음 순으로 구성한다.
⑤ '서론 – 본론 – 결론'의 짜임으로 구성한다.

**12** 서평에 쓸 자료를 선정하는 방법으로 알맞지 <u>않은</u> 것은?

① 전문가가 평가한 내용을 그대로 수용한다.
② 출판사 누리집에 있는 책 소개를 참고한다.
③ 글의 주제, 독자를 고려하여 자료를 선별한다.
④ 글쓰기에 꼭 필요한지, 정확한 자료인지를 판단한다.
⑤ 작가와의 인터뷰 기사를 보고 작가의 작품 성향을 파악한다.

**13** 〈보기〉의 해결 방법과 관련된 글쓰기 과정의 어려움으로 알맞은 것은?

┌─보기├──────────────────
자유 연상하기, 생각 그물 등의 방법으로 글에 들어갈 내용을 떠올린다.
└────────────────────────

① 글을 어떻게 쓰기 시작해야 할지 모르겠어.
② 어떤 단어와 표현을 쓰지? 문단은 어떻게 배열하지?
③ 이제 글에 들어갈 내용을 마련해야 하는데……. 어떤 내용을 써야 하지?
④ 내가 떠올린 생각과 자료를 바탕으로 생성한 내용을 어떻게 글로 옮기지?
⑤ 서평을 쓰려면 작품을 해석하고 평가하기 위한 근거가 있어야 하는데 내가 가진 지식이 부족하네. 어떡하지?

**14** 〈보기〉와 같이 고쳐 쓰기로 했을 때, 고려한 항목에 해당하는 것은?

┌─보기├──────────────────
'액취증'이라는 단어를 친구들이 알까? '냄새가 고약한 땀이 나는 병'과 같이 친구들이 이해하기 쉽게 써야겠어.
└────────────────────────

① 글의 목적에 맞게 썼는가?
② 글의 흐름이 자연스러운가?
③ 예상 독자를 고려하여 썼는가?
④ 부족하거나 빠진 내용은 없는가?
⑤ 문장 성분 간의 호응이나 맞춤법이 올바른가?

**15~18** 다음 글을 읽고, 물음에 답하시오.

**가** 얼마 전에 텔레비전에서 남북한 이산가족이 만나는 장면을 보았다. 만나자마자 서로를 얼싸안고 눈물 흘리는 모습을 보니, 나도 코끝이 찡해졌다. 헤어진 지 오십 년이 넘어 다들 할머니, 할아버지가 되셨는데도 어린 시절 모습이 기억나시나 보다. 함께 텔레비전을 보던 아빠께서 어쩌면 북한에 우리 친척이 있을지도 모른다는 이야기를 하셨다. 아빠 쪽 친척 중에 육이오 전쟁 때 피란을 오신 분이 있다는 거다. 그 이야기를 듣자 문득 작년에 읽었던 「일가」의 등장인물, '아저씨'가 떠올랐다. 특이한 성격에 북한 말투를 사용하던, 다롄에서 갑작스레 찾아온 손님 '아저씨'가.

**나** 처음 「일가」를 읽었을 때 '아저씨'에 대한 나의 감정은 '엄마'와 비슷했다. 아무리 일가친척이라도 모르는 사람이 집에 오래 머무르면 불편한 감정이 들 것이다. 그런데 일 년이 지난 지금, 다시 「일가」를 읽어 보니 '아저씨'가 안쓰러웠다. 한국에 아는 사람이라고는 주인공의 가족뿐이었을 텐데 자신을 싫어하는 기색을 눈치챘을 때 매우 속상했을 것이다. 주인공이 일 년이 지난 뒤에야 '아저씨'를 떠올리며 눈물을 흘린 것과 같이, 나 역시 나이를 한 살 더 먹고 나니 다른 사람의 마음을 헤아릴 수 있게 된 것 같다.

**다** 이 소설의 작가 '공선옥'은 이처럼 상처 입고 소외받는 사람들의 이야기를 많이 써 왔다. 작가의 다른 작품에는 1980년 광주 민주화 운동에서 아픔을 겪는 사람들, 가난 때문에 무시당하는 사람들의 모습도 담겨 있다. 「일가」역시 쓸쓸하게 떠난 '아저씨'의 외로운 모습이 담겨 있다. 이 소설은 이처럼 소외받는 사람들을 통해 정이 사라져 가는 현대 사회를 비판하고 있다.

**라** 이 소설은 가족이라는 연결 고리가 희미해지는 요즘 시대에 꼭 읽어 볼 만한 가치가 있는 작품이다. 이 소설을 통해 '일가'의 의미를 되새기며 그 소중함을 깨달을 수 있기 때문이다. 친구들도 이 책을 읽고 '일가'의 소중함에 대한 이야기를 함께 나눌 수 있기를 기대해 본다.

**15** 이와 같은 글을 쓸 때, 계획하기 단계에서 고려할 요소가 아닌 것은?

① 누구를 예상 독자로 삼을까?
② 서평의 주제는 무엇으로 할까?
③ 서평을 어떤 매체에 공유할까?
④ 내가 서평을 쓰는 목적은 무엇인가?
⑤ 서평의 전체적인 흐름은 어떻게 구성할까?

**16** 이 글을 쓰기 위해 다음의 개요를 작성했을 때, 글로 표현되지 않은 것은?

| 처음 | • 이 소설을 떠올리게 된 계기 ·········· ㉠ |
| 중간 | • 이 소설의 '아저씨'에 대한 생각 변화 ··· ㉡<br>• 작가의 작품 성향과 주제 의식 ········ ㉢ |
| 끝 | • 소설을 읽고 깨달은 점과 평가 ········ ㉣<br>• 주제가 비슷한 다른 작품 소개 ······· ㉤ |

① ㉠　② ㉡　③ ㉢　④ ㉣　⑤ ㉤

**17** 이 글을 읽고 난 후 독자의 반응으로 적절하지 않은 것은?

① 이번 명절에 혼자 여행을 가려 했는데 이 글을 읽으니 반성이 되는군.
② 작가의 작품 성향과 연관된 부분을 읽으니 작품을 더욱 잘 이해할 수 있었어.
③ 평소에 일가친척에 대해 관심이 별로 없었는데 이 글을 읽으니 「일가」를 읽고 싶어지네.
④ 작년에 이 소설과 비슷한 주제의 책을 읽은 적이 있는데 나도 서평을 써서 친구에게 추천해야지.
⑤ 작품에 대한 해석과 평가가 자세히 제시된 반면, 글쓴이의 개인적인 감상이 빠져 있어 아쉬웠어.

고난도 서술형

**18** (다)에 활용된 작품 해석의 방법을 쓰시오.

조건

① (다)에서 작품 해석의 방법이 드러난 부분을 포함하여 쓸 것

# 창의적 사고력을 키우는 창의·융합

**문학 작품 속 인물을 고발합니다!**

이 활동은 문학 작품 속 인물 중, 잘못된 행동을 하는 인물을 고발할 근거를 찾고, 인물을 긍정적으로 변화시킬 방법에 대해 논의해 보는 활동입니다.

작품에서 비판할 인물을 각자 떠올린 후, 고발할 인물을 선정해 보세요.

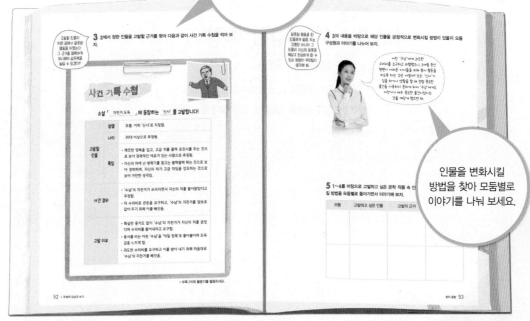

인물을 고발할 명확한 근거를 작품 속에서 찾아 사건 기록 수첩을 적어 보세요.

인물을 변화시킬 방법을 찾아 모둠별로 이야기를 나눠 보세요.

# 2

# 문장을 엮는 손, 과정을 읽는 눈

**문법**

## (1) 문장의 짜임과 양상

· 문장의 짜임과 양상을 탐구하고 활용하기

· 문장의 유형에 따른 표현 효과 이해하기

**읽기**

## (2) 읽기의 점검과 조정

_ 간송 전형필(이충렬)

· 읽기 과정을 점검하고 조정하는 방법 이해하기

· 자신의 읽기 과정을 점검하고 조정하며 글 읽기

## 왜 배울까?

우리는 주로 '말'과 '글'을 매개로 다른 이와 소통한다. 따라서 말과 글을 잘 이해하고, 말과 글을 통해 자신의 생각을 표현하는 능력은 언어생활에 매우 중요하다. 말과 글은 기본적으로 문장으로 구성되기 때문에 문장의 짜임과 양상을 이해하고, 그에 따른 표현 효과를 알면 다른 사람과 원활하게 소통할 수 있다. 한편 글을 읽는다는 것은 글을 매개로 글쓴이와 소통하는 행위이다. 글에는 글쓴이의 생각이 직접적으로 드러나기도 하지만, 글쓴이의 생각이 감춰져 있기도 하다. 따라서 글쓴이와 원활하게 소통하기 위해서는, 자신의 읽기 과정을 점검하고 조정하면서 글쓴이의 생각을 온전하게 이해하였는지 살펴보아야 한다. 이처럼 문장의 특성을 이해하고 자신의 읽기 과정을 점검하고 조정하면서 글을 읽을 때, 우리는 말과 글을 통해 효과적으로 의사소통할 수 있을 것이다.

## 뭘 배울까?

이 단원에서는 의사소통 역량을 기르기 위해 문장의 짜임과 양상, 그리고 문장의 짜임에 따른 표현 효과를 알아볼 것이다. 또한 자신의 읽기 과정을 점검하고 조정하며 글을 읽는 방법과 그 중요성을 알아볼 것이다.

# 길잡이

## ●● 문장과 문장 성분의 개념

| 문장 | 생각이나 감정을 완결된 내용으로 표현하는 최소의 언어 형식 |
| --- | --- |
| 문장 성분 | 문장 안에서 문법적인 기능을 하는 각각의 부분 |

## ●● 문장 성분의 종류

| 주어 | 동작이나 상태, 성질의 주체로 '누가', '무엇이'에 해당하는 말 |
| --- | --- |
| 서술어 | 주어의 동작이나 상태, 성질 등을 설명하며, '어찌하다', '어떠하다', '무엇이다'에 해당하는 말 |
| 목적어 | 서술어의 동작이나 행위의 대상이 되며, '누구를', '무엇을'에 해당하는 말 |
| 보어 | 서술어 '되다', '아니다'를 보충하며, '무엇이'에 해당하는 말 |
| 관형어 | 문장에서 체언을 꾸며 주며, '어떤', '무슨'에 해당하는 말 |
| 부사어 | 문장에서 주로 용언을 꾸미며, 관형어나 다른 부사어, 문장 전체를 꾸며 주는 성분으로 '어떻게', '언제', '어디서' 등에 해당하는 말 |
| 독립어 | 문장에서 다른 성분들과 직접적인 관계를 맺지 않고 독립적으로 쓰이는 말 |

## ●● 문장의 종류

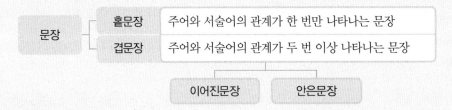

| 문장 | 홑문장 | 주어와 서술어의 관계가 한 번만 나타나는 문장 |
| --- | --- | --- |
| | 겹문장 | 주어와 서술어의 관계가 두 번 이상 나타나는 문장 |

이어진문장　　　　안은문장

## ●● 이어진문장의 종류

| 대등하게 이어진 문장 | 둘 이상의 홑문장이 '나열, 대조, 선택' 등의 의미 관계로 대등하게 연결된 문장 예 형은 고등학생이고, 동생은 중학생이다. (나열) |
| --- | --- |
| 종속적으로 이어진 문장 | 둘 이상의 홑문장이 '원인, 조건, 의도, 양보, 배경' 등의 의미 관계로 종속적으로 연결된 문장 예 우리 반이 축구 시합에 이겨서, 기분이 좋다. (원인) |

## ●● 안은문장과 안긴문장

| 안은문장 | 다른 홑문장을 자신의 문장 성분으로 안고 있는 문장 |
| --- | --- |
| 안긴문장 | 다른 문장 속에서 하나의 문장 성분처럼 쓰이는 홑문장 예 • 통일이 되기를 소망한다. (명사절)<br>• 코끼리는 코가 길다. (서술절)<br>• 이곳은 내가 태어난 곳이다. (관형절)<br>• 그는 숨이 차도록 뛰었다. (부사절)<br>• 그녀는 범인의 정체를 안다고 밝혔다. (인용절) |

간단 체크 개념 문제

**1** 다음 설명이 맞으면 ○표, 틀리면 ×표 하시오.

(1) 문장은 문장 안에서 일정한 문법적 기능을 하는 부분들로 이루어진다. (　　　)

(2) 동작이나 상태, 성질 등을 설명하는 문장 성분은 부사어이다. (　　　)

(3) 이어진문장과 안은문장은 모두 겹문장이다. (　　　)

**2** 다음 빈칸에 들어갈 알맞은 말을 쓰시오.

□□□은/는 문장에서 체언을 꾸며 주는 문장 성분으로, '어떤', '무슨'에 해당하는 말이다.

**3** 〈보기〉에 나타난 문장의 종류로 알맞은 것은?

보기

우리는 지도도 없이 길을 찾았다.

① 명사절을 안은 문장
② 서술절을 안은 문장
③ 관형절을 안은 문장
④ 부사절을 안은 문장
⑤ 인용절을 안은 문장

# [1] 문장의 짜임과 양상

• 정답과 해설 06쪽

학습 목표 문장의 짜임과 양상을 탐구하고 활용할 수 있다.

❶ 역할에 따른 문장 성분의 종류 파악하기
❷ 문장의 짜임을 파악하고 겹문장의 종류 이해하기

## 1 문장과 문장 성분

**학습 포인트**

❶ 문장 성분의 종류
❷ 문장 안에서의 역할에 따른 문장 성분의 구분

### 1 문장과 문장 성분에 대해 알아보자.

'문장'은 생각이나 감정을 완결된 내용으로 표현하는 최소의 언어 형식이다. 문장은 문장 안에서 일정한 역할을 하는 부분들로 이루어지는데, 이렇게 문법적인 기능을 하는 각각의 부분을 '문장 성분'이라고 한다.

문장 성분에는 '주어, 서술어, 목적어, 보어, 관형어, 부사어, 독립어'가 있는데, 이들은 문장 안에서의 역할에 따라 크게 '주성분', '부속 성분', '독립 성분'으로 묶을 수 있다. '주어, 서술어, 목적어, 보어'는 주성분에, '관형어'와 '부사어'는 부속 성분에 속한다. 마지막으로 '독립어'는 독립 성분에 속한다.

**(1)** 문장과 문장 성분의 의미를 써 보자.

| 문장 | 📝 생각이나 감정을 완결된 내용으로 표현하는 최소의 ⬜⬜⬜⬜ |
|---|---|
| 문장 성분 | 📝 문장 안에서 문법적인 기능을 하는 각각의 부분 |

**(2)** 문장 성분의 종류를 아래의 표에 정리해 보자.

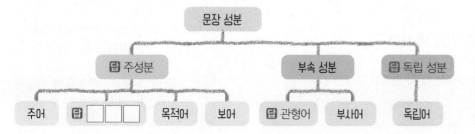

간단 체크 **활동** 문제

중요

**01** 문장 성분의 의미로 알맞은 것은?

① 의미 구별에 사용되는 최소의 문법 단위이다.
② 문장 안에서 문법적인 기능을 하는 각 부분이다.
③ 단어의 성질이 공통된 것끼리 모아 갈래를 지어 놓은 것이다.
④ 분리하여 자립적으로 쓸 수 있는 말이나 이에 준하는 말이다.
⑤ 생각이나 감정을 완결된 내용으로 표현하는 최소의 언어 형식이다.

**02** 다음 문장에서 주성분에 해당하는 것을 모두 골라 묶은 것은?

> 그는 너를 정말 걱정한다.

① 그는, 너를
② 그는, 정말
③ 그는, 너를, 정말
④ 그는, 너를, 걱정한다
⑤ 그는, 정말, 걱정한다

**[1] 문장의 짜임과 양상**

**문장 성분 ❶ 주성분**

**1단계 다음 문장을 완전한 문장과 그렇지 않은 문장으로 나누어 보자.**

답

| | 완전한 문장 | 완전하지 않은 문장 |
|---|:---:|:---:|
| ㉠ 나는 노래를. | | ✓ |
| ㉡ 무척 푸르다. | | ✓ |
| ㉢ 바람이 세차게 분다. | ✓ | |
| ㉣ 내 동생은 좋아한다. | | ✓ |
| ㉤ 그는 존경받는 되었다. | | ✓ |
| ㉥ 선생님은 너를 믿는다. | ✓ | |

> 문장은 기본적으로 주어와 서술어로 이루어져. 주어는 문장에서 '누가, 무엇이'에 해당하는 성분이고, 서술어는 주어의 동작, 성질, 상태를 풀이하는 '어찌하다, 어떠하다, 무엇이다'에 해당하는 성분이야.
> 예) 나뭇잎이 하나둘씩 떨어진다.
> 달이 아름답다.
> 사촌 언니는 시인이다.

**2단계 1단계에서 완전하지 않다고 생각한 문장의 기호와 그렇게 생각한 까닭을 써 보자.**

| 완전하지 않은 문장 | 이유 |
|---|---|
| ㉠ | 내가 '어찌했는지'를 설명하는 말이 없기 때문이다. |
| 답 ㉡ | 답 '무엇이' 푸른지 나타나 있지 않기 때문이다. |
| 답 ㉣ | 답 내 동생이 '무엇을' 좋아하는지 나타나 있지 않기 때문이다. |
| 답 ㉤ | 그가 '무엇이' 되었는지가 나타나 있지 않기 때문이다. |

> 그런데 어떤 서술어의 경우에는 '누구를, 무엇을'이 있어야 완전한 문장이 돼. 이 '누구를, 무엇을'에 해당하는 문장 성분을 목적어라고 해.
> 예) 내가 소영이를 만났다.
> 두더지가 굴을 팠다.

**3단계 2단계의 문장에 문장 성분을 추가해서 완전한 문장으로 만들어 보자.**

| 완전하도록 바꾼 문장 | 추가한 성분 |
|---|---|
| ㉠ 나는 노래를 듣는다. | 서술어 |
| 답 ㉡ 하늘이 무척 푸르다. | 답 주어 |
| 답 ㉣ 내 동생은 떡국을 좋아한다. | 답 목적어 |
| 답 ㉤ 그는 존경받는 시인이 되었다. | 답 보어 |

> 한편 문장의 서술어가 '되다'나 '아니다'인 경우에는 '무엇이'에 해당하는 성분이 있어야 완전한 문장이 되는데, 이 문장 성분을 보어라고 해.
> 예) 이순신은 장군이 되었다.
> 저것은 고양이가 아니오.

**4단계 다음 밑줄 친 부분에 들어갈 말을 써 보자.**

> 완전한 문장을 만드는 데 꼭 필요한 주성분에는
> '답 주어 , 답 서술어 , 답 목적어 , 답 [ ][ ] '가 있다.

간단 체크 **활동** 문제

**03** 〈보기〉의 문장이 완전하지 않은 이유를 한 문장으로 쓰시오.

┤보기├
나무에 탐스럽게 열렸다.

**04** 다음 문장을 완전한 문장으로 만들기 위해 추가해야 할 문장 성분이 잘못 제시된 것은?

① 그는 절대 아니다. – 목적어
② 길동은 날쌔게 몸을. – 서술어
③ 나는 라면을 맛있게. – 서술어
④ 우리들은 어느덧 되었다. – 보어
⑤ 나에게 웃으며 다가왔다. – 주어

**중요**
**05** 주성분에 대한 설명으로 알맞지 않은 것은?

① 완전한 문장을 만들기 위해서는 주성분이 꼭 필요하다.
② 주어, 서술어, 목적어, 보어는 모두 주성분에 해당한다.
③ '나는 노래를 부른다.'는 주성분을 갖춘 완전한 문장이다.
④ '생명은 정말 소중하다.'는 주성분만으로 이루어진 문장이다.
⑤ '누구를', '무엇을'에 해당하는 문장 성분은 주성분에 속한다.

**문장 성분 ❷ 부속 성분**

**1단계** 다음 문장의 밑줄 친 표현 중, 다른 말을 꾸며 주는 말에 √표를 해 보자.

답

| 새 | 옷이 | 무척 | 예쁘구나. |
|---|---|---|---|
| (√) | ( ) | (√) | ( ) |

옷이 예쁘구나.

'새'옷이 '무척'예쁘구나.

**2단계** 1단계에서 √표를 한 단어를 대신할 수 있는 말을 찾아보고, 이 말들이 무엇을 꾸며 주는지 말해 보자.

주인공의, 모든, 아주, 이것보다, 저

|  | 대신할 수 있는 말 | 꾸며 주는 대상 |
|---|---|---|
| 새 | 답 주인공의, 모든, 저 | 명사 '옷' |
| ( 답 무척 ) | 답 아주, 이것보다 | 답 형용사 '예쁘구나' |

**3단계** 1단계에서 √표를 한 단어와, 2단계에서 찾은 말들이 어떤 문장 성분에 속하는지 말해 보자.

문장의 주성분을 꾸며 주는 문장 성분을 부속 성분이라고 한다. 부속 성분으로는 관형어와 부사어가 있다. 관형어는 체언을 꾸미는 역할을 한다. 부사어는 주로 용언을 꾸미는 역할을 하지만, 관형어나 다른 부사어, 문장 전체를 꾸밀 수도 있다.

'새'와 '새'를 대신할 수 있는 말들 → 답 □□□

'( 답 무척 )'과 '( 답 무척 )'을 대신할 수 있는 말들 → 답 부사어

**4단계** 다음 밑줄 친 부분에 들어갈 말을 써 보자.

주성분을 꾸며 주는 '부속 성분'에는
' 답 관형어 '와 ' 답 부사어 '가 있다.

---

**간단 체크 활동 문제**

**06** 다음 문장의 빈칸에 들어갈 문장 성분으로 알맞은 것은?

교실이 ( ) 깨끗하다.

① 주어 　② 보어
③ 목적어 　④ 부사어
⑤ 관형어

**07** 다음 문장에서 부속 성분에 해당하는 것을 모두 골라 묶은 것은?

예쁜 나비가 하늘을 훨훨 난다.

① 예쁜, 훨훨
② 예쁜, 나비가
③ 나비가, 난다
④ 하늘을, 훨훨
⑤ 나비가, 하늘을, 난다

**중요**
**08** 〈보기〉의 ㉠, ㉡에 대한 설명으로 알맞지 않은 것은?

보기
㉠어느 꽃이 ㉡활짝 피었니?

① ㉠은 체언을 꾸미는 역할을 한다.
② ㉡은 용언을 꾸미는 역할을 한다.
③ ㉠, ㉡은 모두 부속 성분에 해당한다.
④ ㉠과 ㉡을 생략해도 완전한 문장이 된다.
⑤ ㉠과 ㉡은 문장에서의 역할이 같으므로 문장 성분도 같다.

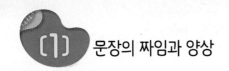

문장 성분 ❸ 독립 성분

**1단계** 다음 대화를 밑줄 친 말을 넣어서 읽어 보고, 밑줄 친 말을 빼고 읽어 본 뒤 의미상 차이가 있는지 말해 보자.

> 성엽: <u>우아</u>, 이 영화 재미있겠네.
> 민주: <u>성엽아</u>, 우리 이 영화 보러 갈까?
> 성엽: <u>응</u>, 나도 보고 싶었던 영화야.

📋 밑줄 친 '우아, 성엽아, 응'을 빼고 읽더라도 이를 넣고 읽었을 때와 마찬가지로, 의미상 차이가 없었다.

**2단계** **1단계**에서 밑줄 친 말이 다른 문장 성분과 어떤 관계를 맺고 있는지 알맞게 설명한 말에 ○표를 해 보자.

📋

> 밑줄 친 말을 빼면 원래 문장과 비교했을 때 의미가 ( 달라진다 / (달라지지 않는다) ). 그 이유는 이 말들이 문장에서 다른 문장 성분과 ( 밀접하게 관계를 맺기 / (직접적으로 관계를 맺지 않기) ) 때문이다.

**3단계** 다음 밑줄 친 부분에 들어갈 말을 써 보자.

> 다른 문장 성분들과 직접적인 관계를 맺지 않고 쓰이는 '독립 성분'에는 '📋 <u>독립어</u> '가 있다.

💡 **품사와 문장 성분이 어떻게 다를까?**

단어의 '품사'는 변하지 않지만 단어가 문장에서 어떤 역할을 하느냐에 따라 '문장 성분'은 달라질 수 있다.

'붉다' 품사 형용사
→ 붉은 노을이 아름답다. 문장 성분 관형어
→ 노을이 붉게 물들었다. 문장 성분 부사어

**09** 〈보기〉의 밑줄 친 말에 해당하는 문장 성분이 지닌 특징을 한 문장으로 쓰시오.

┤보기├
> <u>어머나</u>, 친구를 벌써 사귀었구나!

**10** 다음 밑줄 친 부분의 문장 성분이 나머지와 다른 것은?

① <u>지호야</u>, 학교에 같이 가자.
② <u>과연</u> 진실은 밝혀지는구나.
③ <u>아니</u>, 벌써 숙제를 다 했다고?
④ <u>네</u>, 동생을 데리고 곧 나갈게요.
⑤ <u>우아!</u> 내가 계주 대표 선수가 되다니!

🔺중요

**11** 문장 성분에 대한 설명으로 알맞지 <u>않은</u> 것은?

① 독립 성분은 생략해도 문장의 형성에 영향이 없다.
② 같은 단어는 문장에서 쓰일 때 문장 성분도 동일하다.
③ 관형어와 부사어는 다른 성분을 꾸며 주는 역할을 한다.
④ 서술어와 목적어는 문장을 이루는 데 꼭 필요한 성분에 해당한다.
⑤ 문장 성분은 역할에 따라 주성분, 부속 성분, 독립 성분으로 나뉜다.

학습콕

**❶ 문장 성분의 종류**

| 성분 | 설명 |
|---|---|
| 주어 | 동작이나 상태, 성질의 주체를 나타내는 성분<br>예 <u>수업이</u> 끝났다. / <u>그는</u> 좋은 친구이다. |
| 서술어 | 주어의 동작이나 상태, 성질 등을 설명하는 성분<br>예 우리는 <u>달린다</u>. / 행복이 <u>가득하다</u>. |
| 　　　 | 서술어의 동작이나 행위의 대상이 되는 성분<br>예 그는 <u>우유를</u> 마셨다. / 내가 <u>의자를</u> 옮겼다. |
| 보어 | 서술어 '되다', '아니다'를 보충하는 성분<br>예 언니는 <u>가수가</u> 되었다. / 그는 <u>학생이</u> 아니다. |
| 관형어 | 문장에서 　　을 꾸며 주는 성분<br>예 그는 <u>작은</u> 가방을 건넸다. / 그녀는 <u>헌</u> 옷을 기부했다. |
| 부사어 | 문장에서 주로 용언을 꾸미며, 관형어나 다른 부사어, 문장 전체를 꾸며 주는 성분<br>예 보름달이 <u>두둥실</u> 떴다. / 소리가 <u>매우</u> 크다. |
| 　　　 | 문장에서 다른 성분들과 직접적인 관계를 맺지 않고 쓰이는 성분<br>예 <u>쯧쯧</u>, 또 늦잠을 잤구나. / <u>수빈아</u>, 같이 가자. |

**❷ 문장 안에서의 역할에 따른 문장 성분의 구분**

| 　　　 | 문장을 이루는 데 꼭 필요한 성분 | 주어, 서술어, 목적어, 보어 |
|---|---|---|
| 부속 성분 | 문장의 주성분을 꾸며 주는 문장 성분 | 　　　, 부사어 |
| 독립 성분 | 문장에서 다른 성분들과 직접적인 관계를 맺지 않고 독립적으로 쓰이는 성분 | 독립어 |

## 2 문장의 짜임

학습 포인트

❶ 문장의 종류
❸ 안은문장의 개념 및 종류
❷ 이어진문장의 개념 및 종류

### 문장의 종류

주어        서술어
❶ 누리는 고양이를 키운다.

❷ 와, 꽃이 아름답다!

❸ 우리는 선생님께서 우리에게 추천하신 책을 읽었다.

❹ 누나는 피아노를 치고, 동생은 노래를 부른다.

## 1 홑문장과 겹문장을 알아보자.

(1) ❶~❹의 주어와 서술어를 각각 찾아 표시해 보자.

답 ❷ 와, 꽃이 아름답다!
　　　　　주어　서술어

❸ 우리는 선생님께서 우리에게 추천하신 책을 읽었다.
　　주어　　　주어　　　　　　　　서술어　　　　서술어

❹ 누나는 피아노를 치고, 동생은 노래를 부른다.
　　주어　　　　서술어　주어　　　　서술어

(2) ❶~❹를 다음과 같이 나누고 적절한 이름을 연결해 보자.

답
| 주어와 서술어의 관계가<br>한 번만 나오는 문장 | 주어와 서술어의 관계가<br>두 번 이상 나오는 문장 |
|---|---|
| ❶, ❷ | ❸, ❹ |

겹문장　　　　　　　홑문장

## 2 겹문장의 종류를 알아보자.

(1) ❸과 ❹를 각각 두 개의 홑문장으로 바꾸어 써 보자.

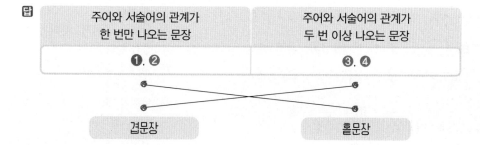

❸ 우리는 선생님께서 우리에게 추천하신 책을 읽었다.
→ 우리는 책을 읽었다.
답 선생님께서 우리에게 책을 추천하셨다.

❹ 누나는 피아노를 치고, 동생은 노래를 부른다.
→ 답 누나는 피아노를 친다.
답 동생은 노래를 부른다.

간단 체크 활동 문제

**12** 〈보기〉에 해당하는 문장이 아닌 것은?

보기
주어와 서술어의 관계가 두 번 이상 나타나는 문장

① 나는 학교에서 친구들을 만났다.
② 형은 내가 건넨 빵을 맛있게 먹었다.
③ 우리는 큰 소리가 나서 깜짝 놀랐다.
④ 이것은 내 것이고, 저것은 네 것이다.
⑤ 누나는 외갓집에 가고, 나는 집에 남았다.

**13** 다음 문장의 종류가 바르게 연결되지 않은 것은?

① 사람들이 공원에 너무 많다. – 홑문장
② 그는 친구가 준 빵을 먹었다. – 겹문장
③ 재원아, 수민이는 어디 있니? – 홑문장
④ 코끼리는 크고, 개미는 작다. – 겹문장
⑤ 나는 그가 와서 정말 기쁘다. – 홑문장

**14** 〈보기〉의 문장을 두 개의 홑문장으로 바꾸어 쓰시오.

보기
그는 그녀가 연락처를 남겼기를 기대했다.

## [1] 문장의 짜임과 양상

(2) ❸과 ❹를 다음과 같이 나누고 적절한 이름을 연결해 보자.

답

| 둘 이상의 홑문장이 나란히<br>이어진 문장 | 다른 홑문장을 자신의 문장 성분으로<br>안고 있는 문장 |
|---|---|
| ❹ | ❸ |

안은문장          이어진문장
(연결선: ❹ → 이어진문장, ❸ → 안은문장)

---

### 이어진문장

**3** 다음 활동을 해 보면서 이어진문장의 짜임을 알아보자.

❶ 비가 오고, 바람이 분다.
❷ 비가 오면, 곡식이 잘 자란다.
❸ 비가 오지만, 날씨가 춥지 않다.
❹ 우리는 비를 피하려고, 가게로 들어갔다.
❺ 비가 그치지 않아서, 우리는 축구를 하지 못했다.

(1) ❶~❺를 각각 두 개의 홑문장으로 나누고, 어떤 말을 사용해서 문장을 연결했는지 파악해 보자.

| ❶ | 비가 오다. | + | -고 | + | 바람이 분다. |
| ❷ | 비가 오다. | + | -면 | + | 답 곡식이 잘 자란다. |
| ❸ | 비가 오다. | + | 답 -□□ | + | 답 날씨가 춥지 않다. |
| ❹ | 우리는 비를 피했다. | + | 답 -려고 | + | 답 우리는 가게로 들어갔다. |
| ❺ | 답 비가 그치지 않다. | + | -아서 | + | 답 우리는 축구를 하지 못했다. |

(2) (1)을 참고하여 ❶~❺를 다음과 같이 나누고 적절한 이름을 연결해 보자.

답

| 두 문장이 나열, 대조의<br>의미 관계로 이어진 문장 | 앞 문장이 뒤 문장의 원인, 조건, 의도의<br>의미 관계로 이어진 문장 |
|---|---|
| ❶, ❸ | ❷, ❹, ❺ |
| ↓ | ↓ |
| 대등하게 이어진 문장 | 종속적으로 이어진 문장 |

중요
**15** 이어진문장의 종류가 나머지와 다른 것은?
① 하늘이 맑고, 강물이 푸르다.
② 그는 형제가 있지만, 나는 없다.
③ 이것은 배이고, 저것은 사과이다.
④ 친구가 되고 싶으면, 마음을 열어라.
⑤ 열심히 노력했지만, 성적이 떨어졌다.

**16** 〈보기〉의 두 홑문장을 연결한 이어진문장 중, '원인'의 의미 관계에 해당하는 것은?

┤보기├
• 날씨가 좋다.
• 우리는 소풍을 간다.

① 날씨가 좋고, 우리는 소풍을 간다.
② 날씨가 좋아서, 우리는 소풍을 간다.
③ 날씨가 좋지만, 우리는 소풍을 간다.
④ 날씨가 좋으면, 우리는 소풍을 간다.
⑤ 날씨가 좋아도, 우리는 소풍을 간다.

**(3)** 다음 상황을 보고 각 인물이 했을 말을 주어진 조건에 따라 만들어 보자.

- **조건:** 대등하게 이어진 문장으로 만들 것
- **'지희'가 했을 말:** 🗒 저는 열심히 공부했지만, 시험을 잘 못 봤어요.

- **조건:** 종속적으로 이어진 문장으로 만들 것
- **'승호'가 했을 말:** 🗒 네가 나에게 책을 빌려주면, 내가 대신 청소를 해 줄게.

---

### 안은문장

**4** 다음 활동을 해 보면서 안은문장의 짜임을 알아보자.

**(1)** ❶과 ❷의 목적어를 살펴보고, 그 차이점을 알아보자.

> ❶ 우리는 진실을 알았다.
> ❷ 우리는 그가 떠났음을 알았다.

> ❶에서는 단어인 '🗒 진실'에 '을'이 붙어 목적어로 쓰였고,
> ❷에서는 (🗒 ☐☐)인 '🗒 그가 떠났다'에 '을'이 붙어 목적어로 쓰였다.

**(2)** (1)의 ❷를 바탕으로 안은문장과 안긴문장을 알아보자.

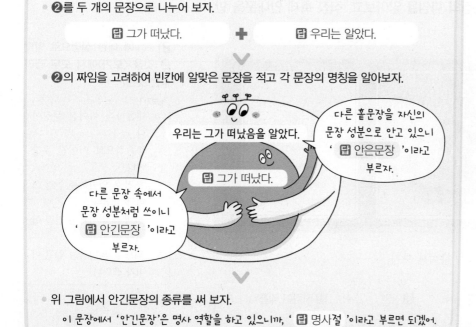

- ❷를 두 개의 문장으로 나누어 보자.

  🗒 그가 떠났다.  ➕  🗒 우리는 알았다.

- ❷의 짜임을 고려하여 빈칸에 알맞은 문장을 적고 각 문장의 명칭을 알아보자.

  우리는 그가 떠났음을 알았다.

  다른 홑문장을 자신의 문장 성분으로 안고 있으니 '🗒 안은문장'이라고 부르자.

  🗒 그가 떠났다.

  다른 문장 속에서 문장 성분처럼 쓰이니 '🗒 안긴문장'이라고 부르자.

- 위 그림에서 안긴문장의 종류를 써 보자.
  이 문장에서 '안긴문장'은 명사 역할을 하고 있으니까, '🗒 명사절'이라고 부르면 되겠어.

---

간단 체크 **활동** 문제

**17** 〈보기〉의 빈칸에 들어갈 내용 중 종속적으로 이어진 문장으로 알맞은 것은?

┤보기├
선생님: 왜 지각했니?
세근: ( )

① 늦잠을 자고, 배도 아팠어요.
② 일찍 일어났지만, 늦게 나왔어요.
③ 교통이 혼잡하고, 차가 막혔어요.
④ 알람을 못 들어서, 늦잠을 잤어요.
⑤ 노래를 들으며, 천천히 걸어왔어요.

**중요**

**18** 〈보기〉에 대한 설명으로 알맞지 않은 것은?

┤보기├
㉠ 농부는 풍년을 바랐다.
㉡ 농부는 풍년이 들기를 바랐다.

① ㉠은 홑문장, ㉡은 겹문장이다.
② ㉠은 단어에, ㉡은 문장에 '을/를'이 붙어 목적어로 쓰였다.
③ ㉡에서 '풍년이 들다.'는 안은문장이다.
④ ㉡은 '농부는 바랐다.'와 '풍년이 들다.'가 합쳐졌다.
⑤ ㉡에서 '풍년이 들다.'는 다른 문장 속에서 문장 성분처럼 쓰였다.

(3) ● 표시된 단어 대신 주어진 문장을 넣어 안은문장을 만들어 보자.

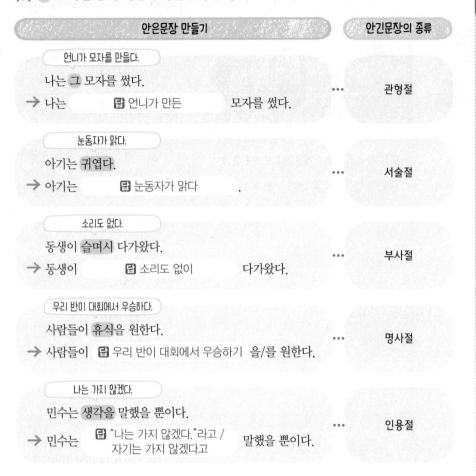

| 안은문장 만들기 | 안긴문장의 종류 |
|---|---|
| 언니가 모자를 만들다.<br>나는 **그** 모자를 썼다.<br>→ 나는　　📝 언니가 만든　　모자를 썼다. | … 관형절 |
| 눈동자가 맑다.<br>아기는 **귀엽다**.<br>→ 아기는　　📝 눈동자가 맑다　　. | … 서술절 |
| 소리도 없다.<br>동생이 **슬며시** 다가왔다.<br>→ 동생이　📝 소리도 없이　다가왔다. | … 부사절 |
| 우리 반이 대회에서 우승하다.<br>사람들이 **휴식**을 원한다.<br>→ 사람들이 📝 우리 반이 대회에서 우승하기 을/를 원한다. | … 명사절 |
| 나는 가지 않겠다.<br>민수는 **생각**을 말했을 뿐이다.<br>→ 민수는　📝 "나는 가지 않겠다."라고 /<br>　　자기는 가지 않겠다고　말했을 뿐이다. | … 인용절 |

**중요**

**19** 다음 문장 속 안긴문장의 종류가 바르게 연결된 것은?

① 나는 친구가 많다. – 인용절

② 그는 예고도 없이 나타났다. – 부사절

③ 나는 그가 준 선물을 간직했다. – 명사절

④ 그는 그녀가 외로웠음을 깨달았다. – 관형절

⑤ 나는 친구에게 "우리 축구하자."라고 제안했다. – 서술절

**20** 〈보기〉의 두 문장을 합쳐 명사절을 안은 문장으로 만들어 쓰시오.

┤보기├
• 나는 바란다.
• 그가 집에 빨리 가다.

**5** 다음 축제 안내문에 쓰인 문장의 짜임을 알아보고, 직접 축제 안내문을 만들어 보자.

(1) 이어진문장을 찾아 문장의 짜임을 분석해 보자.

| 문장 분석 | 📝 장미와 함께하다　＋　📝 -면　＋　📝 사랑이 싹틉니다. |
|---|---|
| 문장의 종류 | 📝 ( 대등하게 / ~~종속적으로~~ ) 이어진 문장 |

**21** ㉠에 대한 설명으로 알맞은 것을 〈보기〉에서 모두 골라 묶은 것은?

┤보기├
ㄱ. 대등하게 이어진 문장이다.
ㄴ. 종속적으로 이어진 문장이다.
ㄷ. '조건'을 의미하는 연결 어미가 쓰였다.
ㄹ. '선택'을 의미하는 연결 어미가 쓰였다.
ㅁ. '의도'를 의미하는 연결 어미가 쓰였다.

① ㄱ, ㄷ　　② ㄱ, ㄹ
③ ㄴ, ㄷ　　④ ㄴ, ㄹ
⑤ ㄴ, ㅁ

**(2)** 안은문장을 찾아 문장의 짜임을 분석해 보자.

| 문장 분석 | 안은문장: 🈂 밤하늘에 피어나는 꽃이 당신의 눈에 새겨집니다. |
|---|---|
| | 안긴문장:  🈂 밤하늘에 (꽃이) 피어나다 |
| 문장의 종류 | 🈂 ( 명사절 / 관형절 / 부사절 / 서술절 / 인용절 )을 안은 문장 |

**(3)** 다양한 짜임의 문장으로 세 번째 축제 안내문에 들어갈 문구를 만들어 보자.

| 내가 안내하고 싶은 축제 | 예 함평군 나비 축제 |
|---|---|
| 안내 문구 | 예 ㉡하늘을 수놓은 나비와 친구가 되어 보세요. |

예시 답 》 • 내가 안내하고 싶은 축제: 진주 남강 유등 축제
• 안내 문구: 유등이 켜지자 남강은 은하수가 됩니다.

**학습콕**

**❶ 문장의 종류**

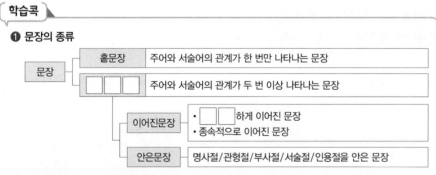

**❷ 이어진문장의 개념 및 종류**

| 개념 | 둘 이상의 홑문장이 나란히 이어진 문장 | |
|---|---|---|
| 종류 | 대등하게 이어진 문장 | 둘 이상의 홑문장이 '나열(-고, -(으)며), 대조(-지만, -(으)나), 선택(-거나, -든지)' 등의 의미 관계로 대등하게 연결된 문장 |
| | ☐☐☐으로 이어진 문장 | 둘 이상의 홑문장이 '원인(-아서/-어서), 조건(-(으)면, -거든), 의도(-(으)려고), 양보(-더라도, -(으)ㄹ지라도), 배경(-ㄴ데, -ㄹ진대)' 등의 의미 관계로 종속적으로 연결된 문장 |

**❸ 안은문장의 개념 및 종류**

| 개념 | • 안은문장: 다른 홑문장을 자신의 문장 성분으로 안고 있는 문장<br>• 안긴문장: 다른 문장 속에서 하나의 문장 성분처럼 쓰이는 홑문장 | |
|---|---|---|
| 종류 | 명사절 | 예 그 일을 하기가 어렵다. |
| | ☐☐☐ | 예 그는 머리카락이 짧다. |
| | 관형절 | 예 이것은 아기가 먹을 음식이다. |
| | ☐☐☐ | 예 그곳은 꽃이 아름답게 장식되어 있다. |
| | 인용절 | 예 그녀는 붓이 필요하다고 말했다. |

간단 체크 활 동 문제

중요

**22** ㉡과 같은 짜임으로 〈보기〉의 두 문장을 한 문장으로 만들어 쓰시오.

┌보기┐
• 나는 장소를 알고 있다.
• 사람들이 모인다.
└────────┘

**23** 문장의 짜임이 나머지와 다른 것은?

① 유등이 켜지자 남강은 은하수가 됩니다.
② 담양에 오시면 대나무 숲을 만나실 수 있습니다.
③ 유채꽃이 아름다운 제주도의 정취를 느껴 보세요.
④ 일출을 보려고 오늘도 거제도 해금강은 북적입니다.
⑤ 나비와 친구가 되고 싶으면 함평군 나비 축제로 오세요.

## [1] 문장의 짜임과 양상

적용
1 겹문장과 홑문장의 표현 효과 및 사용 시 주의점 이해하기
2 겹문장과 홑문장의 표현 효과를 고려하여 문장 만들기

문장의 짜임에 따른 표현 효과를 알아보고, 이를 바탕으로 표현하려는 의도에 맞게 문장을 써 보자.

### 1 다음 글을 읽고, 홑문장과 겹문장의 표현 효과를 알아보자.

> [가] 눈을 떴다. 하늘이 벌써 어두웠다. 시계는 9시를 가리키고 있었다. 나는 깜짝 놀랐다. 맞아. 숙제가 있었지. 나는 급히 책상에 앉았다. 그리고 책을 폈다. 그런데 숙제가 몇 쪽이었더라. 도무지 생각이 나지 않았다. 민수는 알 것 같았다. 민수에게 문자를 보냈다. 그러나 답장이 없었다. 이러다 숙제를 못 하는 게 아닐까? 나는 초초해지기 시작했다.
>
> [나] 눈을 뜨니 하늘이 벌써 어두웠다. 시계를 보니 9시여서 깜짝 놀랐다. 숙제가 있었기 때문에 나는 급히 책상에 앉아 책을 폈다. 그런데 숙제가 몇 쪽이었는지 도무지 생각이 나지 않았다. 민수는 알 것 같아서 민수에게 문자를 보냈는데 답장이 없었다. 나는 이러다 숙제를 못 할까 봐 초조해지기 시작했다.

- 보기 에서 알맞은 말을 골라 빈칸에 써 보자.

보기
```
겹문장        사건의 논리적인 관계가 잘 드러난다
홑문장        사건이 빠르게 진행되는 느낌을 준다
```

[가]는 주로 **탑** 홑문장 을/를 사용하여 내용을 간결하게 전달하고 있으며, **탑** 사건이 빠르게 진행되는 느낌을 준다 .

[나]는 주로 **탑** 겹문장 을/를 사용하여 내용을 집약적으로 전달하고 있으며, **탑** 사건의 논리적인 관계가 잘 드러난다 .

### 2 [가]와 [나]를 읽고, 홑문장이나 겹문장을 사용할 때 주의할 점을 알아보자.

[가]

**[태풍 비상] 교육 당국 비상 체제 ……
서울 유치원·초중 내일 휴업**

ㄱ태풍 '솔릭'이 한반도에 접근하고 있다. 각 교육청은 비상 체제에 돌입했다. 서울시 교육청은 유치원·초등학교·중학교에 24일 휴업을 명령했다. 고등학교에는 휴업을 권고하기로 했다. 따라서 고등학교는 학교장 재량으로 휴업 여부가 결정된다. 한편 전남도 교육청은 이날 모든 학교를 휴업하기로 했다. 이날 전국적으로 약 1,500곳의 학교가 휴업한다. – 「연합뉴스」, 2018. 8. 23.

[나] 태풍 '솔릭'이 서해로 북상하면서 제주도와 전남 지역은 매우 강한 비바람이 몰아치고 있습니다. 기상청은 태풍이 내일 새벽 2시쯤 전북 서해안에 상륙하였다가, 내일 오후에나 동해상으로 진출할 것으로 내다봤습니다. 이에 따라 내일까지 전국에 매우 많은 비가 내리고 강한 바람이 몰아칠 것이기 때문에 기상청은 시설물 관리와 안전사고에 유의하고, 해안가에서는 만조 시간대에 해일로 인한 침수 피해가 없도록 철저히 대비해 달라고 당부했습니다. – 「케이비에스(KBS) 뉴스」, 2018. 8. 24.

---

### 간단 체크 활동 문제

**중요**

**24** 1의 (가), (나)에 대한 설명으로 알맞지 않은 것은?

① (가)는 주로 홑문장을, (나)는 주로 겹문장을 사용하였다.
② (가)는 느린 호흡으로 천천히 읽게 된다.
③ (가)는 내용을 간결하게 전달하는 효과가 있다.
④ (나)는 내용을 집약적으로 전달하고 있다.
⑤ (나)는 사건의 논리적 관계를 전달하는 데 유리하다.

**25** ㄱ을 〈보기〉의 의도에 맞게 고친 문장으로 가장 적절한 것은?

보기
> 문장 간의 논리적인 관계가 잘 드러나도록 겹문장으로 써 보자.

① 태풍 '솔릭'이 한반도에 접근하고 있고, 각 교육청은 비상 체제에 돌입했다.
② 태풍 '솔릭'이 한반도에 접근함에 따라, 각 교육청은 비상 체제에 돌입했다.
③ 태풍 '솔릭'이 한반도에 접근하고 있으며, 각 교육청은 비상 체제에 돌입했다.
④ 태풍 '솔릭'이 한반도에 접근하고 있는데, 각 교육청은 비상 체제에 돌입했다.
⑤ 태풍 '솔릭'이 한반도에 접근하고 있지만, 각 교육청은 비상 체제에 돌입했다.

**(1)** 다음은 ㉮를 읽은 학생의 생각이다. 빈칸에 알맞은 말을 써 보자.

> 주로 　**[답]** 홑문장　으로 구성되어 앞 문장과 뒤 문장의 **[답]** ☐☐☐☐ 관계 를 알기 어렵다는 생각이 들었어.

**(2)** 다음 설명에 해당하는 문장을 ㉯에서 찾아 적절하게 고쳐 써 보자.

> 여러 문장을 지나치게 합칠 경우 정확한 의미를 전달하기 어려울 수 있다.

**[답]** • 제시된 설명에 해당하는 문장: 이에 따라 내일까지 전국에 매우 많은 비가 내리고 강한 바람이 몰아칠 것이기 때문에 기상청은 시설물 관리와 안전사고에 유의하고, 해안가에서는 만조 시간대에 해일로 인한 침수 피해가 없도록 철저히 대비해 달라고 당부했습니다.

• 고쳐 쓴 문장: 이에 따라 내일까지 전국에 매우 많은 비가 내리고 강한 바람이 몰아칠 것입니다. 기상청은 시설물 관리와 안전사고에 유의하고, 해안가에서는 만조 시간대에 해일로 인한 침수 피해가 없도록 철저히 대비해 달라고 당부했습니다.

**3** 자신의 표현 의도에 알맞은 문장을 만들어 보자.

**(1)** 다음 그림의 상황을 홑문장이나 겹문장을 주로 사용하여 표현하고, 그 표현 의도를 써 보자.

▲ 김득신, 「야묘도추」

| 홑문장을 주로 사용해서 표현하기 |
| --- |
| ㉠ 닭이 푸드덕댄다. 그러자 주인이 달려 나온다. "고양이가 또 찾아왔구나!" 마당에 담뱃대가 사정없이 휘날린다. 고양이는 달아나기 바쁘다. |

| 겹문장을 주로 사용해서 표현하기 |
| --- |
| 예시 답》 고양이가 마당에 들어오는 것을 보고 놀란 닭이 푸드덕댄다. 그 소리를 듣고 달려 나온 주인이 담뱃대를 사정없이 휘두르니 고양이는 달아나기 바쁘다. |

| 표현 의도 |
| --- |
| 예시 답》 ☐☐☐☐을 통해 긴박감과 속도감이 잘 느껴질 수 있도록 표현하려고 하였다. |

| 표현 의도 |
| --- |
| ㉠ 겹문장을 통해 사건의 순서와 인과 관계를 잘 드러내려고 하였다. |

**간단 체크 활동 문제**

**26** (나)에 대해 나눈 다음 대화의 내용 중, 알맞지 <u>않은</u> 것은?

> 소영: ①(나)는 여러 개의 홑문장을 지나치게 합쳐서 사용한 것이 문제야. ②이렇게 홑문장 대신 겹문장을 사용하면 문장 간의 논리적인 관계를 파악하기 어려워.
> 재인: ③(나)에서 필요 이상으로 합친 문장을 찾아 나누는 게 좋겠군.
> 수빈: ④'이에 따라 ~ 몰아칠 것입니다. 기상청은 ~ 당부했습니다.'로 나눠 쓰는 게 어떨까?
> 지윤: ⑤그럼 의미가 훨씬 정확하게 전달될 수 있겠네.

**중요**
**27** 〈보기〉는 다음 글에 대해 평가한 내용이다. 빈칸에 들어갈 알맞은 말을 각각 2어절로 쓰시오.

> 닭이 푸드덕대자 주인이 달려 나와 "고양이가 또 찾아왔구나!"라고 말하며 담뱃대를 사정없이 휘두르니 고양이는 달아나기 바쁘다.

┤보기├
> 이 글은 사건의 (　　　　) 와/과 순서를 잘 보여 주기 위해 겹문장을 사용하였다. 만일 (　　　　)이/가 잘 느껴지게 하려면, 홑문장을 사용하는 것이 좋다.

(2) (1)에서 쓴 문장을 친구들과 바꾸어 읽어 보고, 문장의 짜임에 따른 표현 효과의 차이를 말해 보자.

예시 답》 나는 사건을 인과 관계에 따라 보여 주는 것이 중요하다고 생각해서 겹문장을 활용하였다. 그런데 내 짝은 흥미를 높이고 긴박감을 나타내기 위해 홑문장을 많이 사용하였다고 한다. 읽어 보니 내 글과는 다른 재미가 느껴졌다. 이 활동을 통해 같은 상황을 묘사하더라도 여러 가지 형태의 문장이 활용될 수 있음을 알게 되었고, 자신의 표현 의도에 적합한 짜임으로 문장을 구성하는 일이 중요하다는 점을 알 수 있었다.

### 🔖 지식 사전

**홑문장과 겹문장을 사용할 때 주의할 점**

- 홑문장만을 과도하게 사용하면 문장 간의 관계를 알기 어렵고, 산만한 느낌을 줄 수 있음.
- 여러 개의 홑문장을 지나치게 합쳐 겹문장으로 만들어 쓸 경우, 문장이 복잡해져서 정확히 의미를 전달하기 어려움.

⬇

문장의 짜임에 따른 표현 효과와 주의할 점을 고려하여, 자신의 표현 의도를 정확하고 효과적으로 전달해야 함.

### 간단 체크 활동 문제

**28** 문장을 사용할 때 고려해야 할 점을 골라 바르게 묶은 것은?

┤보기├
ㄱ. 표현 의도에 적합한 짜임의 문장을 활용한다.
ㄴ. 문장의 짜임에 따른 표현 효과의 차이를 파악한다.
ㄷ. 일상생활에서는 홑문장을, 공식적 상황에서는 겹문장을 사용한다.
ㄹ. 재미가 목적일 때는 홑문장을, 정보 전달이 목적일 때는 겹문장을 활용한다.

① ㄱ, ㄴ          ② ㄱ, ㄷ
③ ㄴ, ㄷ          ④ ㄱ, ㄴ, ㄹ
⑤ ㄴ, ㄷ, ㄹ

## 활동 마당

**이 활동은**
다양한 짜임의 문장을 사용해 우리 반을 응원하는 문구를 만들고, 이를 활용하여 응원 도구를 만들어 보는 활동입니다.

**시험에는**
- 제시된 문장의 종류에 알맞은 문장을 찾는 문제
- 응원 문구의 문장의 짜임을 바르게 분석한 것을 찾는 문제
등이 출제될 수 있습니다.

## ●● 문장과 문장 성분

| 문장 | 생각이나 감정을 완결된 내용으로 표현하는 최소의 언어 형식<br>예 자, 내가 공을 힘껏 던질게. |
|---|---|
| 문장 성분 | 문장 안에서 ❶ ☐☐☐ 기능을 하는 각각의 부분<br>예 자, 내가 공을 힘껏 던질게.<br>　　독립어　주어　목적어　부사어　서술어 → 문장 성분 |

## ●● 문장 성분의 종류

• ❷ ☐☐☐☐ : 문장을 이루는 데 꼭 필요한 성분

| 주어 | 동작이나 상태, 성질의 주체를 나타내는 성분으로, 문장에서 '누가', '무엇이'에 해당하는 말<br>예 나는 노래를 한다. / 하늘이 푸르다. |
|---|---|
| ❸ ☐☐☐ | 동작이나 상태, 성질 등을 설명하는 성분으로, 문장에서 '무엇이다', '어떠하다', '어찌하다'에 해당하는 말<br>예 잠자리는 곤충이다. / 바람이 분다. |
| 목적어 | 서술어의 동작이나 행위의 대상이 되는 성분으로, '누구를', '무엇을'에 해당하는 말<br>예 선생님은 너를 믿는다. / 나는 노래를 듣는다. |
| 보어 | 서술어 '되다', '아니다'를 보충하는 성분으로, '무엇이'에 해당하는 말<br>예 그는 존경받는 시인이 되었다. / 저것은 고양이가 아니다. |

• 부속 성분: 문장의 주성분을 꾸며 문장의 의미를 자세하게 만들어 주는 성분

| 관형어 | 문장에서 명사, 대명사, 수사와 같은 체언을 꾸며 주는 성분으로, '어떤', '무슨'에 해당하는 말<br>예 새 옷이 예쁘구나. / 저 길로 가자. |
|---|---|
| ❹ ☐☐☐ | 문장에서 주로 용언을 꾸미며, 관형어나 다른 부사어, 문장 전체를 꾸며 주는 성분으로, '어떻게', '언제', '어디서' 등에 해당하는 말<br>예 옷이 무척 예쁘구나. / 나도 방금 도착했어. |

• 독립 성분: 문장에서 다른 성분들과 직접적인 관계를 맺지 않고 독립적으로 쓰이는 성분

| 독립어 | 문장에서 다른 성분들과 직접적인 관계를 맺지 않고 독립적으로 쓰이는 성분<br>예 오! 결국 성공했구나! / 규해야, 어서 와. / 응, 이제 나갈게. |
|---|---|

## ●● 문장의 종류

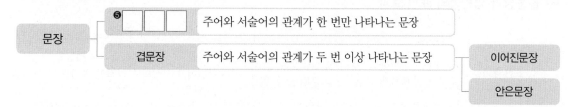

| 문장 | ❺ ☐☐☐ | 주어와 서술어의 관계가 한 번만 나타나는 문장 | |
|---|---|---|---|
| | 겹문장 | 주어와 서술어의 관계가 두 번 이상 나타나는 문장 | 이어진문장 |
| | | | 안은문장 |

## ●● 이어진문장

- 대등하게 이어진 문장: 둘 이상의 홑문장이 '나열, 대조, 선택' 등의 의미 관계로 대등하게 연결된 문장

| 나열 | '-고', '-(으)며' 예 비가 오고, 바람이 분다. |
|---|---|
| 대조 | '-지만', '-(으)나' 예 비가 오지만, 날씨가 춥지 않다. |
| 선택 | '-거나', '-든지' 예 집에 가거나 학교에 가라. |

- ❻□□□으로 이어진 문장: 둘 이상의 홑문장이 '원인, 조건, 의도, 양보, 배경' 등의 의미 관계로 종속적으로 연결된 문장

| 원인 | '-아서/어서', '-(으)니' 예 비가 그치지 않아서, 우리는 축구를 하지 못했다. |
|---|---|
| 조건 | '-(으)면', '-거든' 예 비가 오면, 곡식이 잘 자란다. |
| 의도 | '-(으)려고', '-(으)러' 예 우리는 비를 피하려고, 가게로 들어갔다. |
| 양보 | '-(으)ㄹ지라도', '-더라도' 예 비가 올지라도, 경기는 해야 한다. |
| 배경 | '-ㄴ데', '-ㄹ진대' 예 날씨가 추운데, 외투를 입고 나가거라. |

## ●● 안은문장과 안긴문장

| 안은문장 | 다른 홑문장을 자신의 문장 성분으로 안고 있는 문장 | |
|---|---|---|
| 안긴문장 | 다른 문장 속에서 하나의 문장 ❼□□처럼 쓰이는 홑문장 | 예 우리는 <u>그가 떠났음</u>을 알았다. |

## ●● 안긴문장의 종류

| 명사절 | 예 사람들이 <u>우리 반이 대회에서 우승하기</u>를 원한다. / 나는 <u>그 일이 어려웠음</u>을 깨달았다. |
|---|---|
| 서술절 | 예 아기는 <u>눈동자가 맑다</u>. / 할아버지께서는 <u>귀가 밝으시다</u>. |
| ❽□□□ | 예 나는 <u>언니가 만든</u> 모자를 썼다. / <u>밤하늘에 피어나는</u> 꽃이 당신의 눈에 새겨집니다. |
| 부사절 | 예 동생이 <u>소리도 없이</u> 다가왔다. / 나는 <u>발에 땀이 나게</u> 뛰었다. |
| ❾□□□ | 예 민수는 <u>"나는 안 갈래."</u>라고 말했다. / 민수는 <u>자기는 가지 않겠다</u>고 말했다. |

## ●● 홑문장과 겹문장의 표현 효과

| | 홑문장 | 겹문장 |
|---|---|---|
| 표현 효과 | • 내용을 간결하고 명확하게 전달할 수 있음.<br>• 사건이 빠르게 진행되는 느낌을 줄 수 있음. | • 내용을 ❿□□□으로 전달할 수 있음.<br>• 사건이나 사실의 논리적인 관계를 잘 드러낼 수 있음. |

**01** 문장 성분에 대한 설명으로 알맞지 <u>않은</u> 것은?

① 우리말의 문장 성분은 총 7개가 있다.
② 관형어와 부사어는 부속 성분에 속한다.
③ 독립어는 홀로 쓰일 수 없는 문장 성분이다.
④ 목적어는 '누구를, 무엇을'에 해당하는 말이다.
⑤ 주성분은 문장을 이루는 데 꼭 필요한 성분이다.

☆ 학습 활동 응용

**02** 다음 중 완전한 문장으로 보기 <u>어려운</u> 것은?

① 거북이가 엉금엉금 기어간다.
② 언니와 내가 부모님께 드렸다.
③ 봄이 성큼 우리 곁에 다가왔다.
④ 흥부가 제비 다리를 치료해 주었다.
⑤ 음악이 운동장에 크게 울려 퍼졌다.

**03** 다음 문장에 쓰인 말과 문장 성분의 연결이 바르지 <u>않은</u> 것은?

> 아이코, 누가 책을 여기에 버렸지?

① 아이코 – 독립어      ② 누가 – 주어
③ 책을 – 목적어        ④ 여기에 – 관형어
⑤ 버렸지 – 서술어

**04** 〈조건〉에 맞는 문장을 완성한다고 할 때, 다음 빈칸에 들어갈 문장 성분이 나머지와 <u>다른</u> 것은?

> 조건
> ① 완전한 문장이 되어야 함.

① (          ) 여기에서 늑대를 만났다.
② 드디어 홍길동이 (          ) 되었다.
③ (          ) 공주에게 사과를 건넸다.
④ 자정이 되자 (          ) 깜짝 놀랐다.
⑤ 영리한 (          ) 용궁을 빠져나왔다.

**05** 다음 밑줄 친 부분의 문장 성분이 바르게 연결되지 <u>않은</u> 것은?

① 작은 두더지가 <u>굴을</u> 팠다. – 목적어
② 오늘도 <u>바람이</u> 세차게 분다. – 주어
③ <u>와!</u> 새 옷이 정말 예쁘구나! – 독립어
④ 저것은 <u>우리의</u> 물건이 아니다. – 부사어
⑤ 이순신은 드디어 장군이 <u>되었다.</u> – 서술어

✏ 서술형

**06** 다음 문장에서 주성분만 골라 한 문장으로 쓰시오.

> 준현아, 아이가 너를 계속 쳐다봐.

**07** 다음 중 홑문장인 것은?

① 그는 성실하고 똑똑하다.
② 향기가 좋은 꽃이 피었다.
③ 겨울이 되니, 날씨가 춥다.
④ 그가 나에게 미소를 지었다.
⑤ 우리는 진실이 드러났음을 알았다.

☆ 학습 활동 응용

**08** 〈보기〉의 ㉠~㉣에 대한 설명으로 알맞지 <u>않은</u> 것은?

> 보기
> 엄마: ㉠지희야, 오늘 시험을 잘 봤니?
> 지희: ㉡저는 열심히 공부했지만, 시험을 잘 못 봤어요.
> 엄마: ㉢속상하겠구나. ㉣하지만 최선을 다하는 모습이 정말 멋졌단다.

① ㉠은 주성분, 부속 성분, 독립 성분에 속하는 성분을 각각 하나 이상 포함하고 있다.
② ㉡은 종속적으로 이어진 문장이다.
③ ㉢은 주어가 생략되고 서술어만 쓰였다.
④ ㉣은 관형절을 안은 문장이다.
⑤ ㉠, ㉢은 홑문장이고 ㉡, ㉣은 겹문장이다.

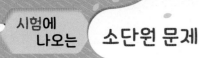

★ 학습 활동 응용

**09** 〈보기〉에 대한 설명으로 알맞지 <u>않은</u> 것은?

┌보기┐
ㄱ. 장미와 함께하면 사랑이 싹틉니다.
ㄴ. 밤하늘에 피어나는 꽃이 당신의 눈에 새겨집니다.
└─────

① ㄱ과 ㄴ은 겹문장이다.
② ㄱ은 대등하게 이어진 문장이다.
③ ㄱ의 연결 어미를 '-아서'로 바꾸면 '원인'의 의미 관계가 드러난다.
④ ㄴ은 관형절을 안은 문장이다.
⑤ ㄴ에서 '밤하늘에 (꽃이) 피어나다.'는 안긴문장이다.

**10** 다음 이어진문장의 종류가 나머지와 <u>다른</u> 것은?

① 비가 오면 곡식이 잘 자란다.
② 친구를 만나려고 이곳에 왔다.
③ 오늘은 잠을 자거나 책을 읽어라.
④ 네가 웃을지라도 나는 춤을 추겠다.
⑤ 밖에 비가 많이 오니까 집에 있어라.

**11** 안긴문장의 종류가 〈보기〉와 같은 것은?

┌보기┐
그는 자기가 직접 나서겠다고 큰소리를 쳤다.
└─────

① 피노키오는 자꾸 코가 길어졌다.
② 뒤늦게야 토끼는 숨이 차게 달렸다.
③ 선비는 은혜를 갚은 까치를 바라보았다.
④ 몽룡은 춘향의 절개가 변치 않았음을 느꼈다.
⑤ 거울은 백설 공주가 살아 있다고 알려 주었다.

✎ 서술형  ★ 학습 활동 응용

**12** ㄱ을 ㄴ과 같이 고쳐 썼을 때의 효과를 한 문장으로 쓰시오.

┌─────
ㄱ 태풍 '솔릭'이 한반도에 접근하고 있다. 각 교육청은 비상 체제에 돌입했다.
ㄴ 태풍 '솔릭'이 한반도에 접근함에 따라 각 교육청은 비상 체제에 돌입했다.
└─────

**13** 〈보기〉의 문장들을 바르게 분류한 것은?

┌보기┐
ㄱ. 나는 그가 온다고 전했다.
ㄴ. 그는 말도 없이 가 버렸다.
ㄷ. 천둥이 쳐서 아이가 울었다.
ㄹ. 비가 오고 바람이 많이 분다.
ㅁ. 아이들은 노래를 열심히 불렀다.
└─────

| | 홑문장 | 이어진문장 | 안은문장 |
|---|---|---|---|
| ① | ㄴ | ㄷ | ㄱ, ㄹ, ㅁ |
| ② | ㄴ | ㄷ, ㄹ | ㄱ, ㅁ |
| ③ | ㅁ | ㄷ, ㄹ | ㄱ, ㄴ |
| ④ | ㅁ | ㄱ, ㄷ, ㄹ | ㄴ |
| ⑤ | ㄴ, ㅁ | ㄱ, ㄹ | ㄷ |

**14** 다음 밑줄 친 부분의 성격이 나머지와 <u>다른</u> 것은?

① 나는 <u>그가 떠났음</u>을 알았다.
② 그는 <u>친구가 준</u> 책을 읽었다.
③ 그는 <u>내가 돌아오기</u>를 기다렸다.
④ <u>사과의 말을 건네기</u>가 쉽지 않다.
⑤ 나는 <u>우리가 대회에서 우승하기</u>를 원한다.

★ 학습 활동 응용

**15** ㄱ과 ㄴ에 대한 설명으로 알맞지 <u>않은</u> 것은?

┌─────
ㄱ 닭이 푸드덕댄다. 그러자 주인이 달려 나온다. "고양이가 또 찾아왔구나!" 마당에 담뱃대가 사정없이 휘날린다. 고양이는 달아나기 바쁘다.
ㄴ 고양이가 마당에 들어오는 것을 보고 놀란 닭이 푸드덕댄다. 그 소리를 듣고 달려 나온 주인이 담뱃대를 사정없이 휘두르니 고양이는 달아나기 바쁘다.
└─────

① ㄱ은 홑문장을, ㄴ은 겹문장을 주로 사용했다.
② ㄱ보다 ㄴ에서 속도감이 잘 느껴진다.
③ ㄱ보다 ㄴ에서 사건의 인과 관계가 잘 드러난다.
④ 긴박한 상황을 표현하고 싶을 때에는 ㄱ처럼 문장을 구성하는 것이 효과적이다.
⑤ 표현하고자 하는 의도에 따라, ㄱ, ㄴ처럼 사용하는 문장의 짜임이 달라질 수 있다.

## 전기문이란

실제 인물의 생애를 소재로 그의 업적, 활동, 성품 등을 서술하고, 그에 대한 평가를 통해 독자에게 교훈과 감동을 주는 글이다.

## 전기문의 특성과 구성 요소

| 특성 | • 사실성: 실제 인물의 생애를 다룸.<br>• 서사성: 인물이 벌이는 사건·행동 등을 시간의 흐름에 따라 서술함.<br>• 교훈성: 인물의 삶을 통해 독자에게 교훈과 감동을 줌.<br>• 문학성: 인물의 생애를 사실적으로 다루지만, 대화, 묘사, 서술 등 문학적 표현 방법과 구성을 사용함. |
|---|---|
| 구성 요소 | • 인물: 인물의 출생, 성장, 죽음 등의 생애와 인물의 성품, 사상 등<br>• 사건: 인물의 활동과 업적 및 이를 보여 주는 일화와 사건<br>• 배경: 시대적, 사회적, 문화적 배경 및 인물의 개인적 환경<br>• 비평: 인물에 대한 글쓴이의 생각이나 느낌, 평가 |

## 전기문의 종류

| 자기 자신이<br>쓴 글 | • 자서전: 자신의 생애를 직접 쓴 글<br>• 회고록: 자신의 생애 중 특히 중요한 시기나 활동만을 기록한 글 |
|---|---|
| 다른 사람이<br>쓴 글 | • 전기: 어떤 인물의 일생 동안의 행적을 쓴 글<br>• 평전: 어떤 인물의 일생에 대한 평가를 중심으로 쓴 글<br>• 열전: 여러 사람의 전기를 간단히 모아 차례로 기록한 글 |

## 비평문이란

작품을 정의하고 분석하여 그 가치를 판단한 내용을 표현한 글이다.

## 비평문의 특성

• 비평의 대상에 대한 글쓴이의 관점이나 의견이 논리적으로 드러난다.
• 객관적인 근거를 바탕으로 하여 글쓴이의 관점이나 의견이 타당하게 제시된다.
• 동일한 작품을 대상으로 한 비평문이라도 글쓴이의 관점에 따라 작품에 대한 해석이 달라질 수 있다.

## 비평문의 구성 요소

| 비평의 전제 |
|---|
| 근거와 주장을 이끌어 가는 기본적인 관점, 혹은 작품 해석에 바탕이 되는 생각 |

| 해석의 근거 | | 해석의 결론 |
|---|---|---|
| 작품 속 구절, 작품에 대한 정보,<br>작품 외적 사실, 비평가의 생각 등 | ➡ | 전제와 근거를 바탕으로 내린<br>작품에 대한 의미 해석의 결과 |

## 간단 체크 개념 문제

**1** 다음 설명이 맞으면 ○표, 틀리면 ✕표 하시오.

(1) 전기문은 실제 인물을 바탕으로 상상을 통해 꾸며 낸 이야기이다. (　　)

(2) 자서전은 자신의 생애를 직접 쓴 글이지만, 전기는 어떤 인물의 생애를 다른 사람이 쓴 글이다. (　　)

(3) 비평문은 대상에 대한 글쓴이의 정서 표현을 목적으로 한다. (　　)

**2** 〈보기〉에 해당하는 전기문의 종류로 알맞은 것은?

┌ 보기 ┐
어떤 인물의 업적, 사상, 활동 등에 대한 글쓴이의 평가를 중심으로 한 글

① 전기　　② 열전
③ 평전　　④ 회고록
⑤ 자서전

**3** 다음 빈칸에 들어갈 알맞은 말을 쓰시오.

비평문은 작품을 해석하는 사람마다 해석의 전제와 □□을/를 다양하게 제시할 수 있기 때문에, 같은 작품을 대상으로 한 것이라도 비평의 결론이 달라질 수 있다.

# [2] 읽기의 점검과 조정

이해
❶ 읽기 과정을 점검하고 조정하는 방법 알기
❷ 읽기 과정을 점검하고 조정하며 읽는 것의 효과 이해하기

### 학습 포인트
❶ 읽기 과정의 점검 및 조정 방법
❷ 읽기 과정을 점검하고 조정하며 읽는 것의 효과

• '현중'이 글을 읽는 과정을 따라가면서 읽기 과정을 점검하고 조정하는 방법을 알아보자.

'현중'이 글을 읽기 전

다음 주에는 역사적 인물에게게서 본받을 점을 찾아 발표해 보려고 해요. 각자 자신이 관심 있는 역사적 인물의 생애를 조사해 오세요.

역사적 인물이라……. 아! 저번에 간송 미술관에 갔다가 문화재를 보존하는 데 평생을 바친 '전형필'이라는 인물을 알게 되었어. '전형필'의 생애를 자세히 알아보고, 그에게서 본받을 점을 발표해야겠다.

1 🔒 이 책은 '전형필'이 수집한 미술품들은 자세히 설명하고 있는데, '전형필'의 생애는 잘 나타나 있지 않네. 다른 책은 없을까?

ㄱ

🔒 이 책은 내가 읽기에는 너무 어려운걸. 더 쉬운 책은 없을까?

1 🔑 이 책은 내가 알고 싶었던 '간송 전형필'의 생애를 자세히 다루고 있네. 또 내가 읽기에도 적당한 수준의 책인 것 같아.

ㄴ

좋아! 이 책으로 정했다!

---

간단 체크 활동 문제

중요
**01** 글을 읽기 전에 점검할 사항으로 알맞은 것을 〈보기〉에서 모두 골라 바르게 묶은 것은?

┤보기├
ㄱ. 어떤 목적으로 읽는가?
ㄴ. 나의 읽기 수준은 어떠한가?
ㄷ. 글에 모르는 단어는 없는가?
ㄹ. 나는 어떤 글을 써 봤는가?
ㅁ. 글에 담긴 글쓴이의 관점은 무엇인가?

① ㄱ, ㄴ
② ㄷ, ㄹ
③ ㄱ, ㄴ, ㄹ
④ ㄴ, ㄷ, ㅁ
⑤ ㄷ, ㄹ, ㅁ

**02** '현중'이 ㄱ 대신 ㄴ을 선택할 때 고려한 요소로 알맞은 것은?
① 글의 주제
② 표지의 이미지
③ 글쓴이의 관점
④ 자신의 읽기 수준
⑤ 인물에 대한 관심도

◐ **이충렬**(1954~)
소설가이자 기고가, 전기 작가. 신문과 잡지, 방송 등 다양한 매체를 오가며 단편 소설, 르포, 칼럼 등을 활발히 써 왔다.

'현중'이 글을 읽는 중

**1**

전 간
형 송
필

가 전형필은 상복을 입은 채 대학 4학년을 마치고 1930년 3월 경성으로 돌아왔다. 그가 제일 먼저 해야 할 일은 친아버지와 양아버지가 남긴 논밭을 돌아보는 것이었다. 왕십리·답십리·청량리·송파·창동 등 인근에서부터, 경기도 고양군·양주군·광주군, 황해도 연안·연백, 충청도 공주·서산까지 둘러보면서, 전형필은 자신이 물려받은 재산이 얼마나 엄청난지 실감했다.

나 전형필이 소유한 논은 800만 평이 넘었고 여기에서 한 해 4만 가마니의 쌀이 나왔다. 전형필의 부친은 다른 지주들에 비해 소작인들에게 비교적 후하게 분배했기 때문에 이 중 쌀 2만 가마니를 거둬들였다. 그때 쌀 한 가마니가 16원 정도였으니, 세금과 인건비 등을 제한 순수입이 15만 원 정도 되었다. 이는 당시 기와집
└사람을 부리는 데에 드는 비용
150채 값이었고, 현재 화폐 가치로 450억 원에 달한다. 소유한 논의 가치를 계산하면 더욱 엄청나다. 당시 논 800만 평이면 기와집 2천 채 값, 지금으로 보면 6천억 원인 셈이다.

스물다섯 살의 청년 전형필은 황해도, 경기도, 충청도에 있는 드넓은 논을 둘러보며, 이 큰 재산을 어떻게 관리해야 할지 생각했다. 조상 대대로 이루어 놓은 이 많은 재산을 어떻게 지키면서 활용하는 것이 가장 좋을지, 고민이 깊었다. 게다가 일제 강점의 세상이 얼마나 오래갈지 알 수 없었지만, 재산이 많을수록 총독부의 간섭에서 자유로울 수 없는 것은 불문가지였다.
└묻지 아니하여도 알 수 있음.

다 전형필은 선조들이 남긴 귀중한 ②서화 전적을 왜놈들로부터 지켜 달라는 스승 고희동의 당부가 떠올랐다. 서화를 모으는 일은 재물도 있어야 하고, 안목도 있어야 하고, 무엇보다 오랜 인내와 지극한 정성이 있어야 한다던 오세창의 훈계도 떠올랐다. 민족과 함께할 수 있는 일을 찾으라던 외종형 월탄의 조언도 떠올랐다.

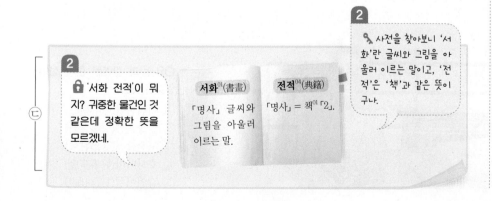

② ㉢ 🔒'서화 전적'이 뭐지? 귀중한 물건인 것 같은데 정확한 뜻을 모르겠네.

**서화**⁰¹(書畫)
「명사」 글씨와 그림을 아울러 이르는 말.

**전적**⁰⁴(典籍)
「명사」 = 책⁰¹「2」.

② 🔍 사전을 찾아보니 '서화'란 글씨와 그림을 아울러 이르는 말이고, '전적'은 '책'과 같은 뜻이구나.

간단 체크 **활동** 문제

⭐ 중요
**03** 이와 같은 글에 대한 설명으로 알맞지 **않은** 것은?
① 읽는 이에게 감동과 교훈을 준다.
② 인물에 대한 객관적 사실만 서술한다.
③ 문학적 표현 방법과 구성이 나타난다.
④ 실제 인물, 사건, 배경을 바탕으로 한다.
⑤ 인물의 특성이 드러나는 구체적인 일화가 나타난다.

**04** (가)~(다)를 읽고 알 수 있는 내용이 **아닌** 것은?
① '전형필'의 경제적 상황
② '전형필'이 고민한 내용
③ '전형필'이 재산을 늘린 방법
④ '전형필'이 살았던 시대적 상황
⑤ '전형필'에게 영향을 끼친 인물들

**05** ㉢에 나타난 읽기 과정의 점검과 조정 방법을 쓰시오.

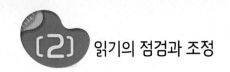
'서화와 골동품에 문외한인 내가 그런 일을 할 수 있을까? 그것이 진정 돈을 헛

<sub>어떤 일에 전문적인 지식이 없는 사람</sub>

되게 쓰지 않는 유일한 길인가? 그렇지는 않다. 아버님은 인재를 양성하는 교육

사업에 뜻이 있으셨지 않은가. 그래서 운영난에 처한 가회동의 반도 여학교를

인수하려고 하셨지. 매달 재정 지원을 하면서 학교 인수를 준비하다가 갑자기

돌아가셔서 그 뜻을 이루지 못하셨지만, 훗날 교육 사업을 통해 나라의 힘을 길

러야 한다고 유언하셨는데…….'

전형필은 끊임없이 묻고 대답하기를 반복했다.

'그러나 반도 여학교는 이미 문을 닫지 않았는가. 게다가 교육 사업을 하기에는

지금 내 연륜이 짧으니, 훗날 도모하기로 하고……. 고희동 선생님과 오세창 어

<sub>어떤 일을 이루기 위하여 대책과 방법을 세우기로</sub>

르신이 서화 전적을 지키라고 말씀하신 것은, 그 길이 우리 민족의 앞날에 보탬

이 된다는 확신이 있으셨기 때문이 아닐까? ㉠그렇다면…….'

**라** 그렇게 보름쯤 지났을까, **전형필은 오세창을 찾아갔다.**③

"지난해에 부친상을 당했다는 소식을 들었네.

약관의 나이에 그런 큰일을 당했으니 얼마나 애

<sub>1. 스무 살을 달리 이르는 말 2. 젊은 나이</sub>

통한가."

🔒 ㉡'전형필'이 찾아간 '오세창'
은 어떤 사람일까?

오세창이 안타까운 표정으로 전형필을 위로했다.

"너무나 급작스레 당한 일이라 황망하고 비통하기 짝이 없었지만, 이제는 많이

<sub>마음이 몹시 급하여 당황하고 허둥지둥하는 면이 있고</sub>

안정되었습니다." / 전형필의 목소리는 담담했다.

<sub>남에게 돌아가신 자기 아버지를 이르는 말</sub>

"㉢그렇다고 슬픔이 어디 쉬이 가시겠는가. 나도 열여섯 어린 나이에 선친을 여

의어 그 비통한 마음을 이해하네." / "고맙습니다, 어르신."

오세창은 전형필을 지그시 바라보다 물었다.

"이제 대학도 졸업했으니 변호사 시험을 볼 생각인가?"

"아닙니다, 어르신. 변호사는 선친의 기대를 저버릴 수 없어 생각했던 것이고,

이제는 집안의 일을 해야 할 상황입니다."

"그렇겠구먼. 자네 집이 제법 큰 미곡상을 하고 있다니 신경 쓸 일이 많겠지. 규

<sub>쌀을 비롯한 갖가지 곡식을 사고파는 가게</sub>

모가 어느 정도인지는 모르지만, 옛말에 천석꾼에게는 천 가지 걱정이 있고, 만

석꾼에게는 만 가지 걱정이 있다고 했으니, 자네가 지혜롭게 처신해야 할 걸세."

오세창의 표정이 복잡했다. 세파에 시달려 본 경험이 없는 저 맑은 청년이 어떻

<sub>모질고 거센 세상의 어려움</sub>

게 그 큰 재산을 꾸려 갈 것인가.

---

간단 체크 **활 동** 문제

**06** ㉠에 생략된 내용으로 가
장 적절한 것은?

① 교육 사업을 통해 나라의
힘을 길러 보자.

② 서화 전적을 지키는 데 힘
써 보는 게 좋겠어.

③ 민족의 앞날에 보탬이 될
수 있는 방법은 무엇일까?

④ 고희동 선생님과 오세창 어
르신의 말을 믿을 수 있을
까?

⑤ 오세창 어르신께 돈을 헛되
게 쓰지 않는 방법을 여쭤
보자.

**중요**

**07** ㉡에 대한 설명으로 알맞
은 것은?

① 읽는 중 느낀 점을 정리한
것이다.

② 읽는 중 중심 내용을 메모
한 것이다.

③ 읽는 중 궁금한 점을 떠올
린 것이다.

④ 읽기 전 등장인물에 대해
추측한 것이다.

⑤ 읽기 전 자신의 읽기 수준
을 점검한 것이다.

**08** ㉢과 관련된 한자 성어로
알맞은 것은?

① 이심전심(以心傳心)

② 일장춘몽(一場春夢)

③ 고진감래(苦盡甘來)

④ 호사다마(好事多魔)

⑤ 감언이설(甘言利說)

**마** "그래서 오늘은 어르신께 제 장래에 대해 상의드리려고 찾아뵈었습니다. 재작년 여름에 말씀드렸던 것처럼, 이제부터 우리나라의 옛 책과 서화가 이리저리 흩어지지 않도록 모아 보고 싶습니다. 고희동 선생님과 어르신께서 길을 인도해 주신다면, 조선 땅에 꼭 남아야 할 서화 전적과 골동품을 지키는 데 적은 힘이나마 보태겠습니다."

오세창이 고개를 끄덕이며 말했다.

"쉽지 않은 큰 결심을 했구먼. 그런데 서화 전적을 지키려는 이유가 무엇인가?"

전형필은 잠시 혼란스러웠다. 지극히 당연한 걸 묻는 의도가 무엇일까?

"오래전 제 외숙께서, 세상의 유혹에 꿋꿋하려면 옛 선비와 같은 격조와 정신을 갖춰야 한다는 가르침을 주셨습니다. 고희동 선생님께서는 선조들이 남긴 귀중<sub>사람의 품격과 취향</sub>한 서화 전적을 왜놈들에게서 지키는 선비가 되라고 말씀하셨고요. 제 외종 형님도 민족의 앞날에 보탬이 되는 일을 찾으라고 하셨지요. 그러나 그때는 어르신께서 말씀하셨듯이 경제권이 없었습니다. 그런데 이번에 아버님이 남기신 논밭을 둘러보면서 결심했습니다. 왜놈들이 우리 서화 전적을 계속 일본으로 가지고 가는데, 그걸 이 땅에 남기고 싶습니다."

"내가 자꾸 묻는 건, 뜨거운 가슴과 재력이 있으니 우리 서화 전적을 한번 본격적으로 모아 보겠다는 자네의 생각이 틀려서가 아니네. 그런 결심을 하기가 쉽지 않다는 것 잘 아네. 그러나 나는 자네가 우리 서화 전적과 골동품의 가치를 어떻게 생각하고 지키겠다는 건지 알고 싶네."

전형필은 고개를 숙였다. 솔직히 이제까지 서화 전적이 왜 중요한지 구체적으로 생각해 본 적이 없었다. 그러나 한 가지는 확실했다.

"서화 전적과 골동품은 조선의 자존심이기 때문입니다."

오세창은 잠시 전형필을 뚫어지게 바라보더니 마침내 호탕한 웃음을 터뜨렸다.

"조선 땅에 서화 전적과 골동품을 모으는 사람은 많다네. 자네처럼 이렇게 찾아와서 가르침을 청하는 수집가도 제법 있지. 그러나 뜻을 갖고 모으는 사람은 거의 보지 못했네. 대부분 재산이 많거나 돈이 좀 생기자, 고상한 취미로 내세우기 위해 모으는 사람들이라고 해도 과언이 아니지. 그들은 수집벽이 식거나, 체면을 충분히 세웠다 싶으면 더<sub>취미나 연구를 위하여 여러 가지 물건이나 재료를 찾아 모으기를 대단히 즐기는 버릇</sub> 이상 모으지 않는다네. 그러나 자네는 조선의 자존심이기에 지키겠다고 하니, 그 뜻이 가상하군. 내가 듣고 싶은 대답이 바로 그것이었네. 하하하."

**3** ㉣ 서화 전적과 골동품을 모으는 사람들이 '오세창'을 찾아와 가르침을 청한다는 걸 보니, '오세창'은 서화 전적과 골동품을 잘 알고 있는 전문가인가 보군.

전형필은 묵묵히 오세창의 다음 말을 기다렸다.

"옛 책과 서화를 수집하는 일은 말처럼 쉽지 않지만, 내 자네를 한번 믿어 봄세."

간단 체크 **활동** 문제

**09** (마)에서 '오세창'이 '전형필'의 생각을 되물은 이유로 가장 알맞은 것은?

① '전형필'이 도중에 마음을 바꾸지 않을까 걱정돼서
② '전형필'이 현명한 선택을 하도록 도움을 주기 위해서
③ '전형필'이 스스로를 돌아보고 반성할 기회를 주기 위해서
④ '전형필'이 험난한 길을 갈 마음의 준비가 되어 있는지 확인하려고
⑤ '전형필'의 결심이 개인의 이익이 아니라 민족을 위한 것인지 확인하려고

**10** (마)에 나타난 '전형필'의 결심을 한 문장으로 쓰시오.

**중요**
**11** 〈보기〉와 ㉣에 나타난 읽기 과정의 점검과 조정 방법으로 알맞은 것은?

┤보기├
오세창은 어떤 사람일까?

① 글의 갈래를 확인하며 읽기
② 글을 읽는 목적을 확인하며 읽기
③ 모르는 단어의 의미를 사전에서 찾아보기
④ 자신의 읽기 수준에 맞는 글인지 확인하기
⑤ 앞뒤 맥락을 고려하여 이해가 되지 않는 부분의 의미 파악하기

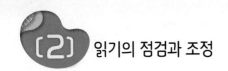

## [2] 읽기의 점검과 조정

**②**

**바** 신보가 천학 매병의 사진을 가지고 전형필을 만난 건, 성북동의 박물관 공사가 한창이던 1935년 봄이었다.

"간송, 보물 중의 보물이 나타났습니다."

신보는 사진을 전형필에게 건넸다. 흑백 사진이었지만 매병의 완만한 곡선과 구름 사이로 날아가는 수십 마리 학의 모습은 또렷했다.

"그렇게 아름다운 옥색은 처음 봤습니다. 마에다 상은 수천 마리의 학이 구름을 헤치고 하늘로 날아가는 것 같다면서 <u>천학 매병</u>이라고 이름 붙였더군요. 제가 본 고려청자 가운데 가장 훌륭합니다."

**4** 🔒 보물 중의 보물이라는 '천학 매병'은 무엇일까?

**4** 🔍 인터넷 검색을 통해 '천학 매병'의 아름다움과 가치에 대해 알게 되었어.

"총독부에서 만 원을 주겠다고 한 청자가 바로 이겁니까?"

전형필도 소문을 들었던 것이다.

"그렇습니다. 마에다 상이 비록 일본인이라고 해도 총독부의 제안을 거절하기가 쉽지 않았을 텐데, 평생 처음이자 마지막으로 잡은 명품으로 생각하고 계속 사진을 뿌리는 겁니다."

**청자 상감운학문 매병**

고려 시대의 청자 매병.

...... 「청자 상감운학문 매병」은 폭과 높이, 굽의 비례까지 완벽한 황금 비례를 이룬다. 또한 유약 속 철의 화학 작용을 이용해 만든 고려만의 독보적인 비색이 이 청자를 더욱 아름답게 만들어 준다. 42개의 원 안팎으로 69마리의 학과 구름이 자유롭게 오르내리고 있어, 이 청자를 회전하며 감상하면 마치 천 마리의 학이 노니는 것과 같다고 하여 '천학 매병'으로 불리기도 한다.

"그렇다면 곧 일본 골동품계에도 이 사진이 퍼지겠군요."

"마에다 상의 장인인 아마이케 상도 사진을 여러 장 가져갔다고 하니, 생각이 있으시다면 서둘러야 합니다."

"호가가 얼맙니까?"
팔거나 사려는 물건의 값을 부름.

"마에다 상은 2만 원을 부르고 있지만, 이제까지 없던 가격이니 어느 정도 흥정이 가능할 것도 같습니다."

전형필은 다시 한번 사진을 보았다. 사진만으로도 명품임에 틀림없었다.

"알겠습니다. 신보 선생. 내일이라도 볼 수 있게 주선을 해 주시오."

전형필의 목소리는 조용했지만 단호했다.

**사** 구름 사이로 학이 날아올랐다. 한 마리가 아니라 열 마리, 스무 마리, 백 마리……. 구름을 뚫고 옥빛 하늘을 향해 힘차게 날갯짓을 한다. 불교의 나라 고려가 꿈꾸던 하늘은 이렇게도 청초한 옥색이었단 말인가? 이 색이 그토록 그리워하던 영원의 색이고 무아의 색이란 말인가. 세속의 번뇌와 망상이 모두 사라진 <u>서방 정토</u>란 이렇게도 평화로운 곳인가.
자기의 존재를 잊음. / 마음이나 몸을 괴롭히는 노여움이나 욕망 따위의 망념
서방 극락. 서쪽으로 십만 억의 국토를 지나면 있는 아미타불의 세계

**간단 체크 활동 문제**

**12** '전형필'이 천학 매병 구입에 관심을 보인 이유로 알맞은 것은?
① 뛰어난 아름다움을 지닌 명품이라고 생각해서
② 총독부가 탐내는 것을 빼앗아야겠다고 생각해서
③ 세상이 천학 매병의 가치를 몰라주는 것이 안타까워서
④ 사 두면 나중에 더 높은 가격에 되팔 수 있을 것이라 생각해서
⑤ '신보'가 추천한 것이라면 무엇이든 사들여야겠다고 생각해서

**13** (바)에서 '천학 매병'이라는 이름이 지닌 의미를 찾아 쓰시오.

**중요**
**14** ㉠과 같은 읽기 방법을 활용한 의도로 알맞은 것은?
① 글을 읽는 목적을 확인하려고
② 단어의 정확한 뜻을 파악하려고
③ 글의 주요 내용을 정리해 두려고
④ 자신의 읽기 수준에 맞는 글인지 확인하려고
⑤ 참고 자료를 찾아 관련 분야에 대한 이해를 넓히려고

전형필은 구름과 학으로 가득한 청자를 잡고 한 바퀴 빙그르 돌려 보았다. 그러고는 고개를 끄덕이며 신보를 바라보았다. 흥정을 시작해 보라는 표시였다.

"마에다 상, 가격을 말씀해 보시지요."

신보가 자세를 바로잡으며 흥정할 태세를 갖추었다.

ⓔ "신보 상, 이미 말씀드렸듯이 2만 원이오."

5

🔒 '천학 매병'의 값인 2만 원은 현재 가치로 얼마나 될까?

ⓛ 5 ※ 교재 63쪽

🔑 79쪽으로 돌아가 보니 당시 2만 원은 현재의 화폐 가치로 60억 원 정도구나. 어마어마한 금액이군.

"2만 원이면 기와집 스무 채 값인데 이제까지 2만 원에 거래된 청자 매병은 없습니다. 그건 마에다 상도 잘 아시지 않습니까. 총독부에서 제시했던 만 원에 5천 원을 더 드리겠습니다. 이 정도 가격이면 지금까지 거래된 청자 매병 중에서 최고가입니다."

"신보 상, 이만한 명품이 또 나올 거라고 생각하시오? 이 매병은 평생에 한 번도 만나기 힘든 명품 중의 명품이오."

ⓐ 마에다는 빙그레 웃으며 신보를 바라보았다. 어쩌면 그 웃음은 조선인에게 이만한 값을 치를 배짱이 있겠느냐는 비웃음인지도 몰랐다.

"에헴!"

전형필이 헛기침을 했다. 마에다도 신보도 전형필 쪽으로 시선을 돌렸다. 전형필이 살짝 미소를 띠며 말했다.

"마에다 선생, 이렇게 귀한 청자를 수장할 기회를 주셔서 고맙습니다. 내가 인수하겠소."

　　　　　　　거두어서 깊이 간직할

전형필은 서화 골동이 눈앞에 나타났을 때, 자신의 취향보다는 그것이 이 땅에 꼭 남아야 할지 아니면 포기해도 좋을지를 먼저 생각했다. 그래서 깊이 생각하지만 오래 생각하지는 않았고, 그랬기 때문에 보존할 가치가 있는 문화유산이 나타났을 때 놓친 적이 거의 없었다. 천학 매병도 마찬가지였다.

전형필은 눈이 휘둥그레진 마에다와 신보에게 살짝 고개를 숙여 보이고는 안채로 들어갔다.

잠시 후, 전형필이 커다란 가죽 가방을 마에다 앞에 내려놓았다.

"마에다 선생, 2만 원이오."

마에다와 신보는 ⓒ다시 한번 놀란 표정으로 전형필을 바라보았다. 이제 막 서른을 넘겼을까 싶은 청년이 2만 원에서 한 푼도 깎지 않고 곧바로 현금 가방을 들고 나왔다는 사실이 도무지 믿기지 않았다.

**15** ⓛ에서 활용한 읽기 과정의 점검과 조정 방법을 쓰시오.

**16** (아)를 통해 글쓴이가 드러내려 한 '전형필'의 성품으로 알맞은 것은?

① 단호함 　② 친절함
③ 따뜻함 　④ 성급함
⑤ 거만함

**17** ⓒ의 이유로 알맞은 것은?

① 예상과 달리 거래가 너무 빨리 끝났기 때문에
② '전형필'이 흥정도 없이 큰 돈을 바로 준비해 왔기 때문에
③ '전형필'이 나이에 어울리지 않는 가방을 내놓았기 때문에
④ 실제로 '전형필'에게 천학 매병을 팔 생각은 없었기 때문에
⑤ '전형필'이 천학 매병의 값에서 한참 모자란 돈을 제시했기 때문에

전형필로서도 이렇게 큰돈을 하룻저녁에 준비하기란 쉽지 않았다. 박물관을 짓는 데 들어가는 공사비와 자재 구입비가 상당했고, 얼마 전 일괄로 서화를 구입하는 데 큰돈이 들어갔기 때문이다. 그러나 전형필은 전날 천학 매병의 사진을 봤을 때, 이미 다시 만나기 어려운 명품 청자라고 판단하고 마음을 굳혔다. 그래서 미리 박물관 공사 대금까지 모아 현금 가방을 준비해 두었던 것이다.

> 개별적인 여러 가지 것을 한데 묶음.

**자** 물론 마에다와 신보의 흥정을 좀 더 지켜볼 수도 있었다. 하지만 그랬다가 마에다가 더 이상 흥정을 하지 않겠다며 천학 매병을 다시 오동나무 상자에 담기라도 한다면 그때는 자존심을 버리고 마에다에게 사정을 해야 했다. 잘못했다가는 천학 매병을 포기해야만 할 수도 있었다.

"신보 선생도 수고 많았소. 내가 저녁 자리를 준비하고 연락하리다."

당시 이렇게 거래가 성사되면 중간에 다리를 놓은 거간은 양쪽으로부터 2 퍼센트 정도의 구전을 받는 것이 일반적이었다. 그러나 전형필은 마에다 앞에서 신보에게 구전을 건네는 것은 모양새가 좋지 않다고 생각해 이렇게 말한 것이다.

> 거간꾼. 사고파는 사람 사이에 들어 흥정을 붙이는 일을 하는 사람
> 구문. 흥정을 붙여 주고 그 보수로 받는 돈

신보는 천학 매병을 오동나무 상자에 넣는 전형필을 보면서 전율을 느꼈다. 참으로 무서운 승부사다. 이렇게 큰 거래를 이토록 전광석화처럼 끝내는 경우는 듣도 보도 못했다. 천학 매병이 정말 그 정도의 가치가 있는 것일까? 혹 전형필의 허세는 아닌가?

> 번갯불이나 부싯돌의 불이 번쩍거리는 것과 같이 매우 짧은 시간이나 매우 재빠른 움직임 따위를 비유적으로 이르는 말

전형필은 눈썹 하나 까딱하지 않고 보자기에 오동나무 상자를 차분히 갈무리했다. 그의 표정은 어찌 보면 희열에 찬 것 같기도 했다.

> 물건 따위를 잘 정리하거나 간수했다.

– 이충렬, 「간송 전형필」

🔒 '전형필'에게서 본받을 점은 무엇일까?

🔑 '전형필'이 천학 매병을 구입한 일화에는 그의 단호한 성품과 우리 문화유산을 지키려는 의지가 잘 드러나. 이는 우리가 본받아야 할 점이야.

**18** 이 글의 내용으로 알맞지 않은 것은?

① '전형필'은 천학 매병을 놓치지 않기로 결심했다.
② '전형필'은 흥정 없이 큰돈을 주고 천학 매병을 구입했다.
③ '전형필'은 '신보'에게 구전을 차후 건네려는 뜻을 전했다.
④ '신보'는 자존심을 내세우는 '전형필'의 허세를 아쉬워했다.
⑤ '전형필'은 남들이 놀랄 만큼 순식간에 천학 매병을 인수했다.

**19** ㉠에 나타난 읽기 과정의 점검과 조정 방법으로 알맞은 것은?

① 글의 핵심 정보를 메모하며 읽기
② 글을 읽는 목적을 확인하며 읽기
③ 모르는 단어의 의미를 사전에서 찾아보기
④ 더 알고 싶은 내용에 관한 자료 찾아보기
⑤ 글의 내용을 이해하고 있는지 스스로 질문하며 읽기

**04~06** 다음 글을 읽고, 물음에 답하시오.

**가** 이 조용한 초상화에 담겨 있는 신비롭고 의미심장한 아우라는, 「모나리자」를 비롯해 레오나르도 다빈치의 그림을 완벽하게 만드는 마법 같은 특징입니다. 그러면 이 특별한 아우라는 어디에서 비롯되었을까요?

**나** 그는 한 점의 그림 안에도 인간과 세상에 대한 그의 지식을 담아내고 싶어 했습니다. 다빈치는 모델을 닮게 그리기만 해도 충분한 초상화를 의뢰받았을 때조차도 늘 그 이상의 것을 추구했습니다. 다빈치가 그린 그림들의 구석구석에는 그의 인문학적, 과학적, 해부학적인 이해를 바탕으로 한 형태와 색, 공간에 대한 완벽한 해석이 다빈치만의 특별한 기법으로 구현되어 있습니다.

**다** 그에게는 눈에 보이지 않는 공기와 그 공기 속에서 변화하는 무수한 색의 차이조차도 기필코 그려 내야 할 실체였음을 알 수 있습니다. 이처럼 다빈치의 모든 그림에는 자연과 인물에 대한 화가의 풍부한 지식과 정교한 탐구가 배어 있고, 그것이 그의 그림들을 신비로운 아우라로 빛나게 하는 것입니다.

**라** 최근 이 그림을 엑스레이로 양파 껍질 벗기듯 벗겨 내어 작품의 완성 과정을 분석한 뉴스 기사를 본 적이 있습니다. 처음에는 담비가 없었고 여인이 홀로 존재하다가 작업 중반에 가서야 짙은 회색의 호리호리한 담비가 등장합니다. 그러나 이내 그 담비마저 없어지고 지금 우리가 보고 있는 하얗고 탐스러운 담비가 체칠리아의 품에 자리 잡게 되죠. 이 분석은 매우 중요한 것을 말해 줍니다. 우리 눈에 보이지 않았던 다빈치의 시간, 화가가 원하는 이미지를 만나기 위해 지독하게 망설이고 결정하고 번복하던, 자신의 그림에 마침표를 찍기까지의 시간을 보여 주는 것이니까요.

**마** 그 시간은 지워진 화면, 실패한 붓질, 단념된 구도와 함께 사라진 것이 아닙니다. 최선의 선택을 하기 위해 보낸 화가의 시간은 끝내 살아남아 물감의 층과 층 사이에 신비한 힘을 저장하고 있는 것입니다.

**04** 이 글에 대한 설명으로 알맞지 <u>않은</u> 것은?
① 논리적이고 분석적인 성격을 지닌다.
② 레오나르도 다빈치의 그림을 소재로 한다.
③ 그림을 직접 보여 주어 독자의 이해를 돕는다.
④ 독자에게 질문을 던져 독자의 흥미를 유발한다.
⑤ 글쓴이의 평가 없이 객관적인 사실만 전달한다.

☆ 학습 활동 응용

**05** 〈보기〉와 같은 읽기 과정의 점검과 조정 방법이 나타난 것은?

┤보기├

이 초상화 속 '여인'은 누구일까? 글을 더 읽어 보니, 체칠리아의 초상화이구나.

① '아우라'가 무슨 뜻인지 모르겠는데, 사전을 찾아봐야겠어.
② 이 글의 중심 내용을 표로 정리하고, 글을 읽고 느낀 점을 써 보자.
③ 글 제목인 '화가의 시간'의 의미를 글의 맥락을 살펴보며 이해해 봐야지.
④ 다빈치의 그림에서 아우라가 느껴지는 이유를 제대로 이해하고 있는지 생각해 보자.
⑤ 인터넷 검색을 통해 다빈치의 다른 그림들을 찾아보니, 이 글의 내용이 더 잘 이해돼.

**06** 이 글을 바르게 이해하지 <u>못한</u> 학생은?
① 지호: 다빈치는 다양한 학문에 조예가 깊었네.
② 재원: 다빈치는 완벽한 그림을 완성하고자 많은 공을 들였구나.
③ 주연: 다빈치의 그림에는 인간과 세상에 대한 그의 지식이 담겨 있어.
④ 준규: '화가의 시간'이란 화가가 작품을 완성하기 위해 고민하고 노력한 시간이야.
⑤ 용화: 화가가 한 작품을 완성하는 과정에서 거친 실패는 결국 쓸모없는 것이 돼 버리는구나.

✍ 서술형  ☆ 학습 활동 응용

**07** 〈보기〉와 같은 읽기 과정의 문제점을 보완할 방법을 한 문장으로 쓰시오.

┤보기├

이 글을 왜 읽는지를 신경 쓰지 않고 글을 읽었더니 필요한 내용이 기억나지 않아.

# 어휘력 키우기

교과서 98~99쪽

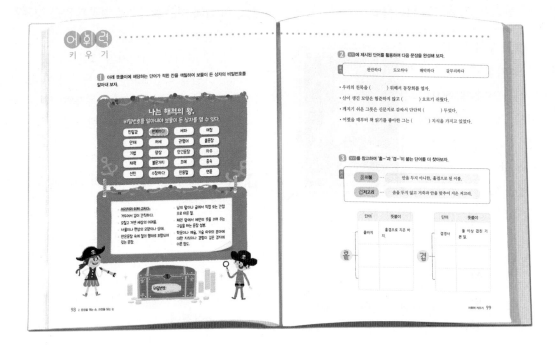

 예 시 답 안

**1.**

• 거두어서 깊이 간직하다. → 수장하다

• 모질고 거센 세상의 어려움. → 세파

• 사물이나 현상의 모양이나 상태. → 양상

• 안은문장 속에 절의 형태로 포함되어 있는 문장. → 안긴문장

• 남의 말이나 글에서 직접 또는 간접으로 따온 절. → 인용절

• 체언 앞에서 체언의 뜻을 꾸며 주는 구실을 하는 문장 성분. → 관형어

• 학문이나 예술, 기술 따위의 분야에 대한 지식이나 경험이 깊은 경지에 이른 정도. → 조예

➡ 비밀번호: 3

**2.**

• 우리의 친목을 ( 도모하기 ) 위해서 동창회를 열자.

• 산이 생긴 모양은 험준하지 않고 ( 완만해서 ) 오르기 쉬웠다.

• 깨지기 쉬운 그릇은 신문지로 감싸서 단단히 ( 갈무리해 ) 두었다.

• 어렸을 때부터 책 읽기를 좋아한 그는 ( 해박한 ) 지식을 가지고 있었다.

**3.**

| 홀 | • 홀몸: 딸린 사람이 없는 혼자의 몸. |
|---|---|
| | • 홑꽃: 하나의 꽃잎으로 이루어진 꽃. |

| 겹 | • 겹받침: 서로 다른 두 개의 자음으로 이루어진 받침. |
|---|---|
| | • 겹사돈: 이미 사돈 관계에 있는 사람끼리 또 사돈 관계를 맺은 사이. 또는 그런 사람. |

### 확인 문제

**01 낱말의 뜻풀이가 바르지 않은 것은?**

① 세파: 모질고 거센 세상의 어려움

② 양상: 사물이나 현상의 모양이나 상태

③ 겹받침: 서로 다른 두 개의 자음으로 이루어진 받침

④ 안긴문장: 안은문장 속에 절의 형태로 포함되어 있는 문장

⑤ 관형어: 용언 앞에서 용언의 뜻을 꾸며 주는 구실을 하는 문장 성분

**02 밑줄 친 낱말의 사용이 바르지 않은 것은?**

① 형은 골동품을 수장했다.

② 아기는 순수해서 해박하다.

③ 그는 음악에 대한 조예가 상당하다.

④ 우리는 일을 함께 도모하려고 만났다.

⑤ 오늘 작업에 쓴 물건들을 갈무리했다.

## 시험에 나오는 대단원 문제

**01** 문장 성분에 대한 설명으로 알맞지 <u>않은</u> 것은?

① 보어는 '되다', '아니다'를 보충하는 말이다.
② 서술어는 '무엇이다', '어떠하다', '어찌하다'에 해당하는 말이다.
③ 관형어와 부사어는 문장을 이루는 데 꼭 필요한 성분은 아니다.
④ 독립어는 부름, 감탄, 응답 등에 해당하는 말로 독립적으로 쓰일 수 있다.
⑤ 문장 성분은 생각이나 감정을 완결된 내용으로 표현하는 최소의 언어 형식이다.

**02** 다음 문장이 완전하지 않은 이유로 알맞은 것은?

> 준하는 혜주와 함께 보았다.

① 보어가 나타나지 않아서
② 주어가 분명하지 않아서
③ 목적어가 나타나지 않아서
④ 불필요한 문장 성분이 추가되어서
⑤ 주어와 서술어가 호응되지 않아서

**03** 다음 문장에 나타난 문장 성분을 순서대로 제시한 내용이 바르지 <u>않은</u> 것은?

① 종환아, 신발을 언제 샀니?
　－ 독립어, 주어, 부사어, 서술어
② 응, 내가 빨리 가져올게.
　－ 독립어, 주어, 부사어, 서술어
③ 도대체 그는 누구였을까?
　－ 부사어, 주어, 서술어
④ 나는 범인이 절대 아니다.
　－ 주어, 보어, 부사어, 서술어
⑤ 확실히 소리가 밖에서 들렸다.
　－ 부사어, 주어, 부사어, 서술어

**서술형**

**04** 〈보기〉의 문장을 '환하다'를 이용하여 ㉠, ㉡에 각각 한 문장으로 고쳐 쓰시오.

┌ 보기 ─────────────
달이 떴다.
→ ( ㉠ ) / ( ㉡ )
└──────────────────

┌ 조건 ─────────────
① ㉠에는 '환하다'가 관형어 역할을 하게 쓸 것
② ㉡에는 '환하다'가 부사어 역할을 하게 쓸 것
└──────────────────

**05** 다음 문장에 사용된 문장 성분이 <u>아닌</u> 것은?

> 아이코, 나무꾼이 선녀의 남편이 되었구나.

① 주어　　② 보어　　③ 관형어
④ 독립어　　⑤ 부사어

**06** ㉠~㉤의 문장 성분을 바르게 분류한 것은?

> ㉠오! ㉡결국 ㉢그가 ㉣아이들을 ㉤구했구나!

| | 주성분 | 부속 성분 | 독립 성분 |
|---|---|---|---|
| ① | ㉢ | ㉣, ㉤ | ㉠, ㉡ |
| ② | ㉣, ㉤ | ㉢ | ㉠, ㉡ |
| ③ | ㉣, ㉤ | ㉡, ㉢ | ㉠ |
| ④ | ㉢, ㉣, ㉤ | ㉠ | ㉡ |
| ⑤ | ㉢, ㉣, ㉤ | ㉡ | ㉠ |

**07** ㉠~� 중, 문장 성분이 같은 것끼리 바르게 묶인 것은?

> ㉠정원에 ㉡각종 ㉢꽃들이 ㉣아름답게 피었다.
> ㉤어머니께서는 정성으로 ㉥그 ㉦꽃들을 가꾸셨다.

① ㉠, ㉤　　② ㉡, ㉥　　③ ㉡, ㉣
④ ㉢, ㉦　　⑤ ㉣, ㉥

**서술형**

**08** ㉠에 생략된 문장 성분을 모두 밝히고, 완전한 문장이 되도록 고쳐 쓰시오.

> 정국: 편지는 다 읽었니?
> 지민: 응, ㉠다 읽었어.

┌ 조건 ─────────────
① '~(으)므로~(으)로 고쳐 쓴다.' 형식의 한 문장으로 쓸 것
└──────────────────

**09 문장의 짜임에 대한 설명으로 알맞지 않은 것은?**

① 대등하게 이어진 문장은 겹문장에 속한다.

② 안은문장은 주어와 서술어의 관계가 두 번 이상 나타난다.

③ 주어와 서술어의 관계가 한 번만 나오는 문장을 홑문장이라 한다.

④ 이어진문장에 쓰이는 연결 어미에 따라 앞뒤 홑문장의 의미 관계는 달라진다.

⑤ 두 문장이 나열, 대조의 의미 관계로 이어진 문장은 종속적으로 이어진 문장이다.

**10 문장의 짜임이 나머지와 다른 것은?**

① 너를 보면 가슴이 마구 뛴다.

② 나는 수업 종이 쳤다고 알렸다.

③ 곧 비가 오거나 눈이 올 것이다.

④ 시험을 잘 봐서 기분이 정말 좋다.

⑤ 겨울이 어느새 가고 봄이 성큼 온다.

**11 다음 문장의 종류가 바르게 연결되지 않은 것은?**

① 어떤 사람이 갑자기 나에게 말을 걸었다.
－ 홑문장

② 소년은 소녀가 상처를 받았음을 깨달았다.
－ 안은문장

③ 하늘을 수놓은 나비와 친구가 되어 보세요.
－ 안은문장

④ 어떤 일이 생기더라도 나는 네 편이다.
－ 대등하게 이어진 문장

⑤ 네가 나에게 책을 빌려주면, 내가 대신 청소를 해 줄게. － 종속적으로 이어진 문장

서술형

**12 다음 두 문장을 '의도'의 의미 관계가 드러나게 이어진문장으로 쓰시오.**

- 우리는 자료를 찾았다.
- 우리는 도서관에 갔다.

**13 다음 문장에 쓰인 안긴문장의 종류가 바르게 연결된 것은?**

① 기린은 목이 길다. － 서술절

② 그는 밥 먹듯이 거짓말을 한다. － 명사절

③ 그는 내가 좋아할 영화를 잘 안다. － 인용절

④ 우리는 그가 합격하기를 소망한다. － 관형절

⑤ 그는 "너 자신을 알라."라고 말했다. － 부사절

고난도 서술형

**14 다음 두 문장을 합쳐 안은문장으로 만들고, 안긴문장이 문장에서 하는 역할을 쓰시오.**

- 나는 그녀를 가만히 바라보았다.
- 그녀는 나의 어머니를 닮았다.

**15 (가)와 (나)를 비교한 내용으로 알맞은 것을 모두 골라 묶은 것은?**

(가) 눈을 떴다. 하늘이 벌써 어두웠다. 시계는 9시를 가리키고 있었다. 나는 깜짝 놀랐다. 맞아. 숙제가 있었지. 나는 급히 책상에 앉았다. 그리고 책을 폈다. 그런데 숙제가 몇 쪽이었더라. 도무지 생각이 나지 않았다.

(나) 눈을 뜨니 하늘이 벌써 어두웠다. 시계를 보니 9시여서 깜짝 놀랐다. 숙제가 있었기 때문에 나는 급히 책상에 앉아 책을 폈다. 그런데 숙제가 몇 쪽이었는지 도무지 생각이 나지 않았다.

ㄱ. (가)가 (나)보다 내용을 간결하게 전달한다.

ㄴ. (가)가 (나)보다 사건의 논리적 관계를 잘 드러낸다.

ㄷ. (나)가 (가)보다 내용을 집약적으로 전달한다.

ㄹ. (나)가 (가)보다 사건이 빠르게 진행되는 느낌을 준다.

ㅁ. (나)의 문장을 좀 더 합쳐 쓰면 의미가 더욱 정확해진다.

① ㄱ, ㄷ     ② ㄱ, ㄹ     ③ ㄴ, ㅁ

④ ㄱ, ㄷ, ㄹ     ⑤ ㄴ, ㄹ, ㅁ

**16~19** 다음 글을 읽고, 물음에 답하시오.

**가** 오세창은 잠시 전형필을 뚫어지게 바라보더니 마침내 호탕한 웃음을 터뜨렸다.

"조선 땅에 서화 전적과 골동품을 모으는 사람은 많다네. 자네처럼 이렇게 찾아와서 가르침을 청하는 수집가도 제법 있지. 그러나 뜻을 갖고 모으는 사람은 거의 보지 못했네. 대부분 재산이 많거나 돈이 좀 생기자, 고상한 취미로 내세우기 위해 모으는 사람들이라고 해도 과언이 아니지. 그들은 수집벽이 식거나, 체면을 충분히 세웠다 싶으면 더 이상 모으지 않는다네. 그러나 자네는 조선의 자존심이기에 지키겠다고 하니, 그 뜻이 가상하군. 내가 듣고 싶은 대답이 바로 그것이었네. 하하하."

**나** "마에다 선생, 이렇게 귀한 청자를 수장할 기회를 주셔서 고맙습니다. 내가 인수하겠소."

전형필은 서화 골동이 눈앞에 나타났을 때, 자신의 취향보다는 그것이 이 땅에 꼭 남아야 할지 아니면 포기해도 좋을지를 먼저 생각했다. 그래서 깊이 생각하지만 오래 생각하지는 않았고, 그랬기 때문에 보존할 가치가 있는 문화유산이 나타났을 때 놓친 적이 거의 없었다. 천학 매병도 마찬가지였다.

전형필은 눈이 휘둥그레진 마에다와 신보에게 살짝 고개를 숙여 보이고는 안채로 들어갔다.

잠시 후, 전형필이 커다란 가죽 가방을 마에다 앞에 내려놓았다. / "마에다 선생, 2만 원이오."

**다** 물론 마에다와 신보의 흥정을 좀 더 지켜볼 수도 있었다. 하지만 그랬다가 마에다가 더 이상 흥정을 하지 않겠다며 천학 매병을 다시 오동나무 상자에 담기라도 한다면 그때는 자존심을 버리고 마에다에게 사정을 해야 했다. 잘못했다가는 천학 매병을 포기해야만 할 수도 있었다.

"신보 선생도 수고 많았소. 내가 저녁 자리를 준비하고 연락하리다." / 당시 이렇게 거래가 성사되면 중간에 다리를 놓은 거간은 양쪽으로부터 2 퍼센트 정도의 구전을 받는 것이 일반적이었다. 그러나 전형필은 마에다 앞에서 신보에게 구전을 건네는 것은 모양새가 좋지 않다고 생각해 이렇게 말한 것이다.

**16** 이 글에 대한 설명으로 알맞지 <u>않은</u> 것은?

① 인물의 행적을 통해 교훈과 감동을 전달한다.
② 구체적 일화를 통해 인물의 가치관을 드러낸다.
③ 인물, 사건, 배경 등을 사실을 토대로 하여 쓴다.
④ 인물의 삶으로부터 당시의 시대적 상황을 짐작할 수 있다.
⑤ 글쓴이가 자신의 삶 중 특별한 시기나 업적을 기억하며 쓴 글이다.

**17** 다음과 같은 방법을 활용하여 이 글을 읽은 사례로 알맞은 것은?

> 글을 읽는 목적을 확인하며 읽기

① 내가 읽기에 적당한 수준의 책이라 『간송 전형필』을 골랐어.
② 인터넷 검색을 통해 '천학 매병'의 아름다움과 가치에 대해 알게 되었어.
③ '서화 전적'이 뭔지 몰라 사전을 찾아보니 '서화'란 글씨와 그림을 아울러 이르는 말이고, '전적'은 '책'과 같은 뜻이구나.
④ 인물에게서 본받을 점을 발표하려고 이 책을 읽었어. '전형필'에게서는 민족의 문화유산을 지키려는 의지를 본받을 수 있겠네.
⑤ '오세창'은 어떤 사람일까? 서화 전적과 골동품 수집가들이 찾아와 가르침을 청한다는 걸 보니, 서화 전적과 골동품 분야의 전문가인가 봐.

**18** 이 글을 통해 알 수 있는 '전형필'에 대한 내용으로 알맞지 <u>않은</u> 것은?

① 천학 매병을 보존해야 할 문화유산으로 여겼다.
② 민족을 위해 서화 전적과 골동품을 모으려 했다.
③ 결심이 서면 거액의 거래도 빠른 시간에 끝냈다.
④ 서화 전적과 골동품을 조선의 자존심이라고 여겼다.
⑤ 거간이 곤란해질까 봐 자신이 직접 나서서 흥정을 성사시켰다.

서술형

**19** (나)의 일화에 나타난 '전형필'의 성품을 근거를 들어 한 문장으로 쓰시오.

**20~22** 다음 글을 읽고, 물음에 답하시오.

**가** 인류 역사상 가장 불가사의하고 완벽한 구도로 화면을 구성했던 르네상스의 화가 레오나르도 다빈치. 그는 살아생전 많은 회화를 남기진 않았습니다. 의뢰받은 그림도 자신의 성에 차지 않으면 완성을 미루기 일쑤였다고 합니다. 그럼에도 불구하고 소묘까지 포함해 그가 남긴 거의 모든 그림이 완벽하다고 평가받는 이유는 무엇일까요?

**나** 여기 이탈리아 여인의 초상화가 있습니다. 분명 귀족의 의뢰로 만들어진 초상이지만, 그녀는 마치 신화 속의 존재 같습니다. 그녀가 안고 있는 담비의 당찬 눈빛과 옹골찬 잔근육은 기묘하면서도 강렬한 인상을 주죠. 짐승을 부드럽게 어루만지는 길고 우아한 손가락은 신비로운 전설의 일부처럼 느껴집니다. 담비와 여인은 서로에게 강한 친밀감을 느끼며 오른쪽 공간을 응시하고 있죠. 오른쪽을 바라보는 여인의 시선은 그림 바깥에 또 다른 존재가 있음을 암시합니다.

**다** 그는 평생 자연 만물에 대해 방대한 호기심을 보였고, 그것에 대한 탐구와 실천을 지속한 인물입니다. 다빈치는 남녀 시체 30구 이상을 해부해 그림으로 남길 정도로 인간의 육체를 해박하게 이해했던 의학자였고, 비행기, 잠수함, 전차, 무기 등을 직접 설계해 제작할 정도로 뛰어난 과학 기술자였습니다. 그뿐만 아니라 시, 음악, 철학에도 뛰어난 조예가 있었으니, 이런 그가 그저 눈에 보이는 사람의 겉모습만을 모방한 그림에 만족했을 리 없겠죠.

**라** 그에게는 눈에 보이지 않는 공기와 그 공기 속에서 변화하는 무수한 색의 차이조차도 기필코 그려 내야 할 실체였음을 알 수 있습니다. 이처럼 다빈치의 모든 그림에는 자연과 인물에 대한 화가의 풍부한 지식과 정교한 탐구가 배어 있고, 그것이 그의 그림들을 신비로운 아우라로 빛나게 하는 것입니다.

**마** 최근 이 그림을 엑스레이로 양파 껍질 벗기듯 벗겨 내어 작품의 완성 과정을 분석한 뉴스 기사를 본 적이 있습니다. 처음에는 담비가 없었고 여인이 홀로 존재하다가 작업 중반에 가서야 짙은 회색의 호리호리한 담비가 등장합니다. 그러나 이내 그 담비마저 없어지고 지금 우리가 보고 있는 하얗고 탐스러운 담비가 체칠리아

의 품에 자리 잡게 되죠. 이 분석은 매우 중요한 것을 말해 줍니다. 우리 눈에 보이지 않았던 다빈치의 시간, 화가가 원하는 이미지를 만나기 위해 지독하게 망설이고 결정하고 번복하던, 자신의 그림에 마침표를 찍기까지의 시간을 보여 주는 것이니까요.

**20** 이 글의 주제로 가장 알맞은 것은?
① 「담비를 안은 여인」에 담긴 비밀을 밝혀 낸 다빈치의 탐구력
② 신비로운 아우라로 빛나는 「담비를 안은 여인」의 경제적 가치
③ 대상을 치밀하게 계산해 눈에 보이는 대로 구현해 낸 다빈치의 천재성
④ 의학자이자 과학 기술자였던 다빈치의 능력을 고스란히 담아낸 「담비를 안은 여인」
⑤ 「담비를 안은 여인」이 완벽하다는 평가를 받기까지 다빈치가 들인 시간과 노력의 가치

**21** (가)~(마)에 대한 설명으로 알맞지 **않은** 것은?
① (가): 앞으로 전개할 화제에 대해 독자의 관심을 이끌어 낸다.
② (나): 그림 「담비를 안은 여인」이 지닌 특징이 드러난다.
③ (다): 다빈치의 다양한 성향이 나타난다.
④ (라): 다빈치의 그림에서 아우라를 느낄 수 있는 이유가 나타난다.
⑤ (마): 다빈치가 완성작의 모습을 미리 정해 두고 그대로 그렸음이 드러난다.

 서술형

**22** 〈보기〉의 평가 내용을 바탕으로, 읽기 과정을 보완할 방법을 한 문장으로 쓰시오.

┤보기├
　이 글을 읽으며 '아우라'의 의미가 뭔지 몰라 내용을 제대로 이해하지 못한 것 같아.

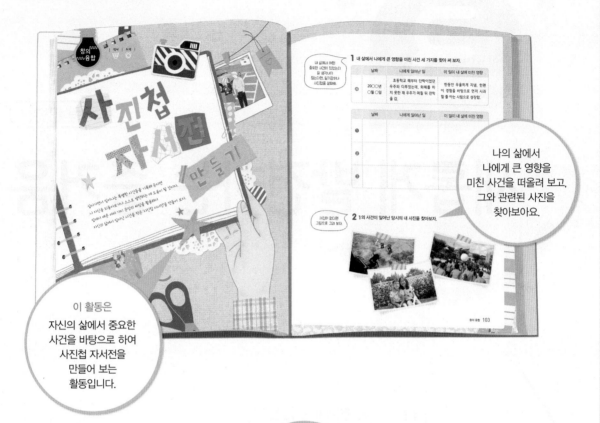

이 활동은
자신의 삶에서 중요한
사건을 바탕으로 하여
사진첩 자서전을
만들어 보는
활동입니다.

나의 삶에서
나에게 큰 영향을
미친 사건을 떠올려 보고,
그와 관련된 사진을
찾아보아요.

다양한 짜임의
문장을 활용하여
사진첩 자서전의
내용을 써 보아요.

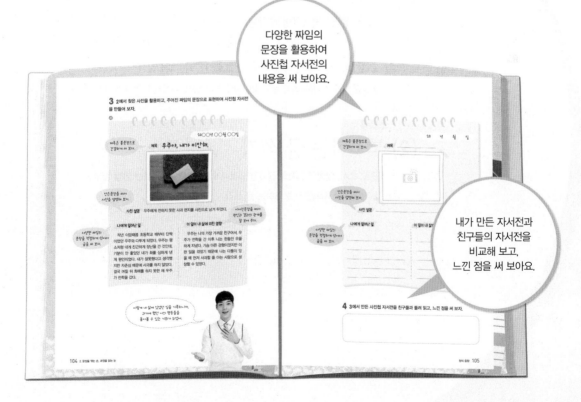

내가 만든 자서전과
친구들의 자서전을
비교해 보고,
느낀 점을 써 보아요.

# 3

# 새롭게 발견하는 즐거움

읽기

## (1) 같은 화제 다른 글

_ 소금 없인 못 살아(장인용)

_ 맛있게 먹은 소금이 병을 부른다(클라우스 오버바일)

• 동일한 화제를 다룬 글을 읽으며 관점과 형식의 차이 파악하기

• 동일한 화제를 다룬 여러 글을 찾아 비교하며 읽고, 각각의 특성과 효과 이해하기

쓰기

## (2) 보고하는 글 쓰기

• 관찰, 조사, 실험의 절차와 결과가 드러나게 보고하는 글을 쓰는 방법 알아보기

• 쓰기 윤리를 지키면서 보고하는 글 쓰기

／

왜 배울까?

글에는 대상을 바라보는 글쓴이의 생각과 가치관 등이 담겨 있다. 그래서 동일한 대상을 다루고 있더라도 전혀 다른 글로 표현되기도 하고, 비슷한 관점이 드러나 있어도 서로 다른 형식으로 표현되기도 한다. 따라서 관점이나 형식이 다른 글을 비교하며 읽으면 대상을 균형 잡힌 시각으로 바라보며 폭넓게 사고할 수 있다. 한편 누군가에게 어떤 대상을 설명하거나 보고하는 글을 쓸 때에도 균형 잡힌 시각이 중요하다. 여러 자료와 정보를 객관적인 시각으로 살펴보고, 이를 바탕으로 글을 써야 하기 때문이다. 이때 다양한 매체 자료를 활용하고 쓰기 윤리를 지키며 글을 쓴다면 보고하는 내용을 더욱 효과적으로 표현할 수 있다. 이처럼 다양한 글을 읽고, 여러 자료를 활용하여 글을 써 본다면 자신에게 필요한 정보를 적절하게 활용하는 능력을 기를 수 있을 것이다.

／

뭘 배울까?

이 단원에서는 자료·정보 활용 역량을 기르기 위해 동일한 화제를 다루지만 관점과 형식이 다른 글을 비교하며 읽을 것이다. 그리고 관찰, 조사, 실험의 절차와 결과가 드러나는 글을 직접 써 보면서 자료와 정보를 활용하는 능력과 쓰기 윤리를 생활화하는 태도를 기를 것이다.

길잡이

정답과 해설 12쪽

## 설명하는 글이란

어떤 대상에 대한 지식이나 정보를 알기 쉽게 설명하여, 독자가 그 대상을 쉽게 이해할 수 있도록 쓴 글을 말한다.

## 설명하는 글의 특성

| 객관성 | 주관적인 생각이나 느낌을 드러내지 않고 객관적인 입장에서 설명함. |
| 사실성 | 지식이나 정보를 정확한 사실에 근거하여 설명함. |
| 평이성 | 독자가 글의 내용을 잘 이해할 수 있도록 쉽게 설명함. |
| 체계성 | 일정한 순서에 따라 짜임새 있게 체계적으로 내용을 구성함. |
| 명료성 | 내용이 분명하게 전달되도록 용어와 문장을 정확하고 간결하게 표현함. |

## 주장하는 글이란

어떤 문제에 대하여 글쓴이가 자신의 주장이나 의견을 내세우고, 타당한 근거를 들어 논리적으로 전개함으로써 독자를 설득하고자 하는 글을 말한다.

## 주장하는 글의 특성

| 주관성 | 글쓴이의 주장이나 의견이 드러나야 함. |
| 논리성 | 내용 전개가 논리정연해야 함. |
| 타당성 | 주장과 근거는 독자가 납득할 수 있는 합리적이고 타당한 것이어야 함. |
| 체계성 | 논리 전개가 짜임새 있게 구성되어야 함. |
| 명확성 | 주장과 근거는 분명하고 명료해야 함. |
| 일관성 | 글의 내용이나 주장이 처음부터 끝까지 일관되어야 함. |

## 관점이란

사물이나 현상을 관찰할 때, 그 사람이 보고 생각하는 태도나 방향 또는 처지를 말한다.

## 관점과 형식의 차이를 파악하며 읽기

- 동일한 화제를 다룬 글이라도, 글쓴이의 관점에 따라 글의 주제나 글쓴이의 태도가 다를 수 있음.
- 관점이나 내용이 동일한 글이라도, 그것을 전달하는 형식이 다를 수 있음.

여러 가지 글이 지니는 각각의 특성과 효과를 이해하며 글을 읽어야 함.

## 관점과 형식의 차이를 파악하며 읽기의 효과

- 대상을 객관적으로 파악하고 깊이 있게 이해할 수 있다.
- 어느 한쪽에 치우치지 않은 균형 잡힌 시각을 지닐 수 있다.

체크 개념 문제

**1** 다음 설명이 맞으면 ○표, 틀리면 ✕표 하시오.
(1) 설명하는 글은 글쓴이의 주관을 드러내지 않는 객관적인 글이다. (      )
(2) 설명하는 글은 독자가 대상을 쉽게 이해할 수 있도록 주로 비유적인 표현을 사용한다. (      )

**2** 다음 설명에 해당하는 주장하는 글의 특성을 쓰시오.

주장하는 글은 글의 내용이나 주장이 처음부터 끝까지 하나의 관점으로 전개되어야 한다.

**3** 다음 설명 중, 적절하지 않은 것은?
① 글쓴이의 관점은 대상에 대한 글쓴이의 태도나 방향 또는 처지를 말한다.
② 동일한 화제를 다루고 있더라도, 글쓴이의 관점에 따라 주제가 다를 수 있다.
③ 관점이나 형식이 다른 글을 비교하며 읽으면 대상을 객관적으로 파악할 수 있다.
④ 관점의 차이를 파악하며 글을 읽으면 대상을 균형 잡힌 시각으로 바라볼 수 있다.
⑤ 동일한 대상을 다룬 두 글의 형식이 같다면, 대상에 대한 관점도 비슷하게 나타난다.

**088** 3. 새롭게 발견하는 즐거움

같은 화제 다른 글 _

제재 **1**

# 가 소금 없인 못 살아

학습 목표 동일한 화제를 다룬 여러 글을 읽으며 관점과 형식의 차이를 파악할 수 있다.

장인용(1957~ )
출판인. 음식에 관한 글을 주로 썼다. 주요 저서로는 『설탕과 권력』, 『소금과 문명』 등이 있다.

## 처음 학습 포인트

**1** 소금의 중요성을 보여 주는 사례
**2** '처음' 부분의 특징

**가** 우리가 알고 있는 고대 문명들은 대부분 물, 식량과 더불어 소금을 쉽게 구할 수 있는 곳에서 시작되었다. 소금을 생산하는 도시는 큰 부를 축적할 수 있었고,
지식, 경험, 자금 따위를 모아서 쌓을
소금이 이동하는 중심지에는 교역로가 발달하였다. 그뿐만 아니라 소금 때문에 전
주로 나라와 나라 사이에서 물건을 사고팔고 하여 서로 바꾸기 위해 이동하는 길
쟁이 일어나기도 하였다고 하니, 사람들이 소금을 얼마나 귀하게 여겼는지 알 만하다. 사람들은 조그만 알갱이에 불과한 소금을 왜 이렇게 중요한 존재로 인식하였을까?

**학습콕** 처음 | 소주제: 예부터 중요한 존재로 인식되어 온 ☐☐

**1** 소금의 중요성을 보여 주는 사례
  • 소금을 생산하는 도시는 큰 ☐를 축적할 수 있었음.
  • 소금이 이동하는 중심지에는 교역로가 발달함.
  • 소금 때문에 ☐☐이 일어나기도 함.
**2** '처음' 부분의 특징

| 중심 화제인 '소금'에 대한 질문을 던짐. | 효과 |
|---|---|
| '사람들은 조그만 알갱이에 불과한 소금을 왜 이렇게 중요한 존재로 인식하였을까?' | 중심 화제에 대한 독자의 흥미를 유발하고 주의를 환기함. |

## 가운데 1 학습 포인트

**1** 소금이 생명 유지에 필요한 이유
**2** 사람에게 소금 확보가 중요해진 이유

### 생명의 근원이 되는 소금

물질대사. 생물체가 몸 밖으로부터 섭취한 영양물질을 몸 안에서 분해하고, 합성하여 생체 성분이나 생명 활동에 쓰는 물질이나 에너지를 생성하고 필요하지 않은 물질을 몸 밖으로 내보내는 작용

**나** 소금은 나트륨 원자 하나가 염소 원자 하나와 결합한 분자들의 결정체에 지나지 않고, 사람에게 필요한 소금의 양도 하루에 3그램 정도밖에 되지 않는다. 하지만 우리 몸에 들어온 소금은 나트륨 이온과 염화 이온으로 나뉘어 신진대사에 많은 영향을 미친다. 예를 들어 혈액이나 위액과 같은 체액의 주요 성분이 되어 영양소를 우리 몸 구석구석으로 보내기도 하고, 우리 몸에 쌓인 각종 노폐물을 땀이나 오줌으로 배출하기도 한다. 이처럼 ㉠소금은 사람을 비롯하여 모든 동물이 생명을 유지하는 데 없어서는 안 되는 존재인 것이다.

**다** 소금은 주로 땀이나 오줌으로 배출되기 때문에, 동물 대부분은 소금을 아끼기 위해 아예 땀을 흘리지 않거나 오줌도 아주 적게 누도록 진화해 왔다. 하지만 사람은 다른 동물들과 달리, 땀과 오줌으로 아낌없이 소금을 배출한다. 따라서 사람은 소금을 충분히 섭취하여 보충해 주어야만 한다.

### 간단 체크 내용 문제

**01** 다음 빈칸에 들어갈 알맞은 말을 쓰시오.

이 글의 '처음' 부분에서는 ☐☐을/를 통해 중심 화제인 ☐☐에 대한 독자의 주의를 환기하고 있다.

중요
**02** ㉠의 이유에 해당하는 것은?

① 체내의 산소량을 유지시켜 주기 때문이다.
② 나트륨 원자에 염소 원자가 결합한 분자이기 때문이다.
③ 우리 몸에 쌓인 노폐물을 땀으로 배출해 주기 때문이다.
④ 소금만 섭취할 수 있다면 생명 유지에 지장이 없기 때문이다.
⑤ 세균 감염으로부터 몸을 보호하고 면역력을 높여 주기 때문이다.

### 간단 체크 어휘 문제

다음 낱말의 뜻풀이가 맞으면 ○표, 틀리면 ✕표를 하시오.

(1) 축적하다: 지식, 경험, 자금 따위를 모아서 쌓다.
( )

(2) 교역로: 통제가 없어 자유로이 다닐 수 있는 길
( )

라 채집과 사냥으로 먹을거리를 구하던 옛날에는 주로 고기에서 염분을 섭취할 수 있었다. 그러다가 농사를 짓기 시작한 다음부터는 소금을 섭취하기가 어려워졌다. 곡식에는 염분이 지극히 적었기 때문이다. 옛날에도 바닷가에서는 소금을 쉽게 구할 수 있었다. 하지만 바다에서 멀리 떨어진 곳에 살던 사람들에게는 소금이 매우 귀중한 필수품일 수밖에 없었다. 한 사람에게 필요한 소금의 양은 얼마 되지 않지만, 그 단위가 가족, 마을, 도시로 커질수록 필요한 소금의 양은 훨씬 많아진다. 그래서 소금을 확보하는 일은 사람들에게 중요한 과제였고, 그 과정에서 문명도 함께 발전했던 것이다.

**학습콕** 가운데 1 | 소주제: 소금의 역할 ① - 생명을 유지하는 데에 꼭 필요한 존재임.

❶ 소금이 생명 유지에 필요한 이유

| 소금이 우리 몸에 미치는 영향 | 소금의 필요성 |
| --- | --- |
| • 체액의 주요 성분이 되어 ☐☐☐를 우리 몸 구석구석으로 보냄.<br>• 우리 몸에 쌓인 각종 노폐물을 땀이나 오줌으로 배출함. | • 소금은 사람을 비롯하여 모든 동물이 생명을 유지하는 데 없어서는 안 되는 존재임.<br>• 사람은 다른 동물들과 달리 땀과 ☐☐으로 소금을 배출하므로, 충분히 섭취하여 보충해 주어야만 함. |

❷ 사람에게 소금 확보가 중요해진 이유

| 채집과 사냥을 하던 옛날 | 농사를 짓기 시작한 후 | 가족, 마을, 도시로 단위가 커질수록 필요한 소금의 양이 많아짐. | ☐☐을 확보하는 일이 사람들에게 중요한 과제였음. |
| --- | --- | --- | --- |
| 주로 ☐☐에서 염분을 섭취함. | 곡식에는 염분이 지극히 적어 소금을 섭취하기가 어려워짐. | | |

**가운데 2 학습 포인트**

❶ 소금이 음식의 맛에 미치는 영향
❷ 소금을 넣으면 식품이 신선하게 유지되는 이유

### 음식의 맛을 살리고, 식품을 신선하게 유지해 주는 소금

마 만약 살기 위한 목적으로만 소금을 먹는 것이라면, 한 사람당 1년에 1킬로그램 정도의 소금만 섭취하면 충분하다. ㉠하지만 사람들은 실제로 그것의 몇 배가 넘는 소금을 소비한다. 이렇게 사람들이 소금을 많이 먹는 까닭은 소금이 지닌 짠맛의 매력 때문이다.

바 소금은 그냥 먹으면 너무 짜고 쓰기까지 하지만, 음식 본연의 맛과 잘 어우러지면 그 맛을 더욱 좋게 해 주는 놀라운 작용을 한다. 그 때문에 사람들은 차나 커피와 같은 몇몇 기호 식품이나 과일을 빼고 거의 모든 음식에 소금을 넣는다. 우리
영양소는 아니지만 독특한 향기나 맛이 있어 즐기고 좋아하는 음식물
밥상에 흔히 올라오는 김치도 마찬가지이다. 김치를 담글 때 먼저 채소를 소금에 절이는데, 소금에 절인 푸성귀가 발효되면서 맛있는 신맛을 낸다. 생선이나 고기를 구워 먹을 때 소금을 뿌리는 것도 이런 이유 때문이다. 생선과 고기가 지닌 본래의 맛에 소금이 어우러지면서 더욱 맛깔스럽게 변하는 것이다.

---

**간단 체크 내용 문제**

⭐ 중요
**03** (라)~(마)의 내용과 일치하지 않는 것은?
① 내륙 지방의 사람들에게는 소금이 매우 귀중한 것이었다.
② 농사를 짓기 시작한 이후로는 소금 섭취가 더욱 쉬워졌다.
③ 예로부터 소금을 확보하는 일은 사람들에게 중요한 과제였다.
④ 채집이나 사냥으로 먹을거리를 구했던 옛날에는 고기에서 염분을 섭취했다.
⑤ 살기 위한 목적으로 필요한 소금의 양은 한 사람당 1년에 1킬로그램 정도이다.

**04** (바)에 나타나는 주된 설명 방법으로 알맞은 것은?
① 분류　② 예시
③ 비교　④ 대조
⑤ 정의

**05** ㉠의 이유로 가장 알맞은 것은?
① 소금은 그냥 먹어도 맛있기 때문이다.
② 모든 음식에 소금이 들어가기 때문이다.
③ 소금은 생존에 반드시 필요하기 때문이다.
④ 적은 양의 소금으로는 짠맛이 잘 느껴지지 않기 때문이다.
⑤ 소금은 다양한 재료와 어우러져 음식의 맛을 더 좋게 만들기 때문이다.

**사** 소금은 식품을 보존하는 데도 큰 역할을 한다. 요즘은 냉장고 덕분에 음식을 오래 두고 먹을 수 있지만, 냉장 시설이 제대로 갖추어져 있지 않던 옛날에는 그러기 어려웠다. 그래서 옛날 사람들은 식품을 오래 보존하기 위해 소금을 이용했다. 소금은 음식을 썩게 하는 미생물의 발생을 막아 주어, 식품이 신선한 상태로 유지되게 하기 때문이다.

**아** 생선을 소금에 절이면 보존 기간이 길어져, 오랫동안 두고 먹을 수 있다. 냉장 시설이 없던 시절에 내륙 사람들이 굴비나 간고등어를 맛볼 수 있었던 것도 소금 덕분이다. 소금에 절인 고기를 훈제하는 것도 고기를 오랫동안 보존하기 위해서이다. 소금은 생선이나 고기뿐만 아니라 채소의 보존 기간도 늘려 준다. 온대 지방 사람들은 겨울이 되어 채소를 먹을 수 없게 되면 극심한 비타민 부족 현상을 겪는다. 그래서 이를 극복하기 위해 ⓒ채소를 염장하였고, 이것을 겨울까지 먹으며 부족한 비타민을 섭취하였다.

소금에 절여 저장함.

**학습콕** 가운데 2 | 소주제: 소금의 역할 ② – 음식의 맛을 살리고, 식품을 신선하게 유지해 줌.

❶ 소금이 음식의 맛에 미치는 영향

소금의 □□은 음식과 어우러지면서 그 맛을 더욱 좋게 해 줌. ➡ 우리가 먹는 거의 모든 음식에는 소금이 들어감.

❷ 소금을 넣으면 식품이 신선하게 유지되는 이유

| 소금을 활용하여 식품을 보존한 예 |
| --- |
| • 소금에 절인 생선(굴비나 간고등어), 소금에 절인 고기를 훈제하는 방식<br>• 염장한 채소를 먹으며 부족한 비타민을 섭취했던 온대 지방 사람들 |

➡ 소금은 음식을 썩게 하는 미생물의 발생을 막아 주어, 식품이 □□한 상태로 유지될 수 있게 함.

**끝 학습 포인트**

❶ 소금에 대한 글쓴이의 관점

**자** 지금까지 알아본 것처럼, 소금은 그 자체로 우리의 생명을 유지하는 데 꼭 필요하다. 또한 소금은 음식의 맛을 더하고, 식품을 오랫동안 보존할 수 있게 한다. 이처럼 소중한 존재가 바로 하얀 황금, 즉 소금이다.

– 장인용, 「식전」

**학습콕** 끝 | 소주제: 다양한 역할로 우리에게 매우 중요한 존재가 된 소금

❶ 소금에 대한 글쓴이의 관점

| 글쓴이가 바라보는 소금의 특성 | 글쓴이의 관점 |
| --- | --- |
| • 생명을 유지하는 데 꼭 필요함.<br>• 음식의 맛을 더함.<br>• 식품을 오랫동안 보존할 수 있게 함. | ➡ 소금을 □□□인 태도로 바라봄. |

간단 체크 **내용** 문제

**06** (아)에서 온대 지방 사람들이 ⓒ의 방법으로 채소를 보관한 이유를 찾아 3어절로 쓰시오.

**07** (자)에서 소금의 가치를 빗대어 표현한 말을 찾아 2어절로 쓰시오.

중요
**08** 소금에 대한 글쓴이의 관점으로 가장 알맞은 것은?
① 소금을 대체할 다른 물질을 개발해야 한다.
② 소금이 우리에게 꼭 필요한 존재임을 알아야 한다.
③ 소금을 확보할 수 있는 여러 방안을 고민해야 한다.
④ 소금을 활용한 식품의 보존 방법을 널리 알려야 한다.
⑤ 소금을 건강하게 섭취할 수 있는 요리법을 연구해야 한다.

## [1] 같은 화제 다른 글 _

# 나 맛있게 먹은 소금이 병을 부른다

**학습 목표** 동일한 화제를 다룬 여러 글을 읽으며 관점과 형식의 차이를 파악할 수 있다.

**▶ 클라우스 오버바일(1935~ )**
의학 전문 기자, 식품 영양 학자. 복잡하고 어려운 과학적 지식을 쉽고 재미있게 설명하는 글을 주로 썼다. 주요 저서로는 「유기농 제품의 힘」, 「우유의 죽음」 등이 있다.

---

### 서론 학습 포인트

❶ 글쓴이가 제기하고 있는 문제점

**가** 언제부터인가 비만으로 인한 고혈압이나 당뇨병으로 고생하는 아이들이 많아졌다. 학교 성적에 대한 스트레스, 부모와의 갈등 같은 불안정한 생활 환경도 아이들의 건강에 영향을 주었겠지만, 무엇보다도 <u>즉석식품</u>과 외식 위주의 잘못된 식습관이 아이들을 건강의 사각지대로 내몰고 있다. 즉석식품과 외식 자체가 문제가 아니라, 아이들이 그 음식들 안에 들어 있는 소금을 과하게 섭취하는 것이 문제인 것이다. 과다하게 섭취한 소금이 건강에 어떤 영향을 주는지 알아보자.
<sub>인스턴트식품. 간단히 조리할 수 있고 저장이나 휴대에도 편리한 가공식품</sub>
<sub>관심이나 영향이 미치지 못하는 구역을 비유적으로 이르는 말</sub>

**학습콕** 서론 | 소주제: 소금을 과하게 섭취하여 건강을 위협받는 아이들

❶ 글쓴이가 제기하고 있는 문제점

| 즉석식품과 외식 위주의 잘못된 식습관 | ⟹ | 글쓴이가 제기하고 있는 문제점 |
|---|---|---|
| | | 잘못된 식습관으로 소금을 과하게 섭취하여 건강의 위협을 받음. |

---

### 본론 1 학습 포인트

❶ 과다한 소금 섭취가 건강을 해치는 이유

**소금이 건강을 해치는 이유**

**나** 세포 생물학자들은 현대 사회에서 겪는 건강 문제 대부분은 체내의 수분이 부족한 탓이라고 말한다. 그들은 ⊙<u>사람들의 체내 수분이 부족한 이유</u>가 물을 적게 마시기 때문이 아니라, 음식을 너무 짜게 먹기 때문이라고 주장한다. 소금이 우리 몸에서 수분을 빼앗아 가는 물 도둑이라는 것이다.

**다** 몸속에서 나트륨 이온과 염화 이온으로 나뉜 소금은, 쉽게 물과 결합한다. 즉, 세포로부터 물을 빼앗아 가는 것이다. 소금에 절인 육류나 생선을 오래 보관할 수 있는 이유도 그 때문이다. 부패균은 주로 조직 속 수분에서 가장 먼저 생성되는데, 소금이 조직 속 수분을 빼앗아 부패균이 자라는 것을 억제한다.

**라** 우리 몸은 수많은 체세포로 구성되어 있다. 따라서 신체가 건강하려면 체세포가 건강해야 한다. 하지만 음식을 너무 짜게 먹으면 체세포에 수분이 충분히 공급되지 않아, ⓒ<u>체세포가 제 기능을 발휘하지 못하게 된다.</u> 소금이 세포의 수분을 빼앗아 우리의 신진대사 능력이 떨어지는 것이다. 또한 소금을 과다하게 섭취하면 혈관이 좁아져서 비타민, <u>미량 영양소</u>, 효소, 단백질 등이 세포로 이동하기 어려워진다.
<sub>아주 적은 양으로 작용하는 동물의 영양소. 철(Fe), 아연(Zn), 구리(Cu) 등이 있음.</sub>
그러면 체세포는 영양소를 제대로 공급받지 못하고, 혈압이 높아져 순환 장애가 생기며, 심장 또한 약해져 다른 기관에도 문제가 발생한다.

---

### 간단 체크 내용 문제

**중요**
**01** 글쓴이가 (가)에서 제기하고 있는 문제점으로 가장 알맞은 것은?

① 비만 아동의 증가
② 아이들의 학업 스트레스
③ 아이들의 불안정한 생활 환경
④ 즉석식품과 외식 위주의 식문화
⑤ 소금을 과다하게 섭취하는 식습관

**중요**
**02** ⊙의 구체적인 내용을 (나)에서 찾아 5어절로 쓰시오.

**03** ⓒ이 우리 몸에서 하는 기능으로 가장 알맞은 것은?

① 체내에 수분을 공급한다.
② 신진대사를 활발하게 한다.
③ 부패균의 성장을 억제한다.
④ 혈압을 일정하게 유지시킨다.
⑤ 영양소를 혈관으로 이동시킨다.

---

### 간단 체크 어휘 문제

다음 낱말의 뜻풀이가 맞으면 ○표, 틀리면 ✕표를 하시오.

(1) 미량 영양소: 짠맛이 나는 백색의 결정체 (　　　)

(2) 사각지대: 관심이나 영향을 크게 받는 구역 (　　　)

마 하루에 우리 몸에 필요한 소금의 양은 3, 4그램 정도이다. 그러나 대부분의 사람이 필요량보다 몇 배나 많은 소금을 섭취하고 있다. 더욱 큰 문제는 아이들까지도 그러한 식습관을 따라 한다는 것이다.

---

**학습콕** 본론 1 | 소주제: 과다한 ☐☐ 섭취가 우리의 건강에 미치는 영향

❶ 과다한 소금 섭취가 건강을 해치는 이유

| 우리 몸에 미치는 영향 |
| --- |
| • 체세포에 수분이 충분히 공급되지 못하게 함. |
| • 혈관을 좁혀 영양소가 세포로 이동하는 것을 어렵게 함. |

➡

| 우리의 건강에 미치는 영향 |
| --- |
| • ☐☐☐☐ 능력이 떨어짐. |
| • 혈압 상승 및 순환 장애가 생김. |
| • 심장 및 다른 기관에도 문제를 일으킴. |

---

**본론 2 학습 포인트**

❶ 과다한 소금 섭취가 아이들에게 더 위험한 이유
❷ 글쓴이가 주장에 대한 설득력을 높인 방법

---

**아이들의 건강을 위협하는 소금**

바 근래에는 아직 초등학교에도 입학하지 않은 어린아이들이 부모와 똑같은, 혹은 더 많은 양의 소금을 섭취하고 있다고 한다. 이는 대단히 심각한 문제이다. 아이들은 어른들보다 혈액량이 적어 똑같은 양의 소금을 섭취하더라도 혈액 속 <u>염화 나트륨</u>의 비율이 어른들보다 훨씬 높아지기 때문이다.
<small>소금의 화학적 이름. 흰색의 결정으로 물에 녹으며, 생물체 내에서 중요한 생리 작용을 함.</small>

사 이뿐만 아니라 어릴 때부터 소금을 많이 먹으면 혀가 <u>둔감해져</u> 점점 더 짜고 자극적인 맛을 찾게 된다. 짠맛은 뇌의 <u>쾌감</u> <u>중추</u>를 자극한다. 만약 계속해서 소금
<small>상쾌하고 즐거운 느낌    감정이나 감각이 무뎌짐.</small>
<small>신경 기관 가운데, 신경 세포가 모여 있는 부분. 신경 섬유를 통하여 들어오는 자극을 받고 통제하며 다시 근육, 분비선 따위에 자극을 전달함.</small>
을 과하게 섭취한다면 아이들은 이런 쾌감을 유지하기 위해 배가 고프지 않더라도 음식을 계속 먹는 '음식 중독'에 걸릴 수 있다. 결국 폭식증이나 비만에 시달리게 되는 것이다.

아 문제는 여기서 그치지 않는다. 영국의 한 대학 연구팀에서 4세에서 18세까지의 아동 및 청소년 1,688명을 일주일간 관찰한 결과, 짜게 먹는 아이일수록 음료를 많이 마신다는 사실을 발견했다. 소금이 체세포의 수분을 빼앗아 그만큼 갈증이 나기 때문이다. 그런데 대부분의 아이들은 갈증을 달래기 위해 건강에 좋은 음료가 아니라, 단맛이 강한 탄산 음료를 찾는다. 탄산 음료 속에 녹아 있는 탄수화물은 비만을 더욱 부추길 수 있다. 또한 짠 음식을 먹을 때 주스나 콜라와 같이 당분이 높은 음료를 함께 마시면 혈압이 훨씬 더 빨리 상승한다. 그래서 어떤 부모들은 아이들의 건강을 위해 요리할 때 소금을 일부러 적게 넣기도 하고 <u>저염식</u> 음식을 찾기
<small>소금을 적게 넣어 만든 음식</small>
도 한다. 하지만 건강을 위협하는 소금은 쉽게 먹을 수 있는 즉석식품이나 통조림, 소시지와 같은 곳에 더 많기 때문에 먹거리를 선택할 때 항상 주의해야 한다.

---

**간단 체크 내용 문제**

⭐ 중요
**04** 소금이 어른보다 아이들에게 더 위험한 이유로 가장 알맞은 것은?

① 어른에 비하여 혈액량이 적어서
② 어른보다 혈액 속 수분의 비율이 낮아서
③ 어른보다 짠맛의 쾌감을 더 크게 느껴서
④ 어른과 달리, 짠맛이 뇌의 중추를 자극하지 못해서
⑤ 어른보다 혀가 둔감해 자극적인 맛을 느끼지 못해서

**05** (아)에 대한 설명으로 알맞지 않은 것은?

① 탄산 음료의 문제점이 제시되어 있다.
② 짜게 먹으면 갈증이 나는 이유를 알 수 있다.
③ 객관적인 연구 결과가 근거로 제시되어 있다.
④ 탄산 음료 대신, 건강에 좋은 음료를 마실 것을 권장하고 있다.
⑤ 짠 음식과 당분이 높은 음료를 함께 섭취할 때 몸에서 나타나는 반응을 알 수 있다.

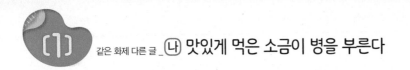

**학습콕** | **본론 2 | 소주제:** 소금이 특히 아이들의 건강에 좋지 않은 이유

❶ 과다한 소금 섭취가 아이들에게 더 위험한 이유

| 아이들에게 미치는 영향 | 아이들의 건강에 미치는 영향 |
|---|---|
| 아이들은 어른들보다 혈액량이 적어 혈액 속 염화 나트륨의 비율이 ☐☐들보다 훨씬 높아짐. | 똑같은 양의 소금을 섭취하더라도 어른들보다 아이들에게 특히 더 위험함. |
| 어릴 때부터 소금을 많이 먹으면 혀가 둔감해져 더 짠맛을 찾게 됨. | 음식 중독으로 이어져 폭식증이나 비만에 시달리게 됨. |
| 짠 음식을 먹은 아이들이 단맛이 강한 탄산 음료를 찾는 경우가 많음. | 짠 음식과 ☐☐이 높은 음료를 함께 섭취하면 혈압이 더 빨리 상승함. |

❷ 글쓴이가 주장에 대한 설득력을 높인 방법
  • 소금이 우리 몸에 미치는 영향에 대한 과학적 사실을 근거로 제시함.
  • 영국의 한 대학 연구팀에서 관찰한 객관적인 ☐☐ 결과를 근거로 제시함.

**결론 학습 포인트**

❶ 소금에 대한 글쓴이의 관점

**자** 소금은 분명 맛있는 유혹이지만, 너무 많이 섭취하면 우리의 세포를 죽이고 건강을 위협한다. 특히 무심코 먹은 맛있는 음식이 큰 병이 되어 아이들에게 돌아올 수도 있다. 아이들에게 맛있는 음식을 많이 챙겨 주는 것만이 능사가 아니다. (잘하는 일) 건강을 생각한다면 지금이라도 당장 아이들의 소금 섭취를 줄여야 한다.

– 클라우스 오버바일, 「소금의 덫」

**학습콕** | **결론 | 소주제:** 아이들의 ☐☐을 위해 줄여야 하는 소금 섭취

❶ 소금에 대한 글쓴이의 관점

| 글쓴이가 바라보는 소금의 특성 | | 글쓴이의 관점 |
|---|---|---|
| • 체세포에서 수분을 빼앗아 가고, 혈관을 좁히는 등 우리의 건강을 위협함.<br>• 어른들보다 ☐☐들에게 더욱 위험함. | ▷ | 건강을 생각하여 당장 아이들의 ☐☐ 섭취를 줄여야 함. → 소금을 ☐☐☐인 태도로 바라봄. |

**06** (자)에 대한 설명으로 가장 적절한 것은?

① 글을 쓴 목적과 동기를 밝히고 있다.
② 반론을 제시하고 그에 대해 반박하고 있다.
③ 글쓴이의 궁극적인 주장을 제시하고 있다.
④ 앞으로의 전망과 남은 과제들을 제시하고 있다.
⑤ 문제에 대한 구체적인 해결 방안을 나열하고 있다.

(중요)
**07** 이 글을 통해 글쓴이가 독자에게 당부하려는 바로 가장 알맞은 것은?

① 소금을 섭취하지 말자.
② 식습관의 차이를 존중하자.
③ 아이들의 소금 섭취를 줄이자.
④ 단맛과 짠맛을 조화롭게 섭취하자.
⑤ 아이들에게 건강에 좋은 음식을 많이 챙겨 주자.

## 학습 활동

이해
❶ 두 글에 나타난 관점의 차이 파악하기
❷ 두 글과 광고의 형식, 표현, 관점 비교하기
❸ 관점이나 형식이 다른 글을 비교하여 읽을 때의 효과 이해하기

**1** ㉮와 ㉯의 내용을 정리하며, 두 글에 나타난 관점의 차이를 파악해 보자.

|  | ㉮의 중심 내용 | ㉯의 중심 내용 |
|---|---|---|
| 중심 내용 | **소금은 우리에게 꼭 필요한 물질이다.** | 🔖 소금을 과다하게 섭취하면 건강에 해롭다. |
| 중심 내용을 뒷받침하는 근거 | • 모든 동물이 ( 🔖 생명 )을/를 유지하는 데 꼭 필요하다.<br>• 음식의 ( 🔖 맛 )을/를 살린다.<br>• 🔖 식품을 신선하게 유지해 준다. | • 세포에서 ( 🔖 수분 )을/를 빼앗아 가 우리 몸이 질병에 걸리기 쉬워진다.<br>• 🔖 아이들은 어른들보다 혈액량이 적어 똑같은 양의 소금을 섭취하더라도 더 위험하다. |
| 소금에 대한 글쓴이의 태도 | 글쓴이는 소금을 ( 🔖 ☐☐☐ )(으)로 바라보고 있다. | 글쓴이는 소금을 ( 🔖 ☐☐☐ )(으)로 바라보고 있다. |

**2** 다음은 '소금'과 관련된 공익 광고이다. 앞에서 읽은 글과 비교하며 읽어 보자.

(1) 글 ㉮, ㉯와 공익 광고 ㉰의 형식을 비교하고, 각 글의 특성을 이해해 보자.

㉰

| 글의 형식 | ㉮ | ㉯ | ㉰ |
|---|---|---|---|
|  | 설명하는 글 | 주장하는 글 | 광고 |
| 표현상 특징 | • 대상의 특성을 체계적으로 정리하여 설명함.<br>• 🔖 구체적인 예시를 함께 제시함. | • 대상의 영향에 대한 과학적 사실을 근거로 제시함.<br>• 🔖 객관적인 연구 결과를 근거로 제시함. | • 그림을 활용하여 정보를 제공함.<br>• 🔖 짧은 글과 핵심 단어를 반복하여 사용함. |
| 표현의 효과 | 대상에 대해 체계적으로 파악할 수 있음. | 주장에 대한 신뢰감을 높일 수 있음. | 짧은 시간 안에 중요한 내용을 쉽게 이해할 수 있음. |

(2) 세 글 중에서 자신의 관점과 유사한 것을 고르고 그 이유를 말해 보자.

예시 답》 나는 ㈐, ㈑와 같이 소금에 대해 부정적이다. 나는 짠 음식을 좋아하는데 살이 많이 찌고, 자주 피곤하기 때문이다.

## 3 1과 2를 바탕으로 관점이나 형식이 서로 다른 여러 글을 읽으면 어떤 점이 좋은지 이야기해 보자.

• 대상의 다양한 측면을 이해할 수 있다.
• 답 ☐☐ 잡힌 시각으로 글을 읽을 수 있다.
• 능동적으로 글을 읽는 태도를 지닐 수 있다.

┌─ 학습콕 ─┐

❶ 동일한 화제에 대한 관점과 형식의 차이

| 글쓴이의 관점이 다른 경우 | 글쓴이의 관점이 동일한 경우 |
|---|---|
| 글의 주제나 대상에 대한 글쓴이의 태도가 다를 수 있음. | 글의 내용이 비슷해도 전달하는 형식이 다를 수 있음. |

❷ 관점이나 형식의 차이를 파악하며 글을 읽을 때의 효과
  • 대상을 객관적으로 파악하고 깊이 있게 이해할 수 있음.
  • 어느 한쪽에 치우치지 않은 균형 잡힌 시각을 지닐 수 있음.

적용
❶ 동일한 화제를 다룬 다양한 글 찾아보기
❷ 선정한 글의 주요 내용, 관점, 형식 비교하기
❸ 화제에 대한 자신의 관점 세우기

모둠별로 동일한 화제를 다룬 여러 글을 찾아 읽고, 글쓴이의 관점이 어떻게 다른지 파악해 보자.

## 1 모둠별로 동일한 화제를 다룬 여러 글을 찾아보자.

(1) 다음 그림 카드는 다양한 화제를 나타낸 것이다. 모둠별로 화제를 하나씩 선택해 보자.

우리 모둠에서
선정한 화제
예) 친구

예시 답》 행복

**04** 소금에 대한 (가)~(다)의 관점을 바르게 연결한 것은?

| | 긍정적 | 부정적 |
|---|---|---|
| ① | (가) | (나), (다) |
| ② | (가), (다) | (나) |
| ③ | (나) | (가), (다) |
| ④ | (나), (다) | (가) |
| ⑤ | (다) | (가), (나) |

**05** 다음 중 (다)의 내용과 가장 유사한 관점을 지닌 사람은?
① 미혜: 편식하는 식습관은 좋지 않아.
② 재원: 시대에 따라 소금의 역할은 변화했어.
③ 준우: 단맛과 짠맛을 조화롭게 섭취해야 해.
④ 지선: 짠 음식을 좋아해서 자주 피곤한 것 같아.
⑤ 승윤: 건강에 도움이 되는 먹거리를 찾아 섭취해야 해.

**06** 관점과 형식의 차이를 파악하며 글을 읽을 때의 효과로 알맞지 않은 것은?
① 대상을 객관적으로 파악할 수 있다.
② 다양한 글의 특성을 이해할 수 있다.
③ 자신의 주장을 굽히지 않을 수 있다.
④ 대상에 대해 깊이 있게 이해할 수 있다.
⑤ 대상에 대한 균형 잡힌 시각을 지닐 수 있다.

**(2)** 다음 과정에 따라 **(1)**에서 정한 화제를 다룬 여러 글을 찾아보자.

| 모둠 구성원이 해당 화제에 대해 이야기를 나눈다. | → | 해당 화제를 다루고 있는 글을 다양한 매체에서 찾는다. | → | 찾은 글이 적절한지 의논하고, 최종적으로 함께 읽을 두 편의 글을 선정한다. |

예시 답 》 생략

## 2 1에서 찾은 글을 함께 읽어 보자.

**(1)** 모둠에서 선정한 두 글이 무엇인지, 그 글을 선정한 이유와 함께 써 보자.

| 예 | 선정한 글 1 | 선정한 글 2 |
|---|---|---|
| 제목 | 벗 | 학 |
| 글쓴이 | 조병화 | 황순원 |
| 선정한 이유 | 친구의 중요성을 다양한 비유적 표현을 통해 나타낸 시이기 때문이다. | 우정의 힘으로 이념적 갈등도 극복하는 인물들의 모습을 그린 소설이기 때문이다. |

예시 답 》

| 제목 | 수필 『법륜 스님의 행복』 | 현대시 「행복」 |
|---|---|---|
| 글쓴이 | 법륜 | 유치환 |
| 선정한 이유 | 행복해지기 위한 방법이 무엇인지 궁금하기 때문이다. | 사랑과 행복을 주제로 한 대표적인 시이기 때문이다. |

**(2)** 두 글을 읽은 다음 내용을 간단하게 정리해 보자. 그리고 글을 읽고 난 뒤 화제에 대한 자신의 생각은 어떠한지 써 보자.

**예**

**📋 선정한 글 1**

- **주요 내용**: 벗을 '등불', '휴식', '내일에의 여행', '뜨거운 눈물'에 빗대어 친구의 중요성을 드러내고 있다.

- **글쓴이의 관점**: 친구는 등불이나 휴식처럼 우리에게 꼭 필요한 존재이다.

- **형식**: 시

**📋 선정한 글 2**

- **주요 내용**: 육이오 전쟁으로 서로에게 총부리를 겨누어야 했던 '덕재'와 '성삼'이 어린 시절 우정을 떠올리며 갈등을 극복한다는 내용이다.

- **글쓴이의 관점**: 친구 간의 우정은 이념적 갈등을 넘어서는 것으로, 우리가 지켜야 하는 순수한 가치이다.

- **형식**: 소설

간단 체크 **활 동** 문제

**07** 동일한 화제를 다룬 다양한 글을 선정하기 위한 과정을 순서대로 나열하시오.

> ㄱ. 찾은 글이 적절한지 의논한다.
> ㄴ. 최종적으로 함께 읽을 두 편의 글을 선정한다.
> ㄷ. 모둠 구성원이 해당 화제에 대해 이야기를 나눈다.
> ㄹ. 해당 화제를 다루고 있는 글을 다양한 매체에서 찾는다.

**08** 2-(1)에서 선정한 두 글들의 공통적인 화제로 알맞은 것은?

① 자연　　② 이념
③ 갈등　　④ 친구
⑤ 휴식

**09** '선정한 글 1'의 특성을 정리한 내용으로 알맞지 **않은** 것은?

| 형식 | 시 | ① |
|---|---|---|
| 내용 | 친구의 중요성 | ② |
| 표현 | 친구를 '등불', '휴식' 등에 빗댐. | ③ |
| 표현상 효과 | 친구의 중요성을 인상 깊게 전달함. | ④ |
| 글쓴이의 관점 | 친구와 깊이 있는 소통이 필요함. | ⑤ |

(    친구    )란?

갈래는 다르지만 두 글은 모두 친구의 필요성과 우정의 소중함을 이야기하고 있다. 나도 글을 읽으며 내 주변에 있는 친구들이 얼마나 소중한지 새삼 깨달을 수 있었다. 친구들을 더 많이 배려하고 이해하며 깊은 우정을 나눠야겠다.

예시 답》

| | 수필 「법륜 스님의 행복」 | 현대시 「행복」 |
|---|---|---|
| 주요 내용 | 사례를 중심으로 행복해지기 위한 방법을 설명하였다. | 시적 표현을 통해 사랑과 행복의 가치에 대해 노래하였다. |
| 글쓴이의 관점 | 행복은 자신의 마음가짐에서 오는 것이다. | 사랑을 받는 것보다 누군가를 사랑하는 것이 행복이다. |

**⬇**

| 행복이란? | 저절로 주어지는 것이 아니라 내가 만드는 것이다. |
|---|---|

**간단 체크 활동 문제**

**10** **2-(2)**의 두 글을 읽은 독자의 반응으로 알맞지 **않은** 것은?

① 글을 읽으면서 친구들의 소중함을 깨닫게 되었어.
② 친구라는 존재에 대한 나만의 관점을 세워 볼 수 있었어.
③ 중심 화제에 대한 두 글의 상반된 관점을 살펴볼 수 있었어.
④ 글의 형식에 따라 표현 효과가 달라진다는 것을 알 수 있었어.
⑤ 두 글은 각각 시와 소설이라는 갈래를 통해 내용을 전달하고 있어.

**활동
마당**

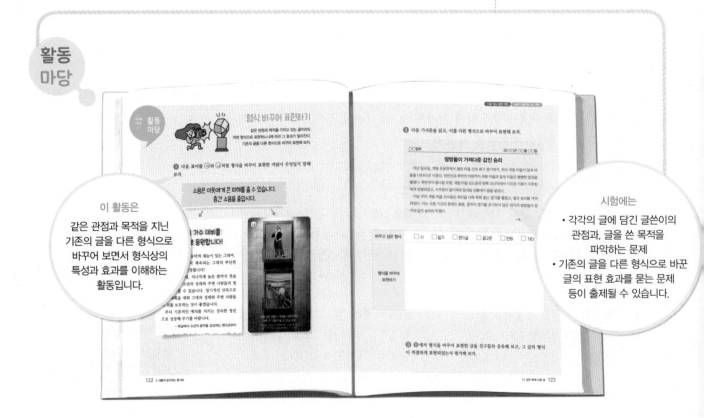

이 활동은

같은 관점과 목적을 지닌 기존의 글을 다른 형식으로 바꾸어 보면서 형식상의 특성과 효과를 이해하는 활동입니다.

시험에는

• 각각의 글에 담긴 글쓴이의 관점과, 글을 쓴 목적을 파악하는 문제
• 기존의 글을 다른 형식으로 바꾼 글의 표현 효과를 묻는 문제 등이 출제될 수 있습니다.

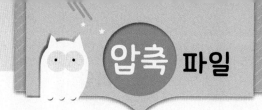

**본문 제재 ①** **가** 「소금 없인 못 살아」

| 갈래 | 설명하는 글(설명문) | 성격 | 분석적, 객관적 |
|---|---|---|---|
| 제재 | 소금 | 주제 | 우리 생활에서 없어서는 안 될 중요한 존재인 소금 |
| 특징 | • 소금의 역할을 체계적으로 정리하여 쉽게 전달함.<br>• 독자의 이해를 돕기 위해 다양하고 구체적인 예시를 제시함. | | |

## ●● 「소금 없인 못 살아」의 짜임

| 처음 | | 가운데 | | 끝 |
|---|---|---|---|---|
| 예부터 중요한 존재로<br>인식되어 온 소금 | ➡ | 소금의 역할과 ❶☐☐☐ | ➡ | 다양한 역할로 우리에게<br>매우 중요한 존재가 된 소금 |

## ●● 소금의 역할과 필요성

| 소금의 특성 | | 소금의 역할과 필요성 |
|---|---|---|
| • 체액의 주요 성분이 되어 ❷☐☐☐를 우리 몸 구석<br>구석으로 보냄.<br>• 우리 몸에 쌓인 각종 노폐물을 땀이나 오줌으로 배출함. | ➡ | 사람과 동물의 ❸☐☐을 유지하는 데<br>꼭 필요한 존재임. |
| 소금의 짠맛이 음식과 잘 어우러지면서 음식을 더욱 맛깔스<br>럽게 함. | ➡ | 음식의 맛을 더욱 좋게 함. |
| • 생선을 소금에 절이면 보존 기간이 길어짐.<br>• 소금에 절인 고기를 훈제하는 방식을 통해 고기를 오랫동안<br>보존함.<br>• 온대 지방 사람들은 채소를 염장하여 겨울까지 먹으면서 부<br>족한 비타민을 섭취함. | ➡ | 음식을 썩게 하는 미생물의 발생을 막아<br>식품을 ❹☐☐하게 유지해 줌. |

## ●● 소금에 대한 글쓴이의 관점

| 글쓴이가 바라보는 소금의 특성 | | 글쓴이의 관점 |
|---|---|---|
| • 생명을 유지하는 데 꼭 필요함.<br>• 음식의 맛을 살리고, 식품을 신선하게 유지해 줌. | ➡ | 소금을 ❺☐☐☐인 태도로 바라보고 있음. |

## ●● 이 글에 쓰인 표현 방법과 그 효과

| 표현 방법 | | 효과 |
|---|---|---|
| '처음' 부분에서 독자에게 ❻☐☐을 던지며 글을<br>시작함. | ➡ | 독자의 주의를 집중시키고 화제에 대한 흥미를 유발함. |
| '가운데' 부분에서 다양한 사례를 들어 소금이 우리 몸<br>에 미치는 영향 및 소금의 필요성을 설명함. | ➡ | 설명 내용에 대한 독자들의 이해를 도움. |
| '끝' 부분에서 소금의 가치를 '하얀 ❼☐☐'에 빗댐. | ➡ | 소금의 가치를 강조하고 인상적으로 표현함. |

압축 파일

**본문 제재 ②** 나「맛있게 먹은 소금이 병을 부른다」

| 갈래 | 주장하는 글(논설문) | 성격 | 과학적, 논리적, 객관적 |
|---|---|---|---|
| 제재 | 소금 | 주제 | 과다한 소금 섭취의 위험성 경고 |
| 특징 | • 현실 상황을 제시하며 독자의 흥미를 유발함.<br>• 과학적 사실과 연구 결과를 근거로 글쓴이의 주장을 뒷받침함. | | |

## ●● 「맛있게 먹은 소금이 병을 부른다」의 짜임

| 서론 | 본론 | 결론 |
|---|---|---|
| 소금을 과하게 섭취하여 건강을 위협받는 ❽ ☐☐☐ | 과다한 소금 섭취가 ❾ ☐☐ 을 해치는 이유 | 아이들의 건강을 위해 줄여야 하는 소금 섭취 |

## ●● 과다한 소금 섭취가 건강을 해치는 이유

| 과다한 소금 섭취로 인한 우리 몸의 변화 | 건강에 미치는 악영향 |
|---|---|
| 소금이 세포의 수분을 빼앗아 체세포에 수분이 충분히 공급되지 않음. | 체세포가 제 기능을 발휘하지 못하여 ❿ ☐☐☐ ☐ 능력이 떨어짐. |
| 혈관이 좁아져서 영양소가 세포로 이동하기 어려워짐. | • 체세포가 영양소를 제대로 공급받지 못함.<br>• 혈압이 높아져 순환 장애가 생김.<br>• 심장 또한 약해져 다른 기관에도 문제가 발생함. |
| • 아이들은 어른들보다 혈액량이 적어 혈액 속 염화 나트륨의 비율이 어른들보다 훨씬 높아짐.<br>• 어릴 때부터 소금을 많이 먹으면 혀가 둔감해져 점점 더 짜고 자극적인 맛을 찾게 됨.<br>• 짠 음식을 먹고 난 후 갈증을 달래기 위해 탄산 음료 등의 ⓫ ☐☐ 이 강한 음료를 찾음. | • 똑같은 양의 소금을 섭취하더라도 어른보다 아이들이 특히 더 위험함.<br>• '음식 중독'에 걸릴 수 있으며, 결국 폭식증이나 비만에 시달리게 됨.<br>• 짠 음식과 당분이 높은 음료를 함께 섭취하면 혈압이 더 빨리 상승함. |

## ●● 소금에 대한 글쓴이의 관점과 당부

| 글쓴이가 바라보는 소금의 특성 | 글쓴이의 관점 |
|---|---|
| • 체세포에서 수분을 빼앗아 가고, 혈관을 좁히는 등 우리의 건강을 위협함.<br>• 어른들보다 아이들에게 더욱 위험함. | 소금을 ⓬ ☐☐☐ 인 태도로 바라보고 있음. |

| 글쓴이의 당부 | 건강을 생각해서 지금이라도 당장 아이들의 소금 섭취를 줄여야 함. |
|---|---|

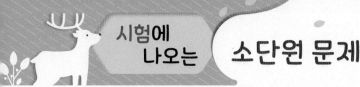
**01~04** 다음 글을 읽고, 물음에 답하시오.

**가** 우리가 알고 있는 고대 문명들은 대부분 물, 식량과 더불어 소금을 쉽게 구할 수 있는 곳에서 시작되었다. 소금을 생산하는 도시는 큰 부를 축적할 수 있었고, 소금이 이동하는 중심지에는 교역로가 발달하였다. 그뿐만 아니라 소금 때문에 전쟁이 일어나기도 하였다고 하니, 사람들이 소금을 얼마나 귀하게 여겼는지 알 만하다. 사람들은 조그만 알갱이에 불과한 소금을 왜 이렇게 중요한 존재로 인식하였을까?

**나** 소금은 나트륨 원자 하나가 염소 원자 하나와 결합한 분자들의 결정체에 지나지 않고, 사람에게 필요한 소금의 양도 하루에 3그램 정도밖에 되지 않는다. 하지만 우리 몸에 들어온 소금은 나트륨 이온과 염화 이온으로 나뉘어 신진대사에 많은 영향을 미친다. 예를 들어 혈액이나 위액과 같은 체액의 주요 성분이 되어 영양소를 우리 몸 구석구석으로 보내기도 하고, 우리 몸에 쌓인 각종 노폐물을 땀이나 오줌으로 배출하기도 한다.

**다** 소금은 주로 땀이나 오줌으로 배출되기 때문에, 동물 대부분은 소금을 아끼기 위해 아예 땀을 흘리지 않거나 오줌도 아주 적게 누도록 진화해 왔다. 하지만 사람은 다른 동물들과 달리, 땀과 오줌으로 아낌없이 소금을 배출한다. 따라서 사람은 소금을 충분히 섭취하여 보충해 주어야만 한다.

**라** 소금은 그냥 먹으면 너무 짜고 쓰기까지 하지만, 음식 본연의 맛과 잘 어우러지면 그 맛을 더욱 좋게 해 주는 놀라운 작용을 한다. 그 때문에 사람들은 차나 커피와 같은 몇몇 기호 식품이나 과일을 빼고 ㉠거의 모든 음식에 소금을 넣는다.

**마** 냉장 시설이 없던 시절에 내륙 사람들이 굴비나 간고등어를 맛볼 수 있었던 것도 소금 덕분이다. 소금에 절인 고기를 훈제하는 것도 고기를 오랫동안 보존하기 위해서이다. 소금은 생선이나 고기뿐만 아니라 채소의 보존 기간도 늘려 준다. 온대 지방 사람들은 겨울이 되어 채소를 먹을 수 없게 되면 극심한 비타민 부족 현상을 겪는다. 그래서 이를 극복하기 위해 채소를 염장하였고, 이것을 겨울까지 먹으며 부족한 비타민을 섭취하였다.

**01** 이와 같은 글의 특징으로 알맞은 것은?
① 설명하려는 내용을 우회적으로 표현한다.
② 구체적인 예를 들어 독자의 이해를 돕는다.
③ 특정한 대상에게 형식과 예절을 갖추어 쓴다.
④ 글쓴이의 경험을 제시하여 독자의 공감을 얻는다.
⑤ 신뢰할 만한 연구 결과를 제시함으로써 주장을 뒷받침한다.

**02** 이 글에 제시된 소금의 특성이 **아닌** 것은?
① 예로부터 귀한 존재로 인식되어 왔다.
② 그냥 먹으면 너무 짜고 쓰기까지 하다.
③ 신진대사를 활발하게 하는 데 영향을 미친다.
④ 음식의 보존 기간을 길게 해 음식이 썩지 않게 한다.
⑤ 사람의 몸에 들어오면 체내에 흡수되어 쉽게 배출되지 않는다.

⭐학습 활동 응용

**03** 이 글과 다음의 광고를 비교한 내용으로 알맞지 **않은** 것은?

① 이 글과 광고는 동일한 화제를 다룬다.
② 이 글과 달리 광고는 그림을 활용한다.
③ 이 글은 광고에 비해 정보를 체계적으로 전달한다.
④ 이 글과 광고는 모두 대상을 긍정적으로 평가한다.
⑤ 이 글에 비해 광고는 짧은 시간 안에 핵심 내용을 이해하게 한다.

✏️서술형

**04** ㉠과 같이 많은 음식에 소금이 사용되는 이유를 쓰시오.

**05~08** 다음 글을 읽고, 물음에 답하시오.

**가** 언제부터인가 비만으로 인한 고혈압이나 당뇨병으로 고생하는 아이들이 많아졌다. 〈중략〉 무엇보다도 즉석식품과 외식 위주의 잘못된 식습관이 아이들을 건강의 사각지대로 내몰고 있다. 즉석식품과 외식 자체가 문제가 아니라, 아이들이 그 음식들 안에 들어 있는 소금을 과하게 섭취하는 것이 문제인 것이다.

**나** 우리 몸은 수많은 체세포로 구성되어 있다. 따라서 신체가 건강하려면 체세포가 건강해야 한다. 하지만 음식을 너무 짜게 먹으면 체세포에 수분이 충분히 공급되지 않아, 체세포가 제 기능을 발휘하지 못하게 된다. 소금이 세포의 수분을 빼앗아 우리의 신진대사 능력이 떨어지는 것이다. 또한 소금을 과다하게 섭취하면 혈관이 좁아져서 비타민, 미량 영양소, 효소, 단백질 등이 세포로 이동하기 어려워진다. 그러면 체세포는 영양소를 제대로 공급받지 못하고, 혈압이 높아져 순환 장애가 생기며, 심장 또한 약해져 다른 기관에도 문제가 발생한다.

**다** 근래에는 아직 초등학교에도 입학하지 않은 어린 아이들이 부모와 똑같은, 혹은 더 많은 양의 소금을 섭취하고 있다고 한다. 이는 대단히 심각한 문제이다. 아이들은 어른들보다 혈액량이 적어 똑같은 양의 소금을 섭취하더라도 혈액 속 염화 나트륨의 비율이 어른들보다 훨씬 높아지기 때문이다.

**라** 그런데 대부분의 아이들은 갈증을 달래기 위해 건강에 좋은 음료가 아니라, 단맛이 강한 탄산 음료를 찾는다. 탄산 음료 속에 녹아 있는 탄수화물은 비만을 더욱 부추길 수 있다. 또한 짠 음식을 먹을 때 주스나 콜라와 같이 당분이 높은 음료를 함께 마시면 혈압이 훨씬 더 빨리 상승한다. 그래서 어떤 부모들은 아이들의 건강을 위해 요리할 때 소금을 일부러 적게 넣기도 하고 저염식 음식을 찾기도 한다.

**마** 소금은 분명 맛있는 유혹이지만, 너무 많이 섭취하면 우리의 세포를 죽이고 건강을 위협한다. 특히 무심코 먹은 맛있는 음식이 큰 병이 되어 아이들에게 돌아올 수도 있다. 〈중략〉 건강을 생각한다면 지금이라도 당장 아이들의 소금 섭취를 줄여야 한다.

**05** 글쓴이가 이 글을 쓴 목적으로 가장 알맞은 것은?

① 어른들과 아이들의 식습관을 비교하기 위해서
② 과다한 소금 섭취를 줄일 것을 당부하기 위해서
③ 과거의 식습관으로 돌아갈 것을 주장하기 위해서
④ 사람들이 짠맛을 즐기는 이유를 설명하기 위해서
⑤ 즉석식품과 외식 위주의 식습관을 비판하기 위해서

**06** 탄산 음료가 지닌 문제점 두 가지를 이 글에서 찾아 각각 한 문장으로 쓰시오.

**07** 이 글의 주장을 뒷받침하는 근거가 아닌 것은?

① 소금은 혈액량이 적은 아이들에게 더 위험하다.
② 과다한 소금 섭취는 체세포의 제 기능을 막는다.
③ 아이들은 짠맛보다 당분이 높은 음료를 선호한다.
④ 짠 음식은 세포에서 수분을 빼앗아 여러 질병을 유발한다.
⑤ 소금을 과다하게 섭취하면 혈관이 좁아져 건강에 문제를 일으킨다.

**08** 이 글과 〈보기〉의 글을 비교하며 읽을 때의 효과로 알맞지 않은 것은?

┤보기├
　한 사람에게 필요한 소금의 양은 얼마 되지 않지만, 그 단위가 가족, 마을, 도시로 커질수록 필요한 소금의 양은 훨씬 많아진다. 그래서 소금을 확보하는 일은 사람들에게 중요한 과제였고, 그 과정에서 문명도 함께 발전했던 것이다.

① 대상을 더욱 깊이 있게 이해할 수 있다.
② 다양한 관점을 존중하는 태도를 키울 수 있다.
③ 대상에 다각적으로 접근하여 시야를 넓힐 수 있다.
④ 대상에 대한 자신의 관점을 분명히 세우는 데 도움이 된다.
⑤ 대상에 대한 글쓴이의 관점을 무비판적으로 수용하게 된다.

# 소단원 개념 길잡이

## ●● 보고하는 글이란

어떤 주제에 대하여 관찰, 조사, 실험한 과정과 결과를 체계적으로 정리한 글이다.

## ●● 보고하는 글의 구성

| 처음 | 관찰, 조사, 실험의 주제, 목적, 기간, 대상, 방법 등을 제시함. |
|------|------|
| 가운데 | 관찰, 조사, 실험의 결과 및 분석한 내용 등을 체계적으로 서술함. |
| 끝 | 관찰, 조사, 실험의 내용을 요약하고 결론을 제시하며, 조사자의 의견 등을 덧붙임. |

## ●● 보고하는 글이 갖추어야 할 요건

| 객관성 | 주관적이거나 한쪽에 치우친 내용이 아닌 사실에 근거한 내용을 담아야 함. |
|------|------|
| 정확성 | 관찰, 조사, 실험의 내용과 결과를 왜곡하거나 과장하지 않으며 그 내용과 결과가 뚜렷하고 분명해야 함. |
| 신뢰성 | 사실에 근거한 정보, 자료 등을 제시하고, 해당 분야 전문가의 의견을 제시하는 등 믿을 만한 자료를 사용해야 함. |
| 체계성 | 관찰, 조사, 실험한 내용과 결과를 일정한 원리에 따라 짜임새 있게 조직해야 함. |

## ●● 보고하는 글을 쓰는 과정

| 계획하기 | 관찰, 조사, 실험의 대상, 목적, 동기, 일정, 방법, 역할 분담 등을 정함. |
|------|------|
| 자료 수집하기 | 주제에 대해 관찰, 조사, 실험 등의 방법으로 자료를 수집함. |
| 자료 정리하기 | 수집한 자료를 체계적으로 정리하고, 정리한 자료를 객관적으로 정확하게 분석함. |
| 보고하는 글 쓰기 | • 글의 목적을 고려하여 일정한 형식에 따라 짜임새 있게 구성하여 씀.<br>• 객관적이고 정확한 사실에 근거하여 내용을 쓰되, 그림, 사진, 도표 등의 매체 자료를 효과적으로 활용하여 씀. |

## ●● 쓰기 윤리란

글쓴이가 글을 쓰는 과정에서 준수해야 할 윤리적 규범을 말한다.

## ●● 쓰기 윤리를 지키는 방법

• 다른 사람이 생산한 아이디어나 자료, 글을 표절하지 않아야 한다.
• 인용하거나 참고한 자료가 있으면 출처를 밝혀 써야 한다.
• 조사나 연구 결과를 과장, 축소, 변형, 왜곡하지 않고 제시해야 한다.

---

### 간단 체크 개념 문제

**1** 다음 설명이 맞으면 ○표, 틀리면 ✕표 하시오.

(1) 보고하는 글은 글쓴이가 관찰, 조사, 실험한 결과에 대해 평가하는 주관적인 글이다.　　( 　　 )

(2) 보고하는 글은 주로 '처음 – 가운데 – 끝'으로 이루어진 체계적인 글이다.　　( 　　 )

(3) 관찰, 조사, 실험의 주제나 목적은 보고하는 글의 '가운데' 부분에 제시된다.　　( 　　 )

**2** 보고하는 글을 쓰는 과정에 따라 ㄱ~ㄹ을 알맞게 배열하시오.

> ㄱ. 자료를 조사하고 수집함.
> ㄴ. 조사 목적, 대상, 기간, 방법 등을 결정함.
> ㄷ. 항목별로 자료를 분류하고 분석하여 정리함.
> ㄹ. 보고하는 글의 형식에 따라 짜임새 있게 글을 씀.

**3** 다음 빈칸에 들어갈 알맞은 말을 쓰시오.

> □□ □□은/는 글쓴이가 글을 쓰는 과정에서 지켜야 할 윤리 규범을 말한다.

**4** 쓰기 윤리를 지키는 방법이 아닌 것은?

① 참고 자료의 출처를 제시함.
② 기존의 글을 표절하지 않음.
③ 타인의 글을 인용하지 않음.
④ 조사 결과를 과장하지 않음.
⑤ 연구 내용을 왜곡하지 않음.

# [2] 보고하는 글 쓰기

학습 목표 · 관찰, 조사, 실험의 절차와 결과가 드러나게 쓸 수 있다.
· 쓰기 윤리를 지키며 글을 쓸 수 있다.

이해
❶ 보고하는 글을 쓰는 절차, 방법 이해하기
❷ 쓰기 윤리를 지키며 글을 쓰는 태도 이해하기

## 1 보고하는 글의 의미 알기

**학습 포인트**
❶ 보고하는 글의 개념 및 종류
❷ '효주네 모둠'이 쓰려는 보고서의 종류와 목적

### 1 이 대화에서 보고하는 글의 의미를 찾아 써 보자.

✎ 보고하는 글이란 　📋 어떤 주제에 대하여 관찰, 조사, 실험한 과정과 결과를 정리한 글이다.

### 2 '효주네 모둠'이 쓰려고 하는 보고서의 목적을 써 보자.

📋 '효주네 모둠'은 자신들이 살고 있는 우리 지역의 관광지를 다른 지역 사람들에게 널리 알리기 위해 보고서를 쓰려고 한다.

**학습콕**

❶ 보고하는 글의 개념 및 종류

| 개념 | 어떤 주제에 대하여 관찰, 조사, 실험한 과정과 결과를 체계적으로 정리한 글 |
|---|---|
| 종류 | · □□ 보고서: 어떤 주제에 대해 조사하여 확인한 사실이나 수집한 자료를 정리한 보고서<br>· 실험 보고서: 실험 계획과 과정을 기록하고, 실험 결과를 분석하여 정리한 보고서<br>· 관찰 보고서: 어떤 대상을 지속적으로 관찰한 결과를 정리하여 기록한 보고서 |

❷ '효주네 모둠'이 쓰려는 보고서의 종류와 목적

| 종류 | 조사 보고서 |
|---|---|
| 목적 | 우리 지역의 □□□를 다른 지역 사람들에게 널리 알리기 위함. |

---

간단 체크 **활동 문제**

중요
**01** 보고하는 글에 대한 설명으로 알맞은 것은?

① 일상생활 속에서 얻은 깨달음을 자유롭게 쓴 글이다.
② 어떤 대상을 대중에게 널리 알리기 위하여 쓴 글이다.
③ 관찰, 조사, 실험한 과정과 결과를 정리하여 쓴 글이다.
④ 개인이나 단체가 내놓은, 의견이나 희망을 적은 글이다.
⑤ 어떤 주제에 관하여 자기의 생각이나 주장을 체계적으로 밝혀 쓴 글이다.

**02** '효주네 모둠'이 작성하려는 보고서의 종류로 알맞은 것은?

① 감상 보고서
② 요약 보고서
③ 실험 보고서
④ 관찰 보고서
⑤ 조사 보고서

**03** '효주네 모둠'이 쓰려고 하는 보고서의 목적을 한 문장으로 쓰시오.

## 2 계획하기

[학습 포인트]

❶ 보고하는 글을 쓰는 과정 ①: 계획하기
❷ '효주네 모둠'의 자료 조사 방법
❸ 쓰기 윤리의 개념 및 준수 방법

중요

**04** '효주네 모둠'이 '계획하기' 단계에서 협의한 내용에 해당하지 않는 것은?

① 다양한 방법으로 자료를 수집하자.
② 보고하는 글을 쓰는 것은 다 함께 하자.
③ 다른 지역에 소개하고 싶은 우리 지역 관광지에 대해 설문 조사를 하자.
④ 근대 문화 골목에 대한 보고서를 검색하고 이를 재편집해 글에 인용하자.
⑤ 우리 학교 학생들 100명을 대상으로 조사하고, 그 결과를 바탕으로 글을 쓰자.

**05** '효주네 모둠'이 자료를 수집하기 위해 세운 계획이 아닌 것은?

① 인터넷을 검색한다.
② 직접 현장 답사를 간다.
③ 책에서 자료를 수집한다.
④ 방송에서 자료를 찾아본다.
⑤ 관광지에서 사람들을 인터뷰한다.

중요

**06** 쓰기 윤리에 대한 설명으로 알맞지 않은 것은?

① 조사한 내용을 왜곡해서는 안 된다.
② 꼭 필요한 자료라면 일부만 인용한다.
③ 남의 자료를 자기가 쓴 것처럼 해서는 안 된다.
④ 출처는 가장 많은 내용을 인용한 자료를 대표로 밝힌다.
⑤ 조사한 내용은 과장하지 않고 사실에 근거해서 써야 한다.

## 〔2〕 보고하는 글 쓰기

### 1 '효주네 모둠'의 글쓰기 계획서를 정리해 보자.

#### 글쓰기 계획서

| 갈래 | 조사 보고서 |
|---|---|
| 조사 대상 | 🔖 대구 근대 문화 골목 |
| 조사 목적 | 우리 지역의 관광지를 다른 지역 사람들에게 알리기 위함. |
| 일정 | ○○월 ○○일~○○월 ○○일 |
| 조사 방법 및 역할 분담 | • 지호: 🔖 방송 및 인터넷 자료 조사　• 현우: 🔖 문헌 조사 <br> • 민아, 효주: 🔖 □□ 조사 <br> • 모둠 구성원 전체: 자료 정리 및 보고하는 글 작성 |

**간단 체크 활동 문제**

**07** 보고하는 글을 쓰기 위한 계획서에 포함되어야 하는 내용이 아닌 것은?
① 조사 대상
② 조사 결과
③ 조사 방법
④ 조사 일정
⑤ 역할 분담

### 2 만화의 내용을 바탕으로, 글을 쓸 때 지켜야 할 점을 정리해 보자.

• 조사 내용을 왜곡하거나 과장하지 않는다.
• 🔖 남의 자료를 자기가 쓴 것처럼 하지 않으며, 필요한 자료는 일부만 인용하고 출처를 밝힌다.

**중요**
**08** 〈보기〉에 나타난 '지호'의 문제점으로 가장 알맞은 것은?

┤보기├
현우: '근대 문화 골목'이 가장 많은 표를 얻었네.
지호: 음, 설문 조사 결과를 좀 바꾸면 어때? 내 생각엔 '두류 공원'이 더 흥미로울 것 같은데.

① 조사한 내용을 왜곡해 제시하려고 한다.
② 자신의 주장을 내세우며 굽히지 않고 있다.
③ 조사 과정과 결과를 제대로 분석하지 못하고 있다.
④ 다른 사람의 연구 결과를 무단으로 인용하려고 한다.
⑤ 보고서의 주제와 관련 없는 불필요한 자료를 수집하고 있다.

#### 학습콕

**❶ 보고하는 글을 쓰는 과정 ①: 계획하기**

| 계획해야 할 내용 | 계획에 따라 보고하는 글의 내용이 달라지므로, 계획하기 단계에서 이를 구체적으로 설정해 두어야 함. |
|---|---|
| 대상, 목적 및 동기, 일정, 방법 및 역할 분담 | |

**❷ '효주네 모둠'의 자료 조사 방법**

| □□ 조사 | 조사 대상자를 직접 만나서 질문을 하거나 설문지를 작성하게 하는 조사 방법 |
|---|---|
| 자료 조사 | 문헌, 방송, 인터넷 등에서 조사 대상과 관련된 자료를 수집하는 조사 방법 |
| 현장 조사 | 조사 대상과 관련된 장소에 방문하여 직접 보거나 들은 결과를 정리하는 조사 방법 |

**❸ 쓰기 윤리의 개념 및 준수 방법**

| 개념 | 글쓴이가 글을 쓰는 과정에서 준수해야 할 윤리적 규범 |
|---|---|
| 준수 방법 | • 자료 □□하지 않기: 조사 결과나 연구 결과 등의 자료를 과장, 축소, 변형, 왜곡하지 않음. <br> 예 "음, 설문 조사 결과를 좀 바꾸면 어때?" → 자료 왜곡, 쓰기 윤리 위반 <br> • 표절하지 않기: 다른 사람이 생산한 아이디어나 자료, 글을 자신이 쓴 것처럼 하지 않으며, 필요한 경우에는 □□하고 출처를 밝힘. 예 "어? 인터넷에 근대 문화 골목에 대한 보고서가 있네! 이름만 바꿔서 내자." → 표절, 쓰기 윤리 위반 |

## 3 자료 수집하고 정리하기

**학습 포인트**

❶ 보고하는 글을 쓰는 과정 ②: 자료 수집하고 정리하기
❷ '효주네 모둠'의 자료 활용 방안
❸ 자료를 수집하고 정리할 때 고려할 점

자료 ❶   텔레비전 뉴스

배명숙 골목 문화 해설사
대구광역시 중구에 자리한 근대 문화 골목은
살아 있는 대구의 역사를 만날 수 있는 골목입니다.

대구광역시 중구에 자리한 근대 문화 골목은 도심에서 대구의 근대 문화유산인 청라 언덕의 선교사 주택, 삼일 만세 운동 길, 계산 성당, 이상화 고택과 서상돈 고택 등을 만날 수 있는 골목입니다. 이 지역은 한국 전쟁 당시에 다른 지역에 비해서 피해가 크지 않았습니다. 따라서 오래된 근대 건축물들을 비롯한 근대 문화유산이 잘 보존되어 있고, 오늘날까지도 많은 관광객들에게 사랑받고 있습니다.

– 「케이비에스(KBS) 뉴스」, 2017. 6. 21.

자료 ❷   책

제일 교회 담장 옆 오르막길에는 90개의 계단이 있다. 이 계단은 1919년 삼일 운동 당시, 만세 운동 집결 장소로 향하던 학생들이 경찰의 감시를 피하기 위해 이용했던 지름길이다. 이른바 비밀 통로였던 셈이다. 그 길이 지금은 '삼일 만세 운동 길로 불리고 있다.

계단의 한쪽 벽에는 1900년대 대구 도심의 모습과 삼일 운동 당시를 촬영한 사진 및 설명이 게재되어 있다. 관광객들도 이 길에만 오면 당시의 급박했던 숨결이 들려오는 듯한지 다소 엄숙해진다. 이 길은 대구에서 가장 걷고 싶은 길에 손꼽히기도 한다.

– 김진규 외, 「근대 로(路)의 여행」

자료 ❸   인터넷

계산 성당은 평양과 서울에 이어 우리나라에서 세 번째로 세워진 고딕 양식의 성당이다. 고딕 양식의 성당은 주로 골조와 뾰족탑이 있는 아치형 천장이 특징적이다. 꼭대기에서 아치가 만나는 부분의 이맛돌은 아치를 지탱하고 전체 구조물을 안정시키며, 대각선으로 내려오는 버팀벽은 이맛돌을 통해 돔 천장의 두 모서리를 연결한다. 고정된 아치는 아치형 천장을 지탱한다.

이맛돌
대각선 버팀벽
고정된 아치

삼일 만세 운동 길
자료 ❹   직접 찍은 사진

서상돈 고택

간단 체크 활동 문제

**중요**

**09** 보고하는 글을 쓰기 위해 자료를 수집하고 정리할 때 유의할 점이 **아닌** 것은?

① 객관적이고 신뢰할 만한 자료를 수집한다.
② 수집한 자료의 출처를 함께 기록해 정리한다.
③ 조사 목적과 주제에 도움이 되는 자료인지 확인한다.
④ 수집한 자료는 글의 구성과 내용에 맞게 체계적으로 정리한다.
⑤ 최근의 자료보다는 기존에 검증된 오래된 자료 위주로 수집한다.

**10** '효주네 모둠'이 수집한 자료에 해당하는 것은?

① 서상돈 고택의 사진이 실린 문헌
② 삼일 만세 운동 길에 대해 설명한 책
③ 계산 성당을 건축한 사람을 인터뷰한 기사
④ 대구 지역의 문화재를 관리하는 공공 기관의 홈페이지
⑤ 대구의 대표적인 건축물을 소개하고 있는 텔레비전 뉴스

**11** 다음의 내용을 담고 있는 자료의 번호를 쓰시오.

> 계산 성당의 건축상 특징을 설명하고 있다.

〔2〕 보고하는 글 쓰기

자료 ⑤    문화 해설사의 설명

[이상화 고택]
• 이상화 시인이 말년을 보낸 장소임.
• 이상화 시인은 일제에 대한 저항 의식을 담은 시를 쓴 민족 시인으로, 「빼앗긴 들에도 봄은 오는가」가 그의 대표작임.
• 안방에 시인의 유품, 가족사진 등 이상화 시인과 관련된 자료가 전시되어 있음.
• 마루에 시인의 흉상을, 마당에 시비를 세워 시인을 기리고 있음.

[서상돈 고택]
• 서상돈 선생의 옛 집터에 당시의 모습을 복원한 것으로, 이상화 고택의 맞은편에 위치함.
• 서상돈 선생은 일제 강점기에 대구에서 시작된 국채 보상 운동을 주도한 독립운동가임.
• 국채 보상 운동은 국민들이 돈을 모아 나라가 일제에 진 빚을 갚음으로써 경제적인 독립을 이루자는 국권 회복 운동임.

**12** '효주네 모둠'이 조사한 자료 중에서 〈보기〉의 설명에 해당하는 것은?

┤보기├
• 조사 대상과 관련된 장소에 직접 방문하여 수집한 자료임.
• 관련된 내용에 첨부함으로써 독자의 이해를 돕고 생동감을 더할 수 있음.

① 자료 ❶    ② 자료 ❷
③ 자료 ❸    ④ 자료 ❹
⑤ 자료 ❺

**1** 다음 활동을 하면서 '효주네 모둠'이 조사한 자료의 활용 방안을 생각해 보자.

(1) 자료 ❶~❺의 내용을 정리해 보자.

| 자료 | 내용 |
| --- | --- |
| 자료 ❶ | 근대 문화 골목을 소개한 텔레비전 뉴스 |
| 자료 ❷ | 📑 삼일 만세 운동 길에 대해 소개한 책의 내용 |
| 자료 ❸ | 📑 계산 성당의 건축상 특징을 설명한 인터넷 자료 |
| 자료 ❹ | 직접 가서 촬영한 근대 문화 골목의 유적지 사진 |
| 자료 ❺ | 📑 이상화 고택과 서상돈 고택에 대한 문화 해설사의 설명 |

**중요**
**13** '자료 ❸'에 대한 평가로 알맞은 것은?
① 구체적인 그림 자료가 추가되어야 한다.
② 글에 활용하기에는 많은 분량의 자료이다.
③ '효주네 모둠'이 쓸 글의 목적에 맞지 않는다.
④ 예상 독자가 충분히 이해할 수 있는 내용이다.
⑤ 출처를 분명하게 밝히고 있는 믿을 만한 자료이다.

(2) 자료 ❸이 '효주네 모둠'이 쓸 보고하는 글에 적절하지 않은 까닭을 내용 측면과 쓰기 윤리의 측면에서 말해 보자.

내용 면에서는……
📑 '계산 성당'의 건축적 특징에 대한 전문적인 지식만을 다루고 있으므로 '효주네 모둠'이 쓸 글의 목적에 적합하지 않다.

쓰기 윤리의 측면에서는……
📑 출처가 불분명하여 ☐☐ 하기 어려운 자료이므로 자료로 사용하기에 적합하지 않다.

**중요**
**14** '자료 ❷'와 함께 제시했을 때 효과적인 자료에 해당하는 것은?
① '자료 ❶'의 '근대 문화 골목' 뉴스 자료
② '자료 ❸'의 '아치형 천장' 그림 자료
③ '자료 ❹'의 '서상돈 고택' 사진 자료
④ '자료 ❹'의 '삼일 만세 운동 길' 사진 자료
⑤ '자료 ❺'의 '이상화 고택'에 대한 설명 자료

(3) '효주네 모둠'이 조사한 자료를 효과적으로 활용할 수 있는 방법을 써 보자.

자료 ❷만으로는 '삼일 만세 운동 길'의 모습을 떠올리기 어려우므로, 📑 자료 ❹의 '삼일 만세 운동 길'을 직접 찍은 사진을 함께 제시하면 좋을 것이다

**2** 다음은 '효주네 모둠'이 수집한 자료를 바탕으로 작성한 개요이다. 개요를 완성하고 추가로 조사할 자료를 정리해 보자.

(1) '효주'의 말을 바탕으로 보고하는 글의 개요를 완성해 보자.

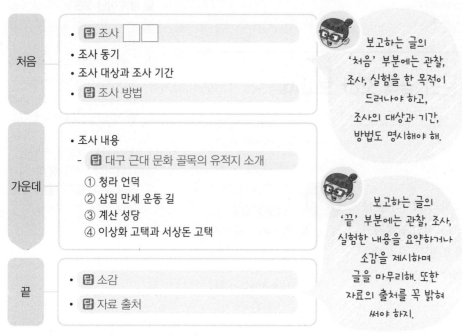

**간단 체크 활동 문제**

**15** 다음 ㄱ~ㄹ 중, 보고하는 글의 '처음' 부분에 제시되는 내용끼리 알맞게 짝지은 것은?

ㄱ. 자료 출처
ㄴ. 조사 내용
ㄷ. 조사 대상
ㄹ. 조사 동기

① ㄱ, ㄴ
② ㄱ, ㄷ
③ ㄴ, ㄷ
④ ㄴ, ㄹ
⑤ ㄷ, ㄹ

(2) (1)의 개요를 바탕으로 보고하는 글을 쓸 때, '효주네 모둠'이 추가로 조사해야 하는 자료를 정리해 보자.

> 수집한 자료 중에 ' 📋 청라 언덕 '에 대한 구체적인 자료가 부족하고, ' 📋 계산 성당 '에 대한 자료는 활용하기에 적절하지 않으니 이에 대한 자료를 추가로 조사해야겠어.

**중요**
**16** '효주네 모둠'이 수집한 자료와 이를 바탕으로 작성한 개요를 바르게 검토한 것은? (정답 2개)

① '청라 언덕'에 대한 구체적인 설명이 필요하다.
② '계산 성당'에 대한 설명을 대체할 자료를 마련해야 한다.
③ 보고하는 글은 객관적이고 정확해야 하므로 작성자의 소감은 삭제한다.
④ '삼일 만세 운동 길'에 대한 전문적인 지식을 추가하여 다루도록 한다.
⑤ '이상화 고택'과 '서상돈 고택'에 대한 설명은 내용이 중복되므로 둘 중 하나는 삭제한다.

**학습콕**

**❶ 보고하는 글을 쓰는 과정 ②: 자료 수집하고 정리하기**

| 자료 수집하기 | 주제에 대해 관찰, 조사, 실험 등의 방법으로 자료를 수집하는 단계 |
|---|---|
| 자료 정리하기 | 수집한 자료를 정리하고, 정리한 자료를 보고서에 활용하기 위하여 객관적이고 정확하게 [  ][  ]하는 단계 |

**❷ '효주네 모둠'의 자료 활용 방안**

| 보완할 점 | • '자료 ❸'은 '계산 성당'의 건축적 특징에 대한 [  ][  ][  ]인 지식만을 다루고 있으며, 출처가 불분명하여 신뢰하기 어려우므로 자료로 활용하기에 적합하지 않음.<br>• '자료 ❷'만으로는 '삼일 만세 운동 길'의 모습을 떠올리기 어려우므로, '자료 [  ]'의 '삼일 만세 운동 길'을 직접 찍은 사진을 함께 제시하도록 함. |
|---|---|
| 추가할 점 | '[  ][  ][  ]'에 대한 구체적인 자료가 부족하고, '계산 성당'에 대한 자료는 활용하기에 적절하지 않으므로 이에 대한 자료들을 추가로 조사해야 함. |

**❸ 자료를 수집하고 정리할 때 고려할 점**
• 글의 주제와 목적에 맞는 자료를 수집해야 함.
• 출처가 분명하며, 사실적이고 객관적인 자료를 수집해야 함.
• 수집한 자료는 글의 구성과 내용에 맞게 체계적으로 정리해야 함.

### 4 보고하는 글 쓰기와 평가하기

간단 체크 **활 동** 문제

> **학습 포인트**
> ❶ 보고하는 글을 쓰는 과정 ③: 보고하는 글 쓰기
> ❷ '효주네 모둠'이 활용한 보조 자료와 그 효과

# 대구 근대 문화 골목 조사 보고서

○○ 중학교 ○○ 모둠
오효주, 김민아, 최지호, 박현우

**처음** ● 조사 목적

대구 근대 문화 골목은 우리 고장의 역사와 문화가 잘 남아 있는 곳으로, 대구의 대표적인 관광지이다. 대구 근대 문화 골목을 이루고 있는 유적지를 다른 지역 사람들에게 알리기 위해 이곳을 조사하기로 하였다.

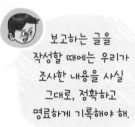
보고하는 글을 작성할 때에는 우리가 조사한 내용을 사실 그대로, 정확하고 명료하게 기록해야 해.

● 조사 동기

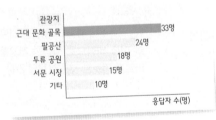

| | |
|---|---|
| 관광지 | |
| 근대 문화 골목 | 33명 |
| 팔공산 | 24명 |
| 두류 공원 | 18명 |
| 서문 시장 | 15명 |
| 기타 | 10명 |

응답자 수(명)

우리 학교 학생 100명 중 33명이 다른 지역에 소개하고 싶은 우리 지역 관광지로 '근대 문화 골목'을 추천하였다. 이에 따라 조사 대상을 '근대 문화 골목'으로 선정하였다.

● 조사 대상과 조사 기간

대구 근대 문화 골목의 유적지를 ○○월 ○○일부터 ○○월 ○○일까지 조사하였다.

● 조사 방법

| 자료 조사 | 텔레비전 뉴스, 책, 인터넷 등을 활용하여 대구 근대 문화 골목에 대한 자료를 수집하였다. |
|---|---|
| 현장 조사 | 근대 문화 골목을 직접 방문하여 문화 해설사의 설명을 듣고, 유적지의 사진을 촬영하였다. |

**가운데** ● 조사 내용

• 대구 근대 문화 골목의 유적지 소개

대구의 근대 문화 골목은 대구 도심에 자리하고 있으며, 오래된 건축물들을 비롯한 근대의 문화유산이 잘 보존되어 있다. 그 이유는 이 지역이 한국 전쟁 당시 다른 지역에 비해서 피해가 크지 않았기 때문이다. 따라서 대구 근대 문화 골목에 찾아오면 한국 전쟁 이전의 생활상을 엿볼 수 있다.

**17** 이와 같은 글을 쓸 때 유의할 점이 **아닌** 것은?

① 뜻이 분명한 용어를 사용한다.
② 글의 구성은 간결하고 짜임새를 갖추어야 한다.
③ 글 내용이나 결과는 정확한 사실에 근거해야 한다.
④ 조사의 목적과 대상, 기간, 방법 등을 포함해야 한다.
⑤ 그림이나 사진 등의 시각 자료를 가급적 많이 활용해야 한다.

**18** 이 글을 통해 알 수 있는 내용이 **아닌** 것은?

① 대구 근대 문화 골목은 대구의 대표적인 관광지이다.
② 조사 목적은 대구 근대 문화 골목의 유적지를 알리는 것이다.
③ 우리 학교 학생 100명 중 24명은 팔공산을 소개하고 싶어 했다.
④ 이 글은 자료 조사와 현장 조사의 결과를 바탕으로 작성되었다.
⑤ 대구 근대 문화 골목에서는 한국 전쟁 이후 변화된 생활상을 엿볼 수 있다.

그림과 사진을 적극적으로 활용하면 읽는 사람들의 이해를 도울 수 있을 거야.

### ① ㉠청라 언덕

청라 언덕은 근대 문화 골목 입구에 있는 작은 공원이다. '청라'라는 이름은 '푸른 담쟁이'라는 뜻으로, 1893년경부터 대구에서 선교 활동을 하던 미국인 선교사들이 이 근방에 담쟁이를 많이 심은 데서 유래하였다. 청라 언덕에는 서양식으로 꾸며진 정원과 세 채의 주택이 있는데, 이 역시 미국인 선교사들이 짓고 자신들의 집으로 사용하던 것이다. 각각의 주택은 선교사들의 이름을 따서 스윗즈 주택, 챔니스 주택, 블레어 주택으로 부른다. 현재는 각각 선교, 의료, 교육·역사 박물관으로 사용되고 있다.

### ② ㉡삼일 만세 운동 길

삼일 만세 운동 길은 일제 강점기였던 1919년 삼일 운동 당시, 만세 운동 집결 장소로 향하던 학생들이 경찰의 감시를 피하기 위해 이용했던 지름길이자 비밀 통로였다. 90개의 계단의 옆에 세워진 벽면에는 1900년대 대구 도심의 모습이 담긴 사진과 삼일 운동 당시를 촬영한 사진이 전시되어 있어서 당시의 모습을 생생하게 느낄 수 있다.

## [2] 보고하는 글 쓰기

③ ㉠계산 성당

계산 성당은 경상도에서 가장 오래된 성당이자, 대구 최초의 서양식 건물이다. 1899년에 최초로 세워졌으나 지은 지 얼마 되지 않아 불이 나서 무너지고, 1902년에 현재의 모습으로 재건되었다. 이 성당은 고딕 형식의 건물로, 성당 외벽은 붉은 벽돌과 회색 벽돌이 조화롭게 섞여 있고, 원형의 색유리 그림으로 아름답게 장식되어 있다. 성당 앞마당에는 수령이 100년이 넘은 감나무가 있는데, 이는 '이인성 나무'로 불린다. 대구 출신 화가 이인성이 이 나무를 자신의 작품에 그려 넣었기 때문이다.

④ 이상화 고택과 서상돈 고택

이상화 고택은 「빼앗긴 들에도 봄은 오는가」라는 시로 잘 알려진 민족 시인 이상화가 말년을 보낸 곳이다. 안방에는 시인의 유품과 가족사진 등 시인과 관련된 자료를 전시하고 있으며, 마루에는 시인의 흉상을, 마당에는 시비를 세워 이상화 시인을 기리고 있다.

이상화 고택의 맞은편에 위치한 서상돈 고택은 독립운동가인 서상돈 선생의 집을 복원한 것이다. 서상돈 선생은 일제에게서 경제적으로 독립하기 위해 국민들이 돈을 모아 나라의 빚을 갚자는 '국채 보상 운동'을 주도했던 인물이다.

**끝 • 소감**

조사를 하면서 대구 근대 문화 골목에는 근대의 역사와 문화를 엿볼 수 있는 유적지가 많다는 사실을 알게 되었다. 관광객들은 이 골목에서 아름다운 건물과 풍경을 볼 수 있을 뿐 아니라 역사가 남긴 흔적을 체험할 수 있을 것이다.

근대 문화 골목에는 우리가 소개한 곳 외에도 유적지들이 많이 있는데, 더 조사하지 못한 점이 아쉬웠다. 앞으로도 근대 문화 골목에 지속적인 관심을 기울이며 많은 사람들에게 근대 문화 골목의 가치를 알리고 싶다.

**참고 자료 출처**

- 김진규 외, 『근대 로(路)의 여행』, 대구광역시 중구청, 2012.
- ㉡ 대구광역시 중구청 누리집(http://www.jung. daegu.kr)
- 『케이비에스(KBS) 뉴스』, 2017. 6. 21.

다른 사람의 아이디어나 자료, 조사나 연구의 결과를 활용했다면 출처를 반드시 밝혀 주어야 해.

### 간단 체크 활동 문제

**21** 〈보기〉를 기준으로 조사 대상을 선정했다고 할 때, ㉠이 선정된 이유로 알맞은 것은?

| 보기 |
| 역사적 가치를 지닌 유적지를 선정해야 해.

① 고딕 형식의 건물이다.
② 불에 탄 건물을 재건해 냈다.
③ 벽돌을 활용해 외벽을 꾸몄다.
④ 경상도에서 가장 오래된 성당이다.
⑤ 지역 출신 화가가 그린 그림의 소재로 활용되었다.

**22** '효주네 모둠'이 이 보고서에서 아쉬운 점으로 제시한 것은?

① 조사 방법이 조사 보고서의 목적에 부합하지 않았다.
② 대구 근대 문화 골목에서 조사하지 못한 유적지들이 많다.
③ 조사 범위를 대구 지역에 한정하여 신뢰성이 다소 떨어졌다.
④ 다양한 연령층을 대상으로 설문 조사가 이루어지지 않았다.
⑤ 대구 근대 문화 골목의 역사·문화적 가치에 대해 제대로 알리지 못했다.

**중요**
**23** ㉡과 같이 보고서의 '끝' 부분에 참고 자료의 출처를 제시하는 이유를 쓰시오.

**1** '효주네 모둠'이 작성한 조사 보고서의 내용을 정리해 보자.

이 글은 ' 🔖 대구 근대 문화 골목 '을/를 다른 지역 사람들에게 소개하기 위해 쓴 보고하는 글이다. '대구 근대 문화 골목'은 대구 도심에 자리하며, 우리나라 근대의 유적지가 잘 보존되어 있다. 대표적인 유적지로는 선교사들의 집이 있는 ' 🔖 청라 언덕 ', 삼일 운동 당시 학생들이 사용하던 비밀 통로인 ' 🔖 삼일 만세 운동 길 ', 대구 최초의 서양식 건물인 ' 🔖 계산 성당 ', 민족 시인 ' 🔖 □□□ '와 독립운동가인 ' 🔖 서상돈 '의 고택 등이 있다.

**2** 다음 기준에 따라 '효주네 모둠'의 보고하는 글을 평가해 보자.

**내용 및 표현**

| 평가 기준 | |
|---|---|
| • 조사의 절차와 결과가 잘 드러나는가? | ☆☆☆☆☆ |
| • 조사한 내용을 제대로 분석했는가? | ☆☆☆☆☆ |
| • 보고하는 글의 구성에 따라 짜임새 있게 조직했는가? | ☆☆☆☆☆ |
| • 그림, 사진, 도표 등의 매체 자료를 효과적으로 사용했는가? | ☆☆☆☆☆ |
| • 정확하고 간결한 표현을 사용했는가? | ☆☆☆☆☆ |

**쓰기 윤리**

| 평가 기준 | |
|---|---|
| • 인용한 자료의 출처를 정확하게 밝혔는가? | ☆☆☆☆☆ |
| • 다른 사람의 저작물을 함부로 가져다 쓰지 않았는가? | ☆☆☆☆☆ |
| • 조사한 내용이나 결과 등을 왜곡하거나 과장하지 않았는가? | ☆☆☆☆☆ |

예시 답 》 생략

**학습콕**

❶ 보고하는 글을 쓰는 과정 ③: 보고하는 글 쓰기

| • 관찰, 조사, 실험의 목적, 대상, 기간, 방법, 내용, 결과 등을 포함해야 함.<br>• 글의 내용은 객관적이고 정확한 □□ 에 근거해야 함.<br>• 글의 구성은 간결하면서도 짜임새를 갖추어야 함.<br>• 그림, 사진, 도표 등 매체 자료를 효과적으로 활용해야 함. | ↻ | 글의 목적을 고려하여 일정한 형식에 따라 짜임새 있게 구성해야 함. |
|---|---|---|

❷ '효주네 모둠'이 활용한 보조 자료와 그 효과

| □□ | '다른 지역에 소개하고 싶은 우리 지역 관광지'에 대한 설문 조사 결과를 한눈에 보여 주기 위해 도표를 사용함. |
|---|---|
| 그림 | 대구 근대 문화 골목의 전체적인 모습을 보여 주고, 뒤이어 소개할 각 유적지의 위치와 모습을 파악하기 쉽도록 대구 근대 문화 골목의 약도를 그려 제시함. |
| 사진 | 대구 근대 문화 골목의 여러 유적지의 모습을 생생하게 전달하기 위해 직접 찍은 유적지의 사진을 제시함. |

↓

| 효과 | • 독자의 흥미를 유발할 수 있으며, 대상의 모습을 생생하게 전달할 수 있음.<br>• 많은 양의 정보를 일목요연하게 전달할 수 있음.<br>• 독자가 글의 내용을 □□ 하는 데 도움을 줄 수 있음. |
|---|---|

**24** 〈보기〉는 '효주네 모둠'이 보고서에서 소개한 관광지이다. ㄱ~ㅁ에 대한 설명으로 알맞지 <u>않은</u> 것은?

┤보기├
ㄱ. 청라 언덕
ㄴ. 삼일 만세 운동 길
ㄷ. 계산 성당
ㄹ. 이상화 고택
ㅁ. 서상돈 고택

① ㄱ: 외국인 선교사들의 집으로 사용되던 세 채의 주택이 있다.
② ㄴ: 삼일 만세 운동 당시 경찰의 감시를 피하기 위해 사용되던 지름길이자 비밀 통로였다.
③ ㄷ: '계산 성당' 앞마당에는 나무를 심은 사람의 이름을 딴 '이인성 나무'가 있다.
④ ㄹ: 민족 시인 '이상화'가 말년을 보냈던 곳으로 시인과 관련한 자료가 전시되어 있다.
⑤ ㅁ: 일제 시대에 국채 보상 운동을 주도했던 인물인 '서상돈' 선생의 생가를 복원한 것이다.

**25** 보고하는 글이 '쓰기 윤리'를 잘 지켰는지 평가할 수 있는 항목으로 알맞지 <u>않은</u> 것은?

① 조사한 내용을 종합하여 분석하였는가?
② 조사 내용을 과장하여 제시하지 않았는가?
③ 인용한 자료의 출처를 정확하게 밝혔는가?
④ 조사 결과가 예상과 다르다고 왜곡하지 않았는가?
⑤ 다른 사람의 저작물을 함부로 가져다 쓰지 않았는가?

## [2] 보고하는 글 쓰기

❶ 글쓰기의 절차와 방법을 토대로 보고하는 글 쓰기
❷ 조사 보고서의 형식에 따른 보고하는 글 쓰기

모둠별로 다음 과정에 따라 보고하는 글을 써 보자.

**1단계** 주제 정하기

**1** 제시된 내용을 참고하여, 보고하는 글의 주제를 선정해 보자.

> 천연 비누 만들기 실험
>
> 우리 교실의 미세 먼지 농도 변화 관찰
>
> 우리 학교 학생들의 진학 희망 고교 조사
>
> 우리 모둠이 정한 주제
> 예시 답〉〉 청소년들의 스마트폰 사용 실태 조사

**2단계** 계획하기

**2** 글쓰기 계획서를 작성해 보자.

예

### 글쓰기 계획서

| 갈래 | ☐ 관찰 보고서　　☑ 조사 보고서　　☑ 실험 보고서 |
|---|---|
| 대상 | 물의 온도와 금붕어의 호흡의 상관관계<br>예시 답〉〉 청소년들의 스마트폰 사용 실태 분석 |
| 목적 | 예시 답〉〉 스마트폰 사용에 따른 문제점을 분석하고 개선 방안을 모색함. |
| 일정 | 20○○년 ○○월 ○○일~○○월 ○○일 |
| 방법 및 역할 분담 | [방법]<br>예시 답〉〉 인터넷 자료 조사, 설문 조사<br>[역할 분담]<br>예시 답〉〉 • 정은, 현중: 인터넷 자료 조사 및 정리<br>• 나현, 미르: 설문 조사 및 정리<br>• 모둠 구성원 전체: 보고서 작성 |

**3단계** 자료 수집하고 정리하기

**3** 어떤 방법으로 자료를 수집할지 생각해 보고, 보고하는 글에 활용할 다양한 자료를 찾아보자.

| 자료 수집 방법 | 자료의 내용 | | | | |
|---|---|---|---|---|---|
| 실험 | 물의 온도 ＼ 호흡 수 | 1차 | 2차 | 3차 | 평균 |
| | 보통 물(23℃) | 111회 | 105회 | 108회 | 108회 |
| | 얼음물(4℃) | 40회 | 37회 | 32회 | 36회 |

중요
**26** 다음은 보고하는 글을 쓰는 과정이다. 빈칸에 들어갈 알맞은 말을 쓰시오.

> 주제 정하기
> ↓
> 계획하기
> ↓
> ☐
> ↓
> 보고하는 글 쓰기
> ↓
> 평가하기

**27** 보고하는 글의 주제를 선정할 때 유의할 점이 아닌 것은?
① 작성자의 능력을 고려해야 한다.
② 작성자의 관심 분야를 고려해야 한다.
③ 자료 조사가 현실적으로 가능한 것이어야 한다.
④ 예상 독자의 지식수준보다 높은 내용을 다루어야 한다.
⑤ 장래 희망, 일상생활과 관련한 것도 주제가 될 수 있다.

| 예시 답》 인터넷 자료 조사 | 〈여성 가족부가 실시한 「2018년 인터넷·스마트폰 사용 습관 진단 조사」 결과〉<br>• 조사 대상: 전국 학령 전환기 청소년 132만여 명 중, 전국 11,595개교, 총 129만 1,546명(대상자 대비 98.1%) 〈중략〉<br>• 결과 분석: 스마트폰 중독에 해당하는 '과의존 위험군'이 전체의 약 10%를 차지하여 청소년들의 스마트폰 의존도가 과다함을 알 수 있음. |
|---|---|
| 예시 답》 설문 조사 | 〈우리 모둠이 직접 실시한 스마트폰 사용 실태 설문 조사 결과〉<br>• 조사 대상: 우리 중학교 학생 50명과 옆 고등학교 학생 50명 〈중략〉<br>• 결과 분석: 대부분의 학생이 일과 중 많은 시간에 스마트폰을 사용하며, 수업 시간에도 스마트폰을 사용한 경우가 많았음. 또한 대부분이 스마트폰을 오락과 유희를 위한 용도로 사용함을 알 수 있었음. |

## 4 수집한 자료를 바탕으로 보고하는 글의 개요를 작성해 보자.

| 처음 | • 실험 목적 | 예시 답》 • 조사 목적<br>• 조사 대상과 기간<br>• 조사 방법 및 절차 |
|---|---|---|
| 가운데 | 1. 실험 방법<br>　(1) 실험 준비물　(2) 실험 절차<br>2. 실험 내용 및 결과 | 예시 답》 • 조사 내용<br>• 결론 및 향후 과제 |
| 끝 | • 정리 및 소감 | 예시 답》 • 소감　• 자료 출처 |

④단계　보고하는 글 쓰기

## 5 관찰, 조사, 실험의 절차와 결과가 잘 드러나게 보고하는 글을 써 보자.

예시 답》

### 청소년들의 스마트폰 사용 실태
○○모둠: 정은, 현중, 나현, 미르

• 조사 목적: 청소년들의 스마트폰 사용 실태를 조사하여 과도한 스마트폰의 사용에 따른 문제점을 분석하고 개선 방안을 모색함.
• 조사 대상과 기간: 대한민국 청소년, 20○○년 ○○월 ○○일부터 ○○월○○일까지
• 조사 방법 및 절차
　(1) 인터넷 자료 조사: 청소년의 스마트폰 사용 실태를 다룬 통계 자료를 조사함.
　(2) 설문 조사: 청소년들의 스마트폰 사용 실태에 대한 설문지를 작성하여 우리 중학교의 재학생 50명과 옆 고등학교의 재학생 50명에게 조사함.
• 조사 내용: 여성 가족부가 온라인 설문 조사를 통해 실시한 「2018년 인터넷·스마트폰 사용 습관 진단 조사」 결과에 따르면, '스마트폰 과의존 위험군'에 속하는 청소년이 전체의 약 10%에 달한다고 한다. 이 외에도 '위험 사용자군'과 '주의 사용자군'에 속하는 청소년의 수도 많아 청소년들의 스마트폰 의존도가 과다함을 알 수 있었다. 〈중략〉 또한 하루에 스마트폰을 사용하는 시간이 1시간 이상~2시간 이내인 청소년이 36%, 2시간 이상인 청소년이 18%였으며, 수업 시간 중 스마트폰 사용 경험이 있는 청소년이 78%에 달해 스마트폰 사용이 청소년의 학업에 부정적인 영향을 미치고 있음을 알 수 있었다.

---

간단 체크 **활동** 문제

중요

**28** 〈보기〉의 자료를 활용하여 보고하는 글을 쓰려고 할 때, 그 주제로 가장 알맞은 것은?

┤보기├
• 중학교 학생을 대상으로 한, 스마트폰 사용 실태 설문 조사 결과
• 2018년 인터넷·스마트폰 사용 습관 진단 조사 결과

① 스마트폰 사용 실태 분석
② 인터넷 사용 습관의 문제점
③ 세대별 스마트폰 사용량 비교
④ 연도별 스마트폰 사용자의 증가 원인
⑤ 스마트폰 사용과 시력 저하의 상관관계

**29** 〈보기〉와 같은 글의 개요를 작성할 때, 각 단계에 포함되는 내용으로 알맞지 <u>않은</u> 것은?

┤보기├
문헌, 방송, 인터넷 등에서 조사 대상과 관련된 자료를 수집하는 조사 방법

| 처음 | • 조사 목적<br>• 조사 대상과 기간 …… ①<br>• 조사 방법 및 절차 …… ② |
|---|---|
| 가운데 | • 조사 결과 정리 ……… ③<br>• 조사 내용 분석 |
| 끝 | • 결론 및 향후 과제 …… ④<br>• 소감<br>• 자료 출처 ……………… ⑤ |

- 결론 및 향후 과제: 이번 조사를 통해 스마트폰에 대한 의존도가 높은 청소년의 수가 많고, 많은 청소년이 스마트폰을 오락적인 용도로 과다하게 사용하여 학업에 부정적인 영향을 받고 있음을 알 수 있었다. 따라서 청소년들은 스스로 올바른 스마트폰 사용 습관을 기르도록 노력해야 할 것이다. 또한 학교와 정부는 청소년들을 대상으로 올바른 스마트폰 사용에 관한 교육을 실시하고, 특히 스마트폰 의존도가 높은 청소년을 대상으로 한 치료 프로그램을 개발해야 할 것이다. ⊙
- 소감: 조사를 하면서 나의 스마트폰 사용 습관을 되돌아보는 계기가 되었다. 앞으로는 스마트폰을 긍정적인 방향으로 사용하도록 노력할 것이다. 또한 스마트폰을 과도하게 사용하거나 부적절한 용도로만 사용하는 친구가 있다면, 적절하게 사용할 수 있도록 도움을 줄 것이다.
- 자료 출처: 여성 가족부 누리집(http://www.mogef.go.kr)

**평가하기**

**6** 다음 기준에 따라 **5**에서 쓴 글을 평가하면서 글을 고쳐 써 보자.

- 보고하는 글의 구성 요소를 갖추어 체계적으로 구성하였는가?
- 관찰, 조사, 실험한 내용을 알맞게 분석하여 효과적으로 전달하고 있는가?
- 쓰기 윤리를 잘 지키고 있는가?

예시 답>> 생략

**활동 마당**

이 활동은
모둠에서 작성한 보고하는 글을 전지 보고서로 만들고 발표해 봄으로써, 다양한 자료를 활용할 수 있는 능력을 기르기 위한 활동입니다.

시험에는
- 일반적인 보고서와 전지 보고서의 차이점을 비교하는 문제
- 전지 보고서를 작성하는 절차 및 방법을 묻는 문제 등이 출제될 수 있습니다.

## ●● 보고하는 글 쓰기의 과정

| 주제 정하기 | 자료 조사나 수집이 ❶☐☐적으로 가능한 것인지, 사회적으로 의미가 있는 것인지 등을 고려하여 예상 독자의 지식수준에 맞는 것을 주제로 정함. |
| --- | --- |
| 계획하기 | 관찰, 조사, 실험의 대상이나 목적, 동기, 일정 및 방법, 역할 분담 등에 대해 구체적으로 계획을 세움. |
| 자료 수집하고 정리하기 | • 실험, 관찰, 현장 답사, 전문가 면담, 문헌 조사 등의 다양한 방법을 활용하여 자료를 수집함.<br>• 수집한 자료를 정리하고, 정리한 자료는 객관적으로 정확하게 분석한 후, 보고하는 글에 활용할 자료와 추가할 자료를 선별함. |
| 보고하는 글 쓰기 및 평가하기 | • 조사 목적을 고려하여 일정한 형식에 따라 ❷☐☐☐ 있게 구성하여 글을 씀.<br>• 내용 및 표현 측면과 쓰기 윤리의 측면에서 글을 평가하고 고쳐 씀. |

## ●● 쓰기 윤리의 개념과 준수 방법

| 개념 | 글쓴이가 글을 쓰는 과정에서 준수해야 할 윤리적 규범 |
| --- | --- |
| 준수 방법 | • 자료 ❸☐☐하지 않기: 조사 결과나 연구 결과 등의 자료를 과장, 축소, 변형, 왜곡하지 않고 제시함.<br>• 표절하지 않기: 타인의 아이디어, 자료, 글을 자신이 쓴 것처럼 하지 않고 '❹☐☐'의 방법을 활용함. |

## ●● '효주네 모둠'이 수집한 자료

| 자료 | | 조사 방법 | | 문제점 및 효과적인 활용 방법 |
| --- | --- | --- | --- | --- |
| 다른 지역에 소개하고 싶은 우리 지역 관광지에 대한 설문 조사 결과 | ➡ | 설문 조사 | | • '자료 ❷'만으로는 '삼일 만세 운동 길'의 모습을 떠올리기 어려우므로, '자료 ❻☐'를 함께 제시하여 조사 대상을 생동감 있게 전달함.<br>• '자료 ❸'은 전문적인 지식만을 다루고 있어 쓰려는 글의 목적에 맞지 않으며, 명확한 ❼☐☐가 없어 신뢰하기 어려우므로 '계산 성당'에 대한 자료를 추가로 조사해야 함. |
| • 자료 ❶: 대구 근대 문화 골목을 소개한 텔레비전 뉴스<br>• 자료 ❷: 삼일 만세 운동 길에 대해 소개한 책의 내용<br>• 자료 ❸: 계산 성당의 건축상 특징을 설명한 인터넷 자료 | ➡ | ❺☐☐ 조사 | ➡ | |
| • 자료 ❹: 직접 가서 촬영한 대구 근대 문화 골목의 유적지 사진<br>• 자료 ❺: 이상화, 서상돈 고택에 대한 문화 해설사의 설명 | ➡ | 현장 조사 | | |

## ●● '효주네 모둠'이 글에 활용한 보조 자료

| 도표 | '다른 지역에 소개하고 싶은 우리 지역 관광지'에 대한 설문 조사 결과를 한눈에 보여 주기 위해 도표를 사용함. |
| --- | --- |
| 그림 | 대구 근대 문화 골목의 전체 모습, 뒤이어 소개할 유적지의 위치와 모습을 파악하기 쉽도록 약도를 그려 제시함. |
| 사진 | 대구 근대 문화 골목의 여러 유적지의 모습을 생생하게 전달하기 위해 직접 찍은 유적지의 사진을 제시함. |

01~04 다음을 읽고, 물음에 답하시오.

**가** 효주: 애들아, 이것 봐. 관광지 조사 보고서 공모전을 한대. / 지호: 효주야, ⓘ'조사 보고서'가 뭐야?

효주: '보고하는 글'은 어떤 주제에 대하여 관찰, 조사, 실험한 과정과 결과를 정리한 글이래.

지호: 관광지 조사 보고서를 쓰려면 관광지를 조사해서 그 내용을 정리하면 되겠구나.

**나** 지호: 소개할 관광지가 정해지면 내가 방송이나 인터넷을 통해 자료를 찾아볼게.

현우: 그럼 도서부원인 내가 책에서 자료를 수집할게.

민아: 그럼 내가 효주와 함께 현장 답사를 가서 문화 해설사의 설명을 듣고, 사진도 찍어 올게.

지호: 좋아. 자료를 정리하고, 보고하는 글을 쓰는 것은 다 함께 하자.

효주: 애들아! 설문 조사 결과가 나왔어!

현우: '근대 문화 골목'이 가장 많은 표를 얻었네.

지호: 음, 설문 조사 결과를 좀 바꾸면 어때? 내 생각엔 '두류 공원'이 더 흥미로울 것 같은데.

현우: 안 돼. 보고하는 글은 조사한 내용을 왜곡하거나 과장하지 않고 사실에 근거해서 써야 해.

**다**

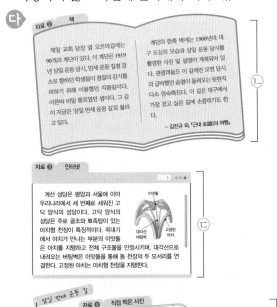

자료 ❷ 책

제일 교회 담장 옆 오르막길에는 90개의 계단이 있다. 이 계단은 1919년 삼일 운동 당시, 만세 운동 집결 장소로 향하던 학생들이 경찰의 감시를 피하기 위해 이용했던 지름길이다. 이른바 비밀 통로였던 셈이다. 그 길이 지금은 '삼일 만세 운동 길'로 불리고 있다.

계단의 한쪽 벽에는 1900년대 대구 도심의 모습과 삼일 운동 당시를 촬영한 사진 및 설명이 게재되어 있다. 관광객들도 이 길에만 오면 당시의 급박했던 숨결이 들려오는 듯한지 다소 엄숙해진다. 이 길은 대구에서 가장 걷고 싶은 길에 손꼽히기도 한다.

— 김천규 외, 『근대 로(路)의 여행』

ⓛ

자료 ❸ 인터넷

계산 성당은 평양과 서울에 이어 우리나라에서 세 번째로 세워진 고딕 양식의 성당이다. 고딕 양식의 성당은 주로 골조와 뾰족탑이 있는 아치형 천장이 특징적이다. 꼭대기에서 아치가 만나는 부분의 이맛돌은 아치를 지탱시키고 전체 구조물을 안정시키며, 대각선으로 내려오는 버팀벽은 이맛돌을 통해 돔 천장의 두 모서리를 연결한다. 고정된 아치는 아치형 천장을 지탱한다.

이맛돌 / 대각선 버팀벽 / 고정된 아치

ⓒ

삼일 만세 운동 길

자료 ❹ 직접 찍은 사진

서상돈 고택

ⓔ

---

**01** (나)에 대한 설명으로 알맞지 않은 것은?

① 보고하는 글을 쓰기 위해 계획하는 단계에 해당한다.

② 자료 정리와 보고하는 글 작성은 모둠 구성원 전체가 하기로 했다.

③ '현우'는 문헌 조사를, '민아'와 '효주'는 현장 조사를 하고자 한다.

④ 설문 조사 결과에 따라 '근대 문화 골목'을 조사 대상으로 선정하려고 한다.

⑤ '현우'는 다른 사람의 자료를 표절하려는 '지호'의 태도에 문제를 제기하고 있다.

**02** ⓘ과 같은 글을 작성할 때의 유의점으로 알맞지 않은 것은?

① 조사 결과를 왜곡하거나 과장해서는 안 된다.

② 조사의 절차와 결과가 잘 드러나게 써야 한다.

③ 간결하고 명료하며 알아보기 쉽게 작성되어야 한다.

④ 조사의 목적, 대상, 기간, 방법, 결과 등을 포함해야 한다.

⑤ 객관적인 자료를 토대로 다른 사람을 설득할 수 있어야 한다.

⭐ 학습 활동 응용

**03** ⓛ, ⓔ에 대한 설명으로 알맞은 것은?

① ⓛ은 대상의 모습을 생생하게 드러낼 수 있다.

② ⓔ은 출처가 제시되지 않아 정확성이 떨어진다.

③ ⓛ과 ⓔ은 '삼일 만세 운동 길'을 대상으로 한다.

④ ⓛ과 ⓔ을 함께 제시하면 신뢰성을 높일 수 있다.

⑤ ⓛ은 현장 조사, ⓔ은 자료 조사의 방법을 활용했다.

📝 서술형  ⭐ 학습 활동 응용

**04** 〈보기〉의 항목을 기준으로, ⓒ의 문제점을 평가하여 쓰시오.

┤보기├

조사 내용이 예상 독자의 수준을 고려하였는가?

**05~08 다음 글을 읽고, 물음에 답하시오.**

**가** **• 조사 목적**

ⓐ대구 근대 문화 골목은 우리 고장의 역사와 문화가 잘 남아 있는 곳으로, 대구의 대표적인 관광지이다. 대구 근대 문화 골목을 이루고 있는 유적지를 다른 지역 사람들에게 알리기 위해 이곳을 조사하기로 하였다.

**나** **• 조사 동기**

우리 학교 학생 100명 중 33명이 다른 지역에 소개하고 싶은 우리 지역 관광지로 '근대 문화 골목'을 추천하였다. 이에 따라 조사 대상을 '근대 문화 골목'으로 선정하였다.

**다** **• (　　ⓞ　　)**

ⓑ대구 근대 문화 골목의 유적지를 ○○월 ○○일부터 ○○월 ○○일까지 조사하였다.

**• (　　ⓛ　　)**

| 자료 조사 | 텔레비전 뉴스, 책, 인터넷 등을 활용하여 대구 근대 문화 골목에 대한 자료를 수집하였다. |
| --- | --- |
| 현장 조사 | ⓒ근대 문화 골목을 직접 방문하여 문화 해설사의 설명을 듣고, 유적지의 사진을 촬영하였다. |

**라** **• 조사 내용**

**① 청라 언덕**

'청라'라는 이름은 '푸른 담쟁이'라는 뜻으로, 1893년경부터 대구에서 선교 활동을 하던 미국인 선교사들이 이 근방에 담쟁이를 많이 심은 데서 유래하였다. 청라 언덕에는 서양식으로 꾸며진 정원과 세 채의 주택이 있는데, ⓓ이 역시 미국인 선교사들이 짓고 자신들의 집으로 사용하던 것이다.

**마** **• 소감**

조사를 하면서 대구 근대 문화 골목에는 근대의 역사와 문화를 엿볼 수 있는 유적지가 많다는 사실을 알게 되었다. 관광객들은 이 골목에서 아름다운 건물과 풍경을 볼 수 있을 뿐 아니라 역사가 남긴 흔적을 체험할 수 있을 것이다.

ⓔ근대 문화 골목에는 우리가 소개한 곳 외에도 유적지들이 많이 있는데, 더 조사하지 못한 점이 아쉬웠다.

**05 이 글에 대한 설명으로 알맞지 않은 것은?**

① 시각 자료를 활용하여 독자의 이해를 돕고 있다.
② 전문가의 의견을 반영하여 조사 대상을 선정하였다.
③ 보고하는 글의 구성 단계에 따라 짜임새 있게 구성되었다.
④ 대구 근대 문화 골목을 직접 방문하여 현장 조사를 실시한 내용이 담겨 있다.
⑤ 대구 근대 문화 골목의 유적지를 다른 지역 사람들에게 알릴 목적으로 작성되었다.

**06 (나)의 내용을 다음의 형태로 제시할 때의 효과로 가장 알맞은 것은?**

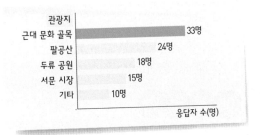

① 조사 절차를 체계적으로 구성할 수 있다.
② 조사 대상들의 특징을 생생하게 전달할 수 있다.
③ 조사 결과를 정확하고 객관적으로 제시할 수 있다.
④ 조사 결과를 한눈에 알아보기 쉽게 제시할 수 있다.
⑤ 전체적인 관광지들의 위치와 모습을 보여 줄 수 있다.

**07 ⓞ, ⓛ에 들어갈 항목을 알맞게 짝지은 것은?**

|  | ⓞ | ⓛ |
| --- | --- | --- |
| ① | 조사 결과 | 조사 목적 |
| ② | 조사 대상과 기간 | 조사 방법 |
| ③ | 결과 분석 | 조사 방법 |
| ④ | 조사 결과 | 결과 분석 |
| ⑤ | 조사 대상과 기간 | 조사 목적 |

**08 ⓐ~ⓔ 중, 작성자의 의견에 해당하는 것은?**

① ⓐ　　② ⓑ　　③ ⓒ　　④ ⓓ　　⑤ ⓔ

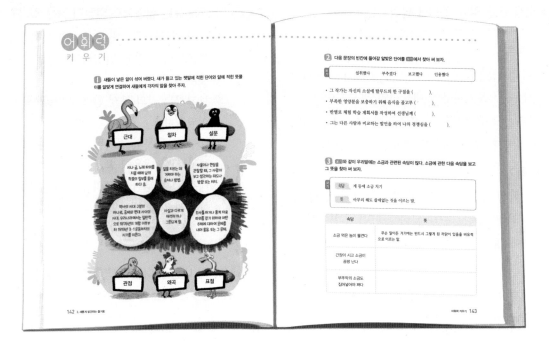

## 1.

- 시나 글, 노래 따위를 지을 때에 남의 작품의 일부를 몰래 따다 씀. → 표절
- 일을 치르는 데 거쳐야 하는 순서나 방법. → 절차
- 사물이나 현상을 관찰할 때, 그 사람이 보고 생각하는 태도나 방향 또는 처지. → 관점
- 역사의 시대 구분의 하나로, 중세와 현대 사이의 시대. 우리나라에서는 일반적으로 1876년의 개항 이후부터 1919년 3·1 운동까지의 시기를 이른다. → 근대
- 사실과 다르게 해석하거나 그릇되게 함. → 왜곡
- 조사를 하거나 통계 자료 따위를 얻기 위하여 어떤 주제에 대하여 문제를 내어 물음. 또는 그 문제. → 설문

## 2.

- 그 작가는 자신의 소설에 탈무드의 한 구절을 ( 인용했다 ).
- 부족한 영양분을 보충하기 위해 음식을 골고루 ( 섭취했다 ).
- 반별로 체험 학습 계획서를 작성하여 선생님께 ( 보고했다 ).
- 그는 다른 사람과 비교하는 발언을 하여 나의 경쟁심을 ( 부추겼다 ).

## 3.

- 간장이 시고 소금이 곰팡 난다: 간장이 시어질 수 없고 소금에 곰팡이가 날 수 없다는 뜻으로, 절대로 있을 수 없는 일을 이르는 말.
- 부뚜막의 소금도 집어넣어야 짜다: 가까운 부뚜막에 있는 소금도 넣지 아니하면 음식이 짠맛이 날 수 없다는 뜻으로, 아무리 좋은 조건이 마련되었거나 손쉬운 일이라도 힘을 들이어 이용하거나 하지 아니하면 안 됨을 비유적으로 이르는 말.

### 확인 문제

**01** 밑줄 친 단어의 사용이 바르지 <u>않은</u> 것은?

① 부모님은 속담을 자주 <u>인용하신다</u>.
② 광고는 소비자들의 소비 심리를 <u>부추긴다</u>.
③ 음식을 골고루 <u>섭취하는</u> 것이 건강에 좋다.
④ 이 박사는 논문을 정리하여 학계에 <u>보고하였다</u>.
⑤ '간장이 시고 소금이 곰팡 난다'라는 말처럼 피하고 싶어도 마주해야 하는 일들은 있어.

**01~03** 다음 글을 읽고, 물음에 답하시오.

**가** 소금은 나트륨 원자 하나가 염소 원자 하나와 결합한 분자들의 결정체에 지나지 않고, 사람에게 필요한 소금의 양도 하루에 3그램 정도밖에 되지 않는다. 하지만 우리 몸에 들어온 소금은 나트륨 이온과 염화 이온으로 나뉘어 신진대사에 많은 영향을 미친다. 예를 들어 혈액이나 위액과 같은 체액의 주요 성분이 되어 영양소를 우리 몸 구석구석으로 보내기도 하고, 우리 몸에 쌓인 각종 노폐물을 땀이나 오줌으로 배출하기도 한다. 이처럼 소금은 사람을 비롯하여 모든 동물이 생명을 유지하는 데 없어서는 안 되는 존재인 것이다.

**나** 소금은 그냥 먹으면 너무 짜고 쓰기까지 하지만, 음식 본연의 맛과 잘 어우러지면 그 맛을 더욱 좋게 해 주는 놀라운 작용을 한다. 그 때문에 사람들은 차나 커피와 같은 몇몇 기호 식품이나 과일을 빼고 거의 모든 음식에 소금을 넣는다. 우리 밥상에 흔히 올라오는 김치도 마찬가지이다. 김치를 담글 때 먼저 채소를 소금에 절이는데, 소금에 절인 푸성귀가 발효되면서 맛있는 신맛을 낸다. 생선이나 고기를 구워 먹을 때 소금을 뿌리는 것도 이런 이유 때문이다.

**다** 생선을 소금에 절이면 보존 기간이 길어져, 오랫동안 두고 먹을 수 있다. 냉장 시설이 없던 시절에 내륙 사람들이 굴비나 간고등어를 맛볼 수 있었던 것도 소금 덕분이다. 소금에 절인 고기를 훈제하는 것도 고기를 오랫동안 보존하기 위해서이다. 소금은 생선이나 고기뿐만 아니라 채소의 보존 기간도 늘려 준다. 온대 지방 사람들은 겨울이 되어 채소를 먹을 수 없게 되면 극심한 비타민 부족 현상을 겪는다. 그래서 이를 극복하기 위해 채소를 염장하였고, 이것을 겨울까지 먹으며 부족한 비타민을 섭취하였다.

**라** 어릴 때부터 소금을 많이 먹으면 혀가 둔감해져 점점 더 짜고 자극적인 맛을 찾게 된다. 짠맛은 뇌의 쾌감 중추를 자극한다. 만약 계속해서 소금을 과하게 섭취한다면 아이들은 이런 쾌감을 유지하기 위해 배가 고프지 않더라도 음식을 계속 먹는 '음식 중독'에 걸릴 수 있다. 결국 폭식증이나 비만에 시달리게 되는 것이다.

**01** (가)~(다)와 (라)를 읽은 후, 보고하는 글을 쓸 때의 주제로 가장 알맞은 것은?

① 소금이 우리에게 미치는 영향
② 소금 섭취를 줄일 수 있는 방법
③ 하루에 꼭 필요한 연령별 소금의 양
④ 소금을 이용한, 각 나라별 대표 발효 식품
⑤ 세계적으로 알려진 식용 소금의 종류와 활용법

**02** (가)~(다)와 (라)의 글쓴이가 다음 광고를 본 후 보일 반응으로 알맞지 않은 것은?

① (가)~(다): 나와는 다르게 그림을 활용했군요.
② (가)~(다): 소금에 대해 나와 같은 관점을 지니고 있군요.
③ (가)~(다): 긴 글로 제시한 나와 달리, 이 광고는 짧은 글과 핵심 단어로 정보를 제시했군요.
④ (라): 나의 글과 이 광고는 구성이나 표현 형식이 서로 다르군요.
⑤ (라): 나의 글과는 달리 짧은 시간 안에 내용을 쉽게 파악할 수 있겠어요.

**03** (가)~(다)에 나타난 글쓴이의 관점을 뒷받침하는 내용으로 알맞지 않은 것은?

① 소금은 생선이나 고기, 채소의 보존 기간을 늘려 줘.
② 소금은 혈액이나 위액과 같은 체액의 주요 성분이 돼.
③ 소금은 우리 몸에 쌓인 각종 노폐물을 배출하는 역할을 하지.
④ 소금의 짠맛은 뇌의 쾌감 중추를 자극해 계속 소금을 찾게 해.
⑤ 소금은 음식 본연의 맛과 어우러져 그 맛을 더욱 좋게 해 주는 작용을 해.

**04~06** 다음 글을 읽고, 물음에 답하시오.

**가** 소금은 그냥 먹으면 너무 짜고 쓰기까지 하지만, 음식 본연의 맛과 잘 어우러지면 그 맛을 더욱 좋게 해 주는 놀라운 작용을 한다. 그 때문에 사람들은 차나 커피와 같은 몇몇 기호 식품이나 과일을 빼고 거의 모든 음식에 소금을 넣는다. 〈중략〉 생선이나 고기를 구워 먹을 때 소금을 뿌리는 것도 이런 이유 때문이다. 생선과 고기가 지닌 본래의 맛에 소금이 어우러지면서 더욱 맛깔스럽게 변하는 것이다.

**나** 근래에는 아직 초등학교에도 입학하지 않은 어린 아이들이 부모와 똑같은, 혹은 더 많은 양의 소금을 섭취하고 있다고 한다. ㉠이는 대단히 심각한 문제이다. 아이들은 어른들보다 혈액량이 적어 똑같은 양의 소금을 섭취하더라도 혈액 속 염화 나트륨의 비율이 어른들보다 훨씬 높아지기 때문이다.

**다** 소금은 그 자체로 우리의 생명을 유지하는 데 꼭 필요하다. 또한 소금은 음식의 맛을 더하고, 식품을 오랫동안 보존할 수 있게 한다. 이처럼 소중한 존재가 바로 하얀 황금, 즉 소금이다.

**라** 영국의 한 대학 연구팀에서 4세에서 18세까지의 아동 및 청소년 1,688명을 일주일간 관찰한 결과, 짜게 먹는 아이일수록 음료를 많이 마신다는 사실을 발견했다. 소금이 체세포의 수분을 빼앗아 그만큼 갈증이 나기 때문이다. 그런데 대부분의 아이들은 갈증을 달래기 위해 건강에 좋은 음료가 아니라, 단맛이 강한 탄산 음료를 찾는다.

**마** 소금은 분명 맛있는 유혹이지만, 너무 많이 섭취하면 우리의 세포를 죽이고 건강을 위협한다. 특히 무심코 먹은 맛있는 음식이 큰 병이 되어 아이들에게 돌아올 수도 있다. 아이들에게 맛있는 음식을 많이 챙겨 주는 것만이 능사가 아니다. 건강을 생각한다면 지금이라도 당장 아이들의 소금 섭취를 줄여야 한다.

**04** (가)~(마) 중, 소금에 대한 관점이 같은 문단끼리 바르게 묶인 것은?

① (가), (나)    ② (가), (라)    ③ (다), (마)
④ (가), (나), (다)  ⑤ (나), (라), (마)

**05** (가)~(마)를 참고하여, 사람들이 〈보기〉의 ⓐ, ⓑ와 같은 식습관을 갖게 된 이유를 각각 한 문장으로 쓰시오.

┤보기├
ⓐ 생선을 구워 먹을 때 소금을 뿌려 둔다.
ⓑ 짠 음식을 먹을 때 탄산 음료를 함께 먹는다.

**06** ㉠의 이유로 가장 알맞은 것은?

① 음식을 짜게 먹을수록 음료를 많이 먹게 되기 때문이다.
② 과다한 소금 섭취는 성인보다 아이들에게 위험하기 때문이다.
③ 아이들은 음식에 대한 자제력이 성인에 비해 떨어지기 때문이다.
④ 소금을 많이 섭취하면 체세포가 제 기능을 발휘할 수 없기 때문이다.
⑤ 소금으로 인한 음식 중독에 걸리면 비만에 시달릴 확률이 높아지기 때문이다.

**07** 다음 두 글을 읽은 후, 독자가 보인 반응으로 알맞지 않은 것은?

|  | 선정한 글 1 | 선정한 글 2 |
|---|---|---|
| 제목 | 벗 | 학 |
| 글쓴이 | 조병화 | 황순원 |
| 관점 | 친구는 등불, 휴식처럼 우리에게 필요한 존재이다. | 우정은 이념적 갈등을 넘어서는 순수한 가치이다. |
| 형식 | 시 | 소설 |

① 주변에 있는 친구들이 얼마나 소중한지 깨달았어.
② 여러 글이 지니는 특성과 효과를 살펴볼 수 있었어.
③ 균형 잡힌 시각으로 우정의 장단점에 대해 생각해 보게 되었어.
④ 유사한 화제를 다루고 있어도 형식이 달라질 수 있음을 알게 되었어.
⑤ 두 글을 함께 읽음으로써 친구와 우정에 대해 깊이 있게 이해할 수 있었어.

**08~10** 다음 글을 읽고, 물음에 답하시오.

**가** 효주: 애들아, 이것 봐. 관광지 조사 보고서 공모전을 한대. 〈중략〉

민아: 우리 이 공모전에 참여하자!

지호: 좋아! 어떤 관광지를 소개할까?

효주: ㉠설문 조사를 통해서 정하면 어때? 우리 학교 학생들을 대상으로 말이야.

**나** 지호: 소개할 관광지가 정해지면 ⓐ내가 방송이나 인터넷을 통해 자료를 찾아볼게.

현우: 그럼 도서부원인 내가 ⓑ책에서 자료를 수집할게.

민아: 그럼 내가 효주와 함께 현장 답사를 가서 문화 해설사의 설명을 듣고, ⓒ사진도 찍어 올게.

지호: 좋아. 자료를 정리하고, 보고하는 글을 쓰는 것은 다 함께 하자.

효주: 애들아! 설문 조사 결과가 나왔어!

---

**다른 지역에 소개하고 싶은 우리 지역 관광지**

• 조사 대상: 우리 학교에 다니는 학생 100명
• 조사 기간: ○○월 ○○일~○○월 ○○일
• 조사 결과: '근대 문화 골목'이 33명의 추천을 받아 1위, '팔공산'이 24명으로 2위, '두류 공원'이 18명으로 3위, '서문 시장'이 15명으로 4위를 차지하였고, 그 외의 관광지를 추천한 응답자가 10명이었다.

---

현우: '근대 문화 골목'이 가장 많은 표를 얻었네.

지호: 음, ⓓ설문 조사 결과를 좀 바꾸면 어때? 내 생각엔 '두류 공원'이 더 흥미로울 것 같은데.

현우: 안 돼. 보고하는 글은 조사한 내용을 왜곡하거나 과장하지 않고 사실에 근거해서 써야 해.

민아: ⓔ인터넷에 근대 문화 골목에 대한 보고서가 있네! 이름만 바꿔서 내자.

**다** • **조사 동기**

우리 학교 학생 100명 중 33명이 다른 지역에 소개하고 싶은 우리 지역 관광지로 '근대 문화 골목'을 추천하였다. 이에 따라 조사 대상을 '근대 문화 골목'으로 선정하였다.

• **조사 대상과 조사 기간**

대구 근대 문화 골목의 유적지를 ○○월 ○○일부터 ○○월 ○○일까지 조사하였다.

• **조사 방법**

| 자료 조사 | 텔레비전 뉴스, 책, 인터넷 등을 활용하여 대구 근대 문화 골목에 대한 자료를 수집하였다. |
| --- | --- |
| 현장 조사 | 근대 문화 골목을 직접 방문하여 문화 해설사의 설명을 듣고, 유적지의 사진을 촬영하였다. |

---

**08** (다)에 대한 설명으로 알맞지 **않은** 것은?

① 조사 보고서에 포함되어야 할 항목에 해당한다.
② 보고하는 글의 '처음' 부분에 제시되는 내용들이다.
③ '조사 방법'에 따라 자료를 조사할 때에는 출처를 함께 정리해야 한다.
④ '조사 방법'에 따라 조사한 자료들은 보고하는 글을 쓸 때 모두 활용되어야 한다.
⑤ '조사 동기'의 내용을 도표와 함께 제시할 경우, 독자가 글을 이해하기 더욱 쉬워질 수 있다.

**09** ㉠에서 활용한 설문지가 다음과 같다고 할 때, 그 내용으로 알맞지 **않은** 것은?

---

〈설문지〉

안녕하세요. ①저희들은 여러분들과 같은 학교에 다니는 학생들입니다. 이번에 저희가 ②관광지 조사 보고서 공모전에 참가하기 위하여 ③여러분들이 자주 가는 우리 지역의 관광지를 추천받아 ④보고하는 글을 쓰려고 합니다. 여러분들이 추천해 주신 관광지를 조사 대상으로 선정하려고 하오니, 다음 질문에 성실히 답해 주시면 감사하겠습니다.

1. ⑤다른 지역에 소개하고 싶은 우리 지역의 관광지는 어디입니까?
2. 1번과 같이 답한 이유를 간략하게 써 주세요.

---

**10** ⓐ~ⓔ 중, '표절하지 않기'의 쓰기 윤리를 위반하고 있는 것은?

① ⓐ　　② ⓑ　　③ ⓒ　　④ ⓓ　　⑤ ⓔ

**11~14** 다음 글을 읽고, 물음에 답하시오.

**가** • 대구 근대 문화 골목의 유적지 소개

대구의 근대 문화 골목은 대구 도심에 자리하고 있으며, 오래된 건축물들을 비롯한 근대의 문화유산이 잘 보존되어 있다.

**나** ① 청라 언덕

청라 언덕은 근대 문화 골목 입구에 있는 작은 공원이다. '청라'라는 이름은 '푸른 담쟁이'라는 뜻으로, 1893년경부터 대구에서 선교 활동을 하던 미국인 선교사들이 이 근방에 담쟁이를 많이 심은 데서 유래하였다. 청라 언덕에는 서양식으로 꾸며진 정원과 세 채의 주택이 있는데, 이 역시 미국인 선교사들이 짓고 자신들의 집으로 사용하던 것이다.

**다** ② 삼일 만세 운동 길

삼일 만세 운동 길은 일제 강점기였던 1919년 삼일 운동 당시, 만세 운동 집결 장소로 향하던 학생들이 경찰의 감시를 피하기 위해 이용했던 지름길이자 비밀 통로였다. 90개의 계단의 옆에 세워진 벽면에는 1900년대 대구 도심의 모습이 담긴 사진과 삼일 운동 당시를 촬영한 사진이 전시되어 있어서 당시의 모습을 생생하게 느낄 수 있다.

**라** ③ 계산 성당

계산 성당은 경상도에서 가장 오래된 성당이자, 대구 최초의 서양식 건물이다. 1899년에 최초로 세워졌으나 지은 지 얼마 되지 않아 불이 나서 무너지고, 1902년에 현재의 모습으로 재건되었다. 이 성당은 고딕 형식의 건물로, 성당 외벽은 붉은 벽돌과 회색 벽돌이 조화롭게 섞여 있고, 원형의 색유리 그림으로 아름답게 장식되어 있다.

**마** ④ 이상화 고택과 서상돈 고택

이상화 고택은 「빼앗긴 들에도 봄은 오는가」라는 시로 잘 알려진 민족 시인 이상화가 말년을 보낸 곳이다. 안방에는 시인의 유품과 가족사진 등 시인과 관련된 자료를 전시하고 있으며, 마루에는 시인의 흉상을, 마당에는 시비를 세워 이상화 시인을 기리고 있다.

이상화 고택의 맞은편에 위치한 서상돈 고택은 독립운동가인 서상돈 선생의 집을 복원한 것이다.

**11** 이 글과 같은 종류의 보고서로 작성할 수 있는 주제에 해당하는 것은?

① 강낭콩의 성장 과정
② 다양한 액체들의 녹는점 비교
③ 학생들의 여가 시간 이용 실태
④ 색깔에 따른 컴퓨터 마우스의 반응 정도
⑤ 물의 온도와 금붕어의 호흡수의 상관관계

**12** 이 글을 요약한 다음 내용 중, 알맞지 <u>않은</u> 것은?

①이 글은 대구 근대 문화 골목을 소개하기 위해 쓴 글이다. 대표적인 유적지로는 ②과거에 박물관으로 사용되던 건물이 있는 청라 언덕, ③삼일 운동 당시 학생들이 사용하던 비밀 통로인 삼일 만세 운동 길, ④대구 최초의 서양식 건물인 계산 성당, ⑤민족 시인 이상화와 독립운동가 서상돈의 고택이 있다.

**13** 보고하는 글의 항목 중, (가)~(마)에 해당하는 것은?

① 조사 목적      ② 조사 동기
③ 조사 기간      ④ 조사 방법
⑤ 조사 내용

고난도 서술형

**14** (가)의 앞부분에 다음 자료를 추가했을 때 얻을 수 있는 효과 두 가지를 쓰시오.

이 활동은
기존의 운동 경기 규칙을
새로운 관점에서 살펴보고,
모두가 즐길 수 있는
새로운 규칙을 만드는 활동입니다.
기존의 운동 경기 규칙의 문제점과
개선점을 발견함으로써
비판적 사고 능력과
창의력을 기를 수
있습니다.

여러 가지 운동 규칙
중에서, 규칙을 바꾸면
많은 사람들이 더 쉽고
즐겁게 참여할 수 있는
것을 찾아봐요.

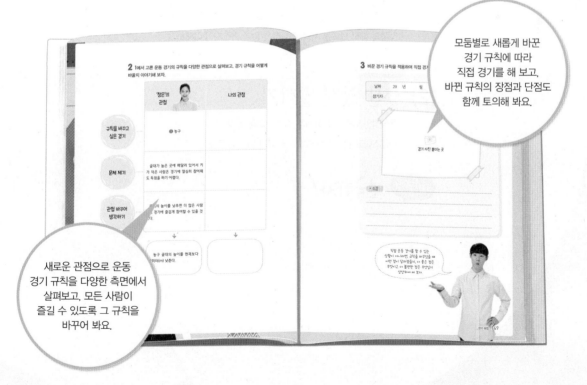

모둠별로 새롭게 바꾼
경기 규칙에 따라
직접 경기를 해 보고,
바뀐 규칙의 장점과 단점도
함께 토의해 봐요.

새로운 관점으로 운동
경기 규칙을 다양한 측면에서
살펴보고, 모든 사람이
즐길 수 있도록 그 규칙을
바꾸어 봐요.

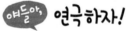 얘들아, 연극하자!

## 왜 배울까?

현대 사회는 저마다 개성이 다른 사람들이 모여 공동체를 이루고 살아간다. 그런 만큼, 공동체의 가치와 공동체 구성원의 다양성을 존중하고 상호 협력하는 것이 중요하다. 이때 사회·문화적 배경을 바탕으로 창작된 문학 작품을 읽으며 공동체가 바람직하게 여기는 가치를 이해하고 우리의 삶에 적용해 볼 수 있다. 또한 자신의 의견을 상대에게 분명하게 전달하는 능력을 기름으로써 다른 사람과 원활하게 의사소통하고 공동체 안에서 관계를 맺고 갈등을 조정하는 데 도움을 얻을 수 있다. 바람직한 공동체의 가치를 이해하고, 자신의 의견을 당당하게 말하는 능력을 키움으로써 우리는 공동체의 건강한 구성원으로 살아갈 수 있을 것이다.

## 뭘 배울까?

이 단원에서는 공동체·대인 관계 역량을 기르기 위해 문학 작품이 창작된 사회·문화적 배경을 바탕으로 문학 작품을 감상해 볼 것이다. 또한 공식적인 말하기 활동에서 자신의 의견을 분명하고 자신 있게 말하는 활동을 해 볼 것이다.

## 소단원 개념 길잡이

#### 희곡이란

무대에서 상연하기 위해 쓰인 연극의 대본을 말한다.

#### 희곡의 구성 요소

| 해설 | 막이 오르기 전후에 필요한 무대 장치, 인물, 배경 등을 설명함. |
|------|------|
| 대사 | • 대화: 등장인물들이 서로 주고받는 말<br>• 독백: 등장인물이 상대방 없이 혼자 하는 말<br>• 방백: 등장인물이 말을 하지만, 무대 위의 다른 인물에게는 들리지 않고 관객만 들을 수 있는 것으로 약속되어 있는 말 |
| 지시문<br>(지문) | • 무대 지시문: 무대 장치, 효과음, 조명, 분위기 등을 지시하고 설명함.<br>• 동작 지시문: 등장인물의 표정, 행동, 심리, 말투 등을 지시하고 설명함. |
| 막과 장 | • 막: 무대의 막이 올랐다가 다시 내릴 때까지를 말함.<br>• 장: 희곡의 기본 단위. 무대 장면이 변하지 않은 상태에서 이루어지는 사건의 한 토막 |

#### 희곡의 구성 단계

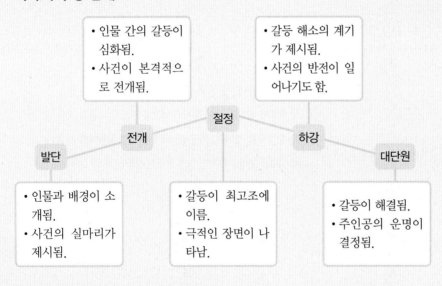

- 발단
  - 인물과 배경이 소개됨.
  - 사건의 실마리가 제시됨.
- 전개
  - 인물 간의 갈등이 심화됨.
  - 사건이 본격적으로 전개됨.
- 절정
  - 갈등이 최고조에 이름.
  - 극적인 장면이 나타남.
- 하강
  - 갈등 해소의 계기가 제시됨.
  - 사건의 반전이 일어나기도 함.
- 대단원
  - 갈등이 해결됨.
  - 주인공의 운명이 결정됨.

#### 사회·문화적 상황과 문학

| 관계 | 문학 작품은 당대의 사회·문화적 상황을 담고 있음. |
|------|------|
| 사회·문화적 상황을 고려한 감상 | • 작품에 등장하는 인물의 말과 행동, 인물들 간의 관계, 다양한 사건 등을 통해 작품의 사회·문화적 상황을 파악함.<br>• 작품의 내용과 창작 의도를 사회·문화적 상황과 관련지어 이해함.<br>• 현재적 관점과 맥락에서 작품의 사회·문화적 상황을 성찰함. |

### 간단 체크 개념 문제

**1** 다음 빈칸에 들어갈 알맞은 말을 쓰시오.

> 무대에서 상연하기 위해 쓰인 연극의 대본을 ☐☐(이)라고 한다.

**2** 〈보기〉의 밑줄 친 부분이 희곡의 구성 요소 중 무엇인지 3음절로 쓰시오.

> ┤보기├
> 허영분: (당황하여) 여보, 뭐지?
> 안미숙: (안경우에게) 김순례 아냐?
> 안경우: 아냐, 안중댁이라고 그러는 거 같던데……

**3** 다음 설명이 맞으면 ○표, 틀리면 ✕표 하시오.

(1) 희곡의 '발단' 단계에서는 인물과 배경이 소개된다.
(     )

(2) 희곡의 '하강' 단계에서는 갈등이 점차 해소되며 주인공의 운명이 결정된다.
(     )

(3) 문학은 현실을 반영하기 때문에 창작 당시의 사회·문화적 상황이 작품에 나타난다.
(     )

● 정답과 해설 18쪽

사회를 비추는 문학 _
# 오아시스 세탁소 습격 사건

학습 목표 작품이 창작된 사회·문화적 배경을 바탕으로 작품을 이해할 수 있다.

▷ 김정숙(1960~ )
극작가. 연극뿐만 아니라 창작 뮤지컬, 드라마, 아동극 등 다양한 분야의 대본을 집필하였다. 주요 작품으로는 「아빠의 청춘」, 「병국이 아저씨」, 「들풀」, 「블루 사이공」, 「반쪽이전」 등이 있다.

## 간단 체크 내용 문제

오아시스 세탁소 사람들
할머니의 가족(안 패거리)

**앞부분 줄거리** '㉠강태국'은 2대째 내려오는 오아시스 세탁소의 주인으로, 세탁소 일을 정리하고 세탁 편의점을 하자는 아내 '장민숙'의 잔소리에도 꿋꿋하게 세탁소를 지켜 내고 있다. '강태국'은 자신이 하는 일이 사람의 마음을 세탁하는 일이라는 신념으로 자신의 직업에 자부심을 느끼고 있기 때문이다. 그러던 어느 날, 할머니의 가족인 '안유식'과 '허영분', '안경우', '안미숙'이 세탁소로 다짜고짜 쳐들어와 할머니의 간병인이 맡긴 것을 내놓으라며 난동을 부린다.

**전개 학습 포인트**
❶ 인물들 간의 갈등 양상 ①
❷ 안 패거리가 세탁소를 습격한 까닭
❸ 등장인물의 말과 행동에서 드러나는 사회·문화적 양상

**㉮** 안 패거리가 가게 앞의 쇼핑백을 찾아 온갖 인상을 찌푸리며 냄새나는 똥 바지들을 뒤져 보며 ㉢무언가를 찾는다. 사람들 기가 막혀 바라본다.

**안미숙:** (토한다.) 아유, 언니, 나 못 찾겠어.

허영분, 스카프를 강도처럼 입에 두르고 옷을 뒤적인다.

**서옥화:** (안미숙에게 놀리듯이) 넘으 똥 아녀, 어무니 똥인데……

**장민숙:** (코를 잡아 쥐며) 이게 무슨 일이야?

**서옥화:** 남 없는 귀 가졌나, 콧구멍으로 들어? 할매가 돈을 세탁소에 두었다고 그랬다잖아! / **염소팔, 강태국:** (동시에) 예?

**01** ㉠의 역할로 알맞은 것은?

① 등장인물을 소개한다.
② 작품의 결말을 암시한다.
③ 무대와 객석을 분리한다.
④ 갈등의 실마리를 제시한다.
⑤ 등장인물의 심리를 설명한다.

중요
**02** ㉡에 대한 설명으로 알맞지 않은 것은?

① 아버지의 가업을 물려받았다.
② 오아시스 세탁소의 주인이다.
③ 자신의 직업에 자부심을 느끼고 있다.
④ 시대의 흐름에 맞는 새로운 가게를 열고자 한다.
⑤ 자신은 사람의 마음을 깨끗하게 만드는 일을 하고 있다고 믿고 있다.

**03** ㉢이 가리키는 대상을 ㉮에 제시된 등장인물의 대사에서 찾아 한 단어로 쓰시오.

**장민숙:** 언제요? / **강태국:** 할머니가?

**염소팔:** 못 움직이잖어?

**강태국:** (안유식과 허영분에게 다가가서) 뭔가 오해가 있으신 모양인데 이리 오셔서 차분히 말씀…….

**안유식:** (무조건 목에 힘주고) 당신 말야, 세탁! / **강태국:** ……?

**안유식:** (강태국을 세탁소 안으로 밀고 들어가며) 당신 말야, 우리 어머님 옷 찾아내! (멱살을 잡아 팽개친다.)

**강태국:** (넘어지며) 어이쿠!

**장민숙:** (놀라) 아이고, 여보, 이게 무슨 짓이에요!

**안유식:** (아내와 동생들에게) 야, 너희들, 뒤져!

**안 패거리:** (세탁소로 들이닥치며) 예!

**강태국:** (말리려) 아니, 이것 보세요!

**안경우:** (팔을 잡아 결박을 지어 놓으며) 어딜 도망가실려고.
　　　몸이나 손 따위를 움직이지 못하도록 동이어 묶음.

**허영분:** (호기 있게 달려들어 옷들을 잡아당겨 뒤진다.) 아가씨는 저쪽을 뒤져요.

**안미숙:** (의심하여) ㉠싫어요, 나도 여기서 찾을래…….

**안경우:** (서로 의심하여) 거기 뭐 좀 있어? / **허영분:** 없어요.

난장판이 되는 세탁소.
여러 사람이 어지러이 뒤섞여 떠들어 대거나 뒤엉켜 뒤죽박죽이 된 곳. 또는 그런 상태

**장민숙:** (달려들며) 어머나, 어머나, 아니 저 여자가 미쳤나. (붙잡아 막으며) 왜 남의 세탁물은 망가뜨려요?

**허영분:** (장민숙을 밀어 넘기며) 옷이 문제야, 지금? 전 재산이 왔다 갔다 하는 판국에…….
　　　일이 벌어진 사태의 형편이나 국면

**장민숙:** (잘못 넘어져 다친 손목을 흔들며) 아이고, 손이야. 야, 염소팔 뭐해?

**염소팔:** (달려와 허영분을 말리며) 아니, 이 아줌마가 돌았나?

**허영분:** ㉡그래, 돌았다. 건드리기만 해, 아주. 폭행죄로 처넣을 테니까. / **염소팔:** 뭐여?

**장민숙:** (손목을 흔들어 보이며) 아구구, 폭행은 누가 했는데…….

---

## 간단 체크 내용 문제

**04** ㉠과 같이 말한 이유로 알맞은 것은?

① 다른 쪽에는 옷이 몇 개 없기 때문에

② 가족과 함께 있는 것이 안전하기 때문에

③ 할머니가 자주 입던 옷처럼 보이는 옷이 많기 때문에

④ 자기 혼자 세탁소 사람을 대하기가 두려웠기 때문에

⑤ 상대가 자신을 따돌리고 할머니의 옷을 먼저 찾으려 한다고 의심하기 때문에

**05** ㉡에 나타난 태도를 표현하기에 알맞은 한자 성어는?

① 가인박명(佳人薄命)

② 다다익선(多多益善)

③ 살신성인(殺身成仁)

④ 적반하장(賊反荷杖)

⑤ 호사다마(好事多魔)

## 간단 체크 어휘 문제

다음 뜻풀이에 해당하는 낱말을 〈보기〉에서 찾아 쓰시오.

**┤보기├**
　난장판, 판국, 결박

(1) 일이 벌어진 사태의 형편이나 국면　　　(　　　)

(2) 몸이나 손 따위를 움직이지 못하도록 동이어 묶음.　　　(　　　)

(3) 여러 사람이 어지러이 뒤섞여 떠들어 대거나 뒤엉켜 뒤죽박죽이 된 곳. 또는 그런 상태　　　(　　　)

**나** 서옥화: (양은 대야를 두들기며) 그만! 잠깐만! 지 말 좀 들어요. 아니, 뭘 찾든지 간에 이름을 알든지 옷을 알든지 해야지. 사장, 사모님 자 듣는 분이 이게 뭔 경우래요? (안 패거리에게) 찾으시는 게 뭐래요?

허영분: (당황하여) 여보, 뭐지?

안미숙: (안경우에게) 김순례 아냐?

안경우: 아냐, 안중댁이라고 그러는 거 같던데…….

허영분: 그거야 어머님 고향이 안중이고…….

강태국: (안경우를 밀치고 나와) 저리 비켜요! (한심하여 옷들을 주워 올리며) 이름도 모르고, 무슨 옷을 맡겼는지도 모르고……. 그래, 그 어머님 자식들은 맞나요? 세탁소 그렇게 막 하는 거 아닙니다.

서옥화: 이거 봐유, 내가 코치 한마디 할게, 들어 볼래요? 어서 이 양반들한티 사과하고 <u>이실직고</u>하고 협조받으시는 게 <u>상책</u>이여.
　　　　 사실 그대로 알리거나 말하고　　　　가장 좋은 대책이나 방책

장민숙: 사과도 싫고, 이실직고도 싫고, 협조도 안 해!

강태국: 대영아!

안 패거리 서로 눈을 마주친다. 슬쩍 안유식을 앞에 내세운다.

안유식: (일단은 떠밀려 나와) 흐흠, 미안하오. (궁리를 하듯) 우리 어머니가, 병이 오
　　　　　　　　　　　　　마음속으로 이리저리 따져 깊이 생각함. 또는 그런 생각
래되셨는데, 뭐, 오늘을 넘기기가 힘들다고 한단 말이지요. 그래서 하는 말인데……. (또 궁리) 으흠, (포기하고) 아는 사람은 알겠지만, 우리 어머님이 재산이 꽤 됩니다. 아버님 집안이 재산가이신 데다가 우리 집이 부동산이 워낙 많았고, 아버님 돌아가시고 난 다음에 이 노인네가 재산을 관리하면서 어디다 잘 둔다고 하긴 한 모양인데, 건강하실 때 다 두루 분배두 하구 알려두 주고 해야 할 일을, 말 한마디 못하고 덜커덕 <u>풍</u>을 맞아 갖구, 저렇게 식물인간으루다가 누워 지내
　　　　　　　　　　　　　　풍사로 인하여 생긴 풍증. 중풍, 구안괘사, 전신 마비, 언어 곤란 따위의 증상을 이른다.
다가 오늘 돌아가신다 하니까, 무슨 정신이 나는지 '세탁', '세탁' 이렇게 두 마디 간신히 하고 입을 달싹 못 하시니 노인네는 <u>인전</u> 가신다고 봐야겠고 재산은 보
　　　　　　　　　　　　　　　　　　　　　　　　'인제'의 방언
전해야 되는 게 장남의…….

안경우, 안미숙: (자신들의 존재를 알리는 헛기침) ⓒ험!

허영분: (비아냥) 흥!

안유식: (안 패거리 눈치 보고) 또 자식들 된 도리가 아닌가 하는 말이지요. 나는 똥 싼 바지에다 숨기셨나 했는데 그건 아닌 거 같고, 뭔가 이 세탁소에다 뭘 하시긴 한 것 같은데, 통 모르겠단 말이지…….

장민숙: (설움이 북받쳐) 아니 그래, 그 통 모르겠는 일을 가지고 남의 세탁소를 이렇게 <u>쑥대밭</u>을 만들어 놓았단 말이에요?
　　　　 매우 어지럽거나 못 쓰게 된 모양을 비유적으로 이르는 말

허영분: (아주 고상한 척) 아주머니, 미안해요. 저희가 급한 마음에……. 용서하세요, 보상은 섭섭지 않게 해 드리겠어요.

---

간단 체크 내용 문제

**06** (나)에서 다음과 같은 역할을 하는 등장인물을 찾아 쓰시오.

- 안 패거리와 세탁소 사람들의 갈등 상황을 정리함.
- 안 패거리들에게 현실적인 해결 방안을 제시함.

⭐중요

**07** (나)로 보아 안 패거리가 세탁소를 찾은 이유로 알맞은 것은?

① 할머니의 돈을 찾기 위해서
② 세탁소 사람들과 인사하기 위해서
③ 새로 산 바지의 길이를 줄이기 위해서
④ 할머니의 진짜 이름을 확인하기 위해서
⑤ 잘못 가져간 세탁물을 돌려주기 위해서

**08** ⓒ에 담긴 의미로 알맞은 것은?

① 자신들은 장남과 달리 어머니를 존경한다.
② 어머니가 곧 돌아가실 거라고 속단하면 안 된다.
③ 어머니의 재산은 장남 혼자 가지는 것이 아니다.
④ 남에게 어머니에 대해 함부로 말하는 것이 듣기 싫다.
⑤ 세탁소 사람들에게 우리 집안 얘기를 더 이상 하지 마라.

**서옥화:** 돈이 요사를 떠는 것이냐, 사람이 본디 요물이냐. 통 모르겠네…….
　　　　요망하고 간사함.

**장민숙:** (염소팔에게 코를 풀어 제끼며) 옷, 바닥에 떨어진 옷들 다 세어 봐. 사과는 사과고 셈은 셈이지.

**허영분:** 아이고, 그럼요. / **장민숙:** (염소팔에게) 빨리 세어 봐!

**염소팔:** (마지못해 일어나며) 알았어요. (㉠억지로 세러 가서는 이쪽에 귀를 쫑긋거리고 듣는다.)

**강태국:** 그러니까 지금 할머님 말씀만 듣고 '세탁', '세탁' 해서 오셨는데, 한두 푼 찾는 것도 아니고 전 재산 운운하시니까 참 난감합니다. 세탁소가 은행도 아니고…….

**안미숙:** 근데 '세탁', '세탁' 그랬대요. 쓰러지고 그게 처음 말한 거예요.

**안유식:** 엄마 쓰러지신 지 얼마 됐지? / **안미숙:** 오 년, 육 년?

**서옥화:** 사 년 칠 개월! / **안경우:** 와 미치겠네, 진짜. 노인네 정말…….

**다** 안유식, 휴대 전화가 울린다.

**안유식:** (받는다.) 여보세요. 아, 김 박사님. 예? 임종이요? 아니 찾지도 못했는데……. 아, 예, 그런 게 있어요. 아, 가야지요. (소리 지른다.) 지금 간다니까!
　　　　1. 죽음을 맞이함. 2. 부모가 돌아가실 때 그 곁에 지키고 있음.
(끊는다.) / **안미숙:** 엄마 간대?

**허영분:** 어머님도, 조금만 더 인심 쓰시지 않고. 세탁이 뭐야, 달랑 세탁!

**서옥화:** 어서 가 보세요. 혹시 남은 반토가리 말이라두 들을지 알아요?

**안경우:** 맞아요, 형, 사람들도 곧 올 텐데…….

**안유식:** (세탁소 사람들을 훑어보며) 알았어, 일단 가자고. (강태국에게 명함을 주며) 나중에라도 생각나는 게 있으면 전화 주시고……. 저희가 다시 오겠습니다. (강태국에게 슬쩍) 명함 보시면 아시겠지만 만에 하나 불미스러운 일이 생기믄, 뭐, 말하지
　　아름답지 못하고 추잡한 데가 있는
않아도 아시겠죠?

**강태국:** (기가 막혀 웃으며) 어쨌거나 어머님 잘 보내 드리시죠.

**안유식:** (가다가 돌아서서) 아무래도 안 되겠어. 저, 말이지……. 누구든지 먼저 찾는 사람한테 50 프로를 주겠소!

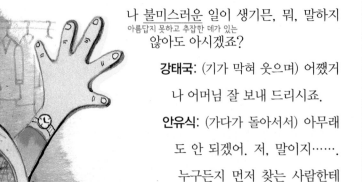

---

**09** ㉠에 드러난 인물의 심리로 알맞은 것은?

① '장민숙'에 대한 반감
② 안 패거리에 대한 분노
③ 자신의 일에 대한 자부심
④ 할머니의 유산에 대한 관심
⑤ 난장판이 된 세탁소에 대한 안타까움

**중요**

**10** (다)에 나타난 안 패거리의 모습과 태도를 다음과 같이 정리할 때, 빈칸에 들어갈 말을 2음절로 쓰시오.

> 어머니가 위독하다는
> 연락을 받음.

↓

> 어머니에 대한 걱정은 하지
> 않고, 어머니가 남긴 (　　　)
> 에만 관심을 둠.

다음 낱말의 뜻풀이가 맞으면 ○표, 틀리면 ×표 하시오.

(1) 요사: 요망하고 간사함.
　　　　　　　　　( 　　　 )

(2) 임종: 종을 불러 일을 처리함.
　　　　　　　　　( 　　　 )

(3) 불미스럽다: 놀랍고 신기한 데가 있다. ( 　　　 )

**사람들:** (놀라) 50 프로! / **허영분:** 여보!

**안경우:** 형! / **안미숙:** 그냥 세탁소를 통째로 사!

나누지 아니한 덩어리 전부

**안유식:** 가자고! (나간다.)

안 패거리, 종종거리며 따라간다.

**서옥화:** 50 프로라! (세탁소를 둘러보며) 오아시스가 아니라 보물 세탁소네요. (강태국에게 애교를 부리며) 강 사장님, 50 프로!

**강태국:** (난감하여) 어허 참⋯⋯.

**장민숙:** 아니, 저 여편네가!

**서옥화:** (웃으며 나간다.) 헤헤헤헤헤⋯⋯.

귀신에 홀린 듯이 남은 세 사람. 황혼의 세탁소. 참담하게 세탁소를 바라보는 강태국.
1. 끔직하고 절망적이게 2. 몹시 슬프고 괴롭게
엉거주춤하니 서서 은근슬쩍 옷을 뒤져 보는 염소팔. 두 사람을 번갈아 보는 장민숙.

**장민숙:** (낯선 목소리로) 두 사람!

두 사람 돌아본다.

**장민숙:** (처음 보는 얼굴로) 정말 할머니한테 아무것도 안 받았어?

**강태국:** (세탁소로 달려간다.) ⓛ에이! (세탁소를 부순다.) 이눔의 세탁소 다 불 싸질러 버려! (세탁소를 뒤엎는다.)

**장민숙:** (남편을 붙잡으며) 아이고, 여보, 잘못했어!

**염소팔:** (말리며) 형님, 참아요!

간단 체크 내용 문제

중요

**11** (다)에서 알 수 있는 이 글의 창작 당시 사회·문화적 상황으로 가장 알맞은 것은?

① 자신의 가족들만 생각하는 세태

② 사람보다 물질을 우선시하는 경향

③ 부모의 신분에 따라 자식의 미래도 결정되는 제도

④ 대화와 타협으로 계층 간의 문제를 해결하는 노력의 확산

⑤ 노인을 공경하지 않고 부정적으로 인식하는 사회적 분위기 형성

**12** 다음 빈칸에 들어갈 말을 쓰시오.

'서옥화'는 안 패거리와 세탁소 사람들 간의 갈등을 정리하고, 사람들에게 조언을 하며 중재자로서 역할했다. 그러나 찾은 재산의 (    ) 프로를 준다는 '안유식'의 말을 듣고 태도 변화를 보인다.

**13** ⓛ과 같이 '강태국'이 화를 내는 이유로 알맞은 것은?

① 세탁소의 옷들이 더럽혀진 것이 불만스러워서

② 세탁소 사람들까지 돈에 관심을 갖는 것이 못마땅해서

③ 아무것도 받은 것이 없는데 사람들이 자신을 의심해서

④ 많은 돈을 벌지도 못하는 세탁소 일을 하는 것이 지긋지긋해서

⑤ 자신이 할머니의 재산을 보관하고 있다는 사실을 들키지 않기 위해서

## 학습콕

**소주제:** 할머니의 유산을 찾으러 온 할머니의 가족인 안 패거리가 ☐☐☐를 난장판으로 만듦.

### ❶ 인물들 간의 갈등 양상 ①

| 오아시스 세탁소 사람들 | | 안 ☐☐☐ |
|---|---|---|
| 세탁소를 난장판으로 만들며 행패를 부리는 사람들에게 대항함. | ↔ | 할머니의 숨겨진 재산을 찾기 위해 세탁소를 난장판으로 만듦. |

### ❷ 안 패거리가 세탁소를 습격한 까닭

| 할머니가 중풍에 걸려 식물인간으로 지내다 '세탁'이라는 말을 함. | ⊃ | 할머니의 재산을 찾을 수 있는 단서가 세탁소에 있다고 생각함. |
|---|---|---|

### ❸ 등장인물의 말과 행동에서 드러나는 사회·문화적 양상

| 할머니의 재산에만 혈안이 된 안 패거리 | + | ☐☐과 '염소팔'을 의심하는 '장민숙' | ⊃ | 사람보다 물질을 중시하는 세태를 드러냄. |
|---|---|---|---|---|

## 절정 학습 포인트

❶ 인물들의 대조되는 행동
❷ 이 글에서 비판하는 사회·문화적 상황
❸ 소재의 역할

---

**라** 음악 – 와장창창.

암전. 무대 밝아지면 ㉠어두운 무대. 다림질대를 밝히는 백열전구 아래 강태국이 러

> 연극에서, 무대를 어둡게 한 상태에서 무대 장치나 장면을 바꾸는 일

닝셔츠 차림으로 열심히 김을 뿜어 대며 다림질을 하고 있다. 어두운 무대에 작은 불빛들이 반짝이며 움직인다. 어둠 속을 누비는 불빛들. 장민숙과 강대영, 염소팔, 안유식과 허영분, 안경우, 서옥화, 안미숙이다. 곡예를 하듯 옷과 옷 사이를 누비고 숨으며

> 줄타기, 곡마, 요술, 재주넘기, 공 타기 따위의 연예를 통틀어 이르는 말

각기 결심을 피력한다.

> 생각하는 것을 털어놓고 말한다.

### 안유식, 허영분 팀

**허영분:** (한 푼도 줄 수 없다는 듯) 50 프로가 뉘 집 애 이름이야?

**안유식:** 그러다 몽땅 갖고 날르믄 또 어떡해?

**허영분:** 그러니까 우리가 먼저 찾아야지!

### 안경우, 안미숙 팀

**안경우:** (안미숙에게) 정말 김순녀 맞아?

**안미숙:** 맞다니까, 증 확인했어. 큰오빠는 미쳤어. 정말, 반이 뭐야?

### 염소팔, 서옥화 각기 홀로 팀

**염소팔:** 내 이번 한 번만 봐주믄 다시는 도와 달라고 하지 않을 팅게 지발 덕분에 우리 엄니랑 두 다리 뻗고 잘 집 한 칸 마련하게 도와주십시오. (확인하듯이) 집 한 칸, 아가씨 데려다 앉히고 엄니 모시러 가고……. 엄니, 내는 이자부터 도둑놈입니다.

---

**14** ㉠을 통해 표현하고자 하는 바로 알맞은 것은?

① 시간의 경과
② 등장인물의 교체
③ 무대 장치의 변화
④ 시간과 공간의 제약
⑤ 등장인물의 과거 회상

**15** '염소팔'이 할머니의 유산을 찾는 목적으로 가장 알맞은 것은?

① 안 패거리를 돕기 위해
② 자신의 세탁소를 갖기 위해
③ 어머니를 편히 모시기 위해
④ 더 이상 도둑질을 하지 않기 위해
⑤ 자신이 하고 싶었던 일을 다 해 보기 위해

**중요**

**16** '안경우'와 '안미숙'을 다음과 같이 평가할 때 빈칸에 들어갈 말을 2음절로 쓰시오.

> 어머니의 (     )조차 확실히 알지 못하고, 자식 된 도리를 하지 않는 부정적인 인물이다.

다음 뜻풀이에 알맞은 낱말에 ○ 표 하시오.

(1) 생각하는 것을 털어놓고 말하다. ( 피로하다 / 피력하다 )

(2) 연극에서, 무대를 어둡게 한 상태에서 무대 장치나 장면을 바꾸는 일 ( 방백 / 암전 )

(3) 줄타기, 곡마, 요술, 재주넘기, 공 타기 따위의 연예를 통틀어 이르는 말 ( 곡예 / 마술 )

**서옥화:** 누구든 찾기만 해라. 내가 쪽쪽 다 빨아먹어 줄 테니. 서옥화 팔자 한번 바꾸어 보드라고!

**장민숙, 강대영 팀**

**장민숙:** (이를 악물며) 나두 하구 싶은 거 있는 사람이야. 이젠 다 하구 살 거, 아야! 아우, 혀 깨물었다! 아우!

**강대영:** (짜증 내며) 엄마가 하고 싶은 거에 왜 나까지 끌어들여. 진짜 짜증 나!

**장민숙:** (머리를 쥐어박으며) 너 하고 싶은 거에 왜 부모 끌여들여? 연수 갈라믄 어서 찾기나 해! 아우, 아파!

그들은 강태국의 뒤에서, 밑에서, 앞에서 숨어서 마치 임무를 수행하는 첩보원들처럼 검은 복색 일색으로 우스꽝스럽게 꾸며 입고 세탁소에 잠입하여 서로가 모르려니
<small>의복의 빛깔</small>　　　　　　　　　　　　　<small>남몰래 숨어들어</small>
제 생각만 하고 옷들을 뒤지기 시작한다. 서로의 소리에 놀라면 야옹거리고, 서로의 그림자에 놀라면 찍찍거려 숨으며, 서로 스쳐 지나가면서도 돈에 눈이 가리어 알아보지 못한다.

어둠 속에 벌레처럼 꿈틀거리는 욕망의 불빛들. 작은 전등을 입에 물고, 머리에 달고, 손에 들고 옷과 옷 사이를 아슬아슬하게 누비는 불빛들. 전등 불빛에 드러나는 옷들이 마치 귀신 형상처럼 보인다. 불빛에 춤을 추는 옷들, 이리저리 집어던져져 날아
<small>사물의 생긴 모양이나 상태</small>
다니는 옷들. 도깨비 옷 파티.

염소팔이 던진 옷에 백열등이 크게 흔들린다. 놀란 사람들 제풀에 얼른 옷 사이로 숨는다. 강태국이 백열등을 고정하며 주위를 둘러본다.

**마** **강태국:** 뭐여? 왜 이래? 누구 있어?

**염소팔:** 야옹.

**강태국:** 가라, 가. (솔로 옷을 턴다.) 우리 마누라 알뜰해서 너 먹을 거 없다. (고개를 갸웃거리며 입에 대고 맛을 본다.) 어디 보자. 이게 뭐냐? 떫은맛이 나는 것도 같고, 어디 보자. (상자 속에서 옛날 아버지 잡기장을 꺼내 읽어 본다.) 이 법은 옷에
<small>여러 가지 잡다한 것을 적는 공책</small>
묻은 물의 맛에 따라 그와 반대되는 맛 가진 물건으로 빼는 것이니…… (아버지 생각에 어깨를 들썩이며 운다.) 아버지, 미안해요. (다시 상자를 뒤지며 세탁대 밑에서 소주병을 꺼내며 먼지를 닦아 한 모금 마신다.) 세상이 어떤 세상인데 세탁소를 하나? (또 한 모금 마신다.) 인간 강태국이가 세탁소 좀 하면서 살겠다는데 그게 그렇게도 이 세상에 맞지 않는 짓인가? 이 때 많은 세상 한 귀퉁이 때 좀 빼면서, 그거 하나 지키면서 보람 있게 살아 보겠다는데 왜 흔들어? 돈이 뭐야? 돈이 세상의 전부야? (술 한 모금 마시고) ⓛ느이놈들이 다 몰라줘도 나 세탁소 한다. 그게 내 일이거든…….

**간단 체크 내용 문제**

**⭐중요**

**17** (라)에 등장한 인물의 유형을 다음 기준에 따라 분류할 때, [A]에 들어갈 인물로 알맞은 것은?

| [A] | 물질보다는 인간으로서의 도리를 중요시 여김. |
| --- | --- |

↕

| [B] | 인간의 도리보다는 물질(돈)을 우선시함. |
| --- | --- |

① '염소팔'
② '서옥화'
③ '강태국'
④ '안유식'과 '허영분'
⑤ '장민숙'과 '강대영'

**18** '강태국'에게 아버지에 대한 그리움을 불러일으키는 소재에 해당하는 것은?

① 아버지의 잡기장
② 세탁소에 있는 도깨비
③ 세탁소를 밝히는 백열등
④ 아버지가 키우던 고양이
⑤ 아버지가 간직했던 소주병

**19** ⓛ에서 알 수 있는 내용을 다음과 같이 정리할 때, 빈칸에 들어갈 말을 3음절로 쓰시오.

세탁소 일에 대한 '강태국'의 (　　　)와/과 신념이 드러난다.

**바** 사람들 자기 자리에 숨어서 강태국을 보며 제각

기 분통을 터뜨린다.

> 연극에서, 등장인물이 말을 하지만 무대 위의 다른 인물에게는
> 들리지 않고 관객만 들을 수 있는 것으로 약속되어 있는 대사

**강대영:** (방백) 진짜 짜증 나, 아버지 왜 저러지?

**허영분:** (방백) 미쳤어!

**염소팔:** (방백) 돌아 버리겠네.

**안경우:** (방백) 확 죽여 버릴까…….

**장민숙:** (비명 지른다.) 악!

**강태국:** (놀라) 거 누구요?

**사람들:** ㉠(그들도 놀라 다급하게 저마다 동물 소리

　　를 낸다.) 아야옹, 찍, 찍.

**강태국:** 세탁소가 갑자기 동물의 왕국이 됐나?

　강태국, 고개를 갸웃거리며 옷들 사이를 이리저리 살펴본다. 다시 흥얼거리며 옷을
정리하는 강태국. 잠깐 놀란 듯이 멈추며 옷을 들고 서 있다가 세탁대로 와서 아버지의
잡기장을 뒤진다.

**강태국:** 그렇지, 할머니가 처음 세탁물을 맡겼을 때가 아버지가 살아 계셨을 때니
　　까. (세탁대에 앉아 잡기장을 읽으며 고개를 끄덕인다.) 아버지! 그래, 여기 있네,
　　있어.

　사람들 더욱 조급해진 마음에 제각기 구시렁댄다.

┌ **염소팔:** (방백) 원수가 따로 없구먼.

│ **안유식:** (방백, 명령조로) 불을 꺼 버려!

㉡│ **서옥화:** (방백) 두꺼비집을 내려!

└ **안미숙:** (방백) 어서요!

**염소팔:** (놀라 얼떨결에) 예! (두꺼비집을 내린다.)

　어두워지는 세탁소. 반짝이는 불빛들의 대이동.

**강태국:** (뭔가 느끼고) 뭐야, 염소팔이냐?

**염소팔:** (똥 마려운 강아지처럼) 으응! (놀라) 끄응!

**사람들:** (점점 더 음흉스럽게 짐승 소리로 으르렁댄다.)

---

**20** (바)에서 일어난 사건으로
알맞은 것은?

① '염소팔'이 세탁소 불을 켠
다.

② 세탁소에 온갖 동물들이 들
어온다.

③ '강태국'이 할머니의 세탁물
에 대한 내용을 발견한다.

④ 세탁소에 잠입한 사람들이
서로의 모습을 보고 놀란다.

⑤ '강태국'의 아버지가 할머
니를 만나 재산을 물려받은
사실이 밝혀진다.

**21** ㉠과 같은 행동과 대사를
한 이유로 알맞은 것은?

① '강태국'에게 들키지 않기
위해서

② 상대방의 행동을 방해하기
위해서

③ 돌아가신 할머니를 추모하
기 위해서

④ 서로에게 자신의 존재를 알
리기 위해서

⑤ 세탁소에 있는 동물들을 불
러 모으기 위해서

**22** 다음 설명에 해당하는 것을
(바)에서 찾아 2음절로 쓰시오.

> 무대 위의 다른 인물은 들
> 을 수 없고 관객들만 들을 수
> 있는 것으로 약속되어 있는
> 대사이다.

**강태국**: (알겠다는 듯이 짐짓 과장스럽게) 우리 세탁소에 도둑괭이들이 단체로 들어 왔나?

**사람들**: (단체로) 예, 야옹!

**강태국**: (잡기장을 단단히 말아 손에 움켜쥐고) 알았습니다. 그럼 사람은 이만 물러 가야지. 이거 어두워서, 빨리 비워 드리지 못하겠는걸.

**사람들**: (손전등으로 안채로 가는 길을 비춰 준다.)

**강태국**: 고맙다. (안채로 간다.)

**학습콕**

소주제: '강태국'은 □□□를 떠올리며 세상살이의 고달픔을 토로하고, 다른 사람들 은 할머니의 유산을 찾기 위해 세탁소에 잠입함.

❶ 인물들의 대조되는 행동

| '강태국' | '강태국' 외의 인물들 |
|---|---|
| 할머니의 재산에 욕심내지 않고 묵묵히 자신의 일을 함. ↔ | 할머니의 □□을 찾기 위해 세탁소에 잠입함. |

❷ 이 글에서 비판하는 사회·문화적 상황

| | |
|---|---|
| 세탁소에 잠입한 사람들의 우스꽝스러운 모습 ⇨ | □□에 눈먼 사람들의 모습을 풍자하여 물질 만능주의가 지배하는 창작 당시의 사회·문화적 상황을 비판함. |

❸ 소재의 역할

| 잡기장 | |
|---|---|
| 세탁소에 대한 모든 내용이 적힌 '강태국' 아버지의 기록장 ⇨ | • 아버지에 대한 그리움을 불러일으킴. • 할머니의 옷을 찾는 계기가 됨. |

**하강 학습 포인트**

❶ 인물들 간의 갈등 양상 ②
❷ 인물의 대사를 통한 작가 의식의 표현

**(사)** 음악. 어둠 속에서 본격적으로 벌어지는 수색 전쟁. 이때 세탁소에 불이 확! 켜진 다. 드러난 사람들 꼬라지. 코피 찍, 머리 산발, 자빠지고, 엎어지고, 찢어지고, 터지 고…….

강태국이 두꺼비집 옆에 서 있다. 놀라는 사람들. 놀라는 강태국.

**강태국**: 대영아!

**강대영**: (머리를 부여잡고 운다.) 아빠!

**강태국**: (아내에게) 다, 당신 미쳤어?

**장민숙**: 미쳤, 아야, 또 혀 깨물었다!

**강태국**: 염소팔, 너 이놈!

**염소팔**: 히히이잉……. 형님!

간단 체크 내용 문제

**23** (바)에 나타난 '강태국'의 행 동을 다음과 같이 정리할 때, 빈칸 에 들어갈 말을 차례대로 쓰시오.

| ( )에서 할머니와 관련된 내용을 발견함. |
|---|
| ↓ |
| 사람들이 세탁소에 숨어 있음을 알아차림. |
| ↓ |
| 세탁소를 떠나 ( )로 감. |

**24** (바)에서 비판하는 사회·문 화적 상황에 해당하는 것은?

① 물질 만능주의가 팽배한 모 습
② 생명의 소중함을 가볍게 여 기는 풍조
③ 늙고 병든 반려동물을 내다 버리는 잘못된 행동
④ 자신의 상황에 따라 이로운 쪽으로 행동하는 경향
⑤ 권력이 있을 때는 따르고 권력이 없어지면 푸대접하 는 세상인심

**25** (사)에 나타난 '강태국'의 심 정으로 알맞은 것은?

① 가족의 모습에 대한 기쁨
② 미래에 대한 희망과 기대
③ 세탁소 사람들에 대한 분노
④ 다친 사람에 대한 걱정과 미안함
⑤ 아버지의 세탁소를 지키지 못한 부끄러움

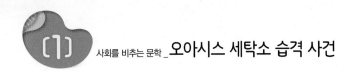

**아** 강태국이 사람들 사이에 널브러진 시체 같은 옷들을 주워 든다. 분노에 찬 강태국.

**강태국**: 이게 사람의 형상이야? 뭐야! 뭐에 미쳐서 들뛰다가 지 형상도 잊어버리는 거냐고. (손에 든 옷 보따리를 흔들어 보이며) 이것 때문에 그래? 1998년 9월 김순임?

**장민숙**: (감격에) 여보!

**강대영**: 엄마, 아빠가 찾았다!

**안경우**: (동생을 때리며) 야, 김순임이잖아!

**안유식**: (다가가며) 이리 줘!

**강태국**: (뒤로 물러서며) 못 줘!

**장민숙**: 여보, 주지 마!

**사람들**: (따라서 다가서며) 줘!

**강대영**: 아빠, 나!

**강태국**: (물러서며) 안 돼. 이렇게 줄 순 없어!

**안경우**: 날 줘요. (엄마에게 응석 부리는 것처럼) 나 부도난단 말이야!

**허영분**: (거만하게 포기하듯이) 아저씨, 여기요, 50 프로 줄 테니까 이리 줘요!

**안미숙**: (뾰족하게) 내 거는 안 돼!

**허영분**: 내 거가 어딨어? 결혼할 때 집 사 줬으면 됐지!

**안미숙**: 나만 사 줬어? 오빠들은?

**안유식**: (소리친다.) 시끄러! (위협적으로) 죽고 싶지 않으면 내놔!

**사람들**: (따라서) 어서 내놔!

**강태국**: 당신들이 사람이야? 어머님 임종은 지키고 온 거야?

**사람들**: 아니!

**강태국**: 에이, 나쁜 사람들. (옷을 가지고 문으로 향하며) 나 못 줘! (울분에 차서) 이게 무엇인지나 알어? 나 당신들 못 줘. 내가 직접 할머니 갖다 드릴 거야.

**장민숙**: 여보, 나 줘!

**강대영**: 아버지, 나요!

**강태국**: 안 돼, 할머니 갖다줘야 돼. 왠지 알어? 이건 사람 것이거든. 당신들이 사람이믄 주겠는데, ㉠당신들은 형상만 사람이지 사람이 아니야. 당신 같은 짐승들에게 사람의 것을 줄 순 없어. (나선다.)

**안유식**: 에이! (달려든다.)

**강태국**: (도망치며) 안 돼!

간단 체크 **내용** 문제

**26** (아)에 나타난 갈등 상황을 다음과 같이 정리할 때, 빈칸에 들어갈 내용으로 알맞은 것은?

| '강태국' |
|---|
| 할머니의 옷 보따리를 찾음. |

↑

| '강태국' 외의 인물들 |
|---|
| (          ) |

① 할머니의 이름을 알아내려 함.
② 할머니의 유언장을 없애려고 함.
③ '강태국'에게서 옷 보따리를 빼앗으려 함.
④ 세탁소 밖으로 도망치는 '강태국'을 잡으려 함.
⑤ 할머니의 재산을 독차지하려는 '강태국'을 방해함.

**중요**
**27** '강태국'이 ㉠과 같은 말을 한 이유로 알맞은 것은?
① 인간의 도리를 잊었기 때문이다.
② 감정을 느끼지 못하기 때문이다.
③ 세속적 가치를 무시하기 때문이다.
④ 서로의 약점을 공격했기 때문이다.
⑤ 고통 속에서도 기쁨을 찾아내었기 때문이다.

**자** 사람들, 강태국을 향해 서로 밀치고 잡아당기고 뿌리치며 간다. 세탁기로 밀리는 강태국.

　강태국, 재빨리 옷을 세탁기에 넣는다. 사람들 서로 먼저 차지하려고 세탁기로 몰려들어간다. 강태국이 얼른 세탁기 문을 채운다. 놀라는 사람들, 세탁기를 두드린다.

　강태국, 버튼 앞에 손을 내밀고 망설인다. 사람들 더욱 세차게 세탁기 문을 두드린다. 강태국, 버튼에 올려놓은 손을 부르르 떨다가 강하게 누른다. 음악이 폭발하듯 시작되고 굉음을 내고 돌아가는 세탁기. 무대 가득 거품이 넘쳐난다. 빨래 되는 사람들
<sub>몹시 요란하게 울리는 소리</sub>
의 고통스러운 얼굴이 유리에 부딪혔다 사라지고, 부딪혔다 사라지고……

---

**학습콕** | 소주제: 탐욕스러운 사람들의 모습에 화가 난 '강태국'이 사람들을 ☐☐☐에 넣어 돌림.

**❶ 인물들 간의 갈등 양상 ②**

| '강태국' | | '강태국' 외의 인물들 |
|---|---|---|
| • 세탁소 사람들까지 할머니의 재산을 탐냈다는 사실에 분노함.<br>• 할머니의 옷 보따리를 찾았으나, 사람들에게 실망하여 돌려주지 않음. | ↔ | • 할머니의 재산을 찾기 위해 세탁소에 잠입하여 우스꽝스러운 행동을 함.<br>• '강태국'이 찾은 할머니의 옷 보따리를 빼앗으려 함. |

**❷ 인물의 대사를 통한 작가 의식의 표현**

| "당신들이 사람이믄 주겠는데, ～ 당신 같은 짐승들에게 사람의 것을 줄 순 없어. | 탐욕에 눈이 먼 사람들에 대한 강한 비판 |
|---|---|

---

**대단원 학습 포인트**

**❶ 세탁 장면의 상징성**　　　　**❷ 제목 '오아시스 세탁소'의 의미**

**차** 강태국이 주머니에서 글씨가 **빽빽이** 적힌 눈물 고름을 꺼내어 들고 무릎을 꿇고
<sub>옷고름. 저고리나 두루마기의 깃 끝과 그 맞은편에 하나씩 달아 양편 옷깃을 여밀 수 있도록 한 헝겊 끈</sub>
앉는다.

**강태국:** (눈물 고름을 받쳐 들고) 할머니, 비밀은 지켜 드렸지요? 그 많은 재산, 이 자식 사업 밑천, 저 자식 공부 뒷바라지에 찢기고 잘려 나가도, 자식들은 부모 재산이 화수분인 줄 알아서, 이 자식이 죽는 소리로 빼돌리고, 저 자식이 앓는 소리
<sub>재물이 계속 나오는 보물단지. 그 안에 온갖 물건을 담아 두면 끝없이 새끼를 쳐 그 내용물이 줄어들지 않는다는 설화상의 단지</sub>
로 **빼돌려**, 할머니를 거지를 만들어 놓았어도 불효자식들 원망은커녕 형제간에의 상할까 걱정하시어 끝내는 혼자만 아시고 아무 말씀 안 하신 할머니의 마음,

---

**간단 체크 내용 문제**

**중요**
**28** (자)의 중심 사건으로 알맞은 것은?

① 세탁기에 들어간 사람들을 세탁함.
② 할머니의 옷이 세탁기 속으로 들어감.
③ 사람들이 세탁기 속에서 위험에 처함.
④ 세탁기가 고장 나서 거품이 넘쳐 흐름.
⑤ 사람들이 할머니의 옷을 차지하기 위해 폭력을 행사함.

**29** (차)로 보아 할머니의 비밀로 알맞은 것은?

① 글자를 읽고 쓸 수 없었음.
② 재산이 화수분처럼 계속 늘어나고 있었음.
③ 할아버지가 할머니에게 재산을 주지 않았음.
④ 자식들을 위해 재산을 다 써서 남은 재산이 없음.
⑤ 불효하는 자식들을 원망하여 재산을 다른 곳에 기부하였음.

**간단 체크 어휘 문제**

다음 낱말의 뜻풀이가 맞으면 ○표, 틀리면 ×표 하시오.

(1) 굉음: 불규칙하게 뒤섞여 불쾌하고 시끄러운 소리
　　　　　　　　( 　 )

(2) 화수분: 보물을 넣어 두거나 보물이 들어 있는 단지
　　　　　　　　( 　 )

(3) 고름: 저고리나 두루마기의 깃 끝과 그 맞은편에 하나씩 달아 양편 옷깃을 여밀 수 있도록 한 헝겊 끈 ( 　 )

이제 마음 놓고 가셔서 할아버지 만나서 다 이르세요. 그럼 안녕히 가세요! 우리 아버지 보시면 꿈에라도 한번 들러 가시라고 전해 주세요. (눈물 고름을 태워 드린다.)

음악 높아지며, ㉠할머니의 혼백처럼 눈부시게 하얀 치마저고리가 공중으로 올라간다. 세탁기 속의 사람들도 빨래집게에 걸려 죽 걸린다.

**강태국:** (바라보고) 깨끗하다! 빨래 끝! (크게 웃는다.) 하하하.

---

**학습콕** | 소주제: '강태국'이 깨끗하게 ☐☐ 된 사람들의 모습을 보며 기뻐함.

**❶ 세탁 장면의 상징성**

| 세탁 전 사람들 | | 세탁 후 사람들 |
|---|---|---|
| 이기적이고 ☐☐스러운 마음을 가진 사람들 | ▶ | 순수하고 깨끗한 마음을 가진 사람들 |

→ 세탁기에서 빨래의 때가 깨끗하게 빠지듯이 물질에 눈먼 사람들의 마음이 순수하게 바뀌는 과정을 상징적으로 드러냄.

**❷ 제목 '오아시스 세탁소'의 의미**

| 오아시스 | | 오아시스 세탁소 |
|---|---|---|
| 사람들이 살기 어려운 사막에서 샘이 솟고 풀과 나무가 자라는 장소임. | ▶ | 물질 ☐☐주의가 팽배한 세상에서 탐욕스러운 사람들의 마음을 깨끗하고 순수하게 만들어 주는 공간임. |

---

**30** ㉠의 의미로 알맞은 것은?
① 할머니의 소원
② 할머니의 완쾌
③ 할머니의 죽음
④ 할머니의 정체
⑤ 할머니의 퇴원

★중요
**31** '오아시스 세탁소'의 의미를 다음과 같이 정리할 때 빈칸에 들어갈 말을 바르게 묶은 것은?

> (　　)스러운 사람들의 마음을 깨끗하고 (　　)하게 만들어 주는 공간

① 용맹, 차분
② 혼란, 평온
③ 걱정, 부유
④ 탐욕, 순수
⑤ 경망, 정직

**NEWS [노포 탐방] 열두 번째 이야기**　　　　　　　　　한끝일보 | 20△△년 △월 △일

# "새로운 청정의 문화를 열다" 오아시스 세탁소

– 공기 청정, 의류 청정을 넘어 이제는 마음을 청정하게 해 드립니다.

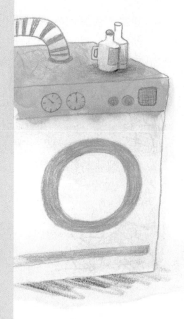

## 세탁기로 이런 것까지 한다!

오래된 점포가 늘어선 ○○동 상가 지역에 새로운 청정 서비스를 제공하는 점포가 있어 화제다. 겉에서 보기엔 흔한 세탁소 같지만 여기에는 다른 데서는 볼 수 없는 신기한 세탁기가 있다. 2대째 가업을 물려받아 세탁소를 운영하고 있는 강태국 씨를 만나 보았다.

### 사장님의 철학

> ❝ 이 세탁기는 사람들의 마음을 씻어 줍니다.
> 현대 사회에서 물질적 가치만을 중시하며 순수함을
> 잃어버리고 헛된 욕망을 좇는 이들에게 권합니다.
> 세상에는 더 중요한 것들이 많거든요. ❞

**강태국 사장님**
(오아시스 세탁소)

세탁소 일이 남들이 보기에는 하찮을지 몰라도 강태국 씨에게는 세상살이에 지치고 찌든 우리의 삶을 깨끗하게 해 주는 것이라는 굳은 신념이 있다.

### 가족들의 반대

강태국 씨의 생각에 가족들도 처음부터 동의한 것은 아니다. 그의 아내 장민숙 씨는 몇십 년을 장사했지만 이제는 시대가 변해서 경쟁력이 없는 데다가 딸 유학 보낼 비용을 벌기 위해서라도 세탁 편의점으로 업종을 변경하자고 주장했던 것이다. 그러나 장민숙 씨도 세탁기의 정화를 통해 이제는 마음을 고쳐먹게 되었다.

### 세탁기의 비밀……?

그렇다면 강태국 씨는 세탁기의 이러한 기능을 어떻게 알게 된 것일까?

그 사연은 이렇다. 어떤 할머니의 유산을 찾기 위해 탐욕에 가득 찬 사람들이 오아시스 세탁소를 습격한 적이 있다. 그들은 할머니의 임종도 지키지 않고 밤에 몰래 숨어들어 할머니의 유산을 찾으려고 하였다. 이들을 보다 못한 강태국 씨는 우연히 세탁기에 들어간 그들을 세탁해 버렸다. 그런데 신기하게도 그들이 깨끗하게 변한 것이다. 강태국 씨는 이 일을 겪은 후 자신의 순수한 마음을 되찾고 싶은 사람들에게 세탁소를 무료로 이용할 수 있도록 하고 있다.

사막과 같은 현대 사회에서 물질 만능주의에 빠진 우리들도 한번쯤 '오아시스 세탁소'에 들러 깨끗하고 순수한 마음을 되찾아 보는 것은 어떨까?

# 학습 활동

이해
① 등장인물의 가치관 비교하기
② 작품에 반영된 사회·문화적 상황 파악하기
③ 작품의 의미 및 작가의 의도 파악하기

## 1 이 희곡에 등장하는 인물들의 가치관을 파악해 보자.

(1) 다음 인물들의 공통적인 목적이 무엇인지 알아보자.

'안유식','허영분' 팀
할머니의 첫째 아들 내외

공통적인 목적 인물들은 모두
답 세탁소에서 할머니의 재산과 관련된 단서를 찾아 돈을 차지하려고 한다.

'장민숙','강대영' 팀
'강태국'의 아내와 딸

'안경우','안미숙' 팀
할머니의 둘째 아들과 막내딸

'서옥화'
할머니의 간병인

'염소팔'
세탁소 직원

(2) '강태국'이 할머니의 옷을 찾고도, 그의 가족에게 돌려주지 않은 이유를 생각해 보자.

에이, 나쁜 사람들. 나 못 줘! 이게 무엇인지나 알아? 나 당신들 못 줘. 내가 직접 할머니 갖다 드릴 거야.

답 • '강태국'은 자식의 도리도 하지 않고 돈만 밝히는 가족들의 탐욕스러움에 ☐☐했기 때문이다.
• '강태국'은 자식들 뒷바라지에 재산을 모두 쓰고도, 혹시나 자식들 간에 우애가 상할까 봐 남은 재산이 없다는 사실을 알리지 못한 할머니의 비밀을 지켜 주고 싶었기 때문이다.

간단 체크 활동 문제

**01** 이 글의 등장인물에 대한 설명으로 알맞지 <u>않은</u> 것은?

① '서옥화'는 할머니의 간병인이다.
② '장민숙'은 '강태국'의 아내로, 남편처럼 돈에 관심이 없다.
③ '강태국'은 자식의 도리를 하지 않은 안 패거리에게 분노한다.
④ '안유식'은 할머니의 장남으로, 할머니의 유산을 차지하려고 한다.
⑤ '염소팔'은 세탁소 직원으로, 할머니의 재산을 찾기 위해 세탁소에 잠입한다.

**02** '강태국'이 할머니의 옷을 할머니의 가족들에게 돌려주지 않은 이유로 알맞은 것은?

① 할머니의 비밀을 지켜 주려고
② 할머니의 자식들을 골려 주려고
③ 할머니의 옷을 깨끗하게 세탁하려고
④ 할머니가 돌아가시면 무덤에 묻어 드리려고
⑤ 할머니의 자식들에게 할머니의 옷값을 받으려고

(3) (1)과 (2)를 바탕으로 '강태국'과 그 외의 인물들의 가치관을 비교해 보자.

| '강태국' | • 사람의 마음을 세탁한다는 신념으로 세탁소를 운영함.<br>🔑 • 자신의 일에 [ ][ ]을 느끼며 욕심부리지 않고 성실히 살아가려 함.<br>• 물질보다는 인간으로서의 도리를 중요시 여김. |
| --- | --- |
| 그 외<br>인물들 | 🔑 인간의 도리보다는 물질(돈)을 가장 우선시함. |

**2** 다음은 이 작품이 창작된 1990년대의 세태를 드러낸 기사문이다. 기사문을 읽고, 이 작품의 의미를 파악해 보자.

| 동아일보 | 1991년 12월 27일 |
| --- | --- |

"행운의 '복돈'입니다. 이것만 안방에 걸어 놔 보세요. 돈이 슬슬 굴러들어 옵니다."

최근 사람이 많이 지나다니는 도심지 길거리에, 1만 원 권과 5천 원 권 지폐를 컬러로 확대 복사해 판매하는 일명 '복돈 판매상'이 등장했다. 일반 지폐보다 다섯 배 정도 큰 이 복돈은, 어른은 물론 청소년에게도 날개 돋친 듯 팔리고 있다.

역구내에서 장사를 하던 한 상인은, 하루 평균 100장에서 150여 장 정도가 판매되고 있는 복돈 덕분에 톡톡히 재미를 보고 있다면서 흐뭇한 미소를 지었다. 이 상인뿐만 아니라 서울 시내에서 복돈을 판매하는 상인 대부분이 성공적으로 장사를 하고 있다고 하니, 그야말로 복돈 열풍이다.

이러한 복돈 열풍에 대해 한 시민은 "아무리 돈이 좋다는 세상이지만, 집 안에 돈을 걸어 놓고 섬기며 사는 세태가 왠지 서글프고 무섭다는 생각이 듭니다."라고 말하며 안타까워하였다.

**(1)** 이 기사문에 비추어 볼 때, 다음 인물들의 말에서 알 수 있는 당시의 사회·문화적 상황이 무엇인지 말해 보자.

정말 김순녀 맞아?

맞다니까, 증 확인했어.

엄니, 내는 이자부터 도둑놈입니다.

여보세요. 아, 김 박사님.
예? 임종이요?
아니 찾지도 못했는데…….
아, 예, 그런 게 있어요.
아, 가야지요.
(소리 지른다.) 지금 간다니까!

🔑 제시된 신문 기사는 황금만능주의, 배금주의에 젖어든 당시 사회의 단면을 드러내고 있다. 이 작품에서 '안미숙'과 '안경우'는 어머니의 이름조차도 모르며, '안유식'은 어머니의 임종에는 무관심하다. '염소팔'은 도둑이 되어도 상관이 없다며 돈을 향한 열망을 드러내고 있다. 기사문 및 이와 같은 인물들의 말에서 이 작품이 당시 사회의 [ ][ ][ ] 상실과 배금주의가 팽배한 현실을 문제로 삼고 있다는 것을 알 수 있다.

간단 체크 **활동** 문제

**03** 다음 대사에서 알 수 있는 '강태국'의 가치관에 해당하는 것은?

> 강태국: (안경우를 밀치고 나와) 저리 비켜요! (한심하여 옷들을 주워 올리며) 이름도 모르고, 무슨 옷을 맡겼는지도 모르고……. 그래, 그 어머님 자식들은 맞나요?

① 적당한 욕구를 긍정한다.
② 노동의 보람을 중시한다.
③ 물질을 최우선으로 여긴다.
④ 개인보다 공동체가 우선한다고 생각한다.
⑤ 인간으로서 지켜야 할 도리를 중요하게 여긴다.

**04** **2**의 기사문에 나타난 당시 사회·문화적 상황으로 알맞은 것은?

① 돈을 최고의 가치로 여기고 숭배했다.
② 다른 사람과의 경쟁보다 조화를 추구했다.
③ 직장보다 가정을 중시하는 인식이 일반화되었다.
④ 전통적인 가치들을 되살리려는 사회적 운동이 나타났다.
⑤ 인정이 사라지고 합리적 사고로 사람을 대하는 문화가 자리 잡았다.

(2) (1)을 고려할 때, '강태국'이 사람들을 세탁하는 장면이 상징하는 의미와 작가의 의도를 파악해 보자.

### 장면의 상징적 의미

- 비현실적인 상황을 가정하여 갈등 상황을 정리함.
- 답 · ☐☐의 때가 빠지듯이 사람들의 마음이 순수하게 바뀌는 과정을 상징함.

### 작가의 의도

- 답 · 물질만을 중요시하고 인간성을 상실해 가는 현대 사회의 모습을 비판함.
- 탐욕스러운 사람들의 마음이 정화되기를 바람.

**3** 이 작품이 오늘날을 살아가는 우리에게 어떤 깨달음을 주는지 말해 보자.

> 오늘날에도 사람들은 여전히 돈을 섬기고 있다고 생각해. 돈 때문에 우리가 지켜야 할 중요한 가치를 잃지 않았으면 해.

예시 답 >> 이 작품은 1990년대에 쓰였지만, 오늘날에도 여전히 유효하다고 생각해. 요즘도 돈 때문에 무서운 사건들이 일어나고 있잖아. 돈보다 더 중요한 가치가 있다는 것을 사람들이 알았으면 해.

### 학습콕

**❶ 사회·문화적 상황과 문학 작품**

| 문학 작품 | 사회·문화적 상황 |
|---|---|
| 현실을 반영하며 당대의 사회·문화적 상황을 포함함. | · 문학 작품에 직접적으로 드러날 수 있음.<br>· 문학 작품 창작의 배경으로 작용할 수 있음. |

**❷ 사회·문화적 상황이 담긴 문학 작품 감상하기**

| | | |
|---|---|---|
| 문학 작품에 등장하는 인물들의 말과 행동, 인물들 간의 관계, 다양한 사건을 이해함. | 문학 작품의 사회·문화적 상황을 파악함. | 작품 전체의 의미를 파악함. |

---

간단 체크 활동 문제

**05** '강태국'이 사람들을 세탁하는 장면에 담긴 작가의 의도를 골라 바르게 묶은 것은?

ㄱ. 인물 간 신뢰 회복의 필요성을 강조한다.
ㄴ. 물질에 눈먼 사람들의 마음이 정화되기를 바란다.
ㄷ. 인간성을 잃어 가는 현대 사회의 모습을 비판한다.
ㄹ. 부정적 인물의 위선적 행동을 비꼬아 표현하여 웃음을 유발한다.

① ㄱ, ㄴ  ② ㄱ, ㄷ
③ ㄴ, ㄷ  ④ ㄴ, ㄹ
⑤ ㄷ, ㄹ

**06** 이 글을 읽은 학생의 반응으로 적절한 것은?

① 극복하지 못할 시련은 없는 것 같아.
② 세상에는 물질보다 중요한 것이 많아.
③ 다른 사람과 좋은 관계를 맺는 것이 아주 중요하구나.
④ 시대의 변화에 따라 삶의 방식을 빠르게 바꾸어야겠어.
⑤ 나보다 어려운 사람이 있음을 알고 일상에 감사하며 살아야겠어.

**적용**
❶ 시에 나타난 과거와 현재의 모습 비교하기
❷ 시의 내용을 사회·문화적 상황과 관련지어 이해하기
❸ 시의 창작 의도를 파악하고 의미를 능동적으로 수용하기

**시에 반영된 현대 사회의 모습을 파악하며 작품을 감상해 보자.**

| 갈래 | 현대시, 자유시, 서정시 | 성격 | 비판적, 자조적 |
|------|------------------------|------|----------------|
| 제재 | 과거와 현재의 밥상 풍경 | | |
| 주제 | 현대 사회의 핵가족화 세태에 대한 비판 | | |
| 특징 | • 과거와 현재의 밥상 풍경을 대조함.<br>• 함께 식사를 하는 식구들을 '얼굴 반찬'으로 비유함. | | |

## 얼굴 반찬

공광규

옛날 ¹밥상머리에는 / 할아버지 할머니 얼굴이 있었고
어머니 아버지 얼굴과
형과 동생과 누나의 얼굴이 맛있게 놓여 있었습니다.
가끔 이웃집 아저씨와 아주머니 / 먼 친척들이 와서
밥상머리에 간식처럼 앉아 있었습니다.
어떤 때는 ²외지에 나가 사는
고모와 삼촌이 외식처럼 앉아 있기도 했습니다.
이런 얼굴들이 풀잎 반찬과 잘 어울렸습니다.

그러나 지금 내 새벽 밥상머리에는
고기반찬이 가득한 늦은 밥상머리에는 / 아들도 딸도 아내도 없습니다.
모두 밥을 사료처럼 퍼 넣고 / 직장으로 학교로 동창회로 나간 것입니다.

밥상머리에 얼굴 반찬이 없으니 / 인생에 재미라는 영양가가 없습니다.

---

1 **밥상머리** 차려 놓은 밥상의 한쪽 언저리나 그 가까이.
2 **외지** 자기가 사는 곳 밖의 다른 고장.

**1** **이 시의 1연과 2연에 나타난 과거와 현재의 밥상 풍경을 정리해 보자.**

| 과거의 밥상 풍경 | 📋 대가족이 함께 모여 밥을 먹었으며 가끔 이웃 주민이나 먼 친척까지 모여 밥을 먹었음. ☐☐ ☐☐ 과 같은 소박한 반찬을 놓고도 정겹게 서로 마주하며 식사를 함. |
|------------------|-----|
| 현재의 밥상 풍경 | 고기반찬이 가득하지만 아들과 딸과 아내가 함께하지 못함. |

간단 체크 **활동** 문제

**07** 이 시에 대한 설명으로 알 맞지 않은 것은?
① 밥상 풍경에 대한 내용을 다룬다.
② 과거와 현재의 모습을 대조 하여 표현한다.
③ 비유적 표현을 사용하여 시 상을 전개한다.
④ 현대 사회에 대해 긍정적인 태도를 보인다.
⑤ 동일한 종결 어미를 사용해 운율을 형성한다.

**08** 이 시에 나타난 과거의 모 습에 해당하는 것은?
① 밥상에 반찬이 소박하게 차 려져 있다.
② 가족들이 함께 모여 식사를 하지 않는다.
③ 밥상머리에서 느낄 수 있는 재미가 나타나지 않는다.
④ 가족들이 다른 공간에서 각 자의 일을 하느라 바쁘게 지낸다.
⑤ 가족들이 서로의 얼굴을 보 지 못하고 밥을 사료처럼 퍼 넣는다.

**2** **1**과 같이 밥상의 풍경이 달라진 까닭을 사회·문화적 상황과 관련하여 생각해 보자.

예시 답>> 농경 사회에서 산업 사회로 바뀌면서 대가족 중심의 가족 공동체가 핵가족 중심의 가족 공동체로 바뀌었기 때문이다. 이 과정에서 개인주의와 물질주의가 확대되면서 가족 공동체가 약화되었을 것이다.

**3** 다음은 이 시를 쓴 시인과 대담한 내용이다. 이를 바탕으로 이 시의 창작 의도를 생각해 보고, 각자 느낀 점을 말해 보자.

> 사람 중심이 아닌 돈 중심의 사회가 혼자 밥 먹는 사람을 많이 만든다. 이는 핵가족화를 넘어 가족의 해체를 낳았다. 그래서 여럿이 모여 밥 먹을 기회도 없고, 가족끼리 북적대며 사는 재미가 없다. 요새는 '소셜 다이닝(Social Dining)'이라고 누리 소통망(SNS)을 활용하여 혼자 사는 사람들끼리 만나서 밥을 먹는 일도 있다. 이것을 다른 방식으로 '얼굴 반찬이 되자'고 한 것이다. 혼자인 친구를 찾아가서 얼굴 반찬을 해 주는 것은 굉장히 좋은 사회 운동이 아닐까?
>
> – 「시사저널」, 2016. 11. 26.

예시 답>> 시인은 개인화된 삶을 비판하고 따뜻한 공동체의 모습을 회복하길 바라는 마음에서 이 시를 창작한 것 같아. 이 시를 통해 개인화되고 물질화된 현대 사회에서 서로 배려하고 소통하며 살아가는 자세가 필요하다는 점을 말하고 있다고 생각해.

**간단 체크 활동 문제**

**09** 현대 사회에서 밥상 풍경이 변한 이유를 다음과 같이 정리할 때 빈칸에 들어갈 내용을 차례대로 쓰시오.

• 농경 사회에서 ☐☐ 사회로 바뀜.
• 대가족 중심의 가족 공동체가 ☐☐☐ 중심의 가족 공동체로 바뀜.

**활동 마당**

이 활동은
올해의 화제를 잘 드러내는 '핵심어'를 선정하고 그 의미를 정리해 봄으로써 오늘날의 사회·문화 현상이 나타내는 의미를 파악해 보기 위한 활동입니다.

시험에는
• 특정한 사회·문화 현상을 표현하는 '핵심어'를 선정하는 문제
• '핵심어'에 담긴 사회·문화 현상을 묻는 문제
등이 출제될 수 있습니다.

| 갈래 | 희곡 | 성격 | 현실 비판적, 풍자적, 교훈적 |
|---|---|---|---|
| 배경 | 1990년대, 오아시스 세탁소 | 제재 | 세탁소에 맡겨진 할머니의 옷 |
| 주제 | 이기적이고 탐욕스러운 인간에 대한 풍자 및 순수한 인간성에 대한 지향 | | |
| 특징 | • 인물들의 행동을 과장하여 웃음을 유발함.<br>• 비현실적인 문학 장치로 갈등이 해결되는 과정을 보여 줌. | | |

## ●●「오아시스 세탁소 습격 사건」의 짜임

| 발단 | 전개 | 절정 | 하강 | 대단원 |
|---|---|---|---|---|
| 아버지의 대를 이어 2대째 오아시스 세탁소를 맡고 있는 '강태국'은 자신의 일에 대해 신념과 자부심이 있음. | 할머니의 ❶☐☐을 찾으러 온 할머니의 가족인 안 패거리가 세탁소를 난장판으로 만듦. | '강태국'은 아버지를 떠올리며 세상살이의 고달픔을 토로하고, 사람들은 할머니의 유산을 찾기 위해 세탁소에 잠입함. | 탐욕스러운 사람들의 모습에 화가 난 '강태국'이 사람들을 세탁기에 넣어 돌림. | '강태국'이 깨끗하게 세탁된 사람들의 모습을 보며 기뻐함. |

## ●● 안 패거리가 세탁소를 습격한 까닭

| • 할머니가 중풍에 걸려 식물인간으로 누워 지냄.<br>• 누워 있던 할머니가 갑자기 '❷☐☐'이라는 말을 함. | ➡ | 안 패거리는 할머니의 재산을 찾을 수 있는 단서를 찾기 위해 세탁소를 습격함. |
|---|---|---|

## ●● 등장인물들 간의 갈등 양상

| 세탁소 사람들이 할머니의 유산에 대해 알기 전 | 오아시스 세탁소 사람들 | | 안 패거리 |
|---|---|---|---|
| | 세탁소를 난장판으로 만들며 행패를 부리는 안 패거리에 대항함. | ↔ | 할머니의 숨겨진 재산을 찾기 위해 세탁소를 난장판으로 만듦. |

⬇

| 세탁소 사람들이 할머니의 유산에 대해 알게 된 후 | '❸☐☐☐' | | '강태국' 외의 인물들 |
|---|---|---|---|
| | • 세탁소 사람들까지 할머니의 재산을 탐냈다는 사실에 분노함.<br>• 할머니의 옷 보따리를 찾았으나, 사람들에게 실망하여 돌려주지 않음. | ↔ | • 할머니의 재산을 찾기 위해 세탁소에 잠입함.<br>• '강태국'이 찾은 할머니의 옷 보따리를 빼앗으려 함. |

## ●● 등장인물의 대조를 통한 작가 의식의 표현

| '강태국' | | '강태국' 외의 인물들 |
|---|---|---|
| 할머니의 재산에 욕심내지 않고 묵묵히 자신의 일을 함(순수한 인물). | ↔ | 할머니의 재산을 찾기 위해 사람의 도리를 저버리고 우스꽝스러운 행동을 함(탐욕적이고 비인간적인 인물). |

⬇

| 작가 의식 | 등장인물의 대조를 통해 작가가 지향하는 인물과 ❹☐☐하는 인물 유형을 보여 줌. |
|---|---|

## ●● 등장인물의 말과 행동에서 드러나는 사회·문화적 상황

| 할머니의 재산에만 혈안이 된 안 패거리 | + | '강태국'을 제외한 세탁소 사람들과 '서옥화'가 할머니 재산에 대한 이야기를 듣고 세탁소에 잠입함. | ➡ | 인간성을 상실하고, 사람보다 **⑤**◯◯을 중시하는 세태를 드러냄. |
|---|---|---|---|---|

## ●● 이 작품에서 비판하는 사회·문화적 상황

**세탁소에 잠입한 사람들의 모습**

• 어두운 조명 아래 검은 복색을 하고 세탁소의 이곳저곳을 샅샅이 뒤짐.
• 자신의 정체가 드러나지 않도록 고양이나 쥐의 흉내를 냄.
• 서로의 소리나 그림자에 놀라고 서로 스쳐 지나가면서도 알아보지 못함.

➡

• 물질에 눈먼 사람들을 우스꽝스럽게 표현하여 **⑥**◯◯함.
• 물질 만능주의가 지배하는 당시의 사회·문화적 상황을 비판함.

## ●● 세탁 장면의 상징성

| 세탁 전 사람들 | ➡ | 세탁 후 사람들 |
|---|---|---|
| 이기적이고 탐욕스러운 마음을 가진 사람들 | | 순수하고 깨끗한 마음을 가진 사람들 |

⬇

세탁기에서 빨래의 때가 깨끗하게 빠지는 것처럼 물질에 눈먼 사람들의 마음이 **⑦**◯◯하게 바뀌는 과정을 의미함.

## ●● 제목 '오아시스 세탁소'의 의미

| 오아시스 | ➡ | 오아시스 세탁소 |
|---|---|---|
| 사람들이 살기 어려운 사막에서 샘이 솟고 풀과 나무가 자라는 장소임. | | 물질 **⑧**◯◯주의가 팽배한 세상에서 탐욕스러운 사람들의 마음을 깨끗하고 순수하게 만들어 주는 공간임. |

## ●● 「얼굴 반찬」에 나타난 밥상 풍경

| 과거의 밥상 풍경 | ↔ | 현재의 밥상 풍경 |
|---|---|---|
| 반찬이 **⑨**◯◯해도 함께 밥을 먹는 사람들이 많았음. | | 반찬은 풍요로워졌으나 함께 밥을 먹을 사람이 없음. |

## ●● 「얼굴 반찬」에 반영된 현대 사회의 모습

**시의 내용**

• 고기반찬이 가득하지만, 아들과 딸과 아내가 함께하지 못함.
• 밥을 사료처럼 퍼 넣고 각자 바깥으로 나감.

➡

• 농경 사회에서 산업 사회로 바뀌면서 대가족 중심의 가족 공동체가 약화되어 핵가족 중심의 가족 공동체로 변함.
• 개인주의와 물질주의가 확대되면서 따뜻한 **⑩**◯◯◯의 모습이 사라짐.

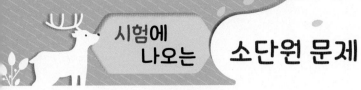

### 01~04 다음을 읽고, 물음에 답하시오.

**가**

오아시스 세탁소 사람들 / 할머니의 가족(안 패거리)

**나** ▍**앞부분 줄거리** ▍ '강태국'은 2대째 내려오는 오아시스 세탁소의 주인으로, 세탁소 일을 정리하고 세탁 편의점을 하자는 아내 '장민숙'의 잔소리에도 꿋꿋하게 세탁소를 지켜 내고 있다. '강태국'은 자신이 하는 일이 사람의 마음을 세탁하는 일이라는 신념으로 자신의 직업에 자부심을 느끼고 있기 때문이다. 그러던 어느날, 할머니의 가족인 '안유식'과 '허영분', '안경우', '안미숙'이 세탁소로 다짜고짜 쳐들어와 할머니의 간병인이 맡긴 것을 내놓으라며 난동을 부린다.

**다** 장민숙: (달려들며) 어머나, 어머나, 아니 저 여자가 미쳤나. (붙잡아 막으며) 왜 남의 세탁물은 망가뜨려요?

허영분: (장민숙을 밀어 넘기며) 옷이 문제야, 지금? 전 재산이 왔다 갔다 하는 판국에…….

장민숙: (잘못 넘어져 다친 손목을 흔들며) 아이고, 손이야. 야, 염소팔 뭐해? / 염소팔: (달려와 허영분을 말리며) 아니, 이 아줌마가 돌았나?

허영분: 그래, 돌았다. 건드리기만 해, 아주. 폭행죄로 처넣을 테니까.

**라** 안유식: (일단은 떠밀려 나와) 흐흠, 미안하오. (궁리를 하듯) 우리 어머니가, 병이 오래되셨는데, 뭐, 오늘을 넘기기가 힘들다고 한단 말이지요. 그래서 하는 말인데……. (또 궁리) 으흠, (포기하고) 아는 사람은 알겠지만, 우리 어머님이 재산이 꽤 됩니다. 아버님 집안이 재산가이신 데다가 우리 집이 부동산이 워낙 많았고, 아버님 돌아가시고 난 다음에 이 노인네가 재산을 관리하면서 어디다 잘 둔다고 하긴 한 모양인데, 건강하실 때 다 두루 분배두 하구 알려두 주고 해야할 일을, 말 한마디 못하고 덜커덕 풍을 맞아 갖구, 저렇게 식물인간루다가 누워 지내다가 오늘 돌아가

신다 하니까, 무슨 정신이 나는지 '세탁', '세탁' 이렇게 두 마디 간신히 하고 입을 달싹 못 하시니 노인네는 인전 가신다고 봐야겠고 재산은 보전해야 되는 게 장남의…….

---

### 01 이 글에 대한 설명으로 알맞지 않은 것은?

① 사건이 벌어지는 공간적 배경은 세탁소이다.
② 해설자의 개입을 통해 작품의 주제를 제시한다.
③ '안유식'의 대사를 통해 사건의 발단이 드러난다.
④ 등장인물의 이름을 통해 부정적 인물을 풍자한다.
⑤ 극에 직접 등장하지 않는 인물이 한 말 때문에 사건이 촉발된다.

★ 학습 활동 응용

### 02 (나)에 나타난 '강태국'의 가치관으로 알맞은 것은?

① 물질적인 가치를 최고로 여긴다.
② 변화를 두려워하며 안정을 추구한다.
③ 서로 어울려 조화를 이루는 삶을 지향한다.
④ 세탁은 사람의 마음을 깨끗이 하는 일이라 생각한다.
⑤ 다른 사람을 희생해서라도 자기의 이익을 챙기고자 한다.

### 03 (다)에 나타난 갈등 양상을 다음과 같이 정리할 때, 빈칸에 들어갈 내용으로 알맞은 것은?

| 안 패거리 | | 세탁소 사람들 |
|---|---|---|
| 세탁소를 습격하여 ( ) | ↔ | 세탁소에서 행패를 부리는 안 패거리에 대항함. |

① 세탁할 옷을 맡김.
② 세탁소를 난장판으로 만듦.
③ 세탁소 사람들과 협상을 함.
④ 세탁소에 있는 세탁기를 뜯어냄.
⑤ 세탁소로 피신한 어머니를 찾아냄.

 서술형 ★ 학습 활동 응용

### 04 안 패거리가 세탁소를 습격한 이유를 쓰시오.

**05~08** 다음 글을 읽고, 물음에 답하시오.

**가** 안유식: (받는다.) 여보세요. 아, 김 박사님. 예? 임종이요? 아니 찾지도 못했는데……. 아, 예, 그런 게 있어요. 아, 가야지요. (소리 지른다.) 지금 간다니까! (끊는다.) / 안미숙: 엄마 간대?

허영분: 어머님도, 조금만 더 인심 쓰시지 않고. 세탁이 뭐야, 달룽 세탁!

서옥화: 어서 가 보세요. 혹시 남은 반토가리 말이라두 들을지 알아요?

안경우: 맞아요, 형, 사람들도 곧 올 텐데……. 〈중략〉

안유식: (가다가 돌아서서) 아무래도 안 되겠어. 저, 말이지……. 누구든지 먼저 찾는 사람한테 50 프로를 주겠소! / 사람들: (놀라) 50 프로!

**나** 염소팔: 내 이번 한 번만 봐주믄 다시는 도와 달라고 하지 않을 팅게 지발 덕분에 우리 엄니랑 두 다리 뻗고 잘 집 한 칸 마련하게 도와주십시오. (확인하듯이) 집 한 칸, 아가씨 데려다 앉히고 엄니 모시러 가고……. 엄니, ㉠내는 이자부터 도둑놈입니다. 〈중략〉

그들은 강태국의 뒤에서, 밑에서, 앞에서 숨어서 마치 임무를 수행하는 첩보원들처럼 검은 복색 일색으로 우스꽝스럽게 꾸며 입고 세탁소에 잠입하여 서로가 모르려니 제 생각만 하고 옷들을 뒤지기 시작한다.

**다** 강태국: 그렇지, 할머니가 처음 세탁물을 맡겼을 때가 아버지가 살아 계셨을 때니까. (세탁대에 앉아 잡기장을 읽으며 고개를 끄덕인다.) 아버지! 그래, 여기 있네, 있어.

사람들 더욱 조급해진 마음에 제각기 구시렁댄다.

염소팔: ( ⓐ ) 원수가 따로 없구먼.

안유식: ( ⓑ ) 불을 꺼 버려!

서옥화: ( ⓒ ) 두꺼비집을 내려!

안미숙: ( ⓓ ) 어서요!

**라** 강태국: 당신들이 사람이야? 어머님 임종은 지키고 온 거야? / 사람들: 아니!

강태국: 에이, 나쁜 사람들. (옷을 가지고 문으로 향하며) 나 못 줘! (울분에 차서) 이게 무엇인지나 알어? 나 당신들 못 줘. 내가 직접 할머니 갖다 드릴 거야.

장민숙: 여보, 나 줘! / 강대영: 아버지, 나요!

강태국: 안 돼, 할머니 갖다줘야 돼. 왠지 알어? 이건 사람 것이거든. 당신들이 사람이믄 주겠는데, 당신들은 형상만 사람이지 사람이 아니야. 당신 같은 짐승들에게 사람의 것을 줄 순 없어. (나선다.)

---

🖊 **서술형**

**05** 다음 설명에 해당하는 소재를 (다)에서 찾아 쓰시오.

> • 세탁소에 대한 모든 내용이 적힌 공책
> • 할머니의 옷을 찾는 계기

🌟 **학습 활동 응용**

**06** 〈보기〉는 이 글이 쓰일 당시의 사회상을 보여 주는 기사문이다. 이를 참고할 때, 이 글에 담긴 작가의 의도로 알맞은 것은?

> **보기**
>
> "행운의 '복돈'입니다. 이것만 안방에 걸어 놔 보세요. 돈이 슬슬 굴러들어 옵니다."
>
> 최근 사람이 많이 지나다니는 도심지 길거리에, 1만 원 권과 5천 원 권 지폐를 컬러로 확대 복사해 판매하는 일명 '복돈 판매상'이 등장했다. 일반 지폐보다 다섯 배 정도 큰 이 복돈은, 어른은 물론 청소년에게도 날개 돋친 듯 팔리고 있다. 〈중략〉 이러한 복돈 열풍에 대해 한 시민은 "아무리 돈이 좋다는 세상이지만, 집 안에 돈을 걸어 놓고 섬기며 사는 세태가 왠지 서글프고 무섭다는 생각이 듭니다."라고 말하며 안타까워하였다.

① 타인을 존중하는 문화를 바란다.
② 배금주의와 인간성 상실을 비판한다.
③ 사회의 안녕과 질서 유지를 추구한다.
④ 허례허식에 치중하는 사람들을 비판한다.
⑤ 가난한 사람을 위한 복지 제도의 미비를 고발한다.

🖊 **서술형** 🌟 **학습 활동 응용**

**07** '염소팔'이 ㉠과 같이 행동하려는 동기를 제공한 말을 (가)에서 찾아 처음과 끝 어절을 쓰시오.

**08** ⓐ~ⓓ에 공통적으로 들어갈 말로 알맞은 것은?

① 방백          ② 명령조로
③ 비아냥거리며    ④ 실망한 얼굴로
⑤ 서로의 존재를 의식하며

**09~12** 다음 글을 읽고, 물음에 답하시오.

**가** 강태국, 재빨리 옷을 세탁기에 넣는다. 사람들 서로 먼저 차지하려고 세탁기로 몰려 들어간다. 강태국이 얼른 세탁기 문을 채운다. 〈중략〉 강태국, 버튼에 올려놓은 손을 부르르 떨다가 강하게 누른다. 음악이 폭발하듯 시작되고 굉음을 내고 돌아가는 세탁기. 무대 가득 거품이 넘쳐난다. 빨래 되는 사람들의 고통스러운 얼굴이 유리에 부딪혔다 사라지고, 부딪혔다 사라지고…….

**나** 강태국: (눈물 고름을 받쳐 들고) 할머니, 비밀은 지켜 드렸지요? 그 많은 재산, 이 자식 사업 밑천, 저 자식 공부 뒷바라지에 찢기고 잘려 나가도, 자식들은 부모 재산이 화수분인 줄 알아서, 이 자식이 죽는 소리로 빼돌리고, 저 자식이 앓는 소리로 빼돌려, 할머니를 거지를 만들어 놓았어도 불효자식들 원망은커녕 형제간에 의 상할까 걱정하시어 끝내는 혼자만 아시고 아무 말씀 안 하신 할머니의 마음, 이제 마음 놓고 가셔서 할아버지 만나서 다 이르세요. 그럼 안녕히 가세요! 우리 아버지 보시면 꿈에라도 한번 들러 가시라고 전해 주세요. (눈물 고름을 태워 드린다.)

음악 높아지며, 할머니의 혼백처럼 눈부시게 하얀 치마저고리가 공중으로 올라간다. 세탁기 속의 사람들도 빨래집게에 걸려 죽 걸린다.

강태국: (바라보고) 깨끗하다! 빨래 끝! (크게 웃는다.)

**다** 옛날 ㉠밥상머리에는
할아버지 할머니 얼굴이 있었고
어머니 아버지 얼굴과
형과 동생과 누나의 얼굴이 맛있게 놓여 있었습니다.
가끔 이웃집 아저씨와 아주머니 / 먼 친척들이 와서
밥상머리에 ㉡간식처럼 앉아 있었습니다.
어떤 때는 ㉢외지에 나가 사는
고모와 삼촌이 ㉣외식처럼 앉아 있기도 했습니다.
이런 얼굴들이 ㉤풀잎 반찬과 잘 어울렸습니다.

그러나 지금 내 새벽 밥상머리에는
고기반찬이 가득한 늦은 밥상머리에는
아들도 딸도 아내도 없습니다.

★ 학습 활동 응용

**09** (가)의 장면이 상징하는 의미로 가장 알맞은 것은?

① 의류 세탁이 이루어지는 실제 과정
② 활발한 의사소통을 통한 상호 간의 조화
③ 비현실적 장치를 통한 갈등 관계의 표현
④ 고통스러운 현실에 대한 비판과 저항 의식
⑤ 사람들의 탐욕스러운 마음이 정화되는 과정

**10** (나)에 대한 반응으로 적절하지 **않은** 것은?

① 할머니의 임종이 상징적으로 표현되었군.
② 상대 배우 없이 혼자 하는 말이 대부분이야.
③ 갈등이 해소되며 사건이 마무리되는 단계로군.
④ 할머니의 재산이 어디에 있는지 끝까지 알려 주지 않는군.
⑤ '강태국'을 보며 독자들이 돈보다 중요한 가치가 있다는 사실을 깨달았으면 좋겠어.

서술형 ★ 학습 활동 응용

**11** 〈보기〉가 (다)를 쓴 시인의 대담 내용이라고 할 때, 다음 빈칸에 들어갈 말을 (다)의 시어를 활용해 각각 2어절로 쓰시오.

┤보기├

사람 중심이 아닌 돈 중심의 사회가 혼자 밥 먹는 사람을 많이 만든다. 이는 핵가족화를 넘어 가족의 해체를 낳았다. 그래서 여럿이 모여 밥 먹을 기회도 없고, 가족끼리 북적대며 사는 재미가 없다. 요새는 '소셜 다이닝(Social Dining)'이라고 누리 소통망(SNS)을 활용하여 혼자 사는 사람들끼리 만나서 밥을 먹는 일도 있다. 이것을 다른 방식으로 '얼굴 반찬이 되자'고 한 것이다.

(다)에서 시인은 (        ) 풍경과 (        ) 풍경을 대조함으로써 개인화된 현대 사회에서 따뜻한 공동체의 모습이 회복되기를 바라는 마음을 나타내고자 하였다.

**12** ㉠~㉤ 중, 다음 설명에 해당하는 것은?

• '끼니와 끼니 사이에 먹는 음식'을 의미함.
• '이웃집 아저씨와 아주머니, 먼 친척들'을 비유함.

① ㉠　　② ㉡　　③ ㉢　　④ ㉣　　⑤ ㉤

# [2] 자신 있게 말하기

 이해
❶ 자신의 말하기 상황 점검하기
❷ 말하기 불안의 원인 파악하기
❸ 말하기 불안에 대처하는 방법 알아보기

학습 포인트
❶ 말하기 불안의 개념과 원인
❷ 말하기 불안에 대처하는 방법

**1** 말하기 상황을 점검해 보면서, 자신이 말을 할 때 어려움을 겪는 이유를 파악해 보자.

**(1)** 다음 항목 중에서 자신에게 해당하는 사항에 표시하고, 표시한 개수만큼 '말하기 불안 온도계'에 색을 칠해 보자. (한 개당 5도)

예시 답≫

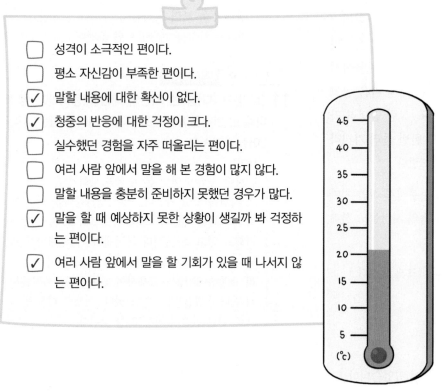

▲ 말하기 불안 온도계

- ☐ 성격이 소극적인 편이다.
- ☐ 평소 자신감이 부족한 편이다.
- ☑ 말할 내용에 대한 확신이 없다.
- ☑ 청중의 반응에 대한 걱정이 크다.
- ☐ 실수했던 경험을 자주 떠올리는 편이다.
- ☐ 여러 사람 앞에서 말을 해 본 경험이 많지 않다.
- ☐ 말할 내용을 충분히 준비하지 못했던 경우가 많다.
- ☑ 말을 할 때 예상하지 못한 상황이 생길까 봐 걱정하는 편이다.
- ☑ 여러 사람 앞에서 말을 할 기회가 있을 때 나서지 않는 편이다.

**(2)** 온도계의 눈금을 짝과 비교해 보고, 여러 사람 앞에서 말을 할 때 불안을 느끼는 이유가 무엇인지 서로 이야기해 보자.

예시 답≫ '말하기 불안 온도계'의 눈금을 보니, 심각한 정도는 아니지만 말하기 불안을 어느 정도는 느끼고 있는 것 같아. 평소 모든 일을 완벽하게 해내려고 하는 편인데, 말할 때 ☐☐를 한두 번 하다 보니 자신감이 떨어진 것 같아. 자신감이 떨어지니 자연스럽게 사람들 앞에서 말하는 걸 피하게 되고, 혹시라도 내가 준비하지 못한 것에 대해 사람들이 질문을 할까 봐 걱정도 했던 것 같아.

---

간단 체크 **활 동** 문제

**01** 말하기 불안의 정도를 점검하기 위한 항목으로 적절하지 않은 것은?

① 성격이 소극적인 편이다.
② 평소 자신감이 부족한 편이다.
③ 주로 차분하고 슬픈 노래를 즐겨 듣는 편이다.
④ 여러 사람 앞에서 말을 해 본 경험이 많지 않다.
⑤ 말을 할 때 예상하지 못한 상황이 생길까 봐 걱정하는 편이다.

중요
**02** 여러 사람 앞에서 말을 할 때 불안을 느끼는 이유로 알맞지 않은 것은?

① 청중의 반응에 대해 걱정해서
② 말할 내용을 너무 많이 준비해서
③ 말할 내용에 대한 확신이 없어서
④ 말할 때 실수를 할까 봐 두려워서
⑤ 자신이 준비하지 못한 것에 대해 사람들이 질문을 할까 봐

**2** 다음 만화를 보고, 여러 사람 앞에서 말을 할 때 어려움을 느끼는 원인을 알아보자.

| 갈래 | 만화, 웹툰 | 성격 | 사실적 |
|------|-----------|------|--------|
| 제재 | 발표 불안 | 주제 | 여러 사람 앞에서 말을 할 때 겪는 어려움 |
| 특징 | • 발표할 때 겪는 심리적 불안이 잘 드러남.<br>• 실제 발표 상황에서 겪을 만한 내용을 사실적으로 표현함. | | |

간단 체크 **활 동** 문제

**03** 다음은 이 만화의 내용을 정리한 것이다. 빈칸에 들어갈 내용으로 알맞은 것은?

| 제목 | ( ) |
|------|-----|
| 배경 | • 학교의 교실<br>• 오후 1시 이후 |
| 등장 인물 | '송우연' |
| 상황 | '송우연'이 수업 시간에 발표를 앞두고 있음. |

① 발표할 때의 올바른 자세
② 발표를 잘하기 위한 방법
③ 발표할 때 겪는 심리적 불안
④ 발표에 적절한 목소리의 크기
⑤ 발표할 때 고려해야 하는 요소

**04** 이 만화의 내용에 대한 설명으로 적절하지 않은 것은?

① '송우연'은 발표를 시작하며 목청을 가다듬고 있다.
② '송우연'은 자신의 이름이 호명되기 전 초조해하고 있다.
③ '송우연'은 자신이 발표자로 호명된 것에 감격하고 있다.
④ '송우연'은 주먹을 꽉 쥐고, 다리를 떨며 불안해하고 있다.
⑤ '송우연'이 식은땀을 흘리는 모습에서 매우 긴장했음을 알 수 있다.

– 한경찰, 「스피릿 핑거스 2화」

**05** 다음은 만화에 나타난 '송우연'의 상황을 정리한 표이다. 빈칸에 들어갈 내용으로 알맞은 것은?

- 손바닥이 흥건해지고 머리가 어지러워짐.
- 자신 있게 말을 하지 못함.

발표에 ( )

① 흥미를 느낌.
② 관심을 유도함.
③ 도움을 부탁함.
④ 부담감을 느낌.
⑤ 자료를 제시함.

**(1)** 이 만화에서 '송우연'이 발표 시간을 제일 싫어하는 이유를 써 보자.

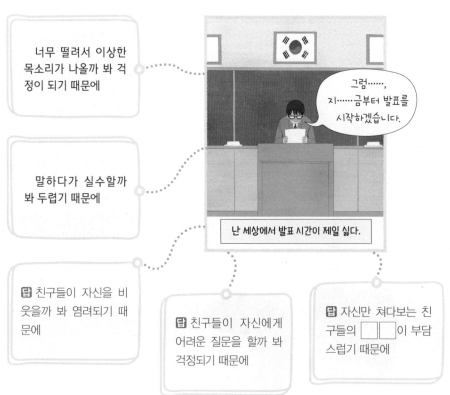

너무 떨려서 이상한 목소리가 나올까 봐 걱정이 되기 때문에

말하다가 실수할까 봐 두렵기 때문에

난 세상에서 발표 시간이 제일 싫다.

그럼……, 지……금부터 발표를 시작하겠습니다.

📝 친구들이 자신을 비웃을까 봐 염려되기 때문에

📝 친구들이 자신에게 어려운 질문을 할까 봐 걱정되기 때문에

📝 자신만 쳐다보는 친구들의 ☐☐이 부담스럽기 때문에

**06** 이 만화에서 '송우연'이 발표 시간을 싫어하는 이유에 해당하는 것은?

① 친구들이 짓궂은 질문을 할까 봐 걱정되어서
② 친구들이 자신을 비웃을까 봐 염려가 되어서
③ 자신보다 친구들이 발표를 더 잘할 것 같아서
④ 친구들이 집중하지 않고 성의 없이 반응할 것 같아서
⑤ 중요한 내용을 실수로 빠트리고 말하지 않을 것 같아서

**(2)** '송우연'이 겪는 어려움을 해결할 수 있는 방법을 써 보자.

간단 체크 **활동** 문제

- 자신감이 생길 때까지 발표 연습을 한다.
- 예시 답》 청중이 질문할 내용을 짐작해 보고, 이에 대한 □□을 마련해 놓는다.
- 너무 긴장되었을 때는, 깊게 숨을 쉬면서 호흡을 가다듬고 간단한 체조를 하면서 몸을 풀어 준다.
- 바로 대답하기 어려운 질문을 받으면 모르고 있다는 사실을 밝히고, 나중에 알아보고 알려 주겠다고 당당하게 대답한다.

**07** 다음은 발표 불안에서 벗어날 수 있는 방법을 정리한 것이다. 빈칸에 공통적으로 들어갈 알맞은 말을 쓰시오.

- 발표하기 전: 청중이 □□ 할 내용을 짐작해 본다.
- 발표하는 중: 바로 대답하기 어려운 □□을/를 받으면 나중에 알아보고 알려 주겠다고 당당하게 대답한다.

**(3)** 다음 청중의 태도를 참고하여, 발표를 마친 '송우연'에게 도움을 줄 수 있는 말을 써 보자.

**08** 발표를 듣는 청중의 태도로 올바른 것은?
① 궁금한 점은 곧바로 질문한다.
② 동의하는 발표 내용에 고개를 끄덕인다.
③ 발표자에게 청중을 배려해 달라고 요구한다.
④ 발표 내용에서 틀린 부분을 찾기 위해 노력한다.
⑤ 발표자가 당황하지 않도록 눈을 마주치지 않는다.

우연아, 발표한 내용은 잘 들었어.
목소리는 조금 떨렸지만, 적당한 속도로 발표해 주어서 내용을 잘 들을 수 있었어. 발표하는 것만으로도 긴장되었을 텐데 청중을 배려해 주어서 고마워.

예시 답》 네가 적당한 속도로 또박또박 말해 준 덕분에 중요한 내용을 공책에 정리하면서 들을 수 있었어. 궁금한 점도 적어 놓았으니까 나중에 따로 물어볼게.
또 너는 발표를 하면서 우리를 한 명 한 명 바라봐 주더라? 준비한 발표 내용을 열심히 전달하려는 너의 마음이 느껴지더라고. 그래서 나도 너를 집중하여 쳐다보았고, 동의하는 부분에는 고개를 끄덕였어. 네가 던진 질문에 대답하기도 했는데, 발표할 때 도움이 되었다면 좋겠어.

**3** 다음 글을 읽고, 말하기 불안에 대처하는 방법을 알아보자.

| 갈래 | 칼럼 | 성격 | 경험적, 교훈적 |
|---|---|---|---|
| 제재 | 발표 불안 | 주제 | 발표 불안을 해소하는 방법 |
| 특징 | 자신의 경험 속에서 깨달은 문제 해결 방법을 알기 쉽게 설명함. | | |

예전에는 사람들 앞에서 발표하는 게 무척 힘들었다. 심장이 두근거리는 건 다반사였고 목소리가 떨려서 하고 싶은 말도 제대로 못했다. 머릿속 말들이 수증기처럼 날아가 버릴까 두려워서 종이에 꼼꼼히 적어 놓고 읽기도 했다. 하지만 지금은 웬만해서는 잘 안 떤다.

그전에는 '발표하다 긴장해서 얼굴이 빨개지면 창피할 텐데……'라는 생각이 치밀어 올라 불안해졌는데 이제는 '창피 좀 당하고 말지 뭐.'라며 뻔뻔함을 키웠더니 불안이 줄었다. 실수할까 봐 떨릴 때에도 '차라리 실수해 버리지 뭐.'라고 속으로 읊조리니까 오히려 덜 긴장하게 됐다. '마음 좀 단단히 먹어.'라며 자기를 다그치기보다 '불안해도 괜찮다.'라고 생각하니 편해졌다. 쉽게 불안해지고 마는 나 자신을 부끄럽게 여기지 않고, 있는 그대로 받아들이니까 불안이 확 줄었다.

상담을 하다 보면 여러 사람 앞에서 말해야 할 때마다 불안해진다며 찾아오는 이가 꽤 많다. 정신적으로 심각한 문제가 있는 것도 아닌데 발표가 공포라고 했다. 본인이 세운 회사의 직원들 앞에서 신년 연설하는 것이 두려워 아랫사람에게 대신 시키는 사장님도 있었다.

이런 사람들을 보면서 '부러워할 만한 성취를 해도 불안한 건 매한가지구나.'라는 걸 경험으로 확인할 수 있었다. 겉만 보고 부러워했던 마음이 없어지니 내 안에 남아 있던 불안도 날아가 버렸다.
> 목적한 바를 이룸.   결국 서로 같음.

발표 불안은 불안을 느끼는 자신을 창피하게 여기기 때문에 생기는 것이다. 불안해도 되고, 남들도 나만큼 불안해한다는 걸 깨닫게 되면 마음은 한결 편해지기 마련이다. 나를 부끄러워하지 않고, 남을 부러워하지 않게 되면 불안도 사라진다.

– 김병수, 「발표 불안」

**09** 이 글에 나타난 글쓴이의 예전 모습이 <u>아닌</u> 것은?
① 발표할 때 목소리가 떨렸다.
② 발표하기 전에 심장이 두근거렸다.
③ 발표 불안을 있는 그대로 받아들였다.
④ 발표하기 전에 내용을 꼼꼼히 적어 놓았다.
⑤ 발표할 때 하고 싶은 말을 제대로 하지 못했다.

**10** 글쓴이가 생각하는 발표 불안의 원인으로 알맞은 것은?
① 발표하는 자신의 모습이 어색해서
② 정신적으로 심각한 문제가 있어서
③ 발표를 잘하는 사람을 부러워해서
④ 불안을 느끼는 자신을 창피하게 여겨서
⑤ 자신이 느끼는 불안을 상대방이 느낄까 봐 걱정해서

**(1)** 말하기 불안을 극복하기 전과 극복한 후에 글쓴이의 태도가 어떻게 달라졌는지 정리해 보자.

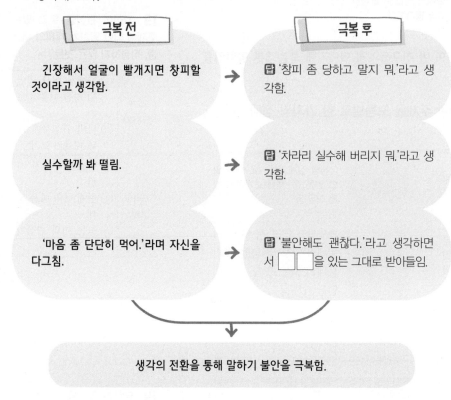

극복 전
- 긴장해서 얼굴이 빨개지면 창피할 것이라고 생각함.
- 실수할까 봐 떨림.
- '마음 좀 단단히 먹어.'라며 자신을 다그침.

극복 후
- 답 '창피 좀 당하고 말지 뭐.'라고 생각함.
- 답 '차라리 실수해 버리지 뭐.'라고 생각함.
- 답 '불안해도 괜찮다.'라고 생각하면서 □□을 있는 그대로 받아들임.

생각의 전환을 통해 말하기 불안을 극복함.

**(2)** 여러 사람 앞에서 말을 할 때 겪는 어려움을 극복한 사례를 더 찾아보고, 이에 대해 친구들과 이야기를 나누어 보자.

**예시 답>** 2차 세계 대전이 배경인 「킹스 스피치」라는 영화를 보면, 말을 심하게 더듬는 왕이 주인공으로 등장해. 그 때문에 왕은 여러 사람 앞에서 말하는 것을 꺼렸지. 하지만 당시는 전쟁 중이었고, 모든 국민은 불안한 세계 정세를 극복해 낼 수 있는 새로운 지도자를 간절히 바라고 있었어. 왕도 국민들에게 힘을 주고 싶었어. 그래서 왕은 언어 치료사에게 치료를 받으면서 열심히 연설을 준비했어. 왕은 꿋꿋하게 연설을 해 나갔고, 그 연설은 국민 모두의 마음을 울리게 되었지.

---

**학습콕**

**❶ 말하기 불안의 개념과 원인**

| 개념 | 여러 사람 앞에서 말을 하기 전 또는 말을 하는 과정에서 개인이 경험하는 불안 증상을 의미함. |
|---|---|
| 원인 | • 말하기 □□를 제대로 하지 않았을 경우<br>• 공식적인 상황에 익숙하지 않은 경우<br>• 상대방 혹은 말하기 과제에 대하여 과도한 부담을 느끼는 경우 |

**❷ 말하기 불안에 대처하는 방법**
- '유창한 말하기'에 대한 잘못된 생각을 바꿈.
- 철저한 준비와 □□을 통해 말하기에 대한 자신감을 얻음.

---

**간단 체크 활동 문제**

**중요**

**11** 다음은 이 글의 글쓴이가 말하기 불안을 극복한 방법이다. 빈칸에 들어갈 내용으로 알맞은 것은?

| 극복 전 | 긴장해서 얼굴이 빨개지면 창피할 것이라고 생각함. |
|---|---|
| 극복 후 | ( ) |

① 실수하지 않겠다고 다짐함.
② 다른 사람에게 말하기를 시킴.
③ 창피를 당하겠다고 편하게 생각함.
④ 긴장하지 않도록 자신을 계속 다그침.
⑤ 다른 사람의 발표 장면을 보고 따라 함.

**중요**

**12** 말하기 불안에 대한 설명으로 알맞지 **않은** 것은?

① 말하기 불안은 철저한 준비와 연습을 통해 극복할 수 있다.
② 말하기 불안은 공식적인 상황을 자주 경험할 경우 생길 수 있다.
③ 말하기 상황에 대한 과도한 부담으로 말하기 불안을 경험할 수 있다.
④ 말하기 준비를 제대로 하지 않았을 경우 말하기 불안을 느낄 수 있다.
⑤ '유창한 말하기'에 대한 잘못된 생각을 바꿈으로써 말하기 불안을 완화할 수 있다.

## [2] 자신 있게 말하기

적용
❶ 생활과 관련한 주제를 정해 말할 내용 마련하기
❷ 발표 연습을 통해 말하기 과정에서 느낀 점 말하기
❸ 3분 말하기를 하고, 기준에 따라 평가하기

자신이 관심을 두고 있는 주제에 대하여 반 친구들에게 이야기해 보는 3분 말하기를 해 보자.

**1** 다음과 같이 우리 생활과 관련한 주제를 모둠별로 한 가지씩 정해 말할 내용을 마련해 보자.

| 취미 | 좋아하는 취미의 매력, 취미를 통해 얻을 수 있는 점 등 |

| 책 | 감명 깊게 읽은 책, 책을 읽고 얻은 점, 책을 소개하고 싶은 이유 등 |

| 사람 | 내가 좋아하는 사람, 내가 본받고 싶은 사람, 나를 변화시킨 사람, 나에게 감동을 준 사람 등 |

| 기타 | 예시 답》 우리 동네 – 우리 동네의 역사 및 명물, 우리 동네의 숨은 맛집, 나만의 단골 가게 등 |

| 주제 | 예시 답》 나를 변화시킨 사람, 내가 변화시키는 사람 |

| 구성 | 말할 내용 |
|---|---|
| 처음 | • 인사 및 발표자 소개   예시 답》 • 주제를 선정한 이유 소개 |
| 가운데 | 예시 답》 • 봉사 활동을 하게 된 ☐☐<br>– 중학교 2학년 때 사춘기를 겪으며 성적이 떨어지고 삶의 목표를 잃음.<br>– 의미 있는 경험을 해 보라는 선생님의 권유로 봉사 활동을 신청하게 됨.<br>• 봉사 활동을 하며 만난 사람들<br>– 치매 노인을 묵묵히 돌보는 사회 복지사 분들을 보며 감동을 얻음.<br>– 치매 노인을 돌보며 그분들이 살아온 이야기를 듣고 연민을 느끼게 됨.<br>• 봉사 활동을 하며 ☐☐☐☐<br>– 치매 환자 대부분이 제대로 된 돌봄을 받지 못한다는 점이 안타까움.<br>– 사회 복지사가 되어 도움이 필요한 사람에게 힘과 용기를 주고 싶음. |
| 끝 | 예시 답》 • 힘들고 어려운 때일수록 다른 사람을 돕는 일을 해 보라는 당부<br>• 끝인사 |

**2** 모둠 구성원끼리 모여 한 사람씩 돌아가며 발표 연습을 해 보고, 다음을 참고하여 말하기 과정에서 느꼈던 점을 말해 보자.

• 발표자는 말하기 과정에서 겪을 수 있는 어려움에 어떻게 대처하였는지, 청중의 반응이 자신의 발표에 어떤 영향을 미쳤는지 이야기한다.
• 청중은 발표를 들을 때 자신의 듣기 태도가 어떠했는지 생각해 보고, 발표자에게 긍정적인 영향을 줄 수 있는 반응에는 어떤 것들이 더 있을지 이야기한다.

---

### 간단 체크 활동 문제

**13** 자신이 관심을 두고 있는 주제에 대한 말하기 계획의 내용 중, 적절하지 <u>않은</u> 것은?

| 주제 정하기 | ① 나에게 인상 깊었던 경험 떠올려 보기<br>② 나의 관심사에 대해 떠올려 보기 |
|---|---|
| 고려할 사항 | ③ 발표에 주어진 시간<br>④ 현재 나의 마음 상태<br>⑤ 듣는 이의 관심이나 흥미 |

**14** 말하기 주제를 고려할 때, 다음 빈칸에 들어갈 내용으로 가장 적절한 것은?

| 주제 | 나를 변화시킨 사람 |
|---|---|

| 처음 | 주제를 선정한 이유 |
|---|---|
| 가운데 | • 봉사 활동을 하게 된 계기<br>• (          )<br>• 봉사 활동을 하며 깨달은 점 |
| 끝 | 힘들고 어려운 때일수록 다른 사람을 돕는 일을 해 보라는 당부 |

① 봉사 활동의 종류
② 앞으로의 봉사 활동 계획
③ 봉사 활동을 추천하는 이유
④ 봉사 활동에 참여하는 방법
⑤ 봉사 활동을 하며 만난 사람들

**예시 답** 〉〉 아직 여러 사람 앞에서 발표하는 것에 익숙하지 않아서 매끄럽게 말하지 못했어. 막힘없이 발표할 수 있을 때까지 많이 연습해야 할 것 같아. 모둠별 발표 연습인데도 생각보다 떨렸지만 □□를 끄덕이면서 경청해 주는 너희를 보니 힘이 났어.

**간단 체크 활동 문제**

**15** 발표자에 대한 평가 기준으로 적절하지 <u>않은</u> 것은?

① 목소리의 크기와 말하는 속도는 적절했는가?
② 발표 내용에 대한 사전 준비가 잘 되었는가?
③ 청중의 관심이나 흥미, 수준을 고려하였는가?
④ 발표에 적절한 준언어·비언어적 표현을 사용하였는가?
⑤ 청중의 반응에 흔들리지 않고 말하려는 내용을 빠짐없이 전달했는가?

**3** 모둠별로 연습한 내용을 바탕으로 반 친구들 앞에서 3분 말하기를 해 보고, 아래의 기준에 따라 평가해 보자.

| 평가 기준 | |
| --- | --- |
| • 발표 내용에 대한 사전 준비가 잘 되었는가? | ☆☆☆☆☆ |
| • 청중의 관심이나 흥미, 수준을 고려하였는가? | ☆☆☆☆☆ |
| • 목소리의 크기와 말하는 속도는 적절했는가? | ☆☆☆☆☆ |
| • 발표에 적절한 준언어·비언어적 표현을 사용하였는가? | ☆☆☆☆☆ |

**발표자**

| 평가 기준 | |
| --- | --- |
| • 발표자의 발표 내용을 경청하였는가? | ☆☆☆☆☆ |
| • 발표자의 발표에 긍정적인 반응을 보였는가? | ☆☆☆☆☆ |

**청중**

**예시 답** 〉〉 생략

**활동 마당**

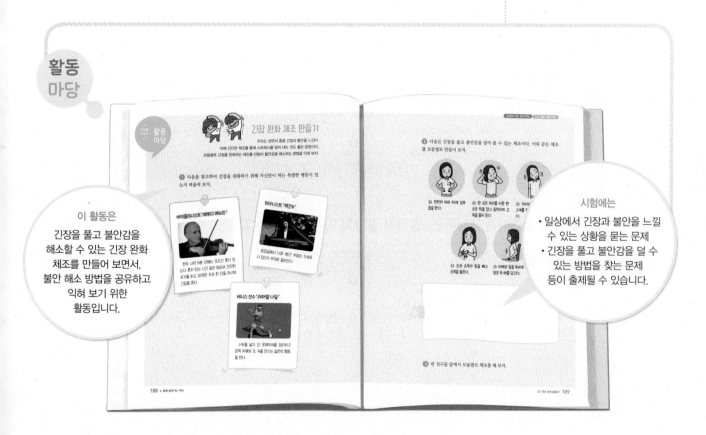

이 활동은

긴장을 풀고 불안감을 해소할 수 있는 긴장 완화 체조를 만들어 보면서, 불안 해소 방법을 공유하고 익혀 보기 위한 활동입니다.

시험에는

• 일상에서 긴장과 불안을 느낄 수 있는 상황을 묻는 문제
• 긴장을 풀고 불안감을 덜 수 있는 방법을 찾는 문제

등이 출제될 수 있습니다.

• 정답과 해설 22쪽

## ●● 말하기 불안의 개념과 원인

| 개념 | 여러 사람 앞에서 말을 하기 전 또는 말을 하는 과정에서 개인이 경험하는 불안 증상을 의미함. |
|---|---|
| 원인 | • 말하기 준비를 제대로 하지 않았을 경우<br>• ❶⬚⬚⬚인 상황에 익숙하지 않은 경우<br>• 상대방 혹은 말하기 과제에 대하여 과도한 부담을 느끼는 경우 |

## ●● 말하기 불안에 대처하는 방법

• '유창한 말하기'에 대한 잘못된 생각을 바꾼다.
• 철저한 준비와 연습을 통해 말하기에 대한 ❷⬚⬚⬚을 얻는다.

## ●● 만화에서 '송우연'이 겪는 말하기 불안

| '송우연'이 발표 시간을 제일 싫어하는 이유 | 해결 방안 |
|---|---|
| • 너무 떨려서 이상한 소리가 나올까 봐 걱정되기 때문에<br>• 말하다가 ❸⬚⬚할까 봐 두렵기 때문에<br>• 친구들이 자신을 비웃을까 봐 염려되기 때문에<br>• 친구들이 자신에게 어려운 ❹⬚⬚을 할까 봐 걱정되기 때문에<br>• 자신만 쳐다보는 친구들의 시선이 부담스럽기 때문에 | • ❺⬚⬚⬚이 생길 때까지 발표 연습을 함.<br>• 청중이 질문할 내용을 짐작해 보고, 이에 대한 답변을 마련해 놓음.<br>• 너무 긴장될 때는, 깊게 숨을 쉬면서 호흡을 가다듬고 간단한 체조를 하면서 몸을 풀어 줌.<br>• 바로 대답하기 어려운 질문을 받으면 모르고 있다는 사실을 밝히고, 나중에 알아보고 알려 주겠다고 당당하게 대답함. |

## ●● 「발표 불안」의 글쓴이가 말하기 불안을 극복한 방법

| 극복 전 | 극복 후 |
|---|---|
| • 긴장해서 얼굴이 빨개지면 창피할 것이라고 생각함.<br>• 실수할까 봐 떨림.<br>• '마음 좀 단단히 먹어.'라며 자신을 다그침. | • '창피 좀 당하고 말지 뭐.'라고 생각함.<br>• '차라리 실수해 버리지 뭐.'라고 생각함.<br>• '불안해도 괜찮다.'라고 생각하면서 불안을 있는 그대로 받아들임. |

❻⬚⬚의 전환을 통해 말하기 불안을 극복함.

## ●● 「발표 불안」의 글쓴이가 생각하는, 말하기 불안의 이유와 해소 방법

| 말하기 불안의 이유 | 불안을 느끼는 자신을 창피하게 여기기 때문임. |
|---|---|

| 해소 방법 | • 불안해도 된다고 인정함.<br>• 남들도 나만큼 불안해한다는 것을 깨달음.<br>• 자기 스스로를 ❼⬚⬚⬚⬚하지 않음.<br>• 남을 ❽⬚⬚⬚하지 않음. |
|---|---|

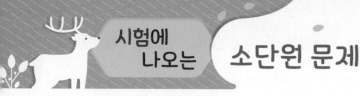
01~05 다음을 읽고, 물음에 답하시오.

그럼……, 지……금부터 발표를 시작하겠습니다.  ㉠

난 세상에서 발표 시간이 제일 싫다.

떨려서 목소리가 염소처럼 나오면 어떡하지?  메에에~  ㉡

말하다가 실수하면 어떡하지?  삐끼익!

애들이 비웃으면 어떡하지?  ㉢

나 예전에는 사람들 앞에서 발표하는 게 무척 힘들었다. 심장이 두근거리는 건 다반사였고 목소리가 떨려서 하고 싶은 말도 제대로 못했다. 머릿속 말들이 수증기처럼 날아가 버릴까 두려워서 종이에 꼼꼼히 적어 놓고 읽기도 했다. 하지만 지금은 ㉣웬만해서는 잘 안 떤다.

그전에는 '발표하다 긴장해서 얼굴이 빨개지면 창피할 텐데…….'라는 생각이 치밀어 올라 불안해졌는데 이제는 '창피 좀 당하고 말지 뭐.'라며 ㉤뻔뻔함을 키웠더니 불안이 줄었다. 실수할까 봐 떨릴 때에도 '차라리 실수해 버리지 뭐.'라고 속으로 읊조리니까 오히려 덜 긴장하게 됐다. '마음 좀 단단히 먹어.'라며 자기를 다그치기보다 '불안해도 괜찮아.'라고 생각하니 편해졌다. 쉽게 불안해지고 마는 나 자신을 부끄럽게 여기지 않고, 있는 그대로 받아들이니까 불안이 확 줄었다.

**01** (가), (나)에서 공통적으로 다루고 있는 내용으로 알맞은 것은?

① 말하기 불안
② 발표자와 청중의 관계
③ 말하기에 대한 고정 관념
④ 청중의 관심을 끄는 말하기 방법
⑤ 발표자에게 긍정적인 영향을 주는 청중의 태도

★ 학습 활동 응용

**02** (가)에서 주인공이 처한 상황으로 알맞지 않은 것은?

① 수업 시간에 발표를 하고 있다.
② 발표 중에 실수를 많이 하고 있다.
③ 친구들이 자신을 비웃을까 봐 걱정하고 있다.
④ 이상한 목소리로 발표할까 봐 염려하고 있다.
⑤ 고개를 들지 못하고 자신 있게 말하지 못하고 있다.

✏ 서술형

**03** 다음은 (나)에 나타난 글쓴이의 예전 모습을 정리한 것이다. 빈칸에 들어갈 알맞은 내용을 쓰시오.

> • (                                        )
> • 목소리가 떨려서 하고 싶은 말을 제대로 못함.
> • 머릿속 말들이 사라질까 두려워 종이에 발표 내용을 꼼꼼히 적어 놓고 읽음.

★ 학습 활동 응용

**04** (나)에서 글쓴이가 말하기 불안을 극복할 수 있었던 방법으로 알맞은 것은?

① 발표 내용을 통째로 외웠다.
② 말하기에 대한 생각을 전환하였다.
③ 실수하지 않기 위해 자신을 다그쳤다.
④ 사람들 앞에서 발표할 기회를 자주 만들었다.
⑤ 발표할 때 청중에 대한 기대 수준을 낮추었다.

**05** ㉠~㉤에 대한 설명으로 알맞지 않은 것은?

① ㉠: 발표에 부담을 느끼는 모습이 나타난다.
② ㉡: 긴장한 목소리를 염소 소리에 빗대어 표현했다.
③ ㉢: 청중의 태도와 관련한 걱정에 해당한다.
④ ㉣: 글쓴이의 현재 상태에 해당한다.
⑤ ㉤: 글쓴이가 말하기 불안을 극복하는 데에 방해 요소로 작용한 것이다.

## 1.

- 여러 사람이 어지러이 뒤섞여 떠들어 대거나 뒤엉켜 뒤죽박죽이 된 상태. → 난장판
- 자기가 사는 곳 밖의 다른 고장. → 외지
- 사실 그대로 고함. → 이실직고
- 마음속으로 이리저리 따져 깊이 생각함. → 궁리
- 재물이 계속 나오는 보물단지. → 화수분

## 2.

- 전쟁으로 ( 일가 )가 다 뿔뿔이 흩어져 살았다.
- 위험한 길은 처음부터 피해 가는 게 ( 상책 )이다.
- 그 조각은 전설 속 동물의 ( 형상 )을 하고 있었다.
- 알 수 없는 걱정과 ( 불안 ) 때문에 잠을 이룰 수 없었다.

## 3.

| 잡(雜): 뒤섞이다 | 기(記): 기록하다, 적다 | 장(帳): 휘장, 장막 |
|---|---|---|
| • 잡초(雜草): 가꾸지 않아도 저절로 나서 자라는 여러 가지 풀.<br>• 번잡(煩雜): 번거롭게 뒤섞여 어수선함. | • 기록(記錄): 주로 후일에 남길 목적으로 어떤 사실을 적음.<br>• 수기(手記): 자기의 생활이나 체험을 직접 쓴 기록. | • 장부(帳簿): 돈이나 물건의 수입과 지출을 기록하는 책.<br>• 일기장(日記帳): 그날그날 겪은 일이나 생각, 느낌 따위를 적는 장부. |

**확인 문제**

**01 밑줄 친 낱말의 사용이 바르지 않은 것은?**

① 강아지가 뛰어다녀 집이 난장판이 되었다.

② 네가 지은 죄를 이실직고하는 것이 좋을 거야.

③ 재산을 모으기 위해서는 한 푼이라도 절약하는 것이 상책이다.

④ 돈을 그렇게 흥청망청 쓰고 다니면 화수분이라도 못 당할 거야.

⑤ 동생은 어머니가 나의 편만 든다며 불안에 찬 표정으로 입을 삐죽거렸다.

**01~05** 다음 글을 읽고, 물음에 답하시오.

**가** 안유식: (세탁소 사람들을 훑어보며) 알았어, 일단 가자고. (강태국에게 명함을 주며) 나중에라도 생각나는 게 있으면 전화 주시고……. 저희가 다시 오겠습니다. (강태국에게 슬쩍) 명함 보시면 아시겠지만 만에 하나 불미스러운 일이 생기믄, 뭐, 말하지 않아도 아시겠죠? / 강태국: (기가 막혀 웃으며) ⓐ어쨌거나 어머님 잘 보내 드리시죠.

안유식: ( ㉠ ) 아무래도 안 되겠어. 저, 말이지……. 누구든지 먼저 찾는 사람한테 50 프로를 주겠소!

사람들: (놀라) 50 프로!

**나** ⓑ암전. 무대 밝아지면 어두운 무대. 다림질대를 밝히는 백열전구 아래 강태국이 러닝셔츠 차림으로 열심히 김을 뿜어 대며 다림질을 하고 있다. 어두운 무대에 작은 불빛들이 반짝이며 움직인다. ⓒ어둠 속을 누비는 불빛들. 장민숙과 강대영, 염소팔, 안유식과 허영분, 안경우, 서옥화, 안미숙이다. 곡예를 하듯 옷과 옷 사이를 누비고 숨으며 각기 결심을 피력한다.

**다** 강태국, 고개를 갸웃거리며 옷들 사이를 이리저리 살펴본다. 다시 흥얼거리며 옷을 정리하는 강태국. 잠깐 놀란 듯이 멈추며 옷을 들고 서 있다가 세탁대로 와서 아버지의 잡기장을 뒤진다.

강태국: 그렇지, 할머니가 처음 세탁물을 맡겼을 때가 아버지가 살아 계셨을 때니까. (세탁대에 앉아 잡기장을 읽으며 고개를 끄덕인다.) 아버지! ⓓ그래, 여기 있네, 있어.

**라** 음악. 어둠 속에서 본격적으로 벌어지는 수색 전쟁. 이때 세탁소에 불이 확! 켜진다. 드러난 사람들 꼬라지. 코피 찍, 머리 산발, 자빠지고, 엎어지고, 찢어지고, 터지고……. ⓔ강태국이 두꺼비집 옆에 서 있다. 놀라는 사람들. 놀라는 강태국.

강태국: 대영아! / 강대영: (머리를 부여잡고 운다.) 아빠!

강태국: (아내에게) 다, 당신 미쳤어?

장민숙: 미쳤, 아야, 또 혀 깨물었다!

강태국: 염소팔, 너 이놈! / 염소팔: 히히이잉……. 헹님!

**01** 이 글을 연극으로 공연한다고 할 때, 연출자의 지시 사항으로 알맞지 <u>않은</u> 것은?

① (가): '안유식'은 처음에는 고압적인 말투를 쓰도록 하세요.
② (가): '강태국'은 안도하는 마음으로 기쁜 표정을 지어 주세요.
③ (나): '강태국'이 입을 러닝셔츠를 준비해 주세요.
④ (다): 잡기장에 조명을 비추어 강조해 주세요.
⑤ (라): 불이 켜지면 출연자 분들은 전부 동작을 일시에 멈추어 주세요.

**02** 이 글의 갈등 양상이 다음과 같이 바뀐 계기가 된 대사를 (가)에서 찾아 한 문장으로 쓰시오.

| (가) 이전의 갈등 양상 | (가) 이후의 갈등 양상 |
| --- | --- |
| 안 패거리 ↔ 세탁소 사람들 | '강태국' ↔ '강태국'을 제외한 나머지 사람들 |

**03** (라)에서 '강태국'이 실망하고 분노한 이유에 해당하는 것은?

① 아내가 혀를 또 깨물었기 때문에
② 세탁소가 엉망진창이 되었기 때문에
③ 두꺼비집이 한 번에 켜지지 않았기 때문에
④ 세탁소 사람들마저 할머니 재산을 탐냈기 때문에
⑤ 사람들의 모습이 서로 싸운 것처럼 보였기 때문에

**04** ㉠에 들어갈 지시문으로 알맞은 것은?

① 가다가 돌아서서    ② 화가 난 목소리로
③ 서글픈 표정으로    ④ 고개를 끄덕거리며
⑤ 놀란 마음을 달래며

**05** ⓐ~ⓔ에 대한 설명으로 적절하지 <u>않은</u> 것은?

① ⓐ: 인간적인 도리를 중시하는 태도가 나타난다.
② ⓑ: 시간이 지나 밤이 되었음을 의미한다.
③ ⓒ: 세탁소에 몰래 숨어든 사람들의 모습을 나타낸다.
④ ⓓ: 아버지의 잡기장을 찾았다는 의미이다.
⑤ ⓔ: 불을 켠 사람이 '강태국'임을 의미한다.

**06~09** 다음 글을 읽고, 물음에 답하시오.

**가** 안미숙: (안경우에게) 김순례 아냐?

안경우: 아냐, 안중댁이라 그러는 거 같던데……

허영분: 그거야 어머님 고향이 안중이고……

**나** 강태국: 이게 사람의 형상이야? 뭐야! 뭐에 미쳐서 들뛰다가 지 형상도 잊어버리는 거냐고. (손에 든 옷 보따리를 흔들어 보이며) 이것 때문에 그래? 1998년 9월 김순임?

장민숙: (감격에) 여보! / 강대영: 엄마, 아빠가 찾았다!

안경우: (동생을 때리며) 야, 김순임이잖아!

안유식: (다가가며) 이리 줘!

강태국: (뒤로 물러서며) 못 줘! / 장민숙: 여보, 주지 마!

사람들: (따라서 다가서며) 줘! / 강대영: 아빠, 나!

**다** 강태국: 에이, 나쁜 사람들. (옷을 가지고 문으로 향하며) 나 못 줘! (울분에 차서) 이게 무엇인지나 알어? 나 당신들 못 줘. 내가 직접 할머니 갖다 드릴 거야.

장민숙: 여보, 나 줘! / 강대영: 아버지, 나요!

강태국: 안 돼, 할머니 갖다줘야 돼. 왠지 알어? 이건 사람 것이거든. 당신들이 사람이믄 주겠는데, ㉠당신들은 형상만 사람이지 사람이 아니야. 당신 같은 짐승들에게 사람의 것을 줄 순 없어. (나선다.)

**라** 사람들, 강태국을 향해 서로 밀치고 잡아당기고 뿌리치며 간다. 세탁기로 밀리는 강태국.

강태국, 재빨리 옷을 세탁기에 넣는다. 사람들 서로 먼저 차지하려고 세탁기로 몰려 들어간다. 강태국이 얼른 세탁기 문을 채운다. 놀라는 사람들, 세탁기를 두드린다.

강태국, 버튼 앞에 손을 내밀고 망설인다. 사람들 더욱 세차게 세탁기 문을 두드린다. 강태국, 버튼에 올려놓은 손을 부르르 떨다가 강하게 누른다. 음악이 폭발하듯 시작되고 굉음을 내고 돌아가는 세탁기. 무대 가득 거품이 넘쳐난다. ㉡빨래 되는 사람들의 고통스러운 얼굴이 유리에 부딪혔다 사라지고, 부딪혔다 사라지고……

**마** 음악 높아지며, 할머니의 혼백처럼 눈부시게 하얀 치마저고리가 공중으로 올라간다. 세탁기 속의 사람들도 빨래집게에 걸려 죽 걸린다.

강태국: (바라보고) 깨끗하다! 빨래 끝! (크게 웃는다.)

**06** (가)~(다)에 대한 설명으로 알맞지 <u>않은</u> 것은?

① 갈등의 주된 원인은 '옷 보따리' 때문이다.
② '강태국'과 그 외 사람들 간의 갈등이 나타난다.
③ '강태국'은 옷 보따리를 가족에게 돌려주려 한다.
④ 사람들은 '강태국'이 찾은 옷 보따리를 빼앗으려 한다.
⑤ '강태국'을 제외한 인물들을 통해 물질을 중시하는 세태를 읽을 수 있다.

🖊️ **고난도 서술형**

**07** 〈보기〉는 '오아시스'에 대한 설명이다. 〈보기〉와 (라)~(마)의 내용을 참고하여, 이 글의 제목인 '오아시스 세탁소'의 의미를 〈조건〉에 맞게 쓰시오.

┤보기├
• 오아시스: 사람이 살기 어려운 사막에서 샘이 솟고 풀과 나무가 자라는 곳을 의미함.

┤조건├
① 글에 반영된 사회·문화적 상황을 쓸 것
② '~은/는 공간이다.'라는 형식으로 쓸 것

**08** ㉠에 담긴 '강태국'의 심리 및 태도로 알맞지 <u>않은</u> 것은?

① 탐욕에 눈이 먼 사람들을 비난하고 있다.
② 자신의 가족들마저 물질에 현혹된 모습을 보고 실망하고 있다.
③ 어머니의 이름조차 모르는 할머니 가족들의 무관심에 분노하고 있다.
④ 인간의 기본적인 도리를 잊고, 욕망만을 좇는 사람들의 모습에 씁쓸해하고 있다.
⑤ 짐승의 탈을 쓰면서까지 할머니의 재산을 찾으려고 하는 사람들을 비판하고 있다.

**09** 작가가 ㉡을 통해 전달하려는 바로 가장 알맞은 것은?

① 죄를 지으면 반드시 벌을 받게 된다.
② 고통을 통해 깨달음을 얻을 수 있다.
③ 망설임 없이 실행하는 용기가 필요하다.
④ 고난 속에서도 희망을 잃어서는 안 된다.
⑤ 사람들의 탐욕스러운 마음이 깨끗해지고 있다.

**10~13** 다음 글을 읽고, 물음에 답하시오.

**가** 장민숙: (낯선 목소리로) 두 사람!

두 사람 돌아본다.

장민숙: (처음 보는 얼굴로) 정말 할머니한테 아무것도 안 받았어?

강태국: (세탁소로 달려간다.) 에이! (세탁소를 부순다.) 이 놈의 세탁소 다 불 싸질러 버려! (세탁소를 뒤엎는다.)

장민숙: (남편을 붙잡으며) 아이고, 여보, 잘못했어!

염소팔: (말리며) 형님, 참아요!

**나** 그들은 강태국의 뒤에서, 밑에서, 앞에서 숨어서 마치 임무를 수행하는 첩보원들처럼 검은 복색 일색으로 우스꽝스럽게 꾸며 입고 세탁소에 잠입하여 서로가 모르려니 제 생각만 하고 옷들을 뒤지기 시작한다. 서로의 소리에 놀라면 야옹거리고, 서로의 그림자에 놀라면 찍찍거려 숨으며, 서로 스쳐 지나가면서도 돈에 눈이 가리어 알아보지 못한다.

**다** 작은 전등을 입에 물고, 머리에 달고, 손에 들고 옷과 옷 사이를 아슬아슬하게 누비는 불빛들. 전등 불빛에 드러나는 옷들이 마치 귀신 형상처럼 보인다. 불빛에 춤을 추는 옷들. 이리저리 집어던져져 날아다니는 옷들. 도깨비 옷 파티.

염소팔이 던진 옷에 백열등이 크게 흔들린다. 놀란 사람들 제풀에 얼른 옷 사이로 숨는다. 강태국이 백열등을 고정하며 주위를 둘러본다.

**라** 옛날 밥상머리에는
할아버지 할머니 얼굴이 있었고
어머니 아버지 얼굴과
형과 동생과 누나의 얼굴이 맛있게 놓여 있었습니다.
가끔 이웃집 아저씨와 아주머니
먼 친척들이 와서
밥상머리에 간식처럼 앉아 있었습니다.
어떤 때는 외지에 나가 사는
고모와 삼촌이 외식처럼 앉아 있기도 했습니다.
이런 얼굴들이 ㉠풀잎 반찬과 잘 어울렸습니다.

그러나 지금 내 새벽 밥상머리에는
고기반찬이 가득한 늦은 밥상머리에는

아들도 딸도 아내도 없습니다.
모두 밥을 사료처럼 퍼 넣고
직장으로 학교로 동창회로 나간 것입니다.

밥상머리에 ㉡얼굴 반찬이 없으니
인생에 재미라는 영양가가 없습니다.

---

**10** (가)~(다)와 (라)에 대한 설명으로 알맞지 <u>않은</u> 것은?

① (가)~(다)는 연극 상연을 목적으로 한 희곡이다.
② (가)~(다)는 시간과 공간, 등장인물의 수에 제약이 없다.
③ (가)~(다)는 대립과 갈등을 중심으로 하여 사건이 전개된다.
④ (라)는 말하는 이가 작품 속에 직접적으로 드러나 있다.
⑤ (라)는 생각이나 느낌을 운율이 있는 말로 압축하여 표현한 글이다.

**11** (라)를 통해 알 수 있는, 문학 작품과 사회·문화적 상황의 관계로 가장 적절한 것은?

① 문학 작품은 사회·문화적 상황을 반영한다.
② 문학 작품과 사회·문화적 상황은 서로 반대되거나 모순된다.
③ 문학 작품은 사회·문화적 상황을 아름답게 포장하여 표현한다.
④ 문학 작품은 사회·문화적 상황의 부정적인 면을 과장하여 나타낸다.
⑤ 문학 작품은 사회·문화적 상황의 부족한 부분을 보완하는 역할을 한다.

서술형

**12** ㉠과 반대되는 의미를 지닌 시어를 찾아 쓰시오.

**13** ㉡의 의미로 가장 알맞은 것은?

① 함께 식사하는 식구들
② '얼굴'이라는 이름의 나물 반찬
③ 식사를 통해 얻을 수 있는 즐거움
④ 밥상에서 가장 중심이 되는 반찬
⑤ 서로 다른 곳에서 밥을 먹는 사람들

**14~17** 다음을 읽고, 물음에 답하시오.

**다** 예전에는 사람들 앞에서 발표하는 게 무척 힘들었다. 심장이 두근거리는 건 다반사였고 목소리가 떨려서 하고 싶은 말도 제대로 못했다. 머릿속 말들이 수증기처럼 날아가 버릴까 두려워서 종이에 꼼꼼히 적어 놓고 읽기도 했다. 하지만 지금은 웬만해서는 잘 안 떤다.

**라** 상담을 하다 보면 여러 사람 앞에서 말해야 할 때마다 불안해진다며 찾아오는 이가 꽤 많다. 정신적으로 심각한 문제가 있는 것도 아닌데 발표가 공포라고 했다. 본인이 세운 회사의 직원들 앞에서 신년 연설하는 것이 두려워 아랫사람에게 대신 시키는 사장님도 있었다.

**마** 발표 불안은 불안을 느끼는 자신을 창피하게 여기기 때문에 생기는 것이다. 불안해도 되고, 남들도 나만큼 불안해한다는 걸 깨닫게 되면 마음은 한결 편해지기 마련이다. 나를 부끄러워하지 않고, 남을 부러워하지 않게 되면 불안도 사라진다.

---

**14** (가)~(마)의 중심 내용으로 알맞지 <u>않은</u> 것은?
① (가): 발표에 부담을 느끼고 있는 발표자
② (나): 발표자가 발표 시간을 싫어하는 이유
③ (다): 발표 불안을 극복하기 전과 후의 모습
④ (라): 여러 사람 앞에서 말하기를 즐겨 하는 사람들
⑤ (마): 발표 불안이 생기는 이유와 이를 해소하는 방법

**15** (가), (나)의 발표자가 발표를 잘하기 위한 방법에 해당하지 <u>않는</u> 것은?
① 발표 내용에 대한 사전 준비를 철저히 한다.
② 청중의 반응 정도에 따라 발표 주제를 수정한다.
③ 발표에 적절한 준언어·비언어적 표현을 사용한다.
④ 청중의 관심이나, 흥미, 수준을 고려하여 발표한다.
⑤ 목소리의 크기와 말하는 속도를 적절하게 조절한다.

**16** 다음은 (마)의 내용을 정리한 것이다. 빈칸에 들어갈 알맞은 내용을 쓰시오.

| 발표 불안이 생기는 이유 | 불안을 느끼는 자신을 창피하게 여기기 때문에 |
|---|---|
| 발표 불안을 해소하는 방법 | • 나를 부끄러워하지 않음.<br>• ( ) |

**17** ㉠에 들어갈 말로 알맞은 것은?
① 발표 내용에 나타난 실수
② 나만 쳐다보는 친구들의 시선
③ 발표할 때 떨리는 나의 목소리
④ 대답하기 어려운 친구들의 질문
⑤ 발표 내용을 비웃는 친구들의 얼굴

# 애들아, 연극하자!

교과서 196~213쪽

### 1단계 | 작품 선정하기

**1** 다음 '나현이네 모둠'의 대화를 참고하여, 우리 모둠에서 희곡으로 각색할 소설을 선정해 보자.

> **도움말**
>
> 연극의 특성을 고려하여 희곡으로 각색할 작품을 선정하는 활동이야. 교과서에 제시되었던 작품 중에서 선정하거나, 인상 깊게 읽었던 작품 중에서 선정해 볼 수 있어. 그리고 '나현이네 모둠'의 대화 내용을 살펴보면서, 소설을 희곡으로 각색할 때 무엇을 고려해야 할지 생각해 보도록 해.

나현 ❶ 우리 이번에 연극을 해야 하는데, 어떤 작품으로 하면 좋을까?

현중 ❷ 등장인물이 많지 않은 작품이어야 해. 우리 모둠 구성원이 여섯 명인데, 등장인물이 그보다 많으면 우리가 공연하기 어려울 것 같아. 더구나 교실에서 공연해야 하는데, 인원이 많으면 무대에 다 올라가지도 못할 거야.

| | '나현이네 모둠' | 우리 모둠 |
|---|---|---|
| 희곡으로 각색할 소설 | 「일용할 양식」 | 예시 답》 하근찬의 「수난이대」 |
| 이 소설을 선정한 까닭 | • 주요 등장인물의 수가 많지 않아 모둠에서 공연하기에 적절함.<br>• 갈등과 주제가 분명하게 드러남. | 예시 답》 주제가 뚜렷하고, 사회·문화적 상황이 잘 나타나기 때문임. |
| 준비할 사항 | 1980년대의 의상, 무대 장치 등 | 예시 답》 군복, 목발, 탁자 등 |

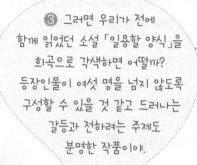

❸ 그러면 우리가 전에 함께 읽었던 소설 「일용할 양식」을 희곡으로 각색하면 어떨까? 등장인물이 여섯 명을 넘지 않도록 구성할 수 있을 것 같고 드러나는 갈등과 전하려는 주제도 분명한 작품이야.

미르

❺ 「일용할 양식」의 배경은 1980년대 원미동이니까 시대 상황을 반영한 의상과 무대 장치가 필요해. 그 당시가 배경인 영화나 드라마 혹은 당시의 사진 자료를 참고해야 할 것 같아.

세민

❹ 좋은 생각이야. 배웠던 작품이라 내용을 알고 있어서 각색하기 쉬울 것 같아.

정은

❻ 맞아. 다만 교실에서 상연하려면 무대 장치를 자주 바꾸거나, 특수한 조명을 사용하는 것은 어려울 것 같아. 그런 점도 고려해서 각색해야 해.

정우

얘들아, 연극하자!

도움말

소설을 희곡으로 각색하기 위해 소설의 구조와 주요 내용을 살펴 보는 활동이야. 소설의 내용을 정리해 보면서, 소설을 어떻게 각색 할지도 함께 생각해 보도록 해.

**2** 다음은 '나현이네 모둠'에서 각색할 소설의 내용을 정리한 것이다. 이를 참고하여 우리 모둠에서 각색할 소설의 내용을 정리해 보자.

| | |
|---|---|
| 작가 / 제목 | 양귀자, 「일용할 양식」 |
| 주제 | 먹고사는 일이 힘겨운 도시 서민들의 삶과 애환 |
| 배경 | 1980년대 경기도 부천시 원미동 |
| 등장인물 | 김 반장, 경호 아빠, 싱싱 청과물 사내, 고흥댁, 시내 엄마 등 |
| 시간의 흐름 | 1980년대 한겨울에서 이른 봄(연말 → 2월의 이른 봄) |
| 공간의 이동 | 부천시 원미동 23통 5반의 골목('형제 슈퍼', '김포 슈퍼', '싱싱 청과물'을 오가며 사건이 벌어짐.) |
| 갈등 양상 | • '형제 슈퍼(김 반장)'와 '김포 슈퍼(경호 아빠)'의 가격 인하 경쟁<br>• 새로 개업한 '싱싱 청과물'에 대항하기 위해 동맹을 맺은 '김 반장', '경호 아빠'와 '싱싱 청과물 사내' 사이의 경쟁과 다툼 |
| 인상적인 장면 | • '김포 슈퍼'와 '형제 슈퍼'의 가격 인하 경쟁과 두 가게를 오가며 이를 은근히 즐기는 동네 사람들의 모습<br>• 동맹을 맺은 '경호 아빠'와 '김 반장'이, 새로 개업한 '싱싱 청과물'의 영업을 노골적으로 방해하는 장면<br>• '김 반장'이 항의하러 온 '싱싱 청과물 사내'를 여유 있게 메다꽂으며 독설을 퍼붓는 장면<br>• '싱싱 청과물 사내'를 안타까워하며 '김 반장'을 비난하던 전파사의 '시내 엄마'가 새로운 전파사가 동네에 들어온다는 말을 듣고 태도를 바꾸는 장면 |

• 우리 모둠에서 읽은 소설의 내용을 정리해 보자.

| | |
|---|---|
| 작가 / 제목 | 예시 답 》 하근찬, 「수난이대」 |
| 주제 | 예시 답 》 근현대사에서 민중이 겪은 고통과 그 극복 의지 |
| 배경 | 예시 답 》 1950년대, 한 시골 마을 |
| 등장인물 | 예시 답 》 '만도'와 '진수' |
| 시간의 흐름 | 예시 답 》 현재 → 과거 → 현재 |
| 공간의 이동 | 예시 답 》 집 → 시장 → 역 → 개울 → 외나무다리 |
| 갈등 양상 | 예시 답 》 전쟁으로 불행한 일을 겪은 '만도'와 '진수'의 고난 |
| 인상적인 장면 | 예시 답 》 '만도'가 아들 '진수'를 등에 업고 외나무다리를 건너는 장면 |

# 얘들아, 연극하자!

## 2단계 역할 정하기

**1** 다음을 참고하여 연극 상연에 필요한 역할을 알아보고, 모둠 구성원의 역할을 정해 보자.

**도움말**

모둠의 상황에 따라 한 사람이 두 개의 배역을 맡을 수도 있고, 연출자나 제작진이 비중이 작은 배역을 함께 맡을 수도 있어. 또는 배역을 골고루 나누어 맡은 후, 일의 중요성을 고려해 제작 및 연출 역할을 추가로 분담할 수도 있어. 각자의 특기와 희망에 따라 역할을 자유롭게 정해 보도록 해.

예시 답》 연출자: 정아름, 작가: 이승호, 조명·음악·의상: 송성훈, 무대 장치: 강시혁, 배우 1: 박연주, 배우 2: 남기훈

## 얘들아, 연극하자!

**도움말**

인물의 외모와 성격, 행동 등을 살펴보면서, 그 인물을 연기하기에 적합한 사람이 누구일지 함께 생각해 보도록 해.

**2** 다음은 '나현이네 모둠'에서 소설 속 인물을 분석하고 배역을 정한 것이다. 이를 참고하여 우리 모둠에서 읽은 소설 속 인물을 분석한 다음, 배역을 정해 보자.

**김 반장**

형제 슈퍼의 주인이자 원미동 23통 5반의 반장으로, 동네의 대변자이며 목소리가 높다. 가족을 돌보기 위해 억척스럽게 살아가며, 싹싹하고 적극적인 성격의 소유자이나 다소 인정이 없고 거친 면이 있다.

→ 다부진 체격에 목소리가 크고 어조가 높은 '미르'

**경호 아빠**

김포 슈퍼의 주인으로 '쌀 상회'를 '슈퍼'로 확장할 정도로 성실하다. 성품이 모난 데가 없고 어른을 공경할 줄 아는 인물로, 동네 사람들에게 인정을 받는다. 하지만 다소 약삭빠르고 이기적인 면도 있다.

→ 평소 인사성이 바르고 인상이 좋은 '현중'

'김 반장'과 '경호 아빠'는 갈등 관계에 있다가 '싱싱 청과물 사내'가 등장한 후에 동맹을 맺지.

**싱싱 청과물 사내**

싱싱 청과물의 주인으로, 동네 형편을 잘 살피지 않은 채로 가게를 열었다가 동네 사람들의 텃세에 결국 가게를 닫고 원미동을 떠나게 된다.

→ 예전에 전학을 갔던 경험이 있는 '정우'

'고흥댁'과 '시내 엄마'는 소설의 주된 갈등 구조에서는 벗어나 있는 인물이야.

**고흥댁**

부동산 일을 하며 나이가 많다. 조금 더 싼 가격에 물건을 구매할 수 있다는 생각에 '김 반장'과 '경호 아빠'의 가격 인하 경쟁을 은근히 반긴다. 이해타산적인 인물로 이웃의 처지를 고려하지 않고 눈치 없이 행동한다.

→ 중년 여성의 말투를 곧잘 따라 하는 '정은'

**시내 엄마**

원미동에서 전파사를 운영한다. '김 반장'이 모질게 '싱싱 청과물 사내'를 쫓아낸 일을 두고 마음 아파한다. 인정이 많고 마음이 여린 편이다. 하지만 자기중심적인 면모도 있다.

→ 배려심이 많고 목소리가 성숙한 '나현'

• **우리 모둠에서 읽은 소설 속 인물을 분석하고, 배역을 정해 보자.**

예시 답》 • 만도: 아버지. 일제 강점기 때 징용에 끌려가 왼팔을 잃음. 긍정적이고 의지가 강함. → 다부진 체격에 우직한 성격의 '기훈'
• 진수: 아들. 한국 전쟁에 참전한 후 한쪽 다리를 잃음. 순박하고 삶에 대한 의지가 강함. → 키가 크며 긍정적인 성격의 '연주'

**1** 다음은 '나현이네 모둠'에서 읽은 소설을 희곡으로 각색하는 과정이다. 이를 참고하여 우리 모둠에서 읽은 소설을 희곡으로 각색해 보자.

### ① 소설의 구성 단계별 줄거리

**발단**
쌀과 연탄만을 팔던 '김포 쌀 상회'는 '김포 슈퍼'로 확장 개업을 하면서, '형제 슈퍼'에서 팔던 부식과 과일, 채소를 팔기 시작한다. 이에 동네 사람들은 '경호 아빠'의 성실함을 칭찬하며 '김포 슈퍼'의 확장 개업을 반긴다.

**전개**
'김포 슈퍼'가 확장 개업하자 이에 발맞추어 '형제 슈퍼'의 '김 반장'도 쌀과 연탄을 팔기 시작한다. '김포 슈퍼'와 '형제 슈퍼'는 서로 가격을 낮추면서 경쟁을 시작한다. 동네 사람들은 그 사이에서 눈치를 보며 이득을 챙긴다.

**위기**
과도한 경쟁으로 서로가 지쳐 있을 무렵, 동네 골목에 있는 빈 점포에 '싱싱 청과물'이 개업을 한다. 동네 형편을 전혀 모르는 '싱싱 청과물 사내'는 눈치 없이 '김포 슈퍼'와 '형제 슈퍼'에서 팔고 있던 부식 일체를 팔기 시작하고, 이에 '경호 아빠'와 '김 반장'의 근심이 깊어진다.

**절정**
며칠 후, '김포 슈퍼'와 '형제 슈퍼'는 동맹을 맺는다. 두 가게는 같은 값으로 물건을 판매하는 한편, '싱싱 청과물'에서 판매하는 품목에 한해 가격을 대폭 내려서 판매하며 '싱싱 청과물'의 영업을 방해한다. 계속되는 영업 방해에 화가 난 '싱싱 청과물 사내'는 '김 반장'과 '경호 아빠'에게 항의하며 싸움을 벌인다. 그 일 이후 '싱싱 청과물'은 결국 문을 닫고 만다.

**결말**
'싱싱 청과물'이 나간 자리에 전파상이 들어선다는 소식을 듣자, 지금껏 '김 반장'을 비난하던 '시내 엄마'가 태도를 바꾸어 예민한 반응을 보인다. 동네 사람들은 '경호 아빠'와 '김 반장'의 앞일에 대해 설왕설래하며 먹고살기 힘든 현실에 대해 푸념한다.

> **도움말**
> 줄거리를 정리하며 내용을 충분히 이해한 후에는 이를 능동적으로 재구성해 봐. 경우에 따라서는 원작의 줄거리를 그대로 반영하지 않을 수도 있고, 순서를 바꾸어 특정 사건을 강조할 수도 있어.

> **도움말**
> 주요 장면 및 인물 간의 관계, 갈등 양상 등을 어떻게 구성하고 표현할지도 함께 생각해 보도록 해.

## 얘들아, 연극하자!

### ② 줄거리를 희곡으로 각색한 구성

**1막**

**무대: '김포 슈퍼'와 '형제 슈퍼'가 나란히 서 있는 형태**

- '경호 아빠'가 '김포 슈퍼' 앞에서 물건들을 진열하고 있으면 '김 반장'이 '형제 슈퍼'에서 나오면서 이를 못마땅하게 바라봄.
- '경호 아빠'와 '김 반장'이 서로를 견제하며 각자 손님들을 불러 모으고, '고흥댁'과 '시내 엄마'는 이에 못 이기는 척하며 두 가게를 왔다 갔다 함.

**도움말**

희곡은 막과 장으로 구성돼. 막은 극의 길이를 구분하는 단위이고, 장은 사건이 진행되는 배경이 바뀌면서 구분되는 단위라고 할 수 있어. 여러 개의 장이 모여 막을 이룬다고 보면 돼. 여기서는 장면이 달라지는 것을 고려해 막을 나누었어.

**2막**

**무대: '김포 슈퍼'와 '형제 슈퍼' 사이에 '싱싱 청과물'이 끼여 있는 형태**

- '고흥댁'과 '시내 엄마'가 새로 생긴 '싱싱 청과물'에 대하여 대화를 나누면서, 세 가게의 경쟁으로 앞으로 더 많은 이익을 얻을 수 있을 것이라는 기대감을 드러냄.
- '싱싱 청과물 사내'가 물건을 정리하는 동안, 뒤쪽에서 '경호 아빠'와 '김 반장'이 무언가를 쑥덕거리다가 악수를 함. 그 후에 손님이 '싱싱 청과물' 쪽으로 다가가면, '경호 아빠'와 '김 반장'이 번갈아 가면서 손님들을 자기 쪽으로 끌어당김.
- '김 반장'이 확성기까지 들고 '싱싱 청과물'의 장사를 방해하자, 화가 난 '싱싱 청과물 사내'가 '김 반장'에게 달려가 다투기 시작함. 급기야 '싱싱 청과물 사내'가 '김 반장'의 멱살을 잡으며 덤벼드나 오히려 '김 반장'에게 메다꽂힘.

**3막**

**무대: '싱싱 청과물'이 사라지고, '김포 슈퍼'와 '형제 슈퍼'만 남아 있는 형태**

- 동네 사람들이 옹기종기 모여서 '경호 아빠'와 '김 반장', '싱싱 청과물 사내'가 싸운 뒷일을 이야기함.
- 한창 이야기를 나누고 있을 때 '고흥댁'이 등장하면서 새로 전파상이 들어오게 되었음을 알려 줌. '시내 엄마'는 이 말을 듣고 울상이 됨.

## 2막 3장 부식 판매를 포기하는 싱싱 청과물

무대 가운데. 싱싱 청과물 가게 앞에는 울긋불긋한 종이로 포장된 과일 상자들이 놓여 있다. 싱싱 청과물 사내는 입간판에 붙은 '부식 일체'와 '완도 김 대량 입하' 쪽지를 떼고는, 그 자리에 '과일 도산매'라는 쪽지를 붙인다.

**싱싱 청과물 사내:** (혼잣말로) 나 참…… 콩나물이나 파 따위 팔아 봤자 큰돈 남는 것도 아니고…… 그래, 니들 소원대로 딴건 안 팔고 과일만 팔아 주마.

싱싱 청과물 사내가 새로 쪽지를 붙이고 있을 때, 시내 엄마와 고흥댁이 등장한다. 시내 엄마와 고흥댁은 걸음을 멈춘 채, 수군거리기 시작한다.

**시내 엄마:** 어머, 싱싱 청과물이 부식 파는 걸 그만두나 봐요.

**고흥댁:** (혀를 차면서) 쯧쯧, 경호 아빠와 김 반장이 동맹을 맺어서 영업을 방해하니 당해 낼 재간이 있겠어?

**시내 엄마:** 싱싱 청과물이 부식을 포기했으니, 경호 아빠와 김 반장의 동맹도 끝나겠죠?

**고흥댁:** 그런 소리 말어. 김 반장이 보통이 아니야. 싱싱 청과물이 문 닫는 꼴을 보기 전에는 절대로 그만두지 않겠다며 야단이더라고.

**시내 엄마:** 김 반장은 너무 억척스러운 것 같아요. 어찌 그리 인정머리가 없는지. 경호 아빠는 무슨 말 없어요?

**고흥댁:** 어린 사람이 악심을 품으면 경호 아빠라도 김 반장을 달래 주어야 하는데, 그렇지 않더라고.

**시내 엄마:** 김 반장 말을 거역할 수 없었겠죠. 의리도 지켜야겠고.

**고흥댁:** 의리 좋아하네. 모르긴 몰라도 경호 아빠도 싱싱 청과물 망하는 꼴 보려고 같이 작당했을걸.

**시내 엄마:** 살기 어려운 시절인데, 다들 너무한 것 같아요.

시내 엄마와 고흥댁이 무대 밖으로 사라지면 경호 아빠와 김 반장이 가게 정리하는 것을 멈춘다. 싱싱 청과물과 마찬가지로 김포 슈퍼와 형제 슈퍼 앞에는 울긋불긋한 과일 상자들이 쌓여 있다. 경호 아빠와 김 반장은 싱싱 청과물을 염탐하듯이 계속 흘끗흘끗 쳐다본다. 그때 지나가던 손님이 싱싱 청과물 앞에 멈춰 서서, 과일을 살피기 시작한다.

도움말

소설과 희곡은 모두 등장인물의 갈등을 통해 이야기가 전개돼. 이러한 갈등을 통해 독자와 관객은 재미와 교훈을 얻지. 줄거리를 정리한 후, 중심 갈등이 잘 드러나도록 각색을 하면 극을 더 생동감 있게 구성하여 주제를 잘 드러낼 수 있어.

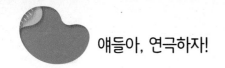

## 얘들아, 연극하자!

도움말

희곡은 해설과 대사, 지시문으로 이루어져. 무대와 배경, 등장인물을 소개하는 해설, 무대나 조명, 음향, 인물의 표정과 행동 등을 설명하는 지시문, 그리고 등장인물이 하는 말로 인물의 성격을 제시하는 대사를 활용하여 연극의 대본을 써 봐.

● **우리 모둠에서 읽은 소설을 희곡으로 각색해 보자.**

예시 답 ≫

---

### 1막 1장 – 만도의 꿈

　무대 한쪽에 불이 켜지면, 만도와 징용 1, 2가 쭈그려 앉아 있다. 세 사람의 얼굴에는 검댕이 한가득 묻어 있다. 징용 1과 2가 이야기를 나누고 있고, 만도는 지친 표정으로 두 사람의 이야기를 가만히 듣는다.

**징용 1:** 우리 여기 비행장 공사 끝나면 북해도 탄광으로 갈 거라는 말, 사실이가?

**징용 2:** 아니라, 거기서 우리를 와 필요로 할긴데? 남양 군도가 확실하다.

**징용 1:** 일본 놈들 돈 벌게 해 준다고 끌고 올 때는 언제고, 전쟁터로만 끌고 다니니 이거야 원……. 만도! 네는 둘 중에 오데로 갈 것 같나?

**만도:** 글쎄……. 내는 잘 모르겠구만. (먼 하늘을 바라보면서) 어서 고향이나 갔으면 좋겠구마…….

　만도가 말을 마치자 무대 오른편에서 감시병이 들어온다. 감시병은 한쪽에 앉아서 쉬고 있는 세 사람을 못마땅하다는 듯이 바라본다.

**감시병:** (허를 차면서) 쯧쯧, 어이, 만도! 그렇게 넋 놓고 있으면 어떡해? 오늘 당신이 다이너마이트 터뜨려야 하는 거 몰라? 정신 차리고 있으란 말이야, 알았어?

**만도:** (미안하다는 듯이 허리를 숙여 인사를 하면서) 예, 예. 알고 있심더. 걱정 마이소.

**감시병:** 불을 붙이고 바로 튀어 나와야 돼. 할 수 있겠지?

**만도:** 야, 잘할 수 있습니더.

**감시병:** 좋아, 그럼 잘하고 나오고. 다른 사람들은 저 아래로 피한다.

　사람들이 무대 오른편으로 사라지자, 만도는 불붙일 준비를 한다. 불이 제대로 붙었는지 확인을 하고 뒤돌아 나가려는 순간, "공습이다! 공습."이라고 외치는 소리가 들리고 이내 경보음이 울리기 시작한다. 폭발음이 점점 커지면서 사람들의 비명 소리도 함께 들려오기 시작한다. 그리고는 커다란 폭발음과 함께 만도가 "으악!" 하고 소리를 지르면서 쓰러지고, 무대 조명이 꺼진다.

---

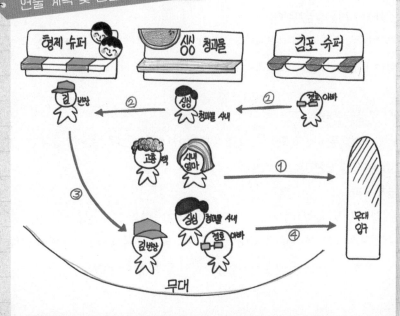

## 4단계 | 연극 준비하기

**1** 다음은 '나현이네 모둠'에서 작성한 연출 노트 중 일부이다. 이를 참고하여 연출 노트를 만들어 보자.

> **도움말**
>
> 연출 노트는 연극을 제작하는 모든 과정을 기록하는 설계도란다. 이를 고려해서 주어진 조건 안에서 작품을 창의적으로 연출할 수 있는 계획을 세워 보도록 해.

**주요 내용**

2막 3장은 '경호 아빠'와 '김 반장'이 '싱싱 청과물'의 영업을 본격적으로 방해하면서 인물들 간의 갈등이 극대화되는 장면이다. '경호 아빠'와 '김 반장'은 '싱싱 청과물'에서 판매하는 과일을 더 싼값에 파는 것도 모자라, 손님이 '싱싱 청과물'에서 흥정이라도 하려고 하면 확성기로 '김포 슈퍼'나 '형제 슈퍼'에서 더 좋은 과일을 더 싼값에 팔고 있다고 홍보하며 노골적으로 장사를 방해한다. 이에 화가 난 '싱싱 청과물 사내'는 '김 반장'과 '경호 아빠'에게 쫓아가 항의하지만 오히려 '김 반장'에게 봉변을 당하고 만다.

**연출 계획 및 인물의 이동 경로**

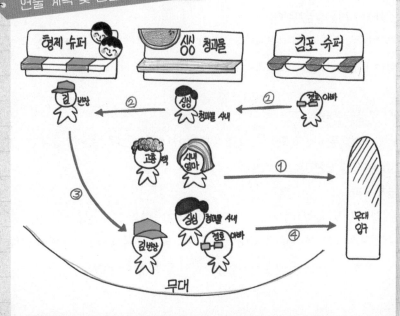

- **무대 구성:** 무대 왼쪽에는 '형제 슈퍼', 가운데에는 '싱싱 청과물', 오른쪽에는 '김포 슈퍼'가 있다. 각 가게 앞에는 울긋불긋한 종이로 포장된 과일 상자가 쌓여 있고, '싱싱 청과물' 앞에는 '부식 일체', '완도 김 대량입하'라는 쪽지가 붙어 있는 입간판이 하나 놓여 있다.

- **인물의 이동 경로:** 무대에 조명이 들어오면, '김 반장', '경호 아빠', '싱싱 청과물 사내'가 각자의 가게 앞에서 물건을 정리하고 있다. '싱싱 청과물 사내'가 대사를 하면 '시내 엄마'와 '고흥댁'이 걸어 와 '싱싱 청과물 사내'를 바라보고 선다. '시내 엄마'와 '고흥댁'은 대화가 끝난 뒤 무대 오른쪽으로 사라지고, '손님'이 무대 오른쪽에서 왼쪽으로 걸어가다가 '싱싱 청과물' 앞에 멈추어 선다. '손님'은 '김 반장'의 확성기 음성을 듣고 '형제 슈퍼'로 가서 물건을 구매한 후 무대 왼편으로 사라진다. '김 반장'과 '싱싱 청과물 사내'의 다툼이 시작되면, '김 반장'이 '싱싱 청과물 사내'를 밀치면서 무대 가운데로 자리를 옮긴다.

- **연기:**
  - 장면이 시작할 때 내뱉는 '싱싱 청과물 사내'의 대사는 방백으로 처리한다. 또한 '시내 엄마'와 '고흥댁'의 대화 역시 방백으로 처리한다.
  - '손님'이 처음 등장할 때까지 '김 반장'과 '경호 아빠'는 '싱싱 청과물 사내'를 감시하듯이 계속 흘끔거린다.
  - '김 반장', '경호 아빠' 동맹과 '싱싱 청과물 사내'는 다투면서 몸짓과 행동을 과장하여 표현하며, 갈등이 최고조에 이르는 상황을 극대화하여 보여 준다.

- **음악 및 음향 효과:**
  - 배경 음악: 무대에 조명이 들어오면 노래 「까치 까치 설날은」을 배경 음악으로 삽입하여 설날 분위기를 나타낸다.
  - 음향 효과:
    - '김 반장'이 확성기를 켜면, '삑, 삑' 하는 소리를 효과음으로 넣는다.
    - '김 반장'이 '싱싱 청과물 사내'를 메다꽂은 뒤에, 사람들이 모여서 웅성거리는 소리를 효과음으로 넣어 동네 사람들이 많이 모였음을 나타낸다.

 예시 답 》 생략

## 2 연출 노트와 대본에 따라 연극을 연습해 보자.

**(1)** 다음은 '나현이네 모둠'에서 완성한 대본을 연습하는 과정이다. 이를 참고하여 자신의 모둠에서 완성한 대본을 읽어 보자.

> **도움말**
>
> 대사에 인물의 감정을 어떻게 담아서 표현할지, 대사를 할 때 어떻게 행동할지도 함께 계획해 보도록 해.

### [2막 3장] 부식 판매를 포기하는 싱싱 청과물

무대 가운데. 싱싱 청과물 가게 앞에는 울긋불긋한 종이로 포장된 과일 상자들이 놓여 있다. 싱싱 청과물 사내는 입간판에 붙은 '부식 일체'와 '완도 김 대량 입하' 쪽지를 떼고는, 그 자리에 '과일 도산매'라는 쪽지를 붙인다.

**싱싱 청과물 사내:** (혼잣말로) 나 참……. 콩나물이나 파 따위 팔아 봤자 큰돈 남는 것도 아니고……. 그래, 니들 소원대로 딴눈 안 팔고 과일만 팔아 주마.
> → 한숨을 길게 쉬어서 답답한 심정을 표현하자.

싱싱 청과물 사내가 새로 쪽지를 붙이고 있을 때, 시내 엄마와 고흥댁이 등장한다. 시내 엄마와 고흥댁은 걸음을 멈춘 채, 수군거리기 시작한다.

**시내 엄마:** 어머, 싱싱 청과물이 부식 파는 걸 그만두나 봐요.

**고흥댁:** (혀를 차면서) 쯧쯧, 경호 아빠와 김 반장이 동맹을 맺어서 영업을 방해하니 당해 낼 재간이 있겠어?

**시내 엄마:** 싱싱 청과물이 부식을 포기했으니, 경호 아빠와 김 반장의 동맹도 끝나겠죠?

**고흥댁:** 그런 소리 말어. 김 반장이 보통이 아니야. 싱싱 청과물이 문 닫는 꼴을 보기 전에는 절대로 그만두지 않겠다며 야단이더라고.

**시내 엄마:** <u>김 반장은 너무 억척스러운 것 같아요. 어찌 그리 인정머리가 없는지. 경호 아빠는 무슨 말 없어요?</u>
> → 이 대사가 입에 잘 안 붙네. "김 반장은 너무 억척스러운 것 같아요. 인정머리도 없고." 정도로 고치는 게 좋겠어.

**고흥댁:** 어린 사람이 악심을 품으면 경호 아빠라도 김 반장을 달래 주어야 하는데, 그렇지 않더라고.

**시내 엄마:** 김 반장 말을 거역할 수 없었겠죠. 의리도 지켜야겠고.

**고흥댁:** 의리 좋아하네. 모르긴 몰라도 경호 아빠도 싱싱 청과물 망하는 꼴 보려고 작정했을걸.

**시내 엄마:** 살기 어려운 시절인데, 다들 너무한 것 같아요.

시내 엄마와 고흥댁이 무대 밖으로 사라지면 경호 아빠와 김 반장이 가게 정리하는 것을 멈춘다. 싱싱 청과물과 마찬가지로 김포 슈퍼와 형제 슈퍼 앞에는 울긋불긋한 과일 상자들이 쌓여 있다. 경호 아빠와 김 반장은 싱싱 청과물을 염탐하듯이 계속 흘긋흘긋 쳐다본다. 그때 지나가던 손님이 싱싱 청과물 앞에 멈춰 서서, 과일을 살피기 시작한다.

> '시내 엄마'는 인정이 많은 사람이라, '싱싱 청과물 사내'가 의욕적으로 장사를 해 보려다 실패한 것에 안타까워하는 것 같아.

> '고흥댁'은 자신의 이익만 생각하는 사람이야. 이 상황을 안타까워하기보다는, 앞으로 어떤 일이 벌어질지를 더 궁금해할 거야.

도움말

대본을 읽으며 자신이 맡은 배역을 어떤 느낌으로 연기해야 하는지 생각해 보고, 실제로 공연을 하는 것처럼 연습해 보렴.

**손님:** 사과가 정말 좋아 보이네요. 이거 얼마예요?

**싱싱 청과물 사내:** 하하, 보기만 좋은 게 아니라 맛도 정말 좋습니다. (옆에서 삑삑거리는 확성기의 소음이 들려오자 눈을 찌푸리며 소리 나는 쪽으로 고개를 돌린다.)

**김 반장:** (확성기를 들어 입에 대고는) 아, 아! (삑삑거리는 확성기의 소음이 멈추면) 과일 바겐세일! 산지에서 갓 올라온 부사 사과, 파격적인 가격에 판매합니다! 저쪽 김포 슈퍼에도 똑같은 물건이 있으니, 여기로 오시든가 김포 슈퍼로 가시든가 마음대로 하세요. 몽땅 세일합니다. 자자, 물건도 좋고, 가격도 쌉니다!

김 반장의 말이 끝나기가 무섭게 싱싱 청과물 사내는 씩씩거리며 김 반장에게 쫓아가 덤벼든다. 이 모습을 지켜보던 경호 아빠도 형제 슈퍼 쪽으로 달려간다.

**싱싱 청과물 사내:** (김 반장의 멱살을 잡으며) 당신들 말야, 왜 자꾸 어깃장이야? 남의 장사 망치려는 속셈이 대관절 뭐야?

**김 반장:** (싱싱 청과물 사내의 손을 뿌리치며) 누가 남의 장사를 망쳤다고 그래? 원 별소릴 다 듣겠네.

> "자네가 봉창을 잘못 두드렸나, 당신이야말로 난데없이 왜 남의 장사를 방해하는데?" 정도로 말하면 어떨까?

**경호 아빠:** (김 반장과 싱싱 청과물 사내를 말리며) 들어 보니, 우리가 그쪽 장사를 망친다고 하던데 우리가 언제 그랬소? 싸게 사서 싸게 파는 것도 죄요?

**싱싱 청과물 사내:** (얼굴이 벌게진 채 목청을 돋우면서) 이 사람들 심보가 새카맣군. 싸게 사서 싸게 파는 것도 죄냐고? (삿대질을 하면서) 말해 봐! 나하고 무슨 원수졌어?

**김 반장:** (시비조로) 이게 좁쌀밥만 먹고 살았나? 영 기분 나쁘게시리 왜 반말이야?

**싱싱 청과물 사내:** (김 반장의 멱살을 다시 붙잡으면서) 뭐라고? 적반하장도 유분수지.

> 삿대질하는 손목을 잡으면서 가소롭다는 듯이 말해야겠어.

싱싱 청과물 사내가 죽기 살기로 김 반장의 멱살을 잡으려 한다. 김 반장은 기를 쓰고 덤벼드는 싱싱 청과물 사내를 메다꽂고, 사내는 바닥에 쓰러지면서 '으악!' 하고 비명을 지른다. 이 소리에 몰려드는 동네 사람들.

> '김 반장'도 흥분한 상태이겠지만, 날카롭고 차갑게 얘기하는 것이 극의 상황에 어울릴 것 같아.

**김 반장:** 어디서 굴러먹다 왔는지는 몰라도, 남의 장사 망치려고 덤벼든 것 생각하면 열불이 나서 내 속이 터진다고. (쓰러진 싱싱 청과물 사내를 윽박지르듯이 쳐다보면서) 가게를 열려면 동네 사정이나 제대로 알아보던가.

**동네 사람:** (김 반장에게 소리치며) 왜들 이래? 한동네에서 이게 무슨 짓이야? (싱싱 청과물 사내를 일으키면서) 봐요, 아저씨가 좀 참아요. 맞는 사람만 손해잖아요.

**싱싱 청과물 사내:** (답답하다는 듯이) 고생, 고생해서 가게 하나 겨우 열고, 이제 좀 살아 보겠다는데…… 내가 뭘 그리 잘못했다고 둘이 작당을 해서 이러는지.

> 억울하다는 듯이 손으로 가슴팍을 두드리거나 땅바닥을 치면서 대사를 해야겠어.

'김 반장'은 '싱싱 청과물 사내'를 비꼬듯이 말하는 게 좋을 것 같아. 천연덕스러운 표정을 지어 보여야지

'싱싱 청과물 사내'는 매우 흥분한 상태인데, 이렇게 또박또박 말할 수 있을까? 더듬거리듯 말해야 감정을 잘 드러낼 수 있을 것 같아.

**(2)** 다음 내용에 유의하면서 연극을 연습해 보자.

- 연출자는 배우들이 등장하고 퇴장하는 시기와 순서, 배우들의 위치와 동선 등을 안내한다.
- 제작진은 무대 장치 및 소품, 조명이나 음향, 배우들의 의상과 분장 등을 점검한다.
- 배우는 맡은 배역의 특징이 잘 드러나도록 대사나 표정, 몸짓 등을 연습한다. 특히 적절한 성량을 유지하며 정확하게 발음할 수 있도록 연습하여, 관객에게 대사가 분명하게 전달되도록 한다.

> **도움말**
>
> 여러 사람 앞에서 연극을 공연하는 것은 매우 떨리고 긴장되는 일이야. 하지만 앞에서 우리는 이런 어려움을 극복할 수 있는 방법을 배웠어. 자신 있게 공연할 수 있을 때까지 반복해서 연습해 보자.

## 5단계 | 연극 공연하기

**1 준비한 내용을 바탕으로 연극을 공연해 보자.**

예시 답>> 생략

**2 다른 모둠에서 공연한 연극을 보고, 다음 항목에 따라 평가해 보자.**

| 평가 기준 | |
| --- | --- |
| • 작품의 주제 및 인물들의 갈등 관계가 잘 드러나는가? | ☆ ☆ ☆ ☆ ☆ |
| • 모둠 구성원의 역할이 잘 배정되었는가? | ☆ ☆ ☆ ☆ ☆ |
| • 배우들의 연기가 자연스러운가? | ☆ ☆ ☆ ☆ ☆ |
| • 등장인물의 성격이나 특징이 잘 드러나는가? | ☆ ☆ ☆ ☆ ☆ |
| • 무대 배경과 소품, 음악 등이 작품의 분위기와 잘 어울리는가? | ☆ ☆ ☆ ☆ ☆ |

- 평가한 내용을 바탕으로 연극을 잘한 모둠을 뽑고, 그 모둠을 뽑은 이유를 말해 보자.

예시 답>> 생략

> **도움말**
>
> 연극을 공연하기 전에 심신을 안정시킬 수 있는 체조를 해 보도록 해. 그러면 떨리는 마음을 진정시키는 데 도움이 될 거야.

**3 모둠 구성원과 함께 연극을 공연하면서 느낀 점을 이야기해 보자.**

> 한 편의 연극을 무대에 올리기까지 여러 사람의 숨은 노력이 필요하다는 것을 알게 됐어. 또한 좋은 공연을 하기 위해서는 상대를 배려하여 서로가 돋보일 수 있도록 도와주어야 한다는 것을 깨달았어.

예시 답>> 처음에는 소설을 어떻게 희곡으로 각색해야 할지, 친구들 앞에서 어떻게 연기해야 할지 막막하기만 했어. 하지만 친구들과 함께 공연을 마치고 나니 보람과 성취감을 느낄 수 있었어. 아울러 작품에 대해서도 더 깊이 있게 이해할 수 있게 되었어.

> **도움말**
>
> 연극을 준비하고 공연하기까지의 전 과정을 되돌아보며 자유롭게 이야기해 보렴.

# 한끝 교과서편 3-1 수록 목록

| 대단원 | 소단원 | 교재 쪽수 | 제재명 | 저자 | 출처 |
|---|---|---|---|---|---|
| 1. 주체적 감상과 쓰기 | 소단원 (1) | 010 | 봄 | 이성부 | 『우리들의 양식』 (민음사, 1995), 30쪽 |
| | | 014 | 코르니유 영감의 비밀 | 알퐁스 도데 | 한정영 옮김, 『알퐁스 도데 단편선』(늘푸른아이들, 2006), 51~57쪽 |
| 2. 문장을 엮는 손, 과정을 읽는 눈 | 소단원 (1) | 054 | 72쪽 (가) 자료 글 | | 『연합뉴스』, 2018. 8. 23. |
| | | 054 | 72쪽 (나) 자료 글 | | 『케이비에스(KBS) 뉴스』, 2018. 8. 24. |
| | 소단원 (2) | 063 | 간송 전형필 | 이충렬 | 『간송 전형필』 (김영사, 2010), 23~27쪽, 78~83쪽 |
| | | 066 | 83쪽 청자 삼강운학문 매병 자료 글 | | 간송미술문화재단(http://kansong.org) |
| | | 071 | 화가의 시간 | 박정원 | 『그림 탐닉』 (소라주, 2017), 81~85쪽 |
| 3. 새롭게 발견하는 즐거움 | 소단원 (1) | 089 | 소금 없인 못 살아 | 장인용 | 『식전』 (뿌리와이파리, 2010), 69~77쪽 |
| | | 092 | 맛있게 먹은 소금이 병을 부른다 | 클라우스 오버바일 | 배명자 옮김, 『소금의 덫』 (가디언, 2012), 86~91쪽 |
| | 소단원 (2) | 107 | 128쪽 자료 ❶ | | 『케이비에스(KBS) 뉴스』, 2017. 6. 21. |
| | | 107 | 128쪽 자료 ❷ | 김진규 외 | 『근대 로(路)의 여행』 (대구광역시 중구청, 2012), 50~51쪽 |
| 4. 함께 살아가는 우리 | 소단원 (1) | 129 | 오아시스 세탁소 습격 사건 | 김정숙 | 『오아시스 세탁소 습격 사건』 (모시는사람들, 2015), 79~95쪽 |
| | | 143 | 172쪽 자료 글 | | 『동아일보』, 1991. 12. 27. |
| | | 145 | 얼굴 반찬 | 공광규 | 『얼굴 반찬』 (지식을만드는지식, 2014), 14~17쪽 |
| | | 146 | 175쪽 자료 글 | | 『시사저널』, 2016. 11. 26. |
| | 소단원 (2) | 153 | 180쪽~181쪽, 183쪽 만화 | 한경찰 | 「스피릿 핑거스 2화」, 네이버웹툰(https://comic.naver.com) |
| | | 156 | 184쪽 자료 글 | 김병수 | 「발표 불안」, 『국민일보』, 2017. 9. 22. |
| | 연극 | 175 | 204쪽 줄거리 | 양귀자 | 『원미동 사람들』 (살림출판사, 2011), 233~255쪽 |

한권으로 끝내기!
**필수 개념과 시험 대비를 한 권으로 끝!**
국어 공부의 진리입니다.

한끝과 함께 언제, 어디서든 즐겁게 공부해!

한끝으로 끝내고, 이제부터 활짝 웃는 거야!

한끝

# 정답과 해설

중등국어

3·1

교과서편

visang

ABOVE IMAGINATION

우리는 남다른 상상과 혁신으로
교육 문화의 새로운 전형을 만들어
모든 이의 행복한 경험과 성장에 기여한다

# 정답과 해설

비상교육 교과서편

# 중등 국어 3-1

# 정답과 해설

## ① 주체적 감상과 쓰기

### [1] 다양한 해석과 비평

**1** (1) × (2) ○ (3) ○ (4) ×    **2** 관습    **3** ③    **4** ④    **5** ③
**6** ④

**1** (1) 시의 3요소는 운율, 심상, 주제이다.
    (4) 상징은 추상적인 개념이나 대상을 구체적인 사물로 대신하여 표현하는 방법이다.

**2** 오랫동안 쓰여 왔기 때문에 그 뜻이 굳어져 널리 알려진 상징을 관습적 상징이라고 한다.

**3** 소설의 특성 중, '진실성'은 소설이 꾸며 낸 이야기이지만 인생의 진리와 삶의 진솔한 모습을 담는다는 것이다.
    **오답 풀이** ①은 산문성, ②는 모방성, ④는 서사성, ⑤는 예술성에 대한 설명이다.

**4** 시간 순서를 바꾸어 사건을 구성하는 방식을 입체적 구성이라고 한다.

**5** 현실에 실제로 존재하는 공간이 소설의 배경으로 설정되는 경우도 있지만, 작가가 상상하여 만들어 낸 허구의 공간이 배경으로 설정되기도 한다.

**6** 작품에 사용된 표현 방식이나 구성 등을 중심으로 작품을 해석하는 것은 작품 자체의 내적 특징을 중심으로 해석하는 방법에 해당한다.
    **오답 풀이** ①, ② 작품과 작가의 관계를 중심으로 작품을 해석하는 것은 작품의 외적 요소를 중심으로 해석하는 것이다.
    ③ 작품에 반영된 시대적 배경을 중심으로 작품을 해석하는 것은 작품의 외적 요소를 중심으로 해석하는 것이다.
    ⑤ 작품을 읽고 독자가 받은 영향을 중심으로 작품을 해석하는 것은 작품의 외적 요소를 중심으로 해석하는 것이다.

**010쪽**    장애물, 바람

**010쪽**    **01** ①     **02** 바람     **03** ③

**01** 이 시의 말하는 이는 '봄'이 반드시 올 것이라는 확신으로, '봄'을 간절하게 기다리고 있다. 따라서 말하는 이에게 '봄'이 찾아오는 것이지, 말하는 이가 '봄'에게 적극적으로 찾아가고 있는 것은 아니다.
    **오답 풀이** ② '바람'이 들고 간 '다급한 사연'은 말하는 이의 간절한 기다림을 의미한다.

③ '온다'라는 단정적인 문장 종결 표현을 통해 '봄'이 올 것이라는 말하는 이의 확신을 드러내고 있다.
④ '너, 먼 데서 이기고 돌아온 사람아.'에서 대상을 훌륭하거나 좋거나 아름답다고 찬양하는 예찬적 태도가 나타난다.
⑤ '봄'이 왔지만 눈이 부셔 일어나 맞이하지 못하다가 가까스로 두 팔을 벌려 껴안아 본다는 표현을 통해 말하는 이의 감격과 기쁨을 알 수 있다.

**02** '바람'은 '봄'이 오기를 바라는 말하는 이의 간절하고 다급한 사연을 전해 주는 매개체의 역할을 한다.

**03** ㉠은 사람이 아닌 것을 사람에 비겨 사람이 행동하는 것처럼 표현하는 방법인 의인법이 쓰였다. ③ 역시 사람이 아닌 꽃이, 사람이 행동하는 것처럼 환하게 웃음 짓는다고 표현하고 있다.
    **오답 풀이** ① '같이'와 같은 연결어를 통해 '달'을 '쟁반'에 직접 비유한 직유법이 사용되었다.
② '내 마음'을 '호수'에 비유한 은유법이 사용되었다.
④ '세상은 매우 아름답다.'는 의미를 의문의 형식으로 강조하여 표현한 설의법이 사용되었다.
⑤ '나는 그 길을 만들 줄도 몰랐었네.'라는 문장 순서를 바꾸어 쓴 도치법이 사용되었다.

| 이해 | 확신, 근거 |
|---|---|
| 적용 | 전통, 풍차, 산업화 |

| | | | |
|---|---|---|---|
| **011쪽** | **01** ⑤ | **02** ③ | |
| **012쪽** | **03** ⑤ | **04** ① | |
| **013쪽** | **05** ⑤ | **06** ① | |
| **014쪽** | **07** 최신식 증기 방앗간이 들어서면서 | **08** ④ | **09** ② |
| **015쪽** | **10** ② | **11** 사다리 | |
| **016쪽** | **12** ⑤ | **13** ⓐ: 풍차 방앗간, ⓑ: 증기 방앗간 | |
| **017쪽** | **14** ③ | **15** ㄱ, ㄷ, ㄹ | |
| **018쪽** | **16** ② | **17** 작품에 반영된 시대적 상황 | |
| **019쪽** | **18** ③ | | |

**01** '봄'이 찾아오자 말하는 이는 눈이 부셔서 '봄'을 바로 맞이하지 못하지만, 가까스로 두 팔을 벌려 껴안아 본다고 하였다.
    **오답 풀이** ① 말하는 이는 '더디게 온다.', '더디게 더디게 마침내 올 것이다.'라며 '봄'이 빠르게 오지는 않는다고 생각한다.
② '빨밭 구석', '썩은 물웅덩이'는 '봄'이 오는 것을 가로막는 장애물을 의미한다.
③ '온다'라는 단정적인 말을 반복하여 말하는 이의 확신을 강조한다.
④ '기다림마저 잃었을 때에도 너는 온다.'에서 절망적 상황에서도 봄은 올 것이라는 말하는 이의 절대적인 믿음이 드러난다.

**02** 이 시에서 '봄'은 다양한 의미를 함축하고 있다. 장애물을 극복하고 반드시 오는 것으로 표현되었으므로 해결하기 불가능한 문제를 의미한다고 볼 수는 없다.

**03** 같은 작품이라도 작품에 대한 해석 방법이나 독자의 인식 수준, 관심, 경험, 가치관 등에 따라 그 해석이 달라질 수 있다. 그러나 작품 내용 자체는 다르지 않으므로 해석의 차이에 영향을 끼치는 요인은 아니다.

**04** 독재 정권이 국민들을 통제하고 있던 시대임을 고려할 때 '봄'은 국민들이 간절하게 원했던 '민주주의' 또는 '자유'라고 볼 수 있다.

**05** 작품의 시대적 배경이나, 작품과 관련된 역사적 사건 등은 작품에 반영된 시대적 상황을 중심으로 해석할 때 고려하는 요소이다.

**06** 〈보기〉에서는 좋아하는 친구의 답장을 기다렸던 독자의 경험이 '봄'의 의미를 해석하는 데 영향을 주었다.

**07** 풍차로 가득했던 프로방스 마을은 최신식 증기 방앗간이 들어서면서 풍차 방앗간들이 문을 닫았고 이 때문에 쓸쓸한 분위기가 되었다.

**08** '나'는 '코르니유' 영감의 손녀 '비베트'와 '나'의 큰아들이 서로 사랑하고 있다는 것을 알고 두 사람을 결혼시키기 위해 '코르니유' 영감을 찾아갔다.

> **오답 풀이** ① '예쁜 참새'는 '코르니유' 영감의 손녀 '비베트'를 비유한 말이다. 또한 '나'가 '비베트'를 영감에게 보여 주려 하지도 않는다.
> ② 증기 방앗간이 들어선 이후 사람들은 풍차 방앗간에서 밀을 빻지 않았다.
> ③ '코르니유' 영감을 위로하기 위해서가 아니라 '비베트'와 자신의 큰아들의 결혼을 성사시키기 위해 '코르니유' 영감을 찾아간 것이다.
> ⑤ '코르니유' 영감에게 비밀이 있다는 것을 상상조차 하지 않았기 때문에 비밀을 밝혀내기 위해 풍차 방앗간으로 갔다고 볼 수는 없다.

**09** 이 글은 작품 속의 보조 인물인 '나', 즉 '프랑세 마마이'가 주인공인 '코르니유' 영감의 이야기를 전달하는 1인칭 관찰자 시점이 나타난다.

**10** ㉠의 '피가 거꾸로 솟다'는 '피가 머리로 모인다'는 뜻으로, 매우 흥분한 상태를 비유적으로 표현한 것이다.

**11** '비베트'와 '나'의 큰아들은 문 옆에 세워진 사다리를 이용해 2층 창문으로 올라가 방앗간에 들어간다. 그리고 그들은 풍차 방앗간 안의 모습을 보고 '코르니유' 영감의 비밀을 알게 된다.

**12** '코르니유' 영감의 풍차 방앗간은 이미 증기 방앗간에 일자리를 빼앗겨 빈 채로 돌아가고 있었다.

**13** '풍차 방앗간'은 전통적인 삶의 방식을 의미하며, '증기 방앗간'은 전통적인 삶의 방식을 사라지게 하는 근대화된 기계 문명(산업화·기계화)을 상징한다.

**14** '코르니유' 영감은 시대 변화에 밀려난 풍차 방앗간에 대한 안타까운 마음으로 슬퍼하다가 밀을 가져온 사람들을 보고 놀란 뒤, 이윽고 기뻐했다.

**15** '코르니유' 영감이 죽은 후 풍차 방앗간을 물려받으려 하는 사람이 없어(ㄹ) 풍차 방앗간은 영원히 멈추게 되었다(ㄱ). 이것은 시대의 변화에 따라 프로방스 지방의 전통이 사라진 것을 의미한다(ㄷ).

> **오답 풀이** ㄴ. '큰 꽃을 수놓은 외투가 유행하던 시대'는 풍차의 시대도 그 시대처럼 지나갈 것이라고 말하기 위해 제시한 내용이다.

**16** '코르니유' 영감의 풍차 방앗간은 텅 비어 있었다. 또한 거미줄이 쳐져 있고 풍차 방아 위에 먼지가 쌓여 있어 밀을 빻았던 흔적을 찾을 수 없었다.

**17** 〈보기〉는 소설 속 인물의 행동과 소설의 주제를 산업화가 진행되던 창작 당시의 시대적 상황을 중심으로 해석하고 있다.

**18** 여러 가지 해석을 비교하면서 작품을 감상하면, 다양한 측면에서 작품을 살펴보게 되어 보다 폭넓게 이해할 수 있다.

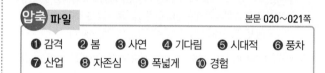

**압축 파일** 본문 020~021쪽

❶ 감각　❷ 봄　❸ 사연　❹ 기다림　❺ 시대적　❻ 풍차
❼ 산업　❽ 자존심　❾ 폭넓게　❿ 경험

**시험에 나오는 소단원 문제** 본문 022~023쪽

**01** ④　**02** ①　**03** ①　**04** ⑤　**05** 시련 또는 역경, 장애물 등　**06** ④　**07** ④　**08** ⑤　**09** 그렇게 해서라도 풍차 방앗간의 명예를 지키고 싶었던 것이지.

**01** 수미상관은 처음과 끝에 같거나 비슷한 구절을 반복하여 배치하는 방법이다. 그러나 이 시에는 그러한 구성이 사용되지 않았다.

> **오답 풀이** ①, ⑤ 이 시는 봄의 도래를 주요 제재로 하여, 반드시 오는 봄처럼 희망도 찾아올 것임을 노래하고 있다.
> ② '~온다.', '~수가 없다.' 등의 문장 구조가 반복되어 나타난다.
> ③ 이 시의 말하는 이는 봄을 '먼 데서 이기고 돌아온 사람'으로 표현하며 예찬적인 태도를 보이고 있다.

**02** '온다'라는 단정적 말을 반복하여 '봄'에 대한 간절한 기다림을 강조하는 한편, '봄'이 반드시 올 것이라는 믿음을 드러냈다.

**03** 사람마다 인식 수준, 관심, 경험 등이 다르며 이에 따라 작품을 감상하는 기준이나 해석의 근거가 다르기 때문에 이 시에 대한 해석은 다양하게 나타날 수 있다. 그런데 이 시의 주제를 관점에 따라 다르게 해석할 수는 있지만, 이 시가 담고 있는 주제가 분명하지 않은 것은 아니다.

**04** 〈보기〉는 이 시가 창작될 당시의 시대적 상황을 중심으로 '봄'의 의미를 해석하고 있다.

**05** **서술형** ㉠과 ㉡은 '봄'이 오는 것을 가로막는 시련이나 역경, 장애물을 의미한다.

**06** 마을 사람들은 '코르니유' 영감의 풍차 방아가 그동안 헛돌고 있었다는 사실을 알게 되어 밀을 싣고 가져왔다. 그 전에는 '코

르니유' 영감이 방아를 실제 돌리고 있다고 잘못 알고 있었다.

**오답 풀이** ① (다)에서 '코르니유' 영감이 세상을 떠나자 풍차의 시대도 지나가고 말았다고 하였다.
② (가)에서 '코르니유' 영감은 밀을 실어 나르는 것처럼 보이기 위해 옛 방앗간의 폐기물을 노새에 짊어지게 하여 다녔음을 알 수 있다.
③ (가)에서 '코르니유' 영감도 사실은 증기 방앗간에 일거리를 빼앗긴 지 한참이 지났다고 하였다.
⑤ (나)와 (다)의 내용을 통해 마을 사람들이 '코르니유' 영감이 세상을 떠날 때까지 풍차 방앗간을 이용하였다는 것을 알 수 있다.

**07** '코르니유' 영감이 밀을 싣고 오가는 것처럼 행동한 것은 전통을 지키기 위해서이다(ㄹ). 그의 이러한 행동은 시대의 변화에 적응하지 못한 모습으로도 볼 수 있다(ㄴ).

**08** ⑤는 이 글의 작가인 '알퐁스 도데'의 고향과 작품 내용을 관련지은 것으로, 작품과 작가의 관계를 중심으로 한 해석이다.

**오답 풀이** ①, ③ 작품 자체의 내적 특징을 중심으로 해석한 것이다.
② 작품을 읽고 독자가 받은 영향을 중심으로 해석한 것이다.
④ 작품에 반영된 시대적 상황을 중심으로 해석한 것이다.

**09** **서술형** '코르니유' 영감은 풍차 방앗간의 명예를 지키고 싶어서 마을 사람들에게 자신의 풍차 방앗간이 밀을 빻고 있다고 믿게 하려고 빈 풍차 방앗간을 돌렸다.

## [2] 맥락을 담은 글 쓰기

**학습 활동** 본문 024~032쪽

| 이해 | 여행, 정보, 연상, 이산가족 |
| 적용 | 콤플렉스 |

**학습콕** 본문 024~032쪽

| 029쪽 | 매체, 개요, 해결 |

**간단 체크 활동 문제** 본문 024~032쪽

**01** 이 만화에서 학생은 블로그에 방문하는 친구들을 독자로 정하고 제주도 여행 후기를 쓰고자 하고 있다.

**02** 이 만화에서 학생은 글을 게재할 매체를 블로그로 결정하고 글을 쓰고 있다.

**오답 풀이** ① 만화 2번에서 학생은 어떤 내용으로 글을 쓸지 어려워하고 있다.
③ 만화 4번에서 학생은 자신이 쓴 글을 보며 표현이 괜찮은지 걱정하고, 문장이 어색하게 연결된 것 같다고 어려움을 말하고 있다.
④ 만화 2번에서 학생은 어떤 사진을 올릴지를 고민하고 있다.
⑤ 만화 3번에서 학생은 제주도에 대해 기억나는 정보가 부족해 걱정하고 있다.

**03** (가)에서는 일상에서의 경험을 처음 부분에 제시하며 「일가」에 대한 서평을 쓰게 된 동기를 서술하고 있다.

**04** (라)에서는 작가 '공선옥'이 상처 입고 소외받는 사람들의 이야기를 많이 썼으며, 「일가」에서는 '아저씨'를 통해 정이 사라져 가는 현대 사회를 비판하고 있다고 하였다.

**05** '수지'는 「일가」를 읽고 난 후 일가친척과 정을 자주 나누고, 주변 이웃들과 친구들도 소중히 여겨야겠다고 생각했다.

**06** 글을 어떻게 시작해야 할지 어려울 때에는 글의 전체적인 방향인 주제, 목적, 예상 독자, 매체 등을 먼저 설정해야 한다. 글의 분량은 내용 생성하기나 초고 쓰기 단계에서 고려하는 것이 적절하다.

**07** '수지'는 자유 연상하기의 방법에 따라, 글에 들어가면 좋을 내용을 떠오르는 대로 적어 보며 내용을 생성하였다.

**08** '수지'가 쓴 서평의 (라)에서는 작가 '공선옥'의 작품 성향을 서술한 비평집(ㄹ)의 내용이, (마)에서는 최근 명절 풍경의 변화를 다룬 신문 기사(ㄷ)의 내용이 활용되었다.

**09** '수지'는 서평을 쓰기 위해 개요를 작성하면서 '처음' 부분에서 소설을 떠올리게 된 계기를 넣고 있다.

**10** 작품을 해석하고 평가하기 위한 근거가 부족하여 이를 더 마련하기 위해 고민하는 것은 내용 생성하기의 단계 중, 자료 수집 및 선별 과정에서 해야 할 일이다.

**11** 단어와 표현을 고민하는 단계는 초고 쓰기 단계이다. 이때에는 문맥에 맞고, 독자가 이해할 수 있는 적절한 단어와 표현을 찾아야 한다. 자료를 찾고 내용을 선별하는 것은 내용 생성하기 단계이다.

**오답 풀이** ① 계획하기, ② 내용 생성하기, ③ 내용 조직하기, ⑤ 초고 쓰기와 고쳐쓰기 단계에서의 어려움과 해결 방법이다.

**12** 누구나 글을 쓰는 과정에서 화제와 관련된 배경지식이 부족하다고 느끼거나, 떠올린 내용을 옮길 적절한 단어나 표현을 찾지 못할 수 있다. 또한 문단을 어떻게 배열해야 할지를 고민할 수도 있다. 이와 같이 글을 쓰는 과정에서 여러 문제에 부딪힐 수 있는데, 쓰기는 이러한 문제를 해결해 나가는 과정이라고 할 수 있다.

**13** 글쓴이는 서평을 '우리 반 누리집 게시판'에 올릴 것이라며, 자신이 쓴 서평을 어떤 매체에 공유할지를 고려하고 있다.

**14** 〈보기〉의 질문은 서평에 쓸 내용을 마련하기 위한 질문으로, 내용 생성하기 단계에서 할 수 있는 것들이다.

**15** 이 책을 추천하고 싶은 까닭이나 이 책에 대한 평가와 같은 것은 서평의 '끝' 부분의 내용으로 적절하다.

**16** '초고'란 맨 처음 대강하여 쓴 글이라는 뜻으로, 글의 주제와 목적, 예상 독자를 고려해 적절한 단어를 선택하고, 글의 흐름에 따라 문단을 배치하여 직접 표현해 보는 과정이다. 초고 쓰기는 글을 완성하는 단계가 아니라 시작하는 단계이므로, 글이 마음에 들지 않는다면 언제든지 고쳐 쓸 수 있다.

**17** 미리 작성한 개요에 따라 초고를 쓰게 되지만, 글을 수정하는 과정에서 부족하거나 빠진 내용을 보충하기도 하고 불필요한 내용을 삭제하기도 한다. 또한 글 전체의 흐름에 따라 문단의 배열을 바꾸기도 한다. 따라서 처음에 작성한 개요와 최종적으로 쓴 글은 달라질 수 있으므로, 이 둘이 일치하는가를 고쳐쓰기 단계에서 점검할 필요는 없다.

**압축 파일**     본문 033쪽

❶ 계기   ❷ 외로움   ❸ 매체   ❹ 연상   ❺ 개요   ❻ 초고   ❼ 보충   ❽ 배경지식   ❾ 문제 해결

**시험에 나오는 소단원 문제**     본문 034~035쪽

**01** ③   **02** ④   **03** ①   **04** ⑤   **05** ②   **06** ②
**07** ④   **08** 이 소설을 통해 '일가'의 의미를 되새기며 그 소중함을 깨달을 수 있기 때문이다.   **09** 이 소설을 읽은 느낌: 처음 → 두 번째   **10** ③

**01** 이 만화에서 학생은 블로그에 방문한 친구들에게 재미를 주고, 제주도에 가려는 친구들에게 여행 정보를 알려 주기 위해 글을 쓰고자 한다.

**02** 이 만화에서 학생은 글쓰기의 주제, 목적, 독자, 매체는 결정하였다. 그러나 어떤 내용으로 글을 써야 할지 막막해하고 있으며, 기억나는 정보가 부족해 곤란을 겪고 있다. 또한 자신이 사용한 표현과 문장이 어색하다고 생각하면서 이에 대한 해법을 고민하고 있다.

**03** 글쓰기의 계획하기 단계에서 글을 어떻게 시작해야 할지 어려울 때는 글의 주제, 목적, 독자, 매체 등을 설정해야 한다.

**04** 〈보기〉의 내용은 다양한 매체 자료를 이용하여 필요한 자료를 수집하는 것으로, 글의 내용을 마련하기 어려울 때 쓸 수 있는 해결 방법이다.

**05** ② '경희'가 말한 방법은 '초고 쓰기' 단계에서 내용을 글로 어떻게 표현할지 모를 때 제시할 수 있는 해결 방법이다.

**06** '서평'은 설득력 있는 근거를 들어 책의 내용을 해석하고 평가하는 글이다. 서평에는 줄거리, 해당 책을 추천하는 이유 등과 같이 책과 관련한 정보가 포함되기 때문에 다른 사람이 해당 책을 선택하는 데 도움을 줄 수도 있다. 그러나 교훈을 주기 위한 목적으로 쓰는 글은 아니다.

**오답 풀이** ① 서평에는 책에 대한 감상이나 평가가 담겨 있다.
③ 평가 내용은 합리적인 근거에 따른 해석이 바탕이 되어야 한다.
④ 서평은 감상과 평가뿐 아니라 책에 대한 다양한 정보를 제공한다.
⑤ 서평은 읽을 책을 고르는 사람에게 책에 대한 정보를 제공함으로써 책 선택에 도움을 준다.

**07** (다)에서 작품의 주제 의식을 해석하기 위한 근거로 작가 '공선옥'의 작품 성향에 대한 자료를 활용했다는 것을 알 수 있다.

**08** 서술형 (라)에서는 「일가」를 통해 '일가'의 의미를 되새기며 그 소중함을 깨달을 수 있다며, 책을 추천하는 이유를 제시했다.

**09** 서술형 (나)에는 「일가」의 '아저씨'에 대한 글쓴이의 생각의 변화가 잘 나타난다.

**10** 글쓴이는 ㉠과 같은 일상에서의 경험을 글의 '처음' 부분에 서술하여 독자의 흥미를 유발하고 있다.

**어휘력 키우기**     본문 036쪽

**01** ③   **02** ①

**01** ③ '방법'은 '어떤 일을 해 나가거나 목적을 이루기 위하여 취하는 수단이나 방식'이라는 뜻이다.

**02** 〈보기〉의 빈칸에는 '만화를 그려서 인물이나 사회를 풍자적으로 비평함.'을 뜻하는 '만평'이 들어가는 것이 적절하다.

**시험에 나오는 대단원 문제**     본문 037~040쪽

**01** ④   **02** ①   **03** ③   **04** 이성부가 이 시를 지었을 당시인 1970년대는 군사력을 등에 업은 독재 정권이 강한 권력으로 국민을 통제하던 시기였다.   **05** ③   **06** ③   **07** ④
**08** 작품과 작가의 관계(작가의 작품 성향)   **09** ⑤   **10** ④
**11** ⑤   **12** ①   **13** ④   **14** ④   **15** ⑤   **16** ⑤   **17** ⑤
**18** "이 소설의 작가 '공선옥'은 이처럼 상처 입고 소외받는 사람들의 이야기를 많이 써 왔다."로 보아, (다)는 작품과 작가의 관계를 중심으로 해석한 것이다.

**01** (가)의 말하는 이는 '너(봄)'가 계절이 순환하는 자연의 원리처럼 올 것이라는 확신을 갖고 간절히 '너'를 기다린다. 기다림이 간절한 만큼 '너'가 더디게 온다고 느끼며, 마침내 '너'가 오자 감격스럽고 기쁜 마음으로 '너'를 맞이한다.

**02** (가)는 '봄'을 의인화하여 표현하고(ㄱ), '온다'라는 단정적 표현의 시어를 반복하여 '봄'이 반드시 올 것이라는 화자의 굳은 믿음을 강조하고 있다(ㄴ). 또한 '~온다', '~수가 없다' 등의 문장 구조를 반복하여 '봄'에 대한 말하는 이의 확신과, '봄'을 맞이하여 감격한 말하는 이의 심리를 드러내고 있다(ㄷ).

**오답 풀이** ㄹ. '봄'을 기다리는 대상은 말하는 이인 '나'인데, 이 시에서는 '나'를 상징적 시어로 표현하지는 않았다.
ㅁ. 공간의 이동에 따른 전개는 나타나지 않는다.

**03** 제시된 내용에서는 작품의 의미를 자신의 경험에 비추어 해석하고 있다.

**04** 서술형 (나)에서 '봄'의 의미를 '민주주의'와 '자유'로 해석한 근거는 (가)가 창작된 시기가 독재 정권이 강한 권력으로 국민을 통제하던 때였기 때문이다.

**05** 이 글은 소설이므로 사건의 전개와 갈등의 해결 과정을 중심으로 작품을 감상해야 한다.

**06** (나)에서 풍차 방앗간의 벽이나 구석에 쳐진 거미줄 위에도 밀가루가 내려앉은 흔적 같은 것은 볼 수 없었다고 하였다.

**07** '코르니유' 영감은 풍차 방앗간의 명예, 즉 전통적 가치를 지키고 싶어서 아직도 자신의 풍차 방앗간이 밀을 빻고 있는 것처럼 꾸며 마을 사람들을 속였다.

**08** 서술형 〈보기〉는 이 글의 작가인 '알퐁스 도데'의 주된 작품 성향을 중심으로 작품을 해석하고 있다.

**09** 이 만화에서 학생은 제주도에 여행을 가려는 친구들에게 도움이 되는 여행 정보를 알려 주려고 글을 쓰고자 한다.

**10** 글을 쓰는 목적은 블로그에 방문한 친구들에게 재미를 주고, 제주도에 가려는 친구들에게 여행 정보를 알려 주려는 것으로 글을 쓰기 전에 이미 정한 것이다.

**11** '서론 – 본론 – 결론'의 짜임으로 구성하는 것은 주장하는 글을 쓸 때이다.

**12** 전문가가 평가한 내용은 책의 내용을 해석하기 위해 참고할 수는 있다. 하지만 그 내용의 타당성을 반드시 판단해 보고 타당한 내용을 수용해야 하며, 그대로 수용하는 것은 바람직하지 않다.

**13** 〈보기〉의 해결 방안은 글을 쓸 내용을 생성할 때 겪는 어려움을 해결하기에 적절한 방법이다.

오답 풀이 ① 계획하기 단계, ② 초고 쓰기와 고쳐쓰기 단계, ④ 내용 조직하기 단계, ⑤ 내용 생성하기 단계에서의 어려움에 해당한다.

**14** 〈보기〉는 글의 예상 독자인 친구들을 고려하여, 친구들이 이해하기 어려운 단어인 '액취증'의 뜻을 풀어 써서 쉽게 이해할 수 있도록 고치려는 것이다.

**15** ⑤는 내용 조직하기 단계에서 고려해야 할 요소이다.

**16** ㉠은 (가), ㉡은 (나), ㉢은 (다), ㉣은 (라)에 제시되었다.

**17** (나)에는 「일가」를 읽고 난 후, '아저씨'에 대한 글쓴이의 개인적인 감상이 제시되어 있다.

**18** 고난도 서술형 (다)는 작가인 '공선옥'의 작품 성향과 연관지어 「일가」에 담긴 주제 의식을 해석하여 제시했다.

| 평가 목표 | 작품 해석의 방법 파악하기 |
| --- | --- |
| 채점 기준 | ✔ 작품 해석의 방법과 (다)의 해당 부분을 관련지어 모두 바르게 쓴 경우 [상]<br>✔ 작품 해석의 방법은 썼으나, (다)의 해당 부분을 바르게 쓰지 못한 경우 [중]<br>✔ 작품 해석의 방법과 (다)의 해당 부분을 모두 쓰지 못한 경우 [하] |

## 2 문장을 엮는 손, 과정을 읽는 눈

### (1) 문장의 짜임과 양상

간단 체크 개념 문제                                    본문 044쪽

**1** (1) ○ (2) × (3) ○　　**2** 관형어　　**3** ④

**1** (2) 동작이나 상태, 성질 등을 설명하는 문장 성분은 서술어이다. 부사어는 문장에서 용언, 관형어, 부사어, 문장 전체를 꾸며 주는 성분이다.

**2** 명사, 대명사, 수사와 같은 체언을 꾸며 주는 문장 성분은 관형어이다.

**3** 〈보기〉에서는 '지도도 없이'라는 부사절이 뒤에 오는 서술어 '찾았다'를 꾸며 주는 부사어의 기능을 하고 있다. 따라서 〈보기〉는 부사절을 안은 문장이다.

학습 활동                                    본문 045~056쪽

| 이해 | 언어 형식, 서술어, 보어, 관형어, 지만, 문장 |
| --- | --- |
| 적용 | 논리적인, 홑문장 |

학습콕                                    본문 045~056쪽

| 048쪽 | 목적어, 체언, 독립어, 주성분, 관형어 |
| --- | --- |
| 053쪽 | 겹문장, 대등, 종속적, 서술절, 부사절 |

간단 체크 활동 문제                                    본문 045~056쪽

045쪽　**01** ②　　**02** ④
046쪽　**03** 나무에 '무엇이' 열렸는지 나타나 있지 않기 때문이다.
　　　　**04** ①　　**05** ④
047쪽　**06** ④　　**07** ①　　**08** ⑤
048쪽　**09** 다른 문장 성분과 직접적인 관계를 맺지 않고 독립적으로 쓰인다. / 다른 문장 성분과 직접적인 관련이 없다.
　　　　**10** ②　　**11** ②
049쪽　**12** ①　　**13** ⑤　　**14** 그는 기대했다. 그녀가 연락처를 남겼다.
050쪽　**15** ④　　**16** ②
051쪽　**17** ④　　**18** ③
052쪽　**19** ②　　　　**20** 나는 그가 집에 빨리 가기를 바란다.
　　　　**21** ③
053쪽　**22** 나는 사람들이 모이는 장소를 알고 있다.　　**23** ③
054쪽　**24** ②　　**25** ②
055쪽　**26** ②　　**27** 인과 관계, 긴박감과 속도감
056쪽　**28** ①

**01** 문장 성분은 문장 안에서 일정한 문법적 기능을 하는 각각의 부분을 말한다.

**오답 풀이** ① 음운에 대한 설명이다.
③ 품사에 대한 설명이다.
④ 단어에 대한 설명이다.
⑤ 문장의 의미에 대한 설명이다.

**02** 제시된 문장에서 주성분에 해당하는 것은 '그는'(주어), '너를'(목적어), '걱정한다'(서술어)이다. '정말'(부사어)은 부속 성분에 해당한다.

**03** 〈보기〉에는 서술어 '열렸다'의 주체가 되는 주어가 나타나 있지 않다.

**04** ①의 서술어 '아니다' 앞에는 '무엇이'에 해당하는 보어가 와야 한다.

**05** 주성분은 문장을 이루는 데 꼭 필요한 성분으로 주어, 서술어, 목적어, 보어가 이에 속한다. ④에서 '정말'은 부사어로, 이를 생략해도 문장이 완전하다.

**06** 빈칸에는 용언인 '깨끗하다'를 꾸며 주는 말이 올 수 있으므로 부사어가 들어간다.

**07** 제시된 문장에서 '예쁜'은 명사 '나비'를 꾸며 주는 관형어이고, '훨훨'은 동사 '난다'를 꾸며 주는 부사어이다. 관형어와 부사어는 문장의 부속 성분에 해당한다.

**08** ㉠은 체언(명사 '꽃')을 꾸며 주는 관형어이고, ㉡은 용언(동사 '피다')을 꾸며 주는 부사어이다.

**오답 풀이** ①, ② ㉠은 관형어이며 체언을 꾸미는 역할을 하고, ㉡은 부사어이며 용언을 꾸미는 역할을 한다.
③, ④ 관형어와 부사어는 모두 문장의 주성분을 꾸며 주는 부속 성분에 해당한다. 이러한 부속 성분 없이 주성분만으로도 완전한 문장이 될 수 있다.

**09** '어머나'는 독립 성분으로, 이를 빼고 읽어도 원래의 문장과 의미상 차이가 없다.

**10** ②의 '과연'은 문장 전체를 꾸며 주는 부사어이고, 나머지는 모두 부름, 감탄, 응답에 해당하는 독립어이다.

**11** 같은 단어라도 문장에서 어떤 역할을 하느냐에 따라 문장 성분은 달라질 수 있다.

**12** ①은 '나는(주어) 학교에서(부사어) 친구들을(목적어) 만났다(서술어).'로 주어와 서술어의 관계가 한 번만 나타난다.

**오답 풀이** ② '형은(주어), 먹었다(서술어)', '내가(주어), 건넨(서술어)'으로, 주어와 서술어의 관계가 두 번 나타난다.
③ '우리는(주어), 놀랐다(서술어)', '소리가(주어), 나서(서술어)'로, 주어와 서술어의 관계가 두 번 나타난다.
④ '이것은(주어), 것이고(서술어)', '저것은(주어), 것이다(서술어)'로, 주어와 서술어의 관계가 두 번 나타난다.
⑤ '누나는(주어), 가고(서술어)', '나는(주어), 남았다(서술어)'로, 주어와 서술어의 관계가 두 번 나타난다.

**13** ⑤는 '나는(주어), 기쁘다(서술어)', '그가(주어), 와서(서술어)'와 같이 주어와 서술어의 관계가 두 번 나타나는 겹문장이다.

**오답 풀이** ① '사람들이(주어), 많다(서술어)'로, 주어와 서술어의 관계가 한 번만 나타나는 홑문장이다.
② '그는(주어), 먹었다(서술어)', '친구가(주어), 준(서술어)'으로, 주어와 서술어의 관계가 두 번 나타나는 겹문장이다.
③ '수민이는(주어), 있니(서술어)'로, 주어와 서술어의 관계가 한 번만 나타나는 홑문장이다.
④ '코끼리는(주어), 크고(서술어)', '개미는(주어), 작다(서술어)'로, 주어와 서술어의 관계가 두 번 나타나는 겹문장이다.

**14** 〈보기〉는 '그는(주어) 기대했다(서술어).', '그녀가(주어) 연락처를(목적어) 남겼다(서술어).'로 나눌 수 있는 겹문장이다.

**15** ④는 '조건'의 의미를 지닌 연결 어미 '-으면'을 사용한 종속적으로 이어진 문장이다. 나머지는 대등하게 이어진 문장이다.

**오답 풀이** ①, ③ '나열'의 의미를 지닌 연결 어미 '-고'를 사용한 대등하게 이어진 문장이다.
②, ⑤ '대조'의 의미를 지닌 연결 어미 '-지만'을 사용한 대등하게 이어진 문장이다.

**16** '원인'의 의미 관계를 나타낼 때에는 연결 어미 '-아서/어서'를 사용하여 두 문장을 종속적으로 연결한다.

**17** 나머지는 대등하게 이어진 문장이나, ④는 '원인'을 나타내는 연결 어미 '-어서'를 사용한 종속적으로 이어진 문장이다.

**18** ㉡에서 '풍년이 들다.'는 문장 속에서 목적어로 쓰인 안긴문장이다.

**19** ②는 '예고도 없이'라는 부사절을 안은 문장이다.

**오답 풀이** ① '친구가 많다'라는 서술절을 안은 문장이다.
③ '그가 준'이라는 관형절을 안은 문장이다.
④ '그녀가 외로웠음'이라는 명사절을 안은 문장이다.
⑤ '"우리 축구하자."라고'라는 인용절을 안은 문장이다.

**20** '그가 집에 빨리 가다.'에 명사형 어미 '-기'를 활용하여, '그가 집에 빨리 가기'라는 목적어 역할을 하는 명사절을 안은 문장으로 만들 수 있다.

**21** ㉠은 '조건'을 의미하는 연결 어미 '-면'을 사용한(ㄷ) 종속적으로 이어진 문장이다(ㄴ).

**22** ㉡은 '하늘을 수놓은'이라는 관형절을 안은 문장이다. 〈보기〉에서도 '사람들이 모인다.'가 안긴문장이 되어 '장소'라는 체언을 꾸며 주는 관형절이 될 수 있다.

**23** 나머지는 종속적으로 이어진 문장이나, ③은 '유채꽃이 아름다운'이라는 관형절을 안은 문장이다.

**24** (가)는 주로 홑문장을 사용하여 사건이 빠르게 진행되는 느낌을 주므로, 느린 호흡으로 천천히 읽게 된다고 보기 어렵다.

**25** ㉠의 두 홑문장은 인과 관계가 잘 드러나는 겹문장으로 고쳐 쓸 수 있다.

26 겹문장을 사용하여 글을 구성하면, 문장 간의 논리적인 관계를 파악하는 데에는 도움이 된다. (나)의 문제는 여러 홑문장을 지나치게 합쳐 써서, 의미를 정확하게 전달하지 못한 것이다.

27 제시된 글은 겹문장을 주로 사용한 글로, 겹문장을 사용하면 사건의 순서와 인과 관계를 잘 드러낼 수 있다. 반면 홑문장을 사용하면 긴박감과 속도감을 잘 표현할 수 있다.

28 홑문장은 긴박감과 속도감을 잘 느끼게 하고, 겹문장은 사건의 순서와 인과 관계를 잘 드러낸다. 이러한 문장의 짜임에 따른 표현 효과의 차이를 알고(ㄴ), 의도에 따라 적절한 형태의 문장을 활용하는 것이 좋다(ㄱ).

## 압축 파일
본문 057~058쪽

❶ 문법적  ❷ 주성분  ❸ 서술어  ❹ 부사어  ❺ 홑문장
❻ 종속적  ❼ 성분  ❽ 관형절  ❾ 인용절  ❿ 집약적

## 시험에 나오는 소단원 문제
본문 059~060쪽

**01** ③  **02** ②  **03** ④  **04** ②  **05** ④  **06** 아이가 너를 쳐다봐.  **07** ④  **08** ②  **09** ②  **10** ③  **11** ⑤
**12** 문장 간의 논리적인 관계가 잘 드러난다.  **13** ③  **14** ②
**15** ②

01 독립어는 문장의 다른 성분들과 직접적인 관계를 맺지 않고 독립적으로 쓰이는 문장 성분이므로 홀로 쓰일 수 있다.

02 ②에는 '무엇을', 즉 목적어가 빠져 있으므로 완전한 문장이 되려면 목적어를 추가해야 한다.

03 '여기에'는 장소를 나타내는 부사어로, 서술어인 '버렸지'를 꾸며 주는 역할을 한다.

04 나머지는 모두 주어가 없는 문장으로, 빈칸에는 주어가 들어가야 한다. 하지만 ②의 주어는 '홍길동이'로, '되었다' 앞의 빈칸에는 이를 보충하는 말인 보어가 와야 한다.

05 ④에서 '우리의'는 뒤에 오는 명사 '물건'을 꾸며 주는 관형어이다.

06 **서술형** 제시된 문장은 '준현아(독립어), 아이가(주어) 너를(목적어) 계속(부사어) 쳐다봐(서술어).'로 구성되어 있다. 주성분은 주어, 목적어, 보어, 서술어이므로, 이 문장에서 주성분만 골라 문장을 구성하면 '아이가(주어) 너를(목적어) 쳐다봐(서술어).'이다.

07 홑문장은 주어와 서술어의 관계가 한 번만 나타나는 문장이다. ④는 '그가(주어) 나에게(부사어) 미소를(목적어) 지었다(서술어).'로 구성되어 있으므로 홑문장이다.

> **오답 풀이** ① '나열'을 의미하는 연결 어미 '-고'를 사용한 대등하게 이어진 문장으로 겹문장이다.
> ② '향기가 좋은'이라는 관형절을 안은 문장으로 겹문장이다.

③ '원인'을 의미하는 연결 어미 '-니'를 사용한 종속적으로 이어진 문장으로 겹문장이다.
⑤ '진실이 드러났음'이라는 명사절을 안은 문장으로 겹문장이다.

08 ㉢은 '대조'의 의미를 지닌 연결 어미 '-지만'을 사용한 대등하게 이어진 문장이다.

> **오답 풀이** ① ㉠은 '지희야(독립어), 오늘(부사어) 시험을(목적어) 잘(부사어) 봤니(서술어)?'로 구성되어 있다. 즉, 주성분인 목적어와 서술어, 부속 성분인 부사어, 독립 성분인 독립어를 포함하고 있다.
> ③ ㉢은 '네가(너는)'와 같은 주어가 생략된 문장으로 서술어인 '속상하겠구나'만 쓰였다.
> ④ ㉣은 '최선을 다하는'이라는 관형절을 안은 문장이다.
> ⑤ ㉠과 ㉢은 생략되어 있지만 '너는'과 같은 주어, 그리고 각각 '봤니'와 '속상하겠구나'라는 서술어가 한 번씩만 나오는 홑문장이다. 반면 ㉢과 ㉣은 각각 대등하게 이어진 문장과 관형절을 안은 문장으로 겹문장이다.

09 ㉠은 '조건'의 의미 관계를 나타내는 연결 어미 '-면'을 사용한, 종속적으로 이어진 문장이다.

10 나머지는 종속적으로 이어진 문장이지만, ③은 '선택'을 의미하는 연결 어미 '-거나'를 사용한 대등하게 이어진 문장이다.

> **오답 풀이** ① '조건'의 의미 관계를 나타내는 연결 어미 '-면'을 사용한 종속적으로 이어진 문장이다.
> ② '의도'의 의미 관계를 나타내는 연결 어미 '-려고'를 사용한 종속적으로 이어진 문장이다.
> ④ '양보'의 의미 관계를 나타내는 연결 어미 '-을지라도'를 사용한 종속적으로 이어진 문장이다.
> ⑤ '원인'의 의미 관계를 나타내는 연결 어미 '-니까'를 사용한 종속적으로 이어진 문장이다.

11 〈보기〉에서 안긴문장은 '자기가 직접 나서겠다고'로, 이는 인용절에 해당한다. ⑤의 안긴문장은 '백설 공주가 살아 있다고'로, 이 역시 인용절에 해당한다.

> **오답 풀이** ① '코가 길어졌다'라는 서술절을 안은 문장이다.
> ② '숨이 차게'라는 부사절을 안은 문장이다.
> ③ '은혜를 갚은'이라는 관형절을 안은 문장이다.
> ④ '춘향의 절개가 변치 않았음'이라는 명사절을 안은 문장이다.

12 **서술형** ㉠은 두 개의 홑문장으로 구성되어 앞 문장과 뒤 문장의 논리적인 관계를 알기 어려운 반면, 겹문장인 ㉢은 문장 간의 논리적인 관계가 잘 드러난다.

13 ㄱ은 인용절 '그가 온다고'를 안은 문장, ㄴ은 부사절 '말도 없이'를 안은 문장, ㄷ은 '원인'의 의미 관계로 연결된 종속적으로 이어진 문장, ㄹ은 '나열'의 의미 관계로 연결된 대등하게 이어진 문장, ㅁ은 '아이들은(주어) 노래를(목적어) 열심히(부사어) 불렀다(서술어).'로 이루어진 홑문장이다.

14 ②는 관형절로, 안은문장 안에서 관형어의 기능을 한다. 나머지는 모두 명사절로, 문장에서 주어, 목적어 등의 기능을 한다.

15 ㉠처럼 홑문장을 주로 쓰면 속도감과 긴박감을 잘 느낄 수 있고, ㉢처럼 겹문장을 주로 쓰면 사건의 순서와 인과 관계를 잘 드러낼 수 있다.

**1** (1) ✕ (2) ○ (3) ✕　**2** ③　**3** 근거

**1** (1) 전기문은 실제 인물의 업적과 활동 등을 사실적으로 다룬 글이다.
(3) 비평문은 글쓴이가 작품에 대한 자신의 감상과 평가를 독자에게 타당하게 제시하려는 목적을 지닌다.

**2** 인물의 일생에 대한 평가를 중심으로 쓴 전기문을 평전이라고 한다.

**3** 비평문은 그 작품을 분석하는 사람의 관점, 경험 등에 따라 해석의 전제와 근거가 달라질 수 있으므로 결론도 각기 다를 수 있다.

이해 문화유산, 수준, ㄹ, ㄱ

071쪽　목적, 사전, 맥락, 표, 능동적

| | | | |
|---|---|---|---|
| 062쪽 | **01** ① | **02** ④ | |
| 063쪽 | **03** ② | **04** ③ | **05** 모르는 단어의 의미를 사전 |

에서 찾아보기

| | | | |
|---|---|---|---|
| 064쪽 | **06** ② | **07** ③ | **08** ① |
| 065쪽 | **09** ⑤ | | **10** 우리나라의 옛 책과 서화가 이리저리 흩 |

어지지 않도록 모아 보겠다. / 우리나라의 서화 전적과 골동품을 지키는 데 힘을 보태겠다. 　**11** ⑤

| | | |
|---|---|---|
| 066쪽 | **12** ① | **13** 수천 마리의 학이 구름을 헤치고 하늘로 |

날아가는 것 같다 　**14** ⑤

| | |
|---|---|
| 067쪽 | **15** 앞뒤 맥락을 고려하여 이해가 되지 않는 부분의 의미 |

파악하기　**16** ①　**17** ②

| | | |
|---|---|---|
| 068쪽 | **18** ④ | **19** ② |
| 069쪽 | **20** ② | **21** 중심 내용을 쉽게 파악할 수 있다. |

**22** ⑤

| | | | |
|---|---|---|---|
| 070쪽 | **23** ① | **24** ⑤ | **25** ④ |
| 071쪽 | **26** ① | **27** ② | |
| 072쪽 | **28** 백과사전을 찾아 그 의미를 파악한다. / 백과사전을 | | |

찾아본다.　**29** ④　**30** ⑤

| | | |
|---|---|---|
| 073쪽 | **31** ⑤ | **32** ③ |
| 074쪽 | **33** ② | **34** ④ |
| 075쪽 | **35** ② | **36** ② | **37** 보완할 방법 |
| 076쪽 | **38** ③ | | |

**01** 글을 읽기 전에는 글을 읽는 목적과 자신의 읽기 수준을 점검하고, 이에 맞는 책을 선택해야 한다.

**02** '현중'은 ㉠이 자신이 읽기에 너무 어려워 보여, 적당한 수준의 책인 ㉡을 고른 것이다.

**03** 이 글은 전기문으로, 어떤 인물의 생애와 업적, 언행, 성품 등을 사실에 바탕을 두고 기록한 것이다. 전기문에는 인물에 대한 글쓴이의 생각이나 느낌, 평가 등이 나타나기도 한다.

**04** (가)~(다)에는 '전형필'이 조상에게 물려받은 재산을 어떻게 지키면서 활용할지 고민하는 내용이 제시되어 있을 뿐, 그가 재산을 어떻게 늘렸는지는 나타나지 않는다.

오답 풀이 ① (가)~(나)를 통해 '전형필'이 부친으로부터 물려받은 막대한 재산과, 그것을 현재의 시세로 계산했을 때의 가치를 알 수 있다.
② (나)를 통해 '전형필'이 큰 재산을 어떻게 관리할지 고민했음을 알 수 있다.
④ (나)에서 총독부의 간섭을 신경 쓰고 있는 '전형필'의 모습을 통해 일제 강점기라는 시대적 상황을 알 수 있다.
⑤ (다)에서 '고희동', '오세창', '월탄' 등 '전형필'에게 영향을 끼친 인물들을 알 수 있다.

**05** '현중'은 글을 읽다가 '서화 전적'의 뜻이 궁금하여 사전을 찾아 그 의미를 확인해 보고 있다.

**06** '전형필'은 돈을 헛되게 쓰지 않는 길로 서화 전적을 지키는 것과 교육 사업에 힘쓰는 것을 떠올린다. 그러다 교육 사업은 훗날 도모하기로 하고, 서화 전적을 지키라는 고희동 선생님과 오세창 어르신의 말을 다시 떠올린다. 이로 보아 '전형필'은 서화 전적을 지키기로 결심했음을 알 수 있다.

**07** ㉡은 글을 읽다가 떠오른 궁금증으로, 이에 대한 답을 찾기 위해서는 글의 앞뒤 문맥을 살펴봐야 한다.

**08** ㉢에서 '오세창'은 자신도 어린 나이에 아버지를 여의었다며 '전형필'의 마음에 공감하고 있다. 이를 나타내는 한자 성어로는 마음과 마음으로 서로 뜻이 통한다는 뜻의 '이심전심(以心傳心)'이 적절하다.

오답 풀이 ② '일장춘몽(一場春夢)'은 '한바탕의 봄꿈이라는 뜻으로, 헛된 영화나 덧없는 일을 비유적으로 이르는 말'이다.
③ '고진감래(苦盡甘來)'는 '쓴 것이 다하면 단 것이 온다는 뜻으로, 고생 끝에 즐거움이 옴을 이르는 말'이다.
④ '호사다마(好事多魔)'는 '좋은 일에는 흔히 방해되는 일이 많음. 또는 그런 일이 많이 생김.'을 뜻하는 말이다.
⑤ '감언이설(甘言利說)'은 '귀가 솔깃하도록 남의 비위를 맞추거나 이로운 조건을 내세워 꾀는 말'이다.

**09** (마)에서 '오세창'은 '전형필'에게 서화 전적을 지키려는 이유를 물으며 서화 전적과 골동품을 수집하고자 하는 '전형필'의 의지가 개인의 이익이 아니라 민족을 위한 것인지 확인하고자 하였다.

**10** (마)에서 '전형필'은 '오세창'을 찾아가서 서화 전적과 골동품을 지키려는 자신의 결심을 밝혔다.

11 〈보기〉에서는 '오세창'이 어떤 사람인지 질문을 던지고, 이를 파악하기 위해 ㉣과 같이 앞뒤 내용을 살펴보며 그 의미를 이해하였다.

12 '전형필'은 천학 매병의 사진만 보고도 그 아름다움을 높이 평가하며 명품임을 알아보았다.

13 '마에다'는 청자 상감운학문 매병에 대한 자신의 감상을 담아 '천학 매병'이라고 이름을 붙였다.

14 ㉠은 인터넷 검색을 통해 천학 매병에 관한 자료를 찾아, 관련 분야에 대한 이해를 넓힌 것이다.

15 ㉡에서는 당시의 2만 원이 현재 가치로 얼마인지 궁금하여, 글의 앞부분으로 돌아가 그에 대한 답을 확인하는 모습이 나타난다.

16 (아)에는 한 번 마음을 정하면 망설임 없이 실천에 옮기는 '전형필'의 단호한 성품이 드러난다.

17 ㉢에서 '마에다'와 '신보'는 '전형필'이 2만 원이라는 큰돈을 흥정도 없이 현금으로 내놓았기 때문에 놀란 것이다.

18 '신보'는 자존심을 내세우며 허세를 부리는 '전형필'의 모습에 아쉬워한 것이 아니라, 천학 매병이 그 정도 가치가 있는지, 혹시 '전형필'의 허세는 아닐지 여러 생각을 떠올리며 놀란 것이다.

19 글을 읽기 전 '현중'은 '전형필'의 생애를 알아보고, 그에게서 본받을 점을 발표해야겠다는 목적을 세웠다. ㉠에서는 그러한 읽기 목적을 확인하며 글을 읽는 모습이 나타난다.

20 ㉡과 같이 더 알고 싶은 내용에 관한 자료를 찾아보면, '전형필'의 업적을 다룬 글의 내용을 더 깊이 있게 이해할 수 있다.

21 글을 읽은 후 표를 활용하여 글의 내용을 정리하면, 글의 주요 내용을 파악하는 데 도움이 된다.

22 '전형필'은 자신의 긍지나 개인의 이익이 아닌, 나라와 민족을 위해 우리의 문화유산을 지키려고 노력하였다.

> **오답 풀이** ① 발표 내용이 '간송 전형필'의 생애와 관련된 것이므로, 시작 부분에서 간송 미술관에 갔던 자신의 경험을 소개하는 것은 적절하다.
> ② '전형필'이 우리 민족의 문화유산을 지키려는 결심을 하게 된 과정을 설명하면, 개인보다는 나라와 민족을 이롭게 하는 데 가치를 둔 그의 성품을 잘 보여 줄 수 있다.
> ③ 천학 매병 거래 사건은 우리 문화재를 지킨 '전형필'의 업적을 잘 보여 주는 일화이므로, 이를 제시하는 것은 적절하다.
> ④ 이 글에 담긴 내용 외에 추가 자료들을 조사하여 제시하면, '전형필'에 관한 더 깊이 있는 이해를 도울 수 있다.

23 〈보기〉에서는 '간송 전형필'의 생애에 대해 알아보려는 목적을 고려하여, 이에 맞는 책을 선택하려고 하였다.

24 〈보기〉는 글을 읽으며 이해가 되지 않는 부분에 대해, 앞뒤 내용을 살펴보며 의미를 파악한 예이다.

25 자신의 읽기 수준을 점검하는 것은 글을 읽기 전에 하는 활동이다.

26 읽기 과정을 점검하고 조정하는 활동은 글을 읽는 과정 전체에서 의식적으로 주의를 집중해야 하므로, 글을 읽는 시간은 그냥 읽을 때보다 오히려 좀 더 소요될 수 있다.

27 이 글은 레오나르도 다빈치의 「담비를 안은 여인」이라는 작품을 정의하고 분석하여, 그 가치를 판단한 내용을 담은 비평문이다.

28 〈보기〉와 같이 글을 읽는 과정에서 모르는 말이 나오면, 사전을 찾아보며 그 의미를 파악할 수 있다.

29 ㉠에서 글쓴이는 독자에게 질문을 던져, 앞으로 전개할 화제인 레오나르도 다빈치의 그림에 대한 독자의 관심과 흥미를 이끌어 내려 하였다.

30 ㉡에는 그림 속 여인이 누구인지 궁금하여 글의 뒷부분을 살펴보며 그 답을 찾는 과정(ㄹ)과, '아우라'라는 단어의 개념을 사전을 찾아 확인하는 과정(ㄷ)이 나타난다.

31 (바)에서 다빈치의 그림에는 인문학적, 과학적, 해부학적인 이해를 바탕으로 한 형태와 색, 공간에 대한 완벽한 해석이 구현되어 있다고 하였다.

32 (사)를 보면 다빈치는 인물의 모습을 표현하는 것에만 치중하지 않고, 화면 속 공간과 그 공간을 채우는 공기의 느낌까지도 정교하게 표현하려 했음을 알 수 있다.

33 ㉠은 화가가 작품을 완성하기 위해 고민하고 노력했던 시간으로, 작품의 완성도를 높이는 가치 있는 시간을 의미한다.

34 〈보기〉에서는 글의 내용과 관련된 다른 사례를 참고 자료로 찾아, 그 분야에 대한 이해를 넓히려 하였다.

35 ㉢는 글 속에 나오는 여러 개념들 중 일부로, 이 글의 중심 내용에 해당하지는 않는다.

36 ㉢는 자신의 읽기 수준을 고려하여 읽을 글을 선정하는 것이므로 읽기 전 활동에 속한다.

37 자신의 읽기 과정을 스스로 평가해 보면, 어떤 점이 부족한지 깨닫고 이를 어떻게 보완해야 할지 생각해 볼 수 있다.

38 글을 읽은 후 표나 그림을 활용하여 내용을 정리하면, 중심 내용을 파악하는 데 도움이 된다.

**압축** 파일            본문 077쪽

❶ 목적    ❷ 참고 자료    ❸ 그림    ❹ 전략    ❺ 효과적

**시험에 나오는 소단원 문제**        본문 078~079쪽

**01** ①    **02** ④    **03** ④    **04** ⑤    **05** ③    **06** ⑤
**07** 읽기 목적을 떠올리면서(확인하면서) 읽는다.

**01** 이 글은 '전형필'의 생애와 업적, 성품 등을 서술한 전기문이다. 전기문은 인물이 벌이는 사건과 행동 등을 시간의 흐름에

따라 서술한다.

**02** ④는 글의 앞뒤 맥락을 고려하여 궁금증을 해결한 것으로 '읽는 중'에 이루어지는 활동이다.

**오답 풀이** ① '전형필'의 생애를 알고자 한다는 읽기 목적과, 자신의 읽기 수준을 고려하여 책을 선정한 것으로 '읽기 전'에 이루어지는 활동이다.
② 글을 읽다가 모르는 단어의 의미를 사전을 통해 찾아보려는 것으로 '읽는 중'에 이루어지는 활동이다.
③ 글의 내용과 관련된 참고 자료를 찾아 관련 분야에 대한 이해를 넓히는 것으로 '읽는 중'에 이루어지는 활동이다.
⑤ 더 알고 싶은 내용에 관한 자료를 찾아 글의 내용을 더 깊이 있게 이해한 것으로 '읽은 후'에 이루어지는 활동이다.

**03** '전형필'은 국가와 민족을 위해 자신이 가진 것을 아낌없이 바치며 우리 민족의 문화유산을 소중히 지켜 내려 한 인물이다.

**04** 이 글은 레오나르도 다빈치의 그림에 대한 비평문으로, 그림에 대한 글쓴이의 관점과 평가가 드러난다.

**05** 〈보기〉와 ③에서는 이해가 되지 않는 부분이 있을 때 글의 앞뒤 맥락을 살펴보며 의미를 파악하는 방법이 나타난다.

**06** (마)에서 알 수 있듯이 화가가 작품을 완성하기 위해 거듭했던 실패는 쓸모없이 돼 버린 것이 아니라, 작품의 완성도를 높여 주는 가치 있는 행위이다.

**07** 서술형 〈보기〉에는 글을 읽는 목적을 신경 쓰지 않고 글을 읽었을 때의 문제점이 나타나므로, 읽기 목적을 확인하며 읽도록 읽기 과정을 보완할 필요가 있다.

### 어휘력 키우기
본문 080쪽

**01** ⑤　　**02** ②

**01** '관형어'는 '체언 앞에서 체언의 뜻을 꾸며 주는 구실을 하는 문장 성분'을 의미한다.

**02** '해박하다'는 '여러 방면으로 학식이 넓다.'의 의미이므로 ②의 쓰임은 바르지 않다.

### 시험에 나오는 대단원 문제
본문 081~084쪽

**01** ⑤　　**02** ③　　**03** ①　　**04** ㉠: 환한 달이 떴다. ㉡: 달이 환하게 떴다.　　**05** ⑤　　**06** ⑤　　**07** ②　　**08** 주어와 목적어가 생략되었으므로 '나는 편지를 다 읽었어.'로 고쳐 쓴다.
**09** ⑤　　**10** ①　　**11** ④　　**12** 우리는 자료를 찾으러 도서관에 갔다. / 우리는 자료를 찾으려고 도서관에 갔다. / 우리는 자료를 찾고자 도서관에 갔다.　　**13** ①　　**14** ·안은문장: 나는 나의 어머니를 닮은 그녀를 가만히 바라보았다. / ·안긴문장의 역할: 관형어 역할을 한다.　　**15** ①　　**16** ⑤　　**17** ④　　**18** ⑤
**19** 흥정 없이 바로 천학 매병을 인수하는 모습에서 단호한 성품이 나타난다.　　**20** ⑤　　**21** ⑤　　**22** 모르는 단어의 의미를 사전에서 찾아본다.

**01** ⑤는 문장 성분이 아니라 문장의 개념을 설명한 것이다. 문장 성분은 문장 안에서 문법적인 기능을 하는 각각의 부분을 말한다.

**02** 제시된 문장에서는 '준하'가 '무엇을', '누구를' 보았는지가 나타나지 않으므로 이에 해당하는 목적어가 들어가야 문장이 완전해진다.

**03** ①은 '종환아(독립어), 신발을(목적어) 언제(부사어) 샀니(서술어)?'로 구성되어 있다.

**04** 서술형 '환하다'가 체언인 '달'을 꾸며 주는 역할을 하면 관형어가 되고, 용언인 '떴다'를 꾸며 주는 역할을 하면 부사어가 된다.

**05** 제시된 문장은 '아이코(독립어), 나무꾼이(주어) 선녀의(관형어) 남편이(보어) 되었구나(서술어).'로 구성되어 있다.

**06** 주성분은 주어, 서술어, 목적어, 보어이고, 부속 성분은 관형어, 부사어이며, 독립 성분은 독립어이다. 제시된 문장은 '오(독립어)! 결국(부사어) 그가(주어) 아이들을(목적어) 구했구나(서술어)!'로 구성되어 있다.

**07** ㉠은 부사어, ㉡은 관형어, ㉢은 주어, ㉣은 부사어, ㉤은 주어, ㉥은 관형어, ㉦은 목적어이다. 따라서 문장 성분이 같은 것은 ㉠과 ㉣, ㉡과 ㉥, ㉢과 ㉤이다.

**08** 서술형 ㉠은 부사어 '다'와 서술어 '읽었어'로만 이루어진 문장으로, 주어와 목적어가 생략되었다.

**09** 두 문장이 나열, 대조, 선택 등의 의미 관계로 연결된 문장은 대등하게 이어진 문장에 해당한다.

**10** ②는 '수업 종이 쳤다고'라는 인용절을 안은 문장이다. ①, ④는 종속적으로 이어진 문장, ③, ⑤는 대등하게 이어진 문장이다.

**11** ④는 '양보'의 의미 관계를 나타내는 연결 어미 '-더라도'를 사용한 종속적으로 이어진 문장이다.

**오답 풀이** ① '사람이(주어), 걸었다(서술어)'로 주어와 서술어의 관계가 한 번만 나타나는 홑문장이다.
② '소녀가 상처를 받았음'이라는 명사절을 안은 문장이다.
③ '하늘을 수놓은'이라는 관형절을 안은 문장이다.
⑤ '조건'의 의미 관계를 나타내는 연결 어미 '-면'을 사용한 종속적으로 이어진 문장이다.

**12** 서술형 '의도'의 의미 관계를 드러내는 연결 어미에는 '-(으)러, -(으)려고, -고자' 등이 있다.

**13** ①에서 '목이 길다'는 서술절에 해당한다.

**오답 풀이** ② '밥 먹듯이'라는 부사절을 안은 문장이다.
③ '내가 좋아할'이라는 관형절을 안은 문장이다.
④ '그가 합격하기'라는 명사절을 안은 문장이다.
⑤ '"너 자신을 알라."라고'라는 인용절을 안은 문장이다.

**14** 고난도 서술형 두 문장에서 반복되는 '그녀'의 특징이 두 번째 문장에 나오므로, 이 문장을 관형절로 바꾸어 '그녀'를 꾸

미는 관형어 역할을 하도록 쓸 수 있다.

| 평가 목표 | 안은문장의 짜임과 안긴문장의 역할 이해하기 |
|---|---|
| 채점 기준 | ✔ 안은문장을 바르게 만들고, 안긴문장의 역할을 바르게 쓴 경우 [상] |
| | ✔ 안은문장을 바르게 만들지 못했거나, 안긴문장의 역할을 바르게 쓰지 못한 경우 [중] |
| | ✔ 안은문장을 잘못 만들고, 안긴문장의 역할도 바르게 쓰지 못한 경우 [하] |

**15** (가)는 주로 홑문장을, (나)는 주로 겹문장을 사용한 글이다. (가)와 같이 주로 홑문장을 사용하면 내용을 간결하고 명확하게 전달할 수 있고(ㄱ), (나)와 같이 주로 겹문장을 사용하면 내용을 집약적으로 전달할 수 있다(ㄷ).

오답 풀이 ㄴ. (나)와 같이 주로 겹문장을 활용할 때 사건이나 사실의 논리적인 관계를 잘 드러낼 수 있다.
ㄹ. (가)와 같이 주로 홑문장을 활용할 때 속도감이 느껴지며 사건이 빠르게 진행되는 느낌을 줄 수 있다.
ㅁ. 여러 문장을 지나치게 합쳐 쓰면, 문장이 복잡해져서 의미를 정확하게 전달할 수 없게 된다.

**16** ⑤는 자서전에 대한 설명으로, 이 글은 글쓴이가 자신의 삶을 스스로 기록한 자서전이 아니라 어떤 인물의 생애와 업적, 언행, 성품 등을 사실에 바탕을 두고 기록한 전기문이다.

**17** ④는 글을 읽는 목적인 '인물에게서 본받을 점 발표하기'를 확인하며 읽는 예라고 볼 수 있다.

오답 풀이 ① 글을 읽기 전 자신의 읽기 수준을 고려하여 책을 선택하는 방법이 나타난다.
② 글을 읽으며 내용과 관련된 참고 자료를 찾아 관련 분야에 대한 이해를 넓히는 방법이 나타난다.
③ 글을 읽다가 뜻을 모르는 단어를 사전에서 찾아보는 방법이 나타난다.
⑤ 글을 읽다가 이해가 되지 않는 부분이 생겼을 때 앞뒤 맥락을 고려하여 의미를 파악하는 방법이 나타난다.

**18** '전형필'은 시간이 곤란해질까 봐 흥정을 성사시킨 것이 아니라, 천학 매병을 인수해야겠다는 확고한 결심을 실행으로 옮긴 것이다.

**19** 서술형 (나)에서 '전형필'은 흥정을 하지 않고 미리 준비해 둔 2만 원을 선뜻 내밀며 천학 매병을 인수한다. 이는 그의 단호한 성품을 보여 준다.

**20** 이 글은 다빈치의 그림이 완벽하다는 평가를 받기까지 그가 노력하고 고민한 시간, 즉 '화가의 시간'이 지닌 가치를 강조하였다.

**21** (마)에서는 다빈치의 그림이 애초에 정해 둔 모습으로 완성된 것이 아니라, 그가 계속 고민하고 번복하며 오랜 시간에 걸쳐 완성한 것임을 설명하였다.

**22** 서술형 〈보기〉처럼 글을 읽다가 모르는 단어가 나와도 이를 알아보려 하지 않고 넘겨 버리면, 글의 내용을 온전히 이해하지 못하게 된다. 따라서 바로 사전을 찾아 단어의 의미를 확인하는 것이 좋다.

---

**❸ 새롭게 발견하는 즐거움**

### [1] 같은 화제 다른 글

**간단 체크 개념 문제** 본문 088쪽

**1** (1) ○ (2) ×  **2** 일관성  **3** ⑤

**1** (2) 설명하는 글은 독자가 대상을 잘 이해할 수 있도록 쉽게 설명하고, 내용이 분명하게 전달되도록 용어와 문장을 정확하고 간결하게 표현한다는 특징이 있다.

**2** 주장하는 글은 글의 내용이나 주장이 처음부터 끝까지 일관되어야 하는데, 이와 같은 특성을 '일관성'이라고 한다.

**3** 동일한 대상을 다룬 두 글의 형식이 같더라도 대상에 대한 글쓴이의 관점은 서로 다를 수 있으며, 반대로 두 글에 담긴 관점이 비슷하더라도 그 내용은 서로 다른 형식으로 표현될 수 있다.

**제재 ❶ 소금 없인 못 살아**

**학습콕** 본문 089~091쪽

| 089쪽 | 소금, 부, 전쟁 |
|---|---|
| 090쪽 | 영양소, 오줌, 고기, 소금 |
| 091쪽 | • 짠맛, 신선 |
| | • 긍정적 |

**간단 체크 내용 문제** 본문 089~091쪽

| 089쪽 | **01** 질문, 소금 | **02** ③ |
|---|---|---|
| 090쪽 | **03** ② **04** ② | **05** ⑤ |
| 091쪽 | **06** 부족한 비타민을 섭취하였다. | **07** 하얀 황금 |
| | **08** ② | |

**01** 이 글의 '처음' 부분에서는 '사람들은 조그만 알갱이에 불과한 소금을 왜 이렇게 중요한 존재로 인식하였을까?'와 같이 중심 화제인 '소금'에 대한 질문을 통해 독자의 주의를 환기하고 있다.

**02** 글쓴이는 (나)에서 생명 유지에 소금이 필요한 이유로 체액의 주요 성분이 되어 영양소를 우리 몸 구석구석으로 보낸다는 것과, 우리 몸에 쌓인 각종 노폐물을 땀이나 오줌으로 배출한다는 것을 들고 있다.

오답 풀이 ①, ⑤ 소금이 체내 산소량을 유지시켜 준다거나, 세균 감염을 막고 면역력을 높여 준다는 내용은 제시되어 있지 않다.
② 소금의 화학적 정의에 해당하는 내용으로, 소금의 중요성과 관련 있는 내용은 아니다.
④ 소금이 우리가 생명을 유지하는 데 꼭 필요한 존재임을 밝히고는 있으나, 소금만으로 생명 유지에 지장이 없다고 하지는 않았다.

**03** (라)에서는 농사를 짓기 시작한 다음부터는 소금을 섭취하기 어려워졌다고 하였는데, 그 이유를 곡식에는 염분이 지극히

적었기 때문이라고 하였다.

**오답 풀이** ① (라)에서 '바다에서 멀리 떨어진 곳에 살던 사람들'은 내륙 지방의 사람들을 말하는 것으로, 이들에게는 소금이 매우 귀중한 필수품일 수밖에 없었다고 하였다.

③ (라)에서 가족, 마을, 도시로 단위가 커질수록 필요한 소금의 양은 많아졌기 때문에 소금을 확보하는 일은 사람들에게 중요한 과제였다고 하였다.

④ (라)의 첫 문장에서 채집과 사냥으로 먹을거리를 구하던 옛날에는 주로 고기에서 염분을 섭취할 수 있었다고 하였다.

⑤ (마)의 첫 문장에서 살기 위한 목적으로만 소금을 먹는 것이라면, 한 사람당 1년에 1킬로그램 정도의 소금만 섭취하면 충분하다고 하였다.

**04** (바)에서는 소금을 이용하여 맛을 살린 음식의 예를 제시하고 있다.

**05** 소금은 그냥 먹으면 너무 짜고 쓰기까지 하지만, 음식 본연의 맛과 잘 어우러지면 그 맛을 더욱 좋게 해 주기 때문에 거의 모든 음식에 들어간다. 이처럼 소금이 지닌 짠맛의 매력 때문에 사람들이 소금을 많이 먹는 것이다.

**06** 소금은 식품을 신선하게 유지해 주는 역할을 하는데, 온대 지방 사람들은 이와 같은 소금의 특성을 활용하여 채소를 염장해 보관하였다가 겨울까지 먹으면서 부족한 비타민을 섭취했다.

**07** 글쓴이는 글의 '가운데' 부분에서 설명한 소금의 역할과 중요성을 (자)에서 정리·요약하면서 소금의 가치를 '하얀 황금'에 빗대어 표현했다.

**08** 글쓴이는 (자)에서 소금이 우리의 생명을 유지하는 데 반드시 필요하며, 음식의 맛을 더하고 식품을 오랫동안 보존할 수 있게 하는 유용한 존재라는 점을 강조하고 있다. 이를 통해 글쓴이가 소금에 대해 긍정적인 관점을 지니고 있음을 알 수 있다.

---

**간단 체크 어휘 문계**  본문 089~091쪽

**089쪽** (1) ○ (2) ×

---

**제재 ❷ 맛있게 먹은 소금이 병을 부른다**

**학습콕**  본문 092~094쪽

**093쪽** 소금, 신진대사
**094쪽** ·어른, 당분, 연구
·건강, 아이, 소금, 부정적

---

**간단 체크 내용 문제**  본문 092~094쪽

**092쪽** **01** ⑤  **02** 음식을 너무 짜게 먹기 때문  **03** ②
**093쪽** **04** ①  **05** ④
**094쪽** **06** ③  **07** ③

---

**01** 글쓴이는 (가)에서 과다한 소금 섭취로 아이들이 건강을 해치는 것에 대한 문제를 제기하며 글을 시작했다.

**02** 세포 생물학자들은 체내의 수분이 부족한 이유가 물을 적게 마시기 때문이 아니라, 음식을 너무 짜게 먹기 때문이라고 하였다.

**03** 체세포에 수분이 충분히 공급되지 않으면 소금이 세포의 수분을 빼앗아 우리 몸의 신진대사 능력이 떨어진다.

**04** 아이들은 어른들보다 혈액량이 적어 똑같은 양의 소금을 섭취하더라도 혈액 속 염화 나트륨의 비율이 어른들보다 훨씬 높아지므로 더 위험하다.

**05** (아)에서는 소금 섭취로 인한 갈증을 해소하기 위해 아이들이 즐겨 찾는 탄산 음료의 문제점을 지적하고는 있지만, 건강에 좋은 음료를 마실 것을 권장하고 있지는 않다.

**오답 풀이** ①, ⑤ 탄산 음료 속에 녹아 있는 탄수화물은 비만을 더욱 부추길 수 있으며, 짠 음식과 함께 마실 경우 혈압이 훨씬 더 빨리 상승한다는 문제점이 제시되어 있다.

② 짠 음식 속에 포함된 소금이 체세포의 수분을 빼앗기 때문에 그만큼 갈증이 난다고 하였다.

③ 영국의 한 대학 연구팀의 객관적인 연구 결과를 제시함으로써 주장의 신뢰성을 높이고 있다.

**06** (자)에서 글쓴이는 소금의 위험성을 다시 한번 요약정리하고, 당장 아이들의 소금 섭취를 줄여야 한다는 궁극적인 주장을 제시하고 있다.

**오답 풀이** ① 일반적으로 주장하는 글의 '서론' 부분에 제시되는 내용이다.

②, ⑤ 일반적으로 주장하는 글의 '본론' 부분에 제시되는 내용이며, 반론과 그에 대한 반박의 내용은 이 글에는 제시되지 않았다.

④ 일반적으로 주장하는 글의 '결론' 부분에 제시되는 내용이지만, 결론인 (자)에서는 글쓴이의 궁극적인 주장만 제시될 뿐 앞으로의 전망을 이야기하고 있지는 않다.

**07** 글쓴이는 (자)에서 건강을 생각하여 아이들의 소금 섭취를 줄일 것을 당부하며 글을 마무리하고 있다.

---

**간단 체크 어휘 문계**  본문 092~094쪽

**092쪽** (1) × (2) ×

---

**학습 활동**  본문 095~098쪽

**이해** 긍정적, 부정적, 균형

---

**간단 체크 활동 문제**  본문 095~098쪽

**095쪽** **01** ③  **02** ③  **03** ④
**096쪽** **04** ①  **05** ④  **06** ③
**097쪽** **07** ㄷ-ㄹ-ㄱ-ㄴ  **08** ④  **09** ⑤
**098쪽** **10** ③

---

**01** (가)는 소금이 우리에게 꼭 필요한 물질이라는 점을 이야기하고 있는데, ⓒ은 소금이 건강에 해롭다는 (나)의 중심 내용을 뒷받침하는 근거에 해당한다.

**02** (나)는 소금에 대한 부정적인 관점을 바탕으로 과다한 소금 섭취가 건강을 해칠 수 있으며, 특히 아이들에게 더욱 해롭다는 점을 주장한 글이다. ③은 설명하는 글의 특징으로 (가)에 대한 내용이다.

> **오답 풀이** ①, ⑤ (나)에서는 소금이 우리 몸에 미치는 영향에 대한 과학적 사실과 영국의 한 대학 연구팀에서 관찰한 객관적인 연구 결과를 근거로 제시하였다. 과학적 사실과 객관적인 연구 결과는 합리적이고 타당한 근거로서, 주장에 대한 신뢰감을 높이는 데 기여하고 있다.
> ②, ④ (나)에서는 소금이 체세포에서 수분을 빼앗아 가고 혈관을 좁힌다는 점, 어른들보다 혈액량이 적은 아이들에게 더욱 위험하다는 점 등을 이야기하며 소금을 과다하게 섭취하면 건강에 해롭다는 주장을 펼치고 있다.

**03** (다)는 인쇄 광고로 그림이나 도표, 짧은 글과 핵심 단어의 반복 등으로 내용을 전달할 수 있으나, ④와 같은 청각적 요소는 활용할 수 없다.

**04** (가)는 소금의 중요성을 이야기하며 소금에 대한 긍정적인 관점을 보이고 있다. 반면 (나)와 (다)는 소금의 위험성을 지적하며 소금에 대한 부정적인 관점을 보이고 있다.

**05** (다)의 광고는 과다한 소금 섭취가 우리의 건강에 미치는 부정적인 영향들을 제시하며, 소금에 대해 부정적인 입장을 드러내고 있다.

> **오답 풀이** ① (다)의 광고는 편식하는 식습관이 아닌, 소금을 과다하게 섭취하는 식습관에 대한 부정적인 관점을 드러내고 있다.
> ②, ③ 소금의 부정적인 특성과는 관련이 없는 내용이다.
> ⑤ (다)의 광고는 소금을 적게 먹는 식습관을 지니자는 내용을 전달하고 있으므로, 건강에 도움이 되는 먹거리를 찾아 섭취해야 한다는 ⑤의 내용과는 거리가 멀다.

**06** 관점과 형식의 차이를 파악하며 글을 읽으면, 어느 한쪽에 치우치지 않는 균형 잡힌 시각을 지닐 수 있어 자신의 주장만을 내세우지 않게 된다.

**07** 동일한 화제를 다룬 다양한 글을 선정하기 위해서는 우선 해당 화제에 대해 이야기를 나눈 후(ㄷ), 해당 화제를 다루고 있는 글을 다양한 매체에서 찾고(ㄹ), 찾은 글이 적절한지를 논의한 후(ㄱ), 최종적으로 읽을 글을 선정한다(ㄴ).

**08** 선정한 두 편의 글은 각각 친구의 중요성과, 우정의 힘으로 이념적 갈등을 극복한 내용을 다루고 있기 때문에, 두 글의 공통적인 화제는 친구이다.

**09** '선정한 글 1'은 친구를 등불이나 휴식처럼 우리에게 꼭 필요한 존재로 여기는 글쓴이의 관점이 잘 드러난다.

**10** 두 글은 모두 중심 화제인 '친구'에 대한 긍정적인 관점을 바탕으로 친구의 필요성과 우정의 소중함을 말하고 있다.

---

**압축 파일**　　　　　　　　　　　　　본문 099~100쪽

❶ 필요성　　❷ 영양소　　❸ 생명　　❹ 신선　　❺ 긍정적
❻ 질문　　❼ 황금　　❽ 아이들　　❾ 건강　　❿ 신진대사
⓫ 단맛　　⓬ 부정적

---

**시험에 나오는 소단원 문제**　　　　　　　　　본문 101~102쪽

**01** ②　　**02** ⑤　　**03** ④　　**04** 음식 본연의 맛과 어울려져 그 맛을 더욱 좋게 해 주기 때문에　　**05** ②　　**06** ① 비만을 더욱 부추길 수 있다. ② 혈압이 훨씬 더 빨리 상승한다.　　**07** ③
**08** ⑤

**01** 이 글은 소금의 역할과 필요성에 대한 정보를 전달하는 설명문으로, 소금을 중요한 존재로 인식했던 과거의 사례와 소금을 활용하여 식품을 보존하는 사례를 제시하며 독자의 이해를 돕고 있다.

**02** (다)에서 사람은 다른 동물들과 달리 소금을 땀과 오줌으로 배출하기 때문에, 사람은 소금을 충분히 섭취하여 보충해 주어야 한다고 하였다.

**03** 이 글과 제시된 광고는 모두 소금이라는 화제를 다루고 있지만 이 글은 대상에 대한 긍정적 태도를, 광고는 부정적 태도를 드러내고 있다. 또한 각각 글과 광고라는 형식을 활용하여 내용을 전달하기 때문에 구성 및 표현이 다르다. 글은 광고에 비해 정보를 체계적으로 전달하고, 광고는 그림을 활용하여 짧은 시간 안에 중요한 내용을 이해하기 쉽게 전달한다.

**04** **서술형** 소금은 그냥 먹으면 짜고 쓰지만 다른 음식에 넣었을 때 음식 본연의 맛과 잘 어우러져 그 맛을 더욱 좋게 하는 작용을 한다.

**05** 글쓴이는 과다한 소금 섭취로 인한 위험성을 제시하고, 건강을 위해서 지금이라도 아이들의 소금 섭취를 줄일 것을 주장하고 있다.

**06** **서술형** (라)에서는 탄산 음료 속에 녹아 있는 탄수화물로 인해 비만이 유발될 수 있으며, 짠 음식을 먹을 때 당분이 높은 음료를 함께 마시면 혈압이 훨씬 더 빨리 상승한다는 문제점이 있다고 하였다.

**07** 글쓴이는 아이들이 짠 음식을 먹어 나타나는 갈증을 달래기 위해 단맛이 강한 탄산 음료를 찾는다고 하였으나, 짠맛보다 당분이 높은 음료를 선호한다고 하지는 않았다.

> **오답 풀이** ① 아이들은 어른들보다 혈액량이 적어 똑같은 양의 소금을 섭취해도 혈액 속 염화 나트륨의 비율이 어른들보다 훨씬 높아져 더 위험하다.
> ②, ④ 음식을 너무 짜게 먹으면 체세포에 수분이 충분히 공급되지 않게 되고, 이는 체세포가 제 기능을 발휘하지 못하게 해 우리 몸의 신진대사 능력을 떨어뜨린다.
> ⑤ 소금을 과다하게 섭취하면 혈관이 좁아져 비타민, 미량 영양소, 효소, 단백질 등이 세포로 이동하기 어려워지고, 이 때문에 체세포에 영양소가 제대로 공급되지 못하면 순환 장애뿐만 아니라 다른 신체 기관에도 문제를 일으킨다.

**08** 이 글은 소금에 대한 부정적 관점을, 〈보기〉는 긍정적 관점을 보인다. 이와 같이 동일한 화제에 대해 서로 다른 관점을 지닌 글을 비교하며 읽으면 대상을 비판적이면서도 다각적으로 이해하는 데 도움이 된다.

## [2] 보고하는 글 쓰기

간단 체크 **개념** 문제      본문 103쪽

**1** (1) × (2) ○ (3) ×      **2** ㄴ-ㄱ-ㄷ-ㄹ      **3** 쓰기 윤리
**4** ③

**1** (1) 보고하는 글은 어떤 주제에 대하여 관찰, 조사, 실험한 과정과 결과를 사실에 근거하여 정리한 객관적인 글이다.
(3) 관찰, 조사, 실험의 주제나 목적은 보고하는 글의 '처음' 부분에 제시되는 내용이다.

**2** ㄱ은 자료 수집하기, ㄴ은 계획하기, ㄷ은 자료 정리하기, ㄹ은 글쓰기의 단계에 해당한다.

**3** 글쓴이가 글을 쓰는 과정에서 고려하고 준수해야 할 윤리적인 규범을 '쓰기 윤리'라고 한다.

**4** 보고하는 글을 쓸 때 다른 사람이나 기관의 자료 및 글을 인용할 경우에는 출처를 명확히 밝혀서 쓰면 된다.

**학습 활동**      본문 104~116쪽

**이해** 현장, 신뢰, 목적, 이상화

**학습콕**      본문 104~116쪽

| | |
|---|---|
| 104쪽 | 조사, 관광지 |
| 106쪽 | 설문, 왜곡, 인용 |
| 109쪽 | 분석, 전문적, ❹, 청라 언덕 |
| 113쪽 | 사실, 도표, 이해 |

간단 체크 **활동** 문제      본문 104~116쪽

| | | | |
|---|---|---|---|
| 104쪽 | **01** ③ | **02** ⑤ | **03** 우리 지역의 관광지를 다른 지역 사람들에게 널리 알리는(소개하는) 것이다. |
| 105쪽 | **04** ④ | **05** ⑤ | **06** ④ |
| 106쪽 | **07** ② | **08** ① | |
| 107쪽 | **09** ⑤ | **10** ② | **11** 자료 ❸ |
| 108쪽 | **12** ④ | **13** ③ | **14** ④ |
| 109쪽 | **15** ⑤ | **16** ①, ② | |
| 110쪽 | **17** ⑤ | **18** ⑤ | |
| 111쪽 | **19** ④ | **20** ③ | |
| 112쪽 | **21** ④ | **22** ② | **23** 내용의 신뢰성을 높일 수 있기 때문이다. / 다른 사람이나 기관의 자료를 무단으로 활용하는 것은 쓰기 윤리에 위배되기 때문이다. 등 |
| 113쪽 | **24** ③ | **25** ① | |
| 114쪽 | **26** 자료 수집하고 정리하기 | **27** ④ | |
| 115쪽 | **28** ① | **29** ④ | |
| 116쪽 | **30** ③ | | |

**01** 보고하는 글은 어떤 주제에 대하여 관찰, 조사, 실험한 과정과 결과를 정리한 글로, 객관적이고 논리적인 성격을 띤다.

**02** '효주네 모둠'은 우리 지역의 관광지를 조사한 후에 그 내용을 정리하여 보고하는 글을 쓰기로 하였는데, 이는 조사 보고서에 해당한다.

**03** '효주네 모둠'은 자신들이 살고 있는 지역의 관광지를 조사하여 다른 지역 사람들에게 널리 알리는 것을 목적으로 한 보고서를 쓰려고 한다.

**04** '민아'는 인터넷에서 근대 문화 골목에 대한 보고서를 발견하고 이름만 바꿔서 내자고 하였으나, '현우'는 그것은 표절이라며 반대하고 있다. 또한 이를 재편집하여 글에 인용하자는 내용도 제시된 만화에는 나오지 않는다.

**05** '지호'는 방송과 인터넷에서 자료를 수집하고 '현우'는 책에서 자료를 수집하기로 했다. 한편 '민아'와 '효주'는 현장 답사를 가서 문화 해설사의 설명을 듣고 사진을 찍어 오기로 하였다.

**06** 여러 개의 자료를 인용할 때는 인용한 분량과 상관없이 모든 자료의 출처를 명확히 밝혀야 한다.

**07** 조사 결과는 조사를 마친 후에 분석하여 정리하는 것으로, 계획하기 단계에서 포함할 수 없는 내용이다.

**08** 보고하는 글을 쓸 때에는 쓰기 윤리를 준수하여 조사한 내용을 왜곡하거나 과장하지 않고 사실에 근거해 써야 한다.

**09** 기존에 검증된 자료라고 하더라도 오래된 자료라면 현재에는 정확성이나 신뢰성이 떨어질 수 있다. 따라서 자료를 수집할 때는 검증된 자료 중 최신의 자료를 수집하도록 한다.

**10** '효주네 모둠'은 문헌 자료인 '자료 ❷'를 통해 '삼일 만세 운동 길'에 대한 정보를 수집했다.

**오답 풀이** ① 서상돈 고택 사진은 문헌에서 수집한 자료가 아니라 '효주네 모둠'이 해당 관광지를 직접 방문하여 찍은 사진이다.
③ '효주네 모둠'은 계산 성당의 건축적 특징에 대해 설명한 인터넷 자료는 수집했으나, 계산 성당을 건축한 사람을 인터뷰한 기사는 수집하지 않았다.
④ 대구 지역의 문화재를 관리하는 공공 기관의 홈페이지는 '효주네 모둠'이 수집한 자료에 포함되어 있지 않다.
⑤ '자료 ❶'에 텔레비전 뉴스 자료가 제시되어 있으나, 이는 대구의 대표적인 건축물을 소개하고 있는 것이 아니라 대구 근대 문화 골목에 대해 소개하고 있다.

**11** '자료 ❸'은 아치형 천장의 구조를 그린 그림과 함께 계산 성당의 건축적 특징에 대해 설명하는 인터넷 자료이다.

**12** '자료 ❹'는 조사자가 직접 장소를 방문해 찍은 사진이다. 이와 같이 현장에서 찍은 사진을 글에 첨부하면 독자의 이해를 돕고 생동감을 더할 수 있다.

**13** '자료 ❸'은 '계산 성당'의 건축적 특징에 대한 전문적인 지식만을 다루고 있어 관광지를 알리려는 이 보고서의 목적에 맞지 않다. 또한 출처가 불분명하여 신뢰할 수 없으므로 자료로 활용하기에 적합하지 않다.

**14** '자료 ❷'만으로는 '삼일 만세 운동 길'의 모습을 떠올리기 어려우므로, 이를 직접 찍은 '자료 ❹'의 '삼일 만세 운동 길' 사진을 함께 제시하는 것이 효과적이다.

**15** 보고하는 글의 '처음' 부분에는 조사 목적, 조사 동기, 조사 대상과 조사 기간, 조사 방법과 같은 내용이 제시된다. ㄱ은 보고하는 글의 '끝' 부분에, ㄴ은 '가운데' 부분에 제시되는 내용이다.

**16** 개요에 제시된 자료 중에서 '청라 언덕'에 대한 구체적인 자료가 부족하므로 이에 대한 자료를 추가로 조사해야 한다. 또한 '계산 성당'에 대한 자료는 조사 목적에 맞지 않으므로 이를 대체할 만한 자료를 추가로 제시해야 한다.

오답 풀이 ③ 보고하는 글의 '끝' 부분에서는 관찰, 조사, 실험한 내용을 요약하거나 소감을 제시하며 글을 마무리하고, 인용한 자료의 출처를 밝힌다.
④ 이 글은 다른 지역의 사람들에게 우리 지역의 관광지를 알리는 것을 목적으로 하므로, 많은 사람들이 두루두루 이해할 수 있도록 전문적인 내용은 다루지 않는 것이 적절하다.
⑤ '이상화 고택'과 '서상돈 고택'에 대한 설명은 각각 시인 '이상화'와 독립 운동가 '서상돈'에 관련된 관광지 소개 자료로서, 내용이 중복된다고 볼 수 없다.

**17** 보고하는 글에 담길 내용을 그림, 사진, 도표 등의 시각 자료와 함께 제시하면 독자가 내용을 이해하는 데 도움이 될 수 있다. 하지만 시각 자료를 무조건 많이 활용한다고 해서 글 내용을 이해하는 데 도움이 되는 것은 아니다.

**18** 조사 내용에서 대구 지역이 한국 전쟁 당시 다른 지역에 비해 피해가 크지 않아, 대구 근대 문화 골목에 찾아오면 한국 전쟁 이전의 생활상을 엿볼 수 있다고 하였다.

**19** 사진은 해당 유적지의 모습을 생생하게 전달할 뿐, 많은 양의 정보를 담고 있지는 않다. 도표와 그림이 사진보다 많은 정보를 담고 있다.

**20** '청라 언덕'의 주택 구성(서양식 정원과 세 채의 주택)은 제시되어 있으나 건축 양식에 대한 설명은 조사 내용 속에 포함되어 있지 않다.

**21** '계산 성당'은 경상도에서 가장 오래된 성당인 동시에 대구 최초의 서양식 건물이라는 역사적 가치를 지닌다.

**22** 이 보고서의 작성자들은 '소감'을 통해 대구 근대 문화 골목에는 이 보고서에 소개된 곳 외에도 유적지들이 많은데, 더 조사하지 못한 점을 아쉬운 점으로 꼽고 있다.

**23** 다른 사람이나 기관의 자료를 무단으로 활용하는 것은 저작권을 침해하는 행위이며, 보고서의 정확성과 신뢰성을 떨어뜨린다.

**24** '계산 성당' 앞마당에는 100년이 넘은 감나무가 있는데, 대구 출신 화가 '이인성'이 이 나무를 자신의 작품에 그려 넣었기 때문에 '이인성 나무'라고 불린다.

**25** 보고하는 글은 내용 및 표현, 쓰기 윤리의 측면에서 평가할 수 있다. ①은 내용 측면의 평가 항목에 해당한다.

**26** 보고하는 글을 쓸 때에는 주제를 정한 뒤, 갈래, 대상, 목적, 일정 등을 계획해야 한다. 그런 다음, 이와 관련된 자료를 수집하고 정리하는 활동이 이루어진다.

**27** 보고하는 글의 주제는 작성자나 예상 독자의 관심 분야 및 지식수준을 고려하여 적절한 수준의 것을 선정해야 한다.

**28** 〈보기〉는 스마트폰 사용 실태 및 습관과 관련한 자료이므로, ①의 주제에 가장 적합한 자료이다.

**29** 〈보기〉는 보고하는 글 중에서 조사 보고서로, ④의 '결론 및 향후 과제'는 '가운데' 단계에 제시되는 내용이다.

**30** ㉠에서 조사자는 스마트폰을 과도하게 사용하거나 부적절한 용도로만 사용하는 것을 문제 삼고 있으며, 스마트폰을 긍정적인 방향으로 사용할 것을 다짐하고 있다.

### 압축 파일
본문 117쪽

❶ 현실 ❷ 짜임새 ❸ 왜곡 ❹ 인용 ❺ 자료 ❻ ④
❼ 출처

### 시험에 나오는 소단원 문제
본문 118~119쪽

**01** ⑤ **02** ⑤ **03** ③ **04** '계산 성당'의 건축적 특징에 대한 전문적인 내용을 다루고 있어 예상 독자에게 어려울 수 있다.
**05** ② **06** ④ **07** ② **08** ⑤

**01** '지호'는 설문 조사의 결과를 바꾸어 '두류 공원'을 조사 대상으로 삼고 싶어 하는데, 이는 표절이 아니라 자료 왜곡을 하려는 것이다.

**02** 조사 보고서는 다른 사람을 설득하는 것을 목적으로 하는 글이 아니라, 어떤 주제에 대하여 조사한 과정과 결과를 체계적으로 정리하여 알리는 것을 목적으로 한다.

**03** ㉢은 자료(문헌) 조사의 방법으로 '삼일 만세 운동 길'에 대해 조사한 자료이며, ㉣은 현장 조사를 통해 '삼일 만세 운동 길'을 직접 방문해 찍은 사진이다. 따라서 ㉢과 ㉣을 함께 제시하면 독자의 이해를 도울 수 있고 생동감을 더할 수 있다.

오답 풀이 ① 책을 통해 수집한 글 자료만으로는 대상의 모습을 생생하게 드러낼 수 없다.
② ㉣은 직접 찍은 사진이므로, 수집한 출처가 제시되어 있지 않다고 하여 정확성과 신뢰성이 떨어진다고 할 수 없다. ㉢의 자료가 이에 해당하는 자료라고 볼 수 있다.
④ ㉢의 글 자료와 ㉣의 사진 자료를 함께 제시할 경우, 독자의 이해를 돕고 생동감을 더할 수는 있으나 신뢰성과는 관련이 없다.
⑤ ㉢은 자료 조사, ㉣은 현장 조사의 방법을 통해 수집한 자료이다.

**04** 서술형 ㉢은 '계산 성당'의 건축적 특징에 대해 설명하는 인터넷 자료로, 너무 전문적인 지식을 다루고 있어 우리 지역의 관광지를 다른 지역 사람들에게 소개하려는 보고서의 목적과는 맞지 않다.

**05** (나)를 통해 학교 학생들 100명을 대상으로 설문 조사를 실시했고, 그 결과 가장 많은 응답을 나타낸 '근대 문화 골목'을 조사 대상으로 선정했음을 알 수 있다.

**06** (나)와 같이 글로 나열된 설문 조사 결과를 도표(그래프)의 형태로 제시하면 설문 조사 결과를 한눈에 보여 줄 수 있다.

**07** (다)에는 조사 절차가 잘 드러나는데 ㉠은 조사 대상과 기간, ㉡은 조사 방법에 해당한다.

**08** 보고하는 글은 사실을 바탕으로 하는 객관적인 글이지만, '끝' 부분에 보고서의 의의, 아쉬운 점 등을 담은 소감이나 평가를 간략하게 제시할 수 있다.

**어휘력 키우기**　　　　　　　　　　　　본문 120쪽

**01** ⑤

**01** '간장이 시고 소금이 곰팡 난다'는 절대로 있을 수 없는 일을 뜻하는 말로, ⑤의 예문에는 적절하지 않다.

**시험** 에 나오는 **대단원 문제**　　　　　본문 121~124쪽

**01** ①　　**02** ②　　**03** ④　　**04** ⑤　　**05** ⓐ: 생선이 지닌 맛에 소금이 어우러지면서 더욱 맛깔스러워지기 때문이다. ⓑ: 소금이 체세포의 수분을 빼앗아 갈증이 나기 때문이다.　　**06** ②
**07** ③　　**08** ④　　**09** ③　　**10** ⑤　　**11** ③　　**12** ②　　**13** ⑤
**14** ① 대구 근대 문화 골목의 전체적인 모습을 보여 줄 수 있다.
② 뒤이어 소개할 유적지의 위치와 모습을 파악할 수 있게 한다.

**01** (가)~(다)는 소금이 우리에게 미치는 긍정적인 영향을, (라)는 소금이 우리에게 미치는 부정적인 영향을 다룬 글이기 때문에, ①의 주제로 보고하는 글을 쓰는 것이 가장 바람직하다.

**02** (가)~(다)는 소금에 대해 긍정적인 입장을 드러내는 반면에, 제시된 광고와 (라)는 부정적인 입장을 드러낸다.

**03** (가)~(다)는 생명을 유지하는 데 반드시 필요하며 음식의 맛을 좋게 하고 음식을 신선하게 유지해 주는 소금의 역할을 설명하고 있다. ④는 (라)에서 소금을 과다하게 섭취하면 음식 중독에 걸릴 수 있다는 위험성을 제기할 때 활용한 근거이다.

**오답 풀이** ① 소금이 생선이나 고기뿐만 아니라 채소의 보존 기간을 늘려 준다는 것은, 소금이 식품을 신선한 상태로 유지되게 하는 긍정적인 역할을 한다는 글쓴이의 관점을 뒷받침한다.
②, ③ 소금이 체액의 주요 성분이 된다거나 우리 몸에 쌓인 각종 노폐물을 배출해 준다는 내용은, 소금을 모든 동물의 생명 유지에 꼭 필요한 존재로 보는 글쓴이의 관점을 뒷받침한다.
⑤ 사람들이 음식 맛을 살리기 위해 대부분의 음식에 소금을 넣는다는 것은, 소금이 음식의 맛을 살리는 역할을 한다는 글쓴이의 관점을 뒷받침한다.

**04** (가), (다)는 소금에 대한 긍정적 관점이, (나), (라), (마)는 소금에 대한 부정적 관점이 담겨 있다.

**05** **서술형** (가)에 제시된 내용처럼 소금은 음식 본연의 맛과 잘 어우러지면 그 맛을 더욱 좋게 해 주기 때문에 사람들은 생선을 구워 먹을 때 소금을 뿌려 두는 것이다. 한편 (라)에서 알 수 있듯이 소금은 체세포의 수분을 빼앗아 갈증이 나게 하므로 짠 음식을 먹을 때 탄산 음료를 찾게 되는 것이다.

**06** 아이들은 어른들보다 혈액량이 적어 똑같은 양의 소금을 섭취하더라도 혈액 속 염화 나트륨의 비율이 어른들보다 훨씬 높아진다. 따라서 과다하게 소금을 섭취하면 어른들보다 아이들의 건강에 더욱 좋지 않으며, 글쓴이는 이 점을 심각한 문제로 보고 있는 것이다.

**07** 두 글은 우정(친구)이라는 동일한 화제를 다루고 있지만 글쓴이의 관점이나 글의 형식이 다르다. 이와 같이 관점이나 형식의 차이를 비교하여 읽으면 대상을 객관적으로 파악하고 깊이 있게 이해할 수 있다. 두 글은 모두 친구의 필요성과 우정의 소중함을 이야기하고 있으므로, ③과 같이 우정의 장단점에 대해 생각한다는 반응은 적절하지 않다.

**08** 조사하고 수집한 자료 중에서 출처를 알 수 없어 정확성과 신뢰성이 떨어지는 자료나, 조사 목적과 주제에 맞지 않는 자료는 삭제하고 이를 대체할 수 있는 자료를 추가로 수집해야 한다.

**09** ㉠의 설문지는 우리 학교 학생들이 자주 가는 우리 지역의 관광지를 조사하는 것이 아니라, 다른 지역에 소개하고 싶은 우리 지역 관광지를 조사하는 것이 목적이다.

**오답 풀이** ① (나)를 통해 '효주네 모둠'이 조사 대상으로 우리 학교에 다니는 학생 100명을 선정했음을 알 수 있다.
② (가)를 통해 '효주네 모둠'이 관광지 조사 보고서를 작성하여 공모전에 참여할 것임을 알 수 있다.
④ (가), (나)를 통해 '효주네 모둠'이 조사 보고서를 작성할 것임을 알 수 있다.
⑤ (나)를 통해 다른 지역에 소개하고 싶은 우리 지역 관광지를 추천하는 설문 조사를 실시했음을 알 수 있다.

**10** 다른 사람이 쓴 보고서를 이름만 바꾸어 내려는 ⓔ와 같은 행동은 쓰기 윤리 중 '표절하지 않기'를 위반한 것이다.

**11** 이 글은 '대구 근대 문화 골목'의 다양한 유적지에 대해 조사하고 쓴, 조사 보고서에 해당한다. ③ 역시 학생들의 여가 시간 이용에 대한 조사가 필요한 주제이다.

**오답 풀이** ① 관찰 보고서의 주제로 적절하다.
②, ④, ⑤ 실험 보고서의 주제로 적절하다.

**12** '청라 언덕'에 있는 서양식 정원과 세 채의 주택은 과거에 선교사들의 집으로 사용되었다.

**13** (가)~(마)는 조사 보고서의 항목 중에서 '조사 내용'에 해당한다.

**14** **고난도 서술형** 제시된 자료는 대구 근대 문화 골목의 약도로, 골목의 전체적인 모습을 보여 주고 각 유적지의 위치와 모습을 파악하게 한다.

| 평가 목표 | 보조 자료의 효과 이해하기 |
|---|---|
| 채점 기준 | ✔ 제시된 자료를 추가했을 때의 효과 두 가지를 모두 바르게 쓴 경우 [상]<br>✔ 제시된 자료를 추가했을 때의 효과 중 한 가지만 바르게 쓴 경우 [중]<br>✔ 제시된 자료를 추가했을 때의 효과를 모두 쓰지 못한 경우 [하] |

# 4 함께 살아가는 우리

## [1] 사회를 비추는 문학

### 간단 체크 개념 문제
본문 128쪽

**1** 희곡 **2** 지시문 **3** (1) ○ (2) × (3) ○

**1** 희곡은 연극의 대본으로 무대에서 상연하기 위해 쓰인 문학의 한 갈래이다. 희곡은 등장인물들의 행동이나 대화를 기본 수단으로 하여 표현하는 예술 작품이다.

**2** 〈보기〉의 밑줄 친 부분은 등장인물의 심리와 말투, 행동을 지시하고 있다. 이처럼 희곡에서 인물의 표정, 행동, 심리, 말투 등을 지시하고 설명하는 역할을 하는 것을 지시문이라고 한다.

**3** (2) 희곡의 '하강' 단계에서는 갈등 해소의 계기가 제시되고, 사건의 반전이 일어나기도 한다. 주인공의 운명이 결정되는 단계는 '대단원'이다.

### 학습콕
본문 129~140쪽

| | |
|---|---|
| 134쪽 | 세탁소, 패거리, 남편 |
| 137쪽 | 아버지, 재산, 물질 |
| 139쪽 | 세탁기 |
| 140쪽 | 세탁, 탐욕, 만능 |

### 간단 체크 내용 문제
본문 129~140쪽

| | | | |
|---|---|---|---|
| 129쪽 | **01** ① | **02** ④ | **03** 돈 |
| 130쪽 | **04** ⑤ | **05** ④ | |
| 131쪽 | **06** 서옥화 | **07** ① | **08** ③ |
| 132쪽 | **09** ④ | **10** 재산(유산) | |
| 133쪽 | **11** ② | **12** 50 | **13** ② |
| 134쪽 | **14** ① | **15** ③ | **16** 이름 |
| 135쪽 | **17** ③ | **18** ① | **19** 자부심 |
| 136쪽 | **20** ③ | **21** ① | **22** 방백 |
| 137쪽 | **23** 잡기장, 안채 | **24** ① | **25** ③ |
| 138쪽 | **26** ③ | **27** ① | |
| 139쪽 | **28** ① | **29** ④ | |
| 140쪽 | **30** ③ | **31** ④ | |

**01** ㉠은 그림을 활용해 등장인물과 공간적 배경을 제시하고 있다.

**02** 세탁소 일을 정리하고 새롭게 가게(세탁 편의점)를 열고자 하는 사람은 '강태국'이 아니라 그의 아내인 '장민숙'이다.

**03** '서옥화'의 말에서 안 패거리가 찾는 '무언가'는 할매가 세탁소에 두었다고 한 돈임을 알 수 있다.

**04** 안 패거리들은 다른 사람이 자신을 따돌리고 할머니의 옷을 먼저 차지하려 한다고 생각하며 서로를 의심하고 있다.

**05** ㉡에서는 세탁소에서 행패를 부리고 있는 '허영분'이 세탁소 사람인 '장민숙'에게 오히려 큰소리를 치고 있다. 이러한 태도를 표현하기에 알맞은 한자 성어는 '잘못한 사람이 아무 잘못도 없는 사람을 나무람을 이르는 말'인 '적반하장(賊反荷杖)'이다.

**오답 풀이** ① 가인박명(佳人薄命): '미인은 불행하거나 병약하여 요절하는 일이 많음.'을 의미한다.
② 다다익선(多多益善): '많으면 많을수록 더욱 좋음.'을 의미한다.
③ 살신성인(殺身成仁): '자기의 몸을 희생하여 인(仁)을 이룸.'을 의미한다.
⑤ 호사다마(好事多魔): '좋은 일에는 흔히 방해되는 일이 많음. 또는 그런 일이 많이 생김.'을 의미한다.

**06** (나)에서 '서옥화'는 안 패거리와 세탁소 사람들의 갈등을 잠시 멈추도록 하고 있으며, 안 패거리에게 세탁소 사람들에게 사과하고 협조를 받는 것이 좋겠다는 현실적인 조언을 한다.

**07** '안유식'의 대사를 통해 안 패거리가 할머니의 돈을 찾기 위해서 세탁소를 찾았다는 것을 알 수 있다.

**08** 안 패거리는 자신들의 어머니 즉, 할머니의 재산을 찾으려고 혈안이 되어 있다. 또한 이것을 장남만이 가지는 것이 아니라 나누어 가져야 한다고 생각하기 때문에 '안유식'이 재산 보전을 장남의 도리라고 말하는 것에 '안경우'와 '안미숙'이 불편함을 내비친 것이다.

**09** '염소팔'은 안 패거리의 이야기를 듣고 할머니의 유산에 관심이 생겨 다른 사람들의 대화에 귀를 기울인다.

**10** (다)에서 안 패거리는 어머니가 곧 임종할 것이라는 전화를 받았지만, 슬퍼하거나 걱정하기보다 유산의 행방을 묻기 위해 어머니에게 가려고 한다.

**11** (다)에서는 어머니의 재산 찾기에 혈안이 된 안 패거리와, '안유식'의 말을 듣고 남편을 의심하는 '장민숙'을 통해 사람보다 물질을 중시하는 세태가 드러난다.

**12** '서옥화'는 '50 프로'라는 말을 반복하며 '강태국'에게 오아시스가 아니라 보물 세탁소라고 말한다. 이는 '서옥화'가 세탁소에 할머니의 유산이 있을 것이라 생각하고 그것을 탐내게 되었음을 의미한다.

**13** 안 패거리가 돈을 찾기 위해 세탁소를 난장판으로 만든 것에 화가 난 상태에서 세탁소 사람들까지 할머니의 돈에 관심을 보이자 분노한 것이다.

**14** (라)에서 암전이 되었다가 무대가 밝아지면 어두운 무대가 나타난다. 이를 통해 시간이 흘러 낮에서 밤이 되었다는 것을 표현한다.

**15** '우리 엄니랑 두 다리 뻗고 잘 집 한 칸 마련하게'를 통해, '염소팔'이 어머니를 편하게 모실 집 한 칸을 마련하기 위해 할머니의 유산을 찾으려고 한다는 것을 알 수 있다.

**오답 풀이** ① '염소팔'은 어머니를 모실 집 한 칸을 마련하기 위한 개인적인 이유로 유산을 찾으려고 하는 것이지, 안 패거리를 도우려는 것은 아니다.

② '염소팔'은 어머니와 함께 살 집을 가지고 싶어 할 뿐, 세탁소를 가지고 싶어 한 것은 아니다.

④ '염소팔'의 대사인 '내는 이자부터 도둑놈입니다.'는 할머니의 유산을 찾는 자신의 행동이 도둑질과 같다는 의미로, 그동안 도둑질하며 살았고 이번을 마지막으로 도둑질을 안 하겠다는 의미가 아니다.

⑤ '장민숙'의 대사인 '이젠 다 하구 살 거, 아야'를 통해, '염소팔'이 아니라 '장민숙'이 자신이 하고 싶었던 일을 하기 위해 할머니의 유산을 찾으려 한다는 것을 알 수 있다.

**16** '안경우'와 '안미숙'은 어머니의 이름을 제대로 알지 못해 '김순녀'가 맞는지를 서로 묻고 대답하고 있다.

**17** (라)에는 할머니의 재산에 욕심내지 않고 묵묵히 자신의 일을 하는 '강태국'과 인간으로서의 도리를 잊고 할머니의 재산을 찾기 위해 세탁소에 잠입한 그 외의 인물들이 대조된다.

**18** (마)에서 '강태국'은 아버지의 잡기장을 보며 아버지에 대한 그리움으로 어깨를 들썩이며 운다.

**19** '강태국'은 세탁소 일을 하는 것에 자부심과 신념을 지니고 있다. 이는 다른 사람들이 몰라줘도 세탁소 일을 계속하겠다는 말에 드러난다.

**20** (바)에서 '강태국'은 아버지의 잡기장에서 할머니가 맡긴 세탁물에 대한 내용을 발견한다. 그리고 이를 본 다른 사람들은 마음이 조급해져서 두꺼비집을 내린다.

**21** 세탁소에 잠입한 사람들은 '강태국'의 모습을 지켜보다가 '강태국'이 자신들의 존재를 눈치챌 것 같은 상황이 되자 '강태국'에게 들키지 않으려고 동물 소리를 낸 것이다.

**22** 방백은 연극에서 등장인물이 말을 하지만 무대 위의 다른 인물에게는 들리지 않고 관객들만 들을 수 있는 것으로 약속된 대사이다.

**23** 아버지의 잡기장을 읽고 할머니가 맡긴 세탁물에 대한 내용을 찾은 '강태국'이 세탁소를 떠나 안채로 간 까닭은 사람들이 할머니의 재산을 찾기 위해 세탁소에 숨어 있음을 눈치챘기 때문이다.

**24** (바)에서는 할머니의 유산을 찾기 위해 세탁소에 잠입한 사람들의 우스꽝스러운 모습과 대사를 통해, 물질 만능주의가 팽배한 당시의 사회·문화적 상황을 비판하고 있다.

**25** (사)에는 세탁소 사람들까지 할머니의 재산을 탐냈다는 사실을 안 '강태국'의 실망과 분노가 나타난다.

**26** (아)에는 할머니의 옷 보따리를 찾은 '강태국'과, 할머니의 재산에만 눈이 멀어 옷 보따리를 빼앗으려는 사람들 사이의 갈등이 나타나 있다.

**27** ㉠에는 물질에 현혹되어 인간의 기본적인 도리를 잊고 욕망만 좇는 짐승 같은 모습을 보이는 사람들에 대한 비판이 담겨 있다.

**28** (자)는 할머니의 옷을 차지하려고 세탁기에 들어간 사람들을 '강태국'이 세탁하는 사건이 중심이 된다.

**29** (차)에 제시된 '강태국'의 대사를 통해 자식들 때문에 돈을 다 써서 할머니에게 남은 재산이 없다는 사실을 알 수 있다.

오답풀이 ① 할머니가 하고자 하는 말이 '눈물 고름'에 적혀 있으므로 할머니는 글자를 읽고 쓸 수 있었다.

② 자식들 사업 밑천, 공부 등에 재산이 모두 쓰였기 때문에 돈이 남아 있지 않다고 하였다.

③ 할아버지가 할머니에게 재산을 주지 않았다는 내용은 나타나 있지 않다. 할머니가 자식들에게 준 돈이 할아버지에게 받은 재산을 토대로 한 것이라 볼 수 있다.

⑤ 할머니는 자식들이 불효자식이지만 원망하지 않고 형제간에 우애를 지켜 주려고 노력하였다.

**30** 하얀 치마저고리가 공중으로 올라가는 것은 할머니의 혼백이 하늘로 올라가는 것을 의미하므로, ㉠은 할머니의 죽음을 상징한다.

**31** (자)와 (차)에서 할머니의 재산에 눈이 먼 사람들이 세탁 과정을 거치면서 순수하고 깨끗한 마음을 가진 사람들로 변화된다. 이를 통해 '오아시스 세탁소'가 탐욕스러운 사람들의 마음을 깨끗하고 순수하게 만들어 주는 공간임을 알 수 있다.

간단 체크 **어휘** 문제                                   본문 129~140쪽

| **130쪽** | (1) 판국 (2) 결박 (3) 난장판 |
| **132쪽** | (1) ○ (2) × (3) × |
| **134쪽** | (1) 피력하다 (2) 암전 (3) 곡예 |
| **139쪽** | (1) × (2) × (3) ○ |

**학습** 활동                                            본문 142~146쪽

| 이해 | 분노, 보람, 인간성, 빨래 |
| 적용 | 풀잎 반찬 |

간단 체크 **활동** 문제                                   본문 142~146쪽

| **142쪽** | 01 ② | 02 ① |
| **143쪽** | 03 ⑤ | 04 ① |
| **144쪽** | 05 ③ | 06 ② |
| **145쪽** | 07 ④ | 08 ① |
| **146쪽** | 09 산업, 핵가족 | |

**01** '장민숙'은 '강태국'의 아내이지만, '강태국'과는 달리 할머니의 재산을 찾아 이익을 얻고자 한다.

**02** 자식들을 위해 모든 재산을 쓰고 혹시나 자식들이 싸울까 봐 남은 재산이 없음을 알리지 못한 할머니의 비밀을 지켜 주기 위해, '강태국'은 할머니의 옷을 가족들에게 돌려주지 않았다.

**03** '강태국'은, 어머니의 이름과 세탁소에 맡긴 옷도 모르면서 어머니의 재산 찾기에만 혈안이 된 안 패거리에 대해 인간의 도리를 저버렸다고 비판하고 있다.

**04** 기사문은 돈을 최고의 가치로 여기고 숭배하는 세태를 단면적으로 나타내고 있다. 이를 통해 배금주의와 황금만능주의가 만연했던 당시의 사회·문화적 상황을 짐작할 수 있다.

**05** '하강'과 '대단원' 부분에 나오는 사람들의 세탁 장면을 통해 인간성을 상실해 가는 현대 사회를 비판하고(ㄷ), 탐욕스러운 사람들의 마음이 정화되기를 바라는 의도를 드러내고 있다(ㄴ).

**06** 이 글은 1990년대를 배경으로 하여 이기적이고 탐욕스러운 인간에 대해 풍자하면서 순수한 인간성 회복을 지향하고 있다. 현대를 살아가는 독자는 이를 통해 물질보다 중요한 가치가 존재한다는 것을 깨달을 수 있다.

**07** 이 시는 과거와 현재의 밥상 풍경을 대조하여 제시하면서, 현대의 핵가족화와 개인주의에 대해 비판적인 태도를 보인다.

　　**오답 풀이**　①, ② 이 시는 과거와 현재의 밥상 풍경을 대조하여 제시하고 있다.
　③ 이 시는 이웃집 아저씨와 아주머니, 먼 친척들을 '간식'에, 고모와 삼촌을 '외식'에 비유하고 있으며, 함께 밥을 먹는 식구들을 '얼굴 반찬'으로 표현하고 있다.
　⑤ 이 시의 1연에는 '있었습니다', '했습니다', '어울렸습니다', 2연에는 '없습니다', '것입니다', 3연에는 '없습니다' 등과 같이 '-ㅂ니다'라는 동일한 종결 어미를 사용하여 운율을 형성하고 있다.

**08** 이 시에 나타난 과거의 밥상 풍경은 소박한 반찬이지만 많은 사람들이 함께 밥을 먹는 모습으로 표현되어 있다.

**09** 우리 사회가 농경 사회에서 산업 사회로 바뀌었고, 가족 전체가 농업에 종사하던 대가족 중심의 가족 공동체에서 개인이 각자의 일을 하는 핵가족 중심의 가족 공동체로 바뀌게 되었다. 이러한 변화에 따라 밥상머리의 풍경도 바뀐 것이다.

---

**압축 파일**　　　　　　　　　　　본문 147~148쪽

❶ 유산　❷ 세탁　❸ 강태국　❹ 비판　❺ 물질　❻ 풍자　❼ 순수　❽ 만능　❾ 소박　❿ 공동체

---

**시험에 나오는 소단원 문제**　　　　본문 149~151쪽

**01** ②　　**02** ④　　**03** ②　　**04** 할머니의 재산을 찾을 수 있는 단서가 세탁소에 있다고 생각했기 때문에　**05** 잡기장　**06** ②　**07** 누구든지, 주겠소　**08** ①　　**09** ⑤　　**10** ④　　**11** 옛날 밥상머리, 지금 밥상머리　**12** ②

**01** 이 글에서 해설자가 직접 개입하여 작품에 대해 설명하는 부분은 나타나지 않는다.

　　**오답 풀이**　① (가)에 제시된 배경에 여러 가지 옷이 걸려 있고 세탁기가 있는 것으로 보아, 이 글의 배경이 세탁소임을 알 수 있다.
　③ '안유식'의 대사를 통해 할머니가 '세탁'이라는 말을 하였기 때문에 안 패거리가 세탁소에 쳐들어와 할머니의 유산을 찾으려 한 것임이 드러난다.
　④ '안유식'의 '유식', '허영분'의 '허영' 등의 이름을 통해 인물을 풍자하고 있다.

**05** ⑤ 극에 직접 등장하지 않는 '할머니'가 자신의 유산과 관련된 듯한 말을 하였기 때문에 여러 가지 사건이 일어난다.

**02** '강태국'은 아버지의 대를 이어 2대째 오아시스 세탁소를 운영하는 사람으로, 자신이 하는 일이 사람의 마음을 세탁하는 일이라는 신념으로 자부심을 느끼며 세탁소를 운영하고 있다.

**03** (다)에는 안 패거리인 '허영분'이 세탁소에서 행패를 부리며 세탁소를 난장판으로 만들고, 세탁소 사람인 '장민숙'과 '염소팔'이 이에 대항하는 모습이 나타난다.

**04** **서술형** 할머니가 위독한 중에도 '세탁'이라고 한 말을 들은 안 패거리가 할머니의 재산을 찾을 수 있는 단서가 세탁소에 있다고 생각하고 세탁소를 습격한 것이다.

**05** **서술형** '강태국'은 세탁소에 대한 모든 내용이 적힌 아버지의 공책인 '잡기장'에서 할머니의 옷을 찾는 단서를 발견한다.

**06** 이 글에 등장하는 여러 인물들은 인간적인 도리를 지키지 않고 돈을 향한 열망을 드러내고 있다. 이를 통해 이 글이 당시 사회의 인간성 상실과 배금주의가 팽배한 현실을 비판함을 알 수 있다.

**07** **서술형** '염소팔'은 돈을 먼저 찾는 사람에게 50 프로를 주겠다는 '안유식'의 말을 듣고, 자신의 어머니를 모실 집을 마련할 욕심으로 할머니의 재산을 찾으려 한다.

**08** (다)에서 '강태국'을 제외한 사람들은 유산에 대한 단서를 찾기 위해 제각기 세탁소에 잠입한 데다가 '제각기 구시렁댄다.'라고 하였으므로 이들의 대사는 관객들에게는 들리지만 상대 배우에게는 들리지 않는 것으로 약속하고 하는 말인 '방백'으로 처리해야 한다.

**09** (가)에는 '강태국'이 사람들을 세탁하는 장면이 나타난다. 이 장면은 빨래의 때가 빠지듯이 사람들의 마음이 순수하게 바뀌는 과정을 상징한다.

**10** (나)에서는 자식들에게 모두 주었기 때문에 할머니의 재산이 남아 있지 않다는 사실이 드러난다.

　　**오답 풀이**　① 하얀 치마저고리가 공중으로 올라가는 것을 통해 할머니가 임종했음을 상징적으로 보여 준다.
　② (나)에서 '강태국'은 상대 배우 없이 혼자 하는 말인 독백을 한다.
　③ (나)는 희곡의 구성 단계에서 '대단원'에 해당하며, '대단원'은 갈등이 해소되고 사건이 마무리되는 단계이다
　⑤ 물질에 눈을 돌리지 않고, 할머니의 비밀을 지켜 드리려고 노력하는 '강태국'을 보며 얻을 수 있는 교훈으로 볼 수 있다.

**11** **서술형** (다)의 시인은 과거와 현재의 밥상 풍경을 대조하며, 개인화되고 물질화된 현대 사회에서 과거의 밥상 풍경과 같이 서로 배려하고 소통하며 살아가는 자세가 필요함을 말하고 있다.

**12** '간식'은 아침, 점심, 저녁과 같이 날마다 일정한 시간에 먹는 밥인 끼니와 끼니 사이에 먹는 음식으로, (다)에서는 늘 함께 밥을 먹는 끼니와 같은 가족이 아닌 가끔 들러 함께 밥을 먹는 '이웃집 아저씨와 아주머니, 먼 친척들'을 비유한다.

## [2] 자신 있게 말하기

**01** 말하기 불안은 여러 사람 앞에서 말을 하기 전 또는 말을 하는 과정에서 개인이 경험하는 불안 증상으로, 말하기 준비를 제대로 하지 않았거나 공식적인 상황에 익숙하지 않은 경우 또는 말하기에 대해 과도한 부담을 느끼는 경우에 발생한다. ③ 차분하고 슬픈 노래를 즐겨 듣는 것은 말하기와 상관없는 개인적인 취향이므로, 말하기 불안과는 관련이 없다.

**02** 말할 내용을 너무 많이 준비할 경우, 그 내용을 잘 선별해서 청중에게 전달해야 하는 까닭에 고민이 들 수는 있으나 이것을 말하기 불안의 이유로 보기 어렵다. 오히려 말할 내용을 충분히 준비하지 못했을 경우 말하기 불안을 느끼기 쉽다.

**03** 이 만화에 등장하는 '송우연'은 수업 시간에 발표를 앞두고 있는데, 식은땀을 흘리면서 목청을 가다듬고 있다. 이런 내용으로 볼 때, 이 만화는 '발표 불안'에 대해 다루고 있음을 알 수 있다.

**04** 이 만화에서 '송우연'은 시계를 힐끗 보면서 주먹을 꽉 쥐고, 다리를 떨고 있다. 이러한 행동을 통해 '송우연'이 발표 전에 초조해하며 긴장하고 있음을 알 수 있다.

> **오답 풀이** ①, ⑤ '송우연'은 식은땀을 흘리며, 발표 시작 직전 "흠······. 흠······." 하고 목청을 가다듬고 있다.
> ②, ④ '송우연'은 주먹을 꽉 쥐고 다리를 떠는 등 발표 전에 긴장을 하고 있다.

**05** '송우연'은 발표에 대한 사소한 걱정들로 부담감을 느껴 손바닥이 흥건해질 정도로 긴장하고 있으며, 식은땀을 흘리고 어지러워하고 있다.

**06** 이 만화에서 '송우연'은 말하다가 실수할까 봐, 친구들이 비웃을까 봐, 어려운 질문이 나올까 봐, 자신만 쳐다보는 친구들

---

의 시선이 부담스러워서 등을 발표 시간이 싫은 이유로 제시하고 있다.

**07** 질문과 관련된 발표 불안에서 벗어나기 위해서는 발표하기 전에 청중이 할 질문을 예상해 보고 이에 대한 답변을 마련해 놓는 것이 필요하다. 또한 발표 중에 바로 대답하기 어려운 질문을 받으면 모르고 있다는 사실을 밝히고, 나중에 알아보고 알려 주겠다고 당당하게 말하는 자세가 필요하다.

**08** 발표를 들을 때는 동의하는 부분에 고개를 끄덕이며 발표자에게 긍정의 표현을 해 주는 자세가 적절하다.

> **오답 풀이** ① 궁금한 점은 정리해 두었다가 발표를 마친 후에 따로 물어보도록 한다.
> ③ 청중이 잘 들을 수 있도록 발표자가 적당한 속도로 또박또박 말하는 것이 필요하지만, 청중이 발표자에게 배려를 요구하는 것은 적절하지 않은 태도이다.
> ④ 발표 내용에서 틀린 부분이 있다면 질문을 할 수는 있지만, 일부러 틀린 부분을 찾기 위해 노력하는 것은 적절하지 않은 태도이다.
> ⑤ 발표 중에는 경청하고 있다는 느낌을 줄 수 있도록, 발표자에게 시선을 두어야 한다.

**09** 글쓴이는 '불안해도 괜찮다.'라고 생각하면서 불안을 있는 그대로 받아들이는 현재와 달리, 예전에는 '마음 좀 단단히 먹어.'라며 자신을 다그쳤었다.

**10** 이 글의 마지막 문단에서 글쓴이는 불안을 느끼는 자신을 창피하게 여기기 때문에 발표 불안이 생긴다고 하였다.

**11** 이 글의 글쓴이는 긴장해서 얼굴이 빨개지면 창피할 것이라고 생각했으나, '창피 좀 당하고 말지 뭐.'라고 생각을 전환하면서 말하기 불안을 극복했다.

> **오답 풀이** ① 글쓴이는 실수할까 봐 떨릴 때에는 '차라리 실수해 버리지 뭐.'라고 생각했다.
> ② 다른 사람에게 말하기를 시킨 것은 신년 연설을 하는 것이 두려워 다른 사람에게 대신 시킨 사장님의 사례에 해당한다.
> ④ 글쓴이는 '마음 좀 단단히 먹어.'라며 자신을 다그쳤다가, '불안해도 괜찮다.'라고 생각하면서 불안을 있는 그대로 받아들였다.
> ⑤ 다른 사람의 발표 장면을 보고 따라 했다는 내용은 이 글에 제시되지 않았다.

**12** 말하기 불안은 공식적인 상황을 자주 경험할 경우가 아니라, 공식적인 상황에 익숙하지 않을 경우에 경험하기 쉽다.

**13** 말하기 계획을 세울 때는 듣는 이의 관심이나 흥미, 발표에 주어진 시간, 말을 하는 목적 등을 고려해 볼 수 있다. ④ 말하는 이의 마음 상태보다는 듣는 이의 마음 상태를 고려하는 것이 적절하다.

**14** 주제가 '나를 변화시킨 사람'이므로, '가운데' 부분에는 '봉사 활동을 하며 만난 사람들'에 대한 내용이 들어가는 것이 적절하다.

**15** 발표를 하는 중에도 청중의 반응을 고려하여 상황에 맞게 말을 해야 하며, 말하려는 내용을 빠짐없이 전달했는가를 평가하기보다는 말하기의 목적을 달성했는가를 평가하는 것이 바람직하다.

## 압축 파일
본문 160쪽

❶ 공식적  ❷ 자신감  ❸ 실수  ❹ 질문  ❺ 자신감
❻ 생각  ❼ 부끄러워  ❽ 부러워

## 시험에 나오는 소단원 문제
본문 161쪽

**01** ①  **02** ②  **03** 심장이 두근거림.  **04** ②  **05** ⑤

**01** (가)는 교실에서 겪는 발표(말하기) 불안을 다룬 만화이고, (나)는 발표(말하기) 불안과 이를 해소하는 방법을 다루고 있는 칼럼이다.

**02** 주인공은 발표를 이제 막 시작하고 있으며, 실수를 많이 하고 있는 것이 아니라 실수를 할까 봐 걱정하고 있다.

**03** [서술형] (나)에서 글쓴이는 예전에는 발표할 때 심장이 두근거리고 목소리가 떨려서 하고 싶은 말을 제대로 못했다고 하였다.

**04** (나)에서 글쓴이는 발표할 때 쉽게 불안해지는 자신을 있는 그대로 받아들임으로써 말하기 불안을 극복하였다고 하였다. 즉 말하기에 대한 생각의 전환을 통해 불안을 극복한 것이다.

[오답 풀이] ① 발표하다가 잊어버릴까 봐 내용을 꼼꼼히 적어서 읽은 적은 있다고 했지만, 발표 내용을 통째로 외웠다고 하지는 않았다.
③ 실수하지 않기 위해 자신을 다그친 것은 말하기 불안을 극복하기 전의 상황이다.
④ 사람들 앞에서 발표 기회를 자주 만들었다는 내용은 제시되지 않았다.
⑤ 발표할 때 청중의 기대 수준을 낮추었다는 내용은 제시되지 않았다.

**05** (나)의 글쓴이는 발표할 때 긴장해서 얼굴이 빨개지면 창피할 것이라는 생각 때문에 불안했으나, 이제는 '창피 좀 당하고 말지 뭐.'라며 뻔뻔함을 키운 후 불안이 줄었다고 하였다. 따라서 '뻔뻔함'은 글쓴이가 말하기 불안을 극복하게 해 준 요소라고 할 수 있다.

[오답 풀이] ① ㉠에서 자신감 없는 주인공의 말을 통해, 주인공이 발표에 대해 부담감을 느끼고 있음을 알 수 있다.
② ㉡에서는 긴장되고 떨리는 목소리를 "메에에~" 하는 염소의 울음소리로 표현하고 있다.
③ 발표자는 청중이 자신을 비웃는 태도를 보일까 봐 걱정하며 말하기 불안을 느끼고 있다.
④ ㉣ 앞의 '지금은'을 통해 ㉣이 글쓴이의 현재 상태임을 알 수 있다.

## 어휘력 키우기
본문 162쪽

**01** ⑤

**01** '불안'은 '마음이 편치 아니하고 조마조마함.'으로, 제시된 문장에서는 '마음에 흡족하지 않음.'을 의미하는 '불만'으로 교체하는 것이 적절하다.

## 시험에 나오는 대단원 문제
본문 163~166쪽

**01** ②  **02** 누구든지 먼저 찾는 사람한테 50 프로를 주겠소!
**03** ④  **04** ①  **05** ④  **06** ③  **07** 물질 만능주의가 팽배한 세상에서 탐욕스러운 사람들의 마음을 깨끗하고 순수하게 만들어 주는 공간이다.  **08** ⑤  **09** ⑤  **10** ②  **11** ①
**12** 고기반찬  **13** ①  **14** ④  **15** ②  **16** 남을 부러워하지 않음.  **17** ②

**01** (가)에서 '강태국'은 '안유식'의 위협을 듣고 기가 막혀 웃는 표정을 짓는 것이 적절하다.

[오답 풀이] ① (가)에서 '안유식'은 처음에는 '강태국'을 위협해야 하므로, 고압적인 말투를 쓰는 것이 적절하다.
③ (나)에 '백열전구 아래 강태국이 러닝셔츠 차림으로 열심히 김을 뿜어 대며 다림질을 하고 있다.'라고 제시되어 있으므로 '강태국'이 입을 러닝셔츠를 준비해야 한다.
④ (다)에서 '강태국'이 잡기장에서 할머니의 옷에 대한 단서를 발견하므로, 잡기장에 조명을 비추어 강조하는 것이 적절하다.
⑤ (라)는 불이 꺼진 세탁소에서 '강태국'이 갑자기 불을 켜면 모든 사람들이 서로를 보고 깜짝 놀라 동작을 일시에 멈추는 것이 적절하다.

**02** [서술형] (가)에서 '안유식'은 어머니의 재산에 대한 단서를 찾는 사람에게 재산의 50 프로를 주겠다는 제안을 하는데, 이것이 인물들의 갈등 양상을 바꾸게 된다.

**03** (라)에서 '강태국'은 세탁소 사람들마저 안 패거리처럼 할머니의 재산을 탐내서 세탁소에 잠입했다는 사실을 알게 된 후, 세탁소 사람들에게 실망과 분노를 표출하고 있다.

**04** '안유식'은 세탁소를 나가려다 불안한 마음에 할머니의 유산에 대한 제안을 하게 된다. 따라서 ㉠에는 '가다가 돌아서서'라는 지시문이 들어가는 것이 적절하다.

[오답 풀이] ② 어머니의 재산을 찾기 위해 다른 사람의 협력을 구하려는 목적으로 50 프로를 이야기한 것이므로, 화난 목소리는 어울리지 않는다.
③ 50 프로를 제안하고 있는 상황으로, 서글픈 상황은 아니다.
④ '안유식'이 '강태국'의 말에 호응하고 있는 상황이 아니므로 고개를 끄덕거리는 것은 어울리지 않는다.
⑤ 어머니의 재산을 다른 사람이 찾아갈까 봐 불안한 상태일 뿐, 무언가에 놀란 상황은 아니다.

**05** ⓓ는 '강태국'이 아버지의 잡기장에서 할머니의 옷에 대한 단서를 찾았다는 의미이다.

**06** 할머니의 옷 보따리를 찾은 '강태국'은 자식의 도리도 하지 않고 돈만 밝히는 사람들의 탐욕에 분노해 옷 보따리를 할머니에게 갖다 드리려고 한다.

[오답 풀이] ① (가)~(다)에는 '강태국'이 찾은 할머니의 옷 보따리 때문에 벌어지는 갈등이 나타나 있다.
②, ④ (가)~(다)에는 옷 보따리를 할머니에게 돌려주려는 '강태국'과 옷 보따리를 빼앗으려 하는 사람들 간의 갈등이 나타난다.
⑤ 옷 보따리를 빼앗아 할머니의 유산을 차지하려는 사람들의 모습을 통해, 인간성을 상실하고 사람보다 물질을 중시하는 세태를 읽을 수 있다.

**07** 고난도 서술형 (라)~(마)에는 '강태국'이 할머니의 옷을 차지하기 위해 세탁기에 들어간 사람들을 세탁하고, 이 과정을 통해 사람들이 세탁기에서 순수하게 정화되어 나오는 장면이 담겨 있다. 따라서 '오아시스 세탁소'는 탐욕스러운 사람들의 마음을 깨끗하고 순수하게 만들어 주는 공간임을 알 수 있다.

| 평가 목표 | 제목의 의미 이해하기 |
|---|---|
| 채점 기준 | ✔ 글에 반영된 사회·문화적 상황을 쓰고, '오아시스 세탁소'의 의미를 모두 바르게 쓴 경우 [상] <br> ✔ 글에 반영된 사회·문화적 상황은 썼으나, '오아시스 세탁소'의 의미를 바르게 쓰지 못한 경우 [중] <br> ✔ 글에 반영된 사회·문화적 상황과 '오아시스 세탁소'의 의미 중 하나만 바르게 쓴 경우 [하] |

**08** ㉠은 사람들이 물질에 현혹되어 인간의 기본적인 도리를 잊고 욕망만을 좇는 짐승 같은 모습을 보이고 있다는 의미일 뿐, 실제로 사람들이 짐승의 탈을 쓰고 있는 것은 아니다.

**09** ㉡은 사람들을 세탁기에 넣어 세탁한다는 비현실적인 장면을 통해 사람들의 탐욕스러운 마음이 깨끗하게 정화되기를 바라는 작가의 의도가 나타나 있다.

**10** (가)~(다)는 연극 상연을 목적으로 하는 희곡으로, 시나리오와 달리 무대에 오를 수 있는 등장인물의 수에 제약이 따르며 공연 시간과 공간에도 제약이 많다.

**11** (라)는 옛날의 밥상 풍경과 오늘날의 밥상 풍경을 대조하여, 핵가족화된 현대 사회의 세태를 비판하고 있다. 이를 통해 볼

때 (라)는 창작 당시의 사회·문화적 상황을 반영하고 있음을 알 수 있다.

**12** 서술형 ㉠은 옛날 밥상 풍경에 있던 소박한 반찬을 의미하고, '고기반찬'은 오늘날 밥상 풍경에 있는 풍요로운 반찬을 의미한다.

**13** ㉡은 밥을 먹을 때 같이 모여서 얼굴을 보는 사람들이 반찬이 된다는 뜻이므로, 함께 식사하는 식구들을 의미한다.

**14** (라)에서는 신년 연설하기를 두려워하는 사장님을 예로 들어, 여러 사람 앞에서 말하는 것에 불안감을 느끼는 사람들에 대해 설명하고 있다.

**15** 발표하기 전에 발표의 주제와 목적을 정하게 되고, 이에 따라 발표가 이루어진다. 따라서 청중의 반응 정도에 따라 표현이나 예 등을 바꿀 수는 있으나 발표의 주제를 바꾸어서는 안 된다.

**16** 서술형 (마)에서는 발표 불안이 생기는 이유와 그 불안을 해소하는 방법에 대해 이야기하고 있다. 발표 불안을 해소하는 방법은 (마)의 마지막 문장에 나타나 있는데, 나를 부끄러워하지 않고 남을 부러워하지 않는 것이다.

**17** (나)에는 발표자를 빤히 쳐다보고 있는 친구들의 시선이 강조되어 나타난다. 따라서 ㉠에는 '나만 쳐다보는 친구들의 시선'이 들어가는 것이 적절하다.

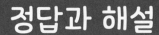
# ❶ 주체적 감상과 쓰기

## [1] 다양한 해석과 비평

### 간단 복습 문제
본문 03쪽

| 쪽지 시험 | | | |
|---|---|---|---|
| **01** 바람 | **02** 의인화 | **03** 관찰자 | **04** ○ |
| **05** × | **06** ○ | **07** ㉠ | **08** ㉣ | **09** ㉢ | **10** ㉤ |

| 어휘 시험 | | | |
|---|---|---|---|
| **01** 통제 | **02** 상징 | **03** 비밀 | **04** 근거 |
| **05** 기준 | **06** 무례한 | **07** 자유 | **08** 민주주의 | **09** ㉢ |
| **10** ㉠ |

**05** 프로방스 마을은 증기 방앗간이 들어서면서부터 활기찬 분위기가 사라졌다.

----

**04** '증거'는 '어떤 사실을 증명할 수 있는 근거'를 의미하고, '근거'는 '어떤 일이나 의논, 의견에 그 근본이 됨. 또는 그런 까닭'을 의미한다. 주장과 관련된 단어는 '근거'이다.

**06** '무례하다'는 '태도나 말에 예의가 없다.'를, '무안하다'는 '수줍거나 창피하여 볼 낯이 없다.'를 의미한다. 나가라고 소리치는 상황이므로 '무례한' 태도로 말했다는 것이 적절하다.

### 예상 적중 소단원 평가
본문 04~05쪽

| | | | |
|---|---|---|---|
| **01** ⑤ | **02** ⑤ | **03** ⑤ | **04** 뻘밭 구석, 썩은 물웅덩이 |
| **05** ③ | **06** ④ | **07** ③ | **08** 프로방스 마을의 전통이 사라졌다. |
| **09** ③ | | | |

**01** 이 시에서 '봄'이 오지 않은 상황과 봄이 온 상황은 대조적 상황이라고도 볼 수는 있으나 이러한 상황을 반복적으로 교차하고 있지는 않다.

> **오답 풀이** ① '너', '온다', '~ㄹ 수가 없다' 등의 시어 및 시구가 반복되어 운율을 형성한다.
> ② 눈부신다거나 가까스로 껴안아 본다는 표현은 모두 봄을 맞이하는 말하는 이의 감격과 기쁨을 드러낸다.
> ③ '너, 먼 데서 이기고 돌아온 사람아.'라는 시구는 '봄'을 승리자로 표현하여 대상을 예찬한 시어로 볼 수 있다.
> ④ 이 시에서 '너'는 '봄'을 의인화하여 표현한 시어이다.

**02** 시어의 의미나 주제는 시인의 창작 의도를 고려해 해석할 수도 있고, 독자의 가치관이나 경험에 따라서도 해석할 수 있다.

**03** (나)는 시가 창작될 당시의 시대적 상황을 중심으로 작품의 의미를 해석하였다.

**04** **서술형** '봄'을 '자유', '민주주의' 등으로 해석할 때, '독재 정권'은 '자유', '민주주의'의 장애 요소이다. 따라서 '독재 정권'을 의미하는 것으로 '뻘밭 구석', '썩은 물웅덩이'를 들 수 있다.

**05** 이 글의 서술자인 '나'는 소설 속에서 주인공인 '코르니유' 영감의 이야기를 관찰자의 입장에서 전하고 있다.

**06** 작품 자체의 내적 특징을 중심으로 한 해석은 작품의 소재나, 표현 방식, 구성 등을 바탕으로 작품을 해석하는 방법이다. 그러나 ④는 작품을 읽고 독자가 받은 영향을 중심으로 해석하는 방법에 해당한다.

**07** 마을 사람들은 새롭게 들어선 증기 방앗간처럼 편하고 빠른 것만 좇다가 지켜야 할 소중한 것을 잊어버린 것을 반성한다.

**08** **서술형** '풍차 방앗간'은 프로방스 마을의 전통적인 모습이었는데, '코르니유' 영감의 죽음과 함께 마지막 풍차 방앗간이 멈췄다는 것은 그 전통이 사라졌음을 의미한다.

**09** 아이들이 '사다리'를 통해 '코르니유' 영감의 방앗간으로 들어가고, 이 때문에 '코르니유' 영감의 비밀이 밝혀진다.

> **오답 풀이** ①, ② '풍차 방앗간'과 '증기 방앗간'은 각각 전통적 삶의 방식과 근대화된 기계 문명을 의미한다.
> ④ '2층의 창문'은 아이들이 지나간 공간일 뿐, '코르니유' 영감의 비밀을 밝히는 데 결정적 역할을 한 소재는 아니다.
> ⑤ '밀'은 마을 사람들이 미안함을 담아 '코르니유' 영감에게 건넨 것이다.

### 고득점 서술형 문제
본문 06~07쪽

| **1단계** | | | |
|---|---|---|---|
| **01** 바람 | **02** 기다림, 희망 | **03** 의인법 | **04** 부서진 옛 방앗간의 폐기물들 | **05** 증기 방앗간 |

**2단계** **06** ⓐ: 확신함, ⓑ: 감격스럽고 기쁨 **07** ⓐ: 시대의 변화를 거부하는(전통의 것을 지키려는), ⓑ: 전통을 지키기 위한 노력의 중요성(가치) **08** ㉡은 전통적인 삶의 방식을, ㉢은 근대화된 기계 문명(산업화, 기계화)을 상징한다.

**3단계** **09** 민주주의, 자유 / 이 시를 지은 1970년대에는 독재 정권이 강한 권력으로 국민들을 통제하고 있었고, 그러한 시대 상황이 이 시에 반영되어 있다고 보았기 때문이다. **10** 서술자는 '풍차 방앗간'이 멈춘 것에 대해 안타까워하지만, 전통적 삶의 방식이 사라지는 시대의 변화를 받아들이고 있다.

**1단계**

**01** 봄을 기다리는 말하는 이의 소망을 의미하는 다급한 사연을 듣고 '봄'에게 달려가 전하는 매개체는 '바람'이다.

**02** '봄'은 계절의 순환에 따라 당연히 와야 할 대상이자, 말하는 이가 간절하게 기다리는 희망을 상징한다.

**03** ㉠에는 사람이 아닌 것을 사람처럼 표현한 의인법이 쓰였다.

**04** '코르니유' 영감은 마을 사람들에게 아직도 자신의 풍차 방앗간에서 밀을 빻고 있다고 믿게 하려고 부서진 옛 방앗간의 폐기물들을 노새에게 짊어지게 하여 오솔길을 오르내렸다.

**05** 근대화된 기계 문명을 상징하는 '증기 방앗간'이 등장하면서 전통적인 삶의 방식을 상징하는 '풍차 방앗간'은 멈추게 된다. 따라서 이 두 소재는 서로 대조된다고 볼 수 있다.

**2단계**

**06** '너'를 기다리고 있는 말하는 이는 '너'가 반드시 올 것이라며 확신에 차 있으며, '너'를 만난 말하는 이의 심정은 감격스럽고 기쁨에 차 있다.

**07** '코르니유' 영감은 시대의 변화를 거부하고 전통의 것을 고수하려는 인물이다. 이러한 '코르니유' 영감을 통해 이 글에서는 전통을 지키는 일이 가치가 있음을 드러내고 있다.

**08** '풍차 방앗간'은 산업 혁명 이전에 자연적인 바람을 이용하여 밀을 빻던 곳이기 때문에 전통적인 방식을 상징하고, '증기 방앗간'은 기계의 힘을 사용하기 때문에 산업 혁명 이후에 전통적인 방식을 사라지게 하는 산업화, 기계화를 상징한다.

**3단계**

**09** 〈보기〉에서는 (가)의 '봄'을 해석할 때, 창작 당시의 시대적 상황을 고려하여 '봄'이 '민주주의'나 '자유'를 의미한다고 해석하고 있다.

| 평가 목표 | 비평문에 나타난 해석의 근거 파악하기 |
|---|---|
| 채점 기준 | ✔ '봄'의 의미 두 가지와 해석의 근거를 모두 바르게 쓴 경우 [20점] |
| | ✔ '봄'의 의미 중 한 가지와 해석의 근거를 바르게 쓴 경우 [15점] |
| | ✔ '봄'의 의미 두 가지를 바르게 썼으나 해석의 근거를 쓰지 못한 경우 [10점] |
| | ✔ 띄어쓰기나 맞춤법이 잘못되었을 경우 [1점씩 감점] |

**10** 서술자는 '풍차 방앗간'이 멈춘 것에 대해 안타까워하지만 '우리도 이제는 그 사실에 익숙해질 수밖에 없을 것일세.'에서 그 변화를 받아들이고 있는 태도를 보이고 있다.

| 평가 목표 | 서술자의 심정과 태도 파악하기 |
|---|---|
| 채점 기준 | ✔ '풍차 방앗간'의 상징적 의미를 포함하여 서술자의 심정과 태도를 바르게 서술한 경우 [20점] |
| | ✔ '풍차 방앗간'의 상징적 의미와, 서술자의 심정과 태도를 모두 썼으나 그 내용이 미흡한 경우 [15점] |
| | ✔ 서술자의 심정과 태도만 바르게 쓴 경우 [10점] |
| | ✔ 띄어쓰기나 맞춤법이 잘못되었을 경우 [1점씩 감점] |

## [2] 맥락을 담은 글 쓰기

**간단 복습 문제** 본문 09쪽

| 쪽지 시험 | **01** 근거 | **02** 정보 | **03** 자유 연상하기 | **04** × |
|---|---|---|---|---|
| | **05** ○ | **06** ○ | **07** ㉣ | **08** ㉢ | **09** ㉡ | **10** ㉠ |
| 어휘 시험 | **01** 피란 | **02** 친척 | **03** 환대 | **04** 소외 |
| | **05** 평가 | **06** 초고 | **07** 문제 | **08** ㉢ | **09** ㉠ | **10** ㉡ |

---

**04** '수지'는 「일가」를 처음 읽었을 때와 달리, 1년이 흐른 뒤 다시 읽었을 때는 '아저씨'의 외로움을 이해하게 되었다고 하였다.

**10** 단어와 표현, 문단 배열 등은 독자에게 내용을 잘 전달하기에 알맞은 것으로 해야 한다.

---

**04** '관심'은 '어떤 것에 마음이 끌려 주의를 기울임. 또는 그런 마음이나 주의'를 의미하고, '소외'는 '어떤 무리에서 기피하여 따돌리거나 멀리함.'을 의미한다.

**06** '초고'는 '초벌로 쓴 원고'를 의미하고, '퇴고'는 '글을 지을 때 여러 번 생각하여 고치고 다듬음. 또는 그런 일'을 의미한다.

**예상 적중 소단원 평가** 본문 10쪽

**01** ① **02** ⑤ **03** ⑤ **04** ④ **05** 이 소설을 통해 '일가'의 의미를 되새기며 그 소중함을 깨달을 수 있기 때문이다.

**01** 문장 표현은 초고 쓰기와 고쳐쓰기에서 고려할 사항이다.

**02** 제시된 내용은 글쓰기의 단계 중, 내용을 조직하는 단계에서 겪는 어려움을 해결할 수 있는 방법이다

**오답 풀이** ① 무엇을 어떻게 시작해야 할지를 고민하는 단계이다. ②, ③ 어떤 단어와 표현을 쓸지, 문단은 어떻게 배열할지를 고민하는 단계이다. ④ 글 내용을 어떻게 마련해야 하는지를 고민하는 단계이다.

**03** 이 글에는 서평을 쓰게 된 동기(ㄷ), 인물에 대한 글쓴이의 생각 변화, 소설을 읽고 난 후 깨달은 점(ㅁ), 소설에 대한 평가(ㄹ)와 소설을 추천하는 이유가 제시되어 있다.

**04** (다)에서 글쓴이는 과거와 다른 최근 명절 풍경에 대해 신문 기사를 통해 알게 되었음을 말하고 있다. 따라서 글쓴이가 그러한 신문 기사를 참고하였음을 알 수 있다.

**05** **서술형** 글쓴이는 가족이라는 연결 고리가 희미해지는 요즘 시대에 '일가'의 의미를 되새기며 소중함을 깨달을 수 있는 작품이라며 「일가」를 추천하고 있다.

**고득점 서술형 문제** 본문 11쪽

**1단계** **01** 주제
**2단계** **02** ❶ 블로그에 방문한 친구들에게 재미를 주기 위함이다. ❸ 제주도에 가려는 친구들에게 여행 정보를 알려 주기 위함이다. **03** 내용 생성하기 단계에서 글의 내용을 마련하는 것과 사진 선정에 어려움을 겪고 있고, 주제와 관련된 배경지식(기억나는 정보)이 부족하여 어려움을 겪고 있다. **04** 생각 그물, 자유 연상하기, 경험 적어 보기 등의 방법을 통해 내용을 마련한다.
**3단계** **05** 〈보기 1〉은 작가 '공선옥'의 작품 성향을 서술한 비평집을 참고하여 썼고, 〈보기 2〉는 최근 명절 풍경의 변화를 다룬 신문 기사를 참고하여 썼다.

**1단계**

**01** 글을 고쳐 쓸 때에는 표현을 적절하게 바꾸는 것도 중요하지만 처음에 계획했던 글의 주제나 목적, 예상 독자를 고려하여 썼는지도 점검해야 한다.

**2단계**

**02** ❶로 보아, 이 학생은 제주도 여행 후기를 주제로 하여 블로그에 방문한 친구들에게 재미를 주려고 글을 쓰고자 했음을 알 수 있다. 또한 ❸으로 보아, 제주도에 가려는 친구들에게 여행 정보를 알려 주겠다는 목적도 있음을 알 수 있다.

**03** 이 학생은 글쓰기의 주제, 목적, 독자, 글을 게재할 매체를 결정하였다. 하지만 초고를 쓰기 전인 ❷와 ❸에서 글의 내용을 마련하고 사진을 선정하는 데 어려움을 겪고 있으며, 화제와 관련된 배경지식의 부족으로 어려움을 겪고 있다. ❷와 ❸은 내용을 마련하기 위한 내용 생성하기 단계에 해당한다.

**04** 제시된 내용은 내용 생성하기 단계에서 글에 들어갈 내용을 마련할 방법이 없을 때의 고민이다.

**3단계**

**05** 〈보기 1〉에는 작가의 작품 성향이 드러나므로 〈보기 1〉은 그와 관련된 자료를 참고하여 쓴 내용으로 볼 수 있다. 〈보기 2〉에는 최근 명절의 풍경 변화를 다룬 신문 기사를 활용하였다는 내용이 제시되어 있다.

| 평가 목표 | 작품 해석의 근거 파악하기 |
| --- | --- |
| 채점 기준 | ✔ 〈보기 1〉과 〈보기 2〉의 참고 자료를 〈조건〉에 맞게 바르게 쓴 경우 [30점] |
| | ✔ 〈보기 1〉과 〈보기 2〉의 참고 자료 중 하나만 〈조건〉에 맞게 바르게 쓴 경우 [15점] |
| | ✔ 띄어쓰기나 맞춤법이 잘못되었을 경우 [1점씩 감점] |

| 예상 적중 | **대단원** 평가 | 본문 12~13쪽 |
| --- | --- | --- |

**01** ④　　**02** 너, 먼 데서 이기고 돌아온 사람아.　　**03** ②
**04** ③　　**05** '코르니유' 영감의 행동은 시대의 변화에 적응하지 못한 결과이다.　　**06** ④　　**07** ①　　**08** ②　　**09** ⑤
**10** 서사성을 가진 「일가」의 줄거리를 사건의 흐름에 따라 조직하였다.

**01** 이 시의 말하는 이는 '너'를 간절히 기다리기 때문에 '너'가 더디게 온다고 느끼지만, 원망하는 태도를 보이고 있지는 않다.

**02** 서술형 이 시의 말하는 이는 '봄'을 '먼 데서 이기고 돌아온 사람', 즉 '승리자'로 표현하며 예찬하고 있다.

**03** '기웃거리다가'는 말하는 이가 아니라 '봄'의 행동을 표현한 시어이다.

오답 풀이 ① 말하는 이의 기다림을 표현하고 있다.
③, ④ 도래한 '봄'에 대한 말하는 이의 태도를 드러내는 표현이다.
⑤ '봄'에 대한 말하는 이의 감격과 기쁨을 잘 드러내는 표현이다.

**04** 〈보기〉는 작가가 프로방스 지역에 살면서 느낀 마을 사람들의 모습을 작품에 표현했다는 점에 주목하여 작품을 해석한 것으로, 작품과 작가의 관계를 중심으로 한 해석이라고 볼 수 있다.

**05** 서술형 '코르니유' 영감의 행동을 부정적으로 평가한다면, 시대의 변화에 적응하지 못하고 과거의 것만 고집한 결과라고 말할 수 있다.

**06** 학생은 글에 첨부할 사진 자료가 부족해서가 아니라, 어떤 사진을 첨부하는 것이 좋을지 몰라서 고민하고 있다.

오답 풀이 ① 1번 만화에서 학생은 제주도 여행 후기를 블로그에 올려야겠다고 말하고 있다.
② 학생은 2번 만화에서는 글의 내용을 마련하는 문제로, 3번 만화에서는 화제와 관련된 배경지식의 부족 문제로 고민하고 있다.
③ 4번 만화에서 학생은 자신이 쓴 글의 표현과 문장 연결이 어색하다고 말하고 있다.
⑤ 1번 만화에서 학생은 자신의 블로그에 방문한 친구들이 흥미로워할 것이라며 예상 독자를 염두에 두고 있다.

**07** 글쓰기 과정 중 계획하기 단계에서는 글의 목적, 주제, 예상 독자, 공유 매체를 설정해야 한다.

**08** 제시된 내용은 어떤 단어와 표현을 쓸지, 문단은 어떻게 배열할지 등 초고 쓰기와 고쳐쓰기 단계에서 겪을 수 있는 어려움을 해결할 수 있는 방안이다.

**09** 「일가」의 줄거리는 (가)에, 작가의 작품 성향과 「일가」의 주제 의식은 (나)에, 「일가」를 추천하는 이유는 (다)에 제시되어 있지만, 「일가」의 주인공을 평가한 내용은 나타나 있지 않다.

**10** 고난도 서술형 「일가」의 갈래인 소설은 일정한 시간의 흐름에 따라 사건이 전개되는 서사성을 특징으로 한다. (가)는 「일가」의 서사적인 내용을 사건의 흐름대로 배열하였다.

| 평가 목표 | 내용 조직의 방식 파악하기 |
| --- | --- |
| 채점 기준 | ✔ 갈래상 특징과 내용 조직 방식을 모두 바르게 쓴 경우 [상] |
| | ✔ 갈래상 특징과 내용 조직 방식을 모두 썼으나 그 내용이 미흡한 경우 [중] |
| | ✔ 갈래상 특징이나 내용 조직 방식 중 하나만 바르게 쓴 경우 [하] |

## ② 문장을 엮는 손, 과정을 읽는 눈

### (1) 문장의 짜임과 양상

**08** '새가 날아가는'이라는 관형절을 안은 문장이다.

**09** '양보'의 의미 관계를 나타내는 연결 어미 '− 더라도'를 사용한 종속적으로 이어진 문장이다.

**11** '대조'의 의미 관계를 나타내는 연결 어미 '− 지만'을 사용한 대등하게 이어진 문장이다.

**12** '조건'의 의미 관계를 나타내는 연결 어미 '− 면'을 사용한 종속적으로 이어진 문장이다.

**01** 문장의 주성분을 꾸며 문장의 의미를 자세하게 만들어 주는 것은 부속 성분이다. 독립 성분은 문장에서 다른 성분들과 직접적인 관계를 맺지 않고 독립적으로 쓰이는 말이다.

**02** '귀여운'은 뒤에 오는 체언 '아기'를 꾸며 주는 관형어이지만, '지금'은 용언 '웃었어'를 꾸며 주는 부사어이다.

**03** (서술형) 주성분은 주어, 목적어, 보어, 서술어이고, 부속 성분은 관형어, 부사어이며, 독립 성분은 독립어이다. 제시된 문장은 '어머(독립어), 정말(부사어) 그녀가(주어) 혼자(부사어) 청소를(목적어) 마쳤니(서술어)?'로 구성되어 있다.

**04** 나머지는 모두 부사어이나 ④는 체언인 '하늘'을 꾸며 주는 관형어이다.

**05** ④에는 '무엇을'에 해당하는 말이 있어야 완전한 문장이 되므로 목적어가 필요하다.

**06** 〈보기〉에서 '붉은'과 '붉게'는 모두 형용사로 품사는 같지만 각 문장에서는 '붉은'이라는 관형어와, '붉게'라는 부사어로 쓰였다. 이처럼 품사가 같은 단어라도 문장에서 어떤 역할을 하느냐에 따라 문장 성분은 달라질 수 있다.

**07** (서술형) 독립 성분에는 독립어, 주성분에는 주어, 목적어, 서술어, 보어가 있다. 〈보기〉는 '아아(독립어), 마침내(부사어) 그가(주어) 골문에(부사어) 공을(목적어) 정확히(부사어) 넣었구나(서술어)!'로 구성되어 있다.

**08** ⑤는 '어제(부사어) 아버지께서(주어) 내게(부사어) 용돈을(목적어) 주셨다(서술어).'로 구성된 홑문장이다.

**오답 풀이** ① '그는(주어), 기다렸다(서술어)', '밤이(주어), 오기(서술어)'로, 주어와 서술어의 관계가 두 번 나타나는 겹문장이다.
② '날이(주어), 밝자(서술어)', '우리는(주어), 떠났다(서술어)'로, 주어와 서술어의 관계가 두 번 나타나는 겹문장이다.
③ '우리는(주어), 먹었다(서술어)', '그가(주어), 건넨(서술어)'으로, 주어와 서술어의 관계가 두 번 나타나는 겹문장이다.
④ '시험이(주어), 끝나서(서술어)', '마음이(주어), 홀가분하다(서술어)'로, 주어와 서술어의 관계가 두 번 나타나는 겹문장이다.

**09** '− 더라도'는 '양보'의 의미를 나타내는 연결 어미로, 이를 ②의 문장 결합에 사용하면 의미가 자연스럽지 않다. 그러므로 '바람이 불어서, 꽃잎이 떨어진다.'처럼 '원인'의 의미를 나타내는 연결 어미로 연결하거나, '바람이 불면, 꽃잎이 떨어진다.'와 같이 '조건'의 의미를 나타내는 연결 어미로 연결해야 한다.

**10** ⑤에서는 '머리카락이 휘날리게'가 부사절에 해당한다.

**오답 풀이** ① '눈동자가 맑다'라는 서술절을 안은 문장이다.
② '엄마가 만든'이라는 관형절을 안은 문장이다.
③ '행운이 계속되기'라는 명사절을 안은 문장이다.
④ '"우리가 해 보자."라고'라는 인용절을 안은 문장이다.

**11** ㄱ에서 '밑이 빠진'은 관형어 역할을 하는 관형절이며, ㄹ에서 '겨울이 오기'는 목적어 역할을 하는 명사절이다.

**오답 풀이** ㄴ. '배경'의 의미를 나타내는 연결 어미 '− ㄴ데'를 사용한 종속적으로 이어진 문장이다.
ㄷ. '흥부는(주어), 주었다(서술어)'로 주어와 서술어의 관계가 한 번만 나타나는 홑문장이다.
ㅁ. '의도'의 의미를 나타내는 연결 어미 '−려고'를 사용한 종속적으로 이어진 문장이다.

**12** (서술형) 제시된 글에서 '열두 시가 되면 마법이 풀린다.'는 '조건'을 의미하는 연결 어미 '− 면'을 사용한 종속적으로 이어진 문장이다.

**13** ㉠은 '대조'의 의미를 지닌 연결 어미 '− 지만'을 사용한 대등하게 이어진 문장이고, ㉡은 '최선을 다하는'이라는 관형절을 안은 문장이다.

**14** (가)는 주로 홑문장을 사용해 내용을 명확하고 간결하게 전달하는 반면, (나)는 주로 겹문장을 사용해 내용을 집약적으로 전달한다.

**15** (서술형) 두 문장을 결합하여 명사절을 안은 문장으로 만들려면 둘 중 하나가 주어, 목적어, 부사어 등의 역할을 해야 하는데, '눈이 펑펑 내리다'가 목적어 역할을 하는 것이 가장 자연스럽다.

'방학이 오기'는 서술어 '기다린다'의 대상이 되는 목적어 역할을 하고 있다.

### 3단계

09 ㉠이 관형절로 안기려면 체언인 '개나리'를 꾸며 주는 역할을 하도록 만들어야 하고, ㉠이 부사절로 안기려면 용언인 '피었다'를 꾸며 주는 역할을 하도록 만들어야 한다.

| 평가 목표 | 안긴문장의 종류와 역할 이해하기 |
|---|---|
| 채점 기준 | ✔ 관형절을 안은 문장과 부사절을 안은 문장을 바르게 만들고, 각 절의 역할을 바르게 쓴 경우 [20점] |
| | ✔ 관형절을 안은 문장, 부사절을 안은 문장 중 한 가지를 바르게 만들지 못했거나, 각 절의 역할을 바르게 밝히지 못한 경우 [5점씩 감점] |
| | ✔ 띄어쓰기나 맞춤법이 잘못되었을 경우 [1점씩 감점] |

10 〈보기〉의 밑줄 친 부분은 여러 문장을 지나치게 합쳐 써서 의미를 정확하게 전달하지 못하고 있다. 따라서 자연 현상과 기상청의 당부를 기준으로 하여 두 문장으로 나누어 쓰는 것이 좋다.

| 평가 목표 | 문장의 짜임에 따른 표현 효과 이해하기 |
|---|---|
| 채점 기준 | ✔ 〈보기〉의 밑줄 친 부분을 두 문장으로 나누어 쓰고, 그 효과를 바르게 서술한 경우 [20점] |
| | ✔ 〈보기〉의 밑줄 친 부분을 두 문장으로 바르게 나누어 쓰지 못했거나, 그 효과를 바르게 서술하지 못한 경우 [10점] |
| | ✔ 띄어쓰기나 맞춤법이 잘못되었을 경우 [1점씩 감점] |

## [2] 읽기의 점검과 조정

**쪽지 시험**   01 읽은 후    02 읽는 중    03 자신에게 부족한 점
04 ㉢   05 ㉠   06 ㉡   07 ㉣   08 ×   09 ○   10 ×
**어휘 시험**   01 선친    02 약관    03 거간    04 수장했다
05 세파   06 불문가지

08 「간송 전형필」은 '전형필'이 자신의 생애를 직접 기록한 자서전이 아니라, 다른 사람이 '전형필'의 삶과 업적, 활동 등에 대해 쓴 전기문이다.

------------------------------------------------

06 '문외한'은 '어떤 일에 전문적인 지식이 없는 사람'을 의미하므로 제시된 문장에는 '묻지 아니하여도 알 수 있음.'을 의미하는 '불문가지'가 들어가는 것이 적절하다.

01 ③    02 ③    03 ②    04 (인터넷 검색 등을 통해) 참고 자료를 찾아 관련 분야에 대해 자세히 알아본다.    05 ④    06 ②
07 정확하고 완벽하게 형상화하려(고)

01 이 글은 의미 있는 인물의 생애와 업적 등을 서술한 전기문으로 독자에게 교훈과 감동을 준다.

---

**1단계**   01 내, 새, 몹시    02 ㉠: 보어, ㉡: 서술어    03 ㉠: 홑문장, ㉡: 겹문장    04 마음이 착하다
**2단계**   05 친구가 '무엇을, 누구를' 불렀는지가 나타나 있지 않기 때문에 목적어를 넣어야 한다.    06 • 주성분: 주어 '네가', 목적어 '잘못을', 서술어 '뉘우쳤구나' / • 부속 성분: 부사어 '이제야' / • 독립 성분: 독립어 '그래'    07 • 만든 문장: 비가 많이 내렸지만(내렸으나), 그는 집을 나섰다. / • 문장의 종류: 대등하게 이어진 문장    08 이 문장의 안긴문장은 '방학이 오기'로, 문장 안에서 목적어 역할을 한다.
**3단계**   09 • 관형절을 안은 문장: 빛깔이 노란 개나리가 피었다. / ㉠의 역할: 체언인 '개나리'를 꾸며 주는 관형어 역할을 한다. • 부사절을 안은 문장: 개나리가 빛깔이 노랗게 피었다. / ㉠의 역할: 용언인 '피었다'를 꾸며 주는 부사어 역할을 한다.    10 • 나누어 쓴 것: 이에 따라 내일까지 전국에 매우 많은 비가 내리고 강한 바람이 몰아칠 것입니다. 기상청은 시설물 관리와 안전사고에 유의하고, 해안가에서는 만조 시간대에 해일로 인한 침수 피해가 없도록 철저히 대비해 달라고 당부했습니다. / • 효과: 의미를 좀 더 정확하게 전달할 수 있다.

### 1단계

01 부속 성분에는 관형어와 부사어가 있다. 제시된 문장에서 '내'는 '동생'이라는 체언을 꾸며 주는 관형어, '새'는 '옷'이라는 체언을 꾸며 주는 관형어, '몹시'는 '원했다'라는 용언을 꾸며 주는 부사어로 모두 부속 성분에 해당한다.

02 ㉠에는 서술어 '되다' 앞에 이를 보충해 주는 '무엇이'에 해당하는 말인 '보어'가 와야 한다. ㉡에는 내가 '어찌했는지', 즉 서술어가 있어야 완전한 문장이 된다.

03 '달빛이(주어) 밝다(서술어).'는 주어와 서술어의 관계가 한 번만 나오므로 홑문장이다. 그리고 '달빛이(주어) 밝아서(서술어) 우리는(주어) 밖으로(부사어) 나갔다(서술어).'는 주어와 서술어의 관계가 두 번 나오므로 겹문장이다.

04 제시된 문장에서 '마음이 착하다'는 서술어 역할을 하는 서술절이다.

### 2단계

05 제시된 문장이 완전해지려면 서술어 '불렀다'의 대상이 되는 목적어 '무엇을, 누구를'에 해당하는 말이 들어가야 한다.

06 주성분에는 주어, 목적어, 보어, 서술어가 있고, 부속 성분에는 관형어, 부사어가 있으며, 독립 성분에는 독립어가 있다. 제시된 문장은 '그래(독립어), 이제야(부사어) 네가(주어) 잘못을(목적어) 뉘우쳤구나(서술어).'로 구성되어 있다.

07 '대조'의 의미를 지닌 연결 어미로는 '-지만', '-(으)나'가 있다. 이렇게 '대조'의 의미 관계로 연결된 문장은 대등하게 이어진 문장에 해당한다.

08 제시된 문장은 명사절 '방학이 오기'를 안은 문장이다. 이때

**02** (라)에서 '마에다'와 '신보'가 놀란 것은 '전형필'이 2만 원에서 한 푼도 깎지 않고 현금으로 제값을 다 내밀었기 때문이다.

**03** ㄴ의 읽기 과정은 더 알고 싶은 내용에 관한 자료를 찾아 글을 더 깊이 이해한 것이고, ㄷ의 읽기 과정은 뜻을 모르는 단어를 사전에서 찾아본 것이다.

**04** 서술형 글을 읽다가 〈보기〉와 같이 글 내용과 관련해 더 알아보고 싶은 것이 생기면 참고 자료를 찾아보는 것이 좋다.

**05** (라)와 (마)를 보면 다빈치의 그림은 한 번에 완성된 것이 아니라, 많은 고민과 망설임, 번복의 시간을 거쳐 완성된 것임을 알 수 있다.

**06** ⓐ는 뜻을 모르는 단어인 '아우라'의 의미를 사전을 찾아 확인하는 활동이고, ⓑ는 (라)와 관련해 더 알고 싶은 내용을 찾아 글을 깊이 있게 이해하는 활동이다.

**07** (다)의 내용으로 보아, 다빈치는 자신의 해박한 지식을 바탕으로 하여 대상을 정확하고 완벽하게 형상화하려 했음을 알 수 있다.

---

고득점 **서술형 문제**
본문 24~25쪽

**1단계** **01** 사전, 맥락 **02** 이 땅에 꼭 남아야 할 것인가 / 보존할 가치가 있는 문화유산인가 **03** '전형필'이 2만 원에서 한 푼도 깎지 않고 곧바로 현금 가방을 들고 나왔기 때문이다. **04** 아우라 **05** 이처럼, 것입니다.

**2단계** **06** (가)를 다시 읽으면서 글에 제시된 당시 화폐 가치를 고려해 보면 '2만 원'의 가치를 파악할 수 있어. **07** 더 알고 싶은 내용에 관한 자료를 찾아봄으로써 글을 더 깊이 이해할 수 있다. **08** ㉠과 같은 사람들은 개인적 이익을 위해 서화 전적과 골동품을 수집하지만, '전형필'은 민족을 위해 이를 수집하려 한다.

**3단계** **09** •〈보기〉에 나타난 읽기 과정의 점검 및 조정 방법: 글을 읽는 목적을 확인하며 읽기 / •'전형필'에게 본받을 점: 단호한 성품과 우리 문화유산을 지키려는 굳은 의지를 지녔어. **10** 뉴스 기사를 통해 다빈치가 그림을 완성하기까지 수없이 망설이고 결정하고 번복하는 시간을 거쳤음을 알 수 있다. 즉, '화가의 시간'이란 화가가 작품을 완성하기 위해 고민하고 노력했던 시간으로, 작품의 완성도를 높이는 시간을 의미한다.

---

**1단계**

**01** 뜻을 모르는 단어는 사전을 찾아보거나, 글의 앞뒤 맥락을 살펴보며 그 의미를 이해해야 한다.

**02** '전형필'은 서화 골동을 보았을 때, 자신의 취향보다는 그것이 이 땅에 꼭 남아야 할지, 즉 보존할 가치가 있는 문화유산인지를 먼저 생각했다.

**03** '마에다'와 '신보'는 '전형필'이 큰돈을 흥정도 없이 현금으로 준비해 선뜻 내밀자 놀란 것이다.

**04** (라)에서는 다빈치의 그림을 완벽하게 만드는 마법 같은 특징이 '아우라'라고 하였다. (마)에서는 이 아우라를 만들기 위해 다빈치가 어떤 노력을 기울였는지 설명하였다.

---

**05** (마)에서 다빈치는 자연과 인물에 대한 지식과 탐구를 그림에 담아냈다고 하였다. 이 때문에 그의 그림이 신비로운 아우라를 지니게 된 것이라고 할 수 있다.

**2단계**

**06** 글을 읽다가 이해가 되지 않는 부분이 생기면, 글의 앞뒤 맥락을 고려하여 그 의미를 파악할 수 있다.

**07** 〈보기〉는 읽은 글과 관련해 더 알고 싶은 내용과 관련된 자료를 찾아본 것이다. 이와 같은 활동은 글을 좀 더 폭넓고 깊이 있게 이해하는 데 도움이 된다.

**08** ㉠과 같은 사람들은 서화 전적과 골동품을 뜻을 갖고 모으는 것이 아니기에, 수집벽이 식거나 체면을 충분히 세웠다 싶으면 더 이상 모으지 않는다. 하지만 '전형필'은 서화 전적과 골동품이 조선의 자존심이기에 이를 지키겠다고 하였다.

**3단계**

**09** 〈보기〉에는 '전형필'에게서 본받을 점을 발표하기 위해 글을 읽는다는 목적이 드러나 있고, 이러한 목적을 확인하며 글을 읽는 방법이 나타난다. 그리고 지켜야 할 민족의 문화유산이라고 판단하면 흥정 없이 사들이는 '전형필'의 모습에서 그의 단호한 성품과 우리 문화유산을 지키려는 굳은 의지를 확인할 수 있다.

| 평가 목표 | 읽기 과정의 점검과 조정 방법 및 인물에게서 본받을 점 파악하기 |
|---|---|
| 채점 기준 | ✔〈보기〉에 나타난 읽기 방법과 인물에게서 본받을 점을 모두 바르게 쓴 경우 [20점]<br>✔〈보기〉에 나타난 읽기 방법과 인물에게서 본받을 점 중 하나만 바르게 쓴 경우 [10점]<br>✔띄어쓰기나 맞춤법이 잘못되었을 경우 [1점씩 감점] |

**10** (바)의 뉴스 기사는 천재적인 화가라 불리는 다빈치조차도 한 점의 그림을 완성하기까지 거듭 고민하는 과정을 거쳤음을 보여 준다. 이를 통해 '화가의 시간'이란 작품을 완성하기까지 치열하게 고민하며 노력했던 시간을 의미함을 알 수 있다.

| 평가 목표 | 문맥을 고려하여 글 제목의 의미 파악하기 |
|---|---|
| 채점 기준 | ✔뉴스 기사의 의미를 바탕으로 하여 제목의 의미를 바르게 쓴 경우 [20점]<br>✔뉴스 기사의 의미와 제목의 의미 중 하나만 바르게 쓴 경우 [10점]<br>✔띄어쓰기나 맞춤법이 잘못되었을 경우 [1점씩 감점] |

---

예상 적중 **대단원 평가**
본문 26~29쪽

**01** ③ **02** ③ **03** ④ **04** •주성분: 네가, 운동화를, 샀구나 / •부속 성분: 이미 / •독립 성분: 아 **05** ② **06** ④ **07** ① **08** ② **09** ⑤ **10** ㉠은 이어진문장(종속적으로 이어진 문장)이고, ㉡은 안은문장(명사절을 안은 문장)이다. **11** ③ **12** •안긴문장: 소리도 없이 / •역할: 부사어 **13** ① **14** •㉡: 네가 나에게 책을 빌려줬으니, 내가 대신 청소를 해 줄게. / •㉡의 문장 종류: 종속적으로 이어진 문장 **15** ① **16** ⑤ **17** ① **18** ④ **19** ⑤ **20** ⑤ **21** ③

**01** 서술어 '되다, 아니다'를 보충하는 말로, '무엇이'에 해당하는 문장 성분은 보어이다.

**02** 주성분에는 주어, 목적어, 서술어, 보어가 속한다. ③은 '우리는(주어) 교실을(목적어) 청소했다(서술어).'로 구성되어 있다.

오답 풀이 ① 부속 성분인 부사어 '힘껏'이 포함되어 있다.
② 부속 성분인 관형어 '그가' 포함되어 있다.
④ 부속 성분인 관형어 '위대한'이 포함되어 있다.
⑤ 부속 성분인 관형어 '내'와 부사어 '정말'이 포함되어 있다.

**03** ㉠은 '무엇을, 누구를'에 해당하는 목적어가 있어야 완전한 문장이 되고, ㉡은 문장의 주체인 주어가 있어야 완전한 문장이 된다.

**04** 서술형 주성분은 주어, 목적어, 보어, 서술어이고, 부속 성분은 관형어, 부사어이며, 독립 성분은 독립어이다. 제시된 문장은 '아(독립어)! 네가(주어) 운동화를(목적어) 이미(부사어) 샀구나(서술어).'로 구성되어 있다.

**05** '과연'은 체언인 '그'를 꾸며 주는 관형어가 아니라, 문장 전체를 꾸며 주는 부사어이다.

**06** 나머지는 용언이나 문장 전체를 꾸며 주는 부사어이나, ㉣은 뒤에 오는 체언 '쪽'을 꾸며 주는 관형어이다.

**07** ㉠과 ㉡ 모두 기본형이 '아름답다'인 형용사로 품사는 같지만, 문장에서 하는 역할이 달라 문장 성분은 다르다. ㉠은 체언 '목소리'를 꾸며 주는 관형어이나, ㉡은 용언 '들리다'를 꾸며 주는 부사어이다.

**08** 주어와 서술어의 관계가 한 번만 나타나는 것이 홑문장이다. ②는 '그가 책을 읽다.'와 '책은 흥미롭다.'라는 두 문장이 결합한 겹문장이다.

오답 풀이 ① '하늘이(주어) 매우(부사어) 푸르다(서술어).'로 구성된 홑문장이다.
③ '와(독립어), 수업이(주어) 드디어(부사어) 끝났다(서술어).'로 구성된 홑문장이다.
④ '동생이(주어) 슬며시(부사어) 내게(부사어) 다가왔다(서술어).'로 구성된 홑문장이다.
⑤ '우리는(주어) 이곳에서(부사어) 비를(목적어) 피했다(서술어).'로 구성된 홑문장이다.

**09** ㉡은 '의도'의 의미 관계를 나타내는 연결 어미 '-려고'를 사용한 종속적으로 이어진 문장이다.

오답 풀이 ① ㉠과 ㉡ 모두 이어진문장으로, 겹문장에 해당한다.
②, ④ ㉠은 '나열'의 의미 관계를 나타내는 연결 어미 '-고'를 사용한 대등하게 이어진 문장이다.
③ ㉡은 종속적으로 이어진 문장이다.

**10** 서술형 ㉠은 연결 어미 '-면'을 사용해 앞뒤 문장을 이어 쓴 종속적으로 이어진 문장이다. ㉡은 '꽃이 피기'라는 명사절을 안은 문장이다.

**11** 제시된 문장에서 안긴문장인 '선생님께서 우리에게 추천하신'은 체언인 '책'을 꾸며 주는 관형어 역할을 한다.

**12** 서술형 〈보기〉에서 '소리도 없이'는 부사절로 안겨, 뒤에 오는 '내린다'를 꾸며 주는 부사어 역할을 한다.

**13** ①은 '비가 와서'라는 부사절을 안은 문장이다.

오답 풀이 ② '그는(주어), 말했다(서술어)'와 '날씨가(주어), 춥다고(서술어)'로 구성된 겹문장으로, '날씨가 춥다고'는 인용절에 해당한다.
③ '우리는(주어), 바랐다(서술어)'와 '아침이(주어), 오기(서술어)'로 구성된 겹문장으로, '아침이 오기'는 명사절에 해당한다.
④ '그는(주어), 책을(목적어), 읽었다(서술어)'와 '날이(주어), 새도록(서술어)'으로 구성된 겹문장으로, '날이 새도록'은 용언 '읽었다'를 꾸며 주는 부사절에 해당한다.
⑤ '나는(주어), 산에(부사어), 갔다(서술어)'와 '경치가(주어), 아름다운(서술어)'으로 구성된 겹문장으로, '경치가 아름다운'은 체언 '산'을 꾸며 주는 관형절에 해당한다.

**14** 고난도 서술형 ㉠은 '조건'을 의미하는 연결 어미 '-면'을 사용한 이어진문장이다. '원인'을 의미하는 연결 어미에는 '-아서/-어서, -(으)니' 등이 있는데, ㉡은 '-(으)니'를 사용하여 만드는 것이 자연스럽다. 조건, 원인의 의미 관계로 이어진 문장은 모두 종속적으로 이어진 문장이다.

| 평가 목표 | 이어진문장의 종류 파악하기 |
|---|---|
| 채점 기준 | ✔ ㉡을 바르게 만들어 쓰고, ㉠과 ㉡의 공통된 문장 종류를 바르게 쓴 경우 [상]<br>✔ ㉡을 바르게 만들어 쓰지 못했거나, ㉠과 ㉡의 공통된 문장 종류를 바르게 쓰지 못한 경우 [중]<br>✔ ㉡을 잘못 만들고, ㉠과 ㉡의 공통된 문장 종류도 바르게 쓰지 못한 경우 [하] |

**15** 〈보기〉는 주로 홑문장을 사용한 글이다. 이렇게 홑문장을 주로 사용하면 내용을 간결하게 전달할 수 있고, 긴박감과 속도감을 느끼게 할 수 있다.

**16** '마에다'는 '전형필'이 흔쾌히 2만 원에 청자를 살 것을 짐작하지 못했다. 오히려 거금을 주고 청자를 살 배짱을 지닌 조선인이 있겠느냐는 비웃음을 보인다.

**17** 〈보기〉처럼 글을 읽은 후 더 알고 싶은 내용을 찾아보면 글을 깊이 있게 이해하는 데 도움이 된다.

**18** 글의 내용을 표로 정리하여 중심 내용을 파악하는 것은 글을 읽은 후에 이루어지는 읽기 과정의 점검과 조정 방법이다.

오답 풀이 ① 모르는 단어의 의미를 사전에서 찾아보는 것으로 '읽는 중' 활동에 해당한다.
② 참고 자료를 찾아 관련 분야에 대한 이해를 넓히는 것으로 '읽는 중' 활동에 해당한다.
③ 앞뒤 맥락을 고려하여 글의 의미를 파악하는 것으로 '읽는 중' 활동에 해당한다.
⑤ 자신의 읽기 목적을 고려하여 글을 선택하는 것으로 '읽기 전' 활동에 해당한다.

**19** (다)~(바)는 비평문으로 작품에 대한 글쓴이의 해석과 주관적 관점이 나타난다.

**20** ⑤는 사전을 찾아 모르는 단어의 의미를 파악하는 방법이며, 나머지는 모두 이해되지 않는 부분의 의미를 앞뒤 맥락을 고려하여 파악하는 방법이다.

**21** ㉠은 화가가 작품을 완성하기 위해 고민하고 노력했던 시간으로, 작품의 완성도를 높이는 가치 있는 시간을 의미한다.

## ⟨1⟩ 같은 화제 다른 글

**쪽지 시험** **01** 긍정적, 부정적 **02** 생명 **03** 아이 **04** ✕
**05** ○ **06** ㉢ **07** ㉠ **08** ㉡

**어휘 시험** **01** 저염식 **02** 염장 **03** 사각지대 **04** 신진
대사 **05** 축적 **06** 폭식 **07** 당분 **08** ㉡ **09** ㉠
**10** ㉢

**03** 「맛있게 먹은 소금이 병을 부른다」의 글쓴이는 동일한 양의 소
금을 섭취하더라도 혈액량이 적은 아이들의 경우 혈액 속 염화
나트륨의 비율이 어른보다 훨씬 높아져 더 위험하다고 보았다.

**04** 「소금 없인 못 살아」에서는 소금을 생산하는 도시는 큰 부를
축적할 수 있었고, 소금 때문에 전쟁이 일어나기도 하였다면
서 소금이 예부터 중요한 존재였다고 하였다.

---

**07** '염분'은 '바닷물 따위에 함유되어 있는 소금기'라는 의미이며,
'당분'은 '물에 잘 녹으며 단맛이 있는 탄수화물을 뜻하는 당
류의 성분'이라는 의미이다.

**예상 적중 소단원 평가**       본문 32~33쪽

**01** ③ **02** ⑤ **03** ③ **04** ① 체액의 주요 성분이 되어 영
양소를 우리 몸 구석구석으로 보낸다. ② 우리 몸에 쌓인 각종 노
폐물을 땀이나 오줌으로 배출한다. **05** ② **06** ④ **07** ④

**01** 이 글은 소금의 역할과 필요성을 체계적으로 설명한 글로, 독
자의 이해를 돕기 위해 구체적인 예시를 제시하고 있다.

**02** 소금은 식품을 오래 보존하는 역할을 하기 때문에, 온대 지방
사람들은 채소를 소금에 절여 저장해 두었다가 겨울철에 이
채소를 먹으면서 부족한 비타민을 섭취했다. 따라서 소금은
겨울에 채소를 먹을 수 있도록 식품을 보존하는 역할을 한 것
이지, 비타민의 역할을 대신한 것은 아니다.

**03** (다)에는 소금의 짠맛이 음식과 잘 어우러지면서 그 맛을 더
욱 좋게 해 주기 때문에 사람들의 소금 섭취가 많다는 내용이
제시되어 있다. 따라서 (다)에 대해서는, 소금이 맛있다는 점
을 인정하면서도 과다한 소금 섭취가 유발하는 문제점을 제
기하는 〈보기〉와 같은 반론이 제시될 수 있다.

**04** 서술형 소금은 분자들의 결정체에 불과하지만, 일단 우리
몸에 흡수된 후에는 체액의 주요 성분이 되어 영양소를 우리
몸 구석구석으로 보내거나 우리 몸에 쌓인 각종 노폐물을 땀
이나 오줌으로 배출하는 역할을 한다.

**05** 이 글은 과다한 소금 섭취의 위험성을 주장하는 글로, 과학적 사
실과 연구 결과를 근거로 글쓴이의 주장을 뒷받침하고 있다. 서
론에서는 소금의 위험성에 대한 문제를 제기하며 글을 시작하고

---

있을 뿐, 중심 소재인 소금의 의미를 정의하고 있지는 않다.

**06** (라)에서는 짠맛이 뇌의 쾌감 중추를 자극해 '음식 중독'에 걸
릴 수 있다고 하였으나, 단맛에 대해서도 더 자극적인 맛을
찾게 한다는 내용은 이 글에 제시되어 있지 않다.

**07** 글쓴이는 아이들이 어른들보다 혈액량이 적어 똑같은 양의
소금을 섭취하더라도, 혈액 속 염화 나트륨의 비율이 어른보
다 훨씬 높아지므로 더 위험하다고 보고 있다.

**고득점 서술형 문제**       본문 34~35쪽

**1단계** **01** 소금 **02** (다) **03** (체세포가 제 기능을 발휘하
지 못해) 우리의 신진대사 능력이 떨어진다. **04** 맛깔스럽게 변
하는 것이다. **05** 어린아이들이 부모와 똑같은, 혹은 더 많은 양
의 소금을 섭취하는 것이다.

**2단계** **06** (가)~(다)에는 소금이 우리에게 반드시 필요한 존재
라는 긍정적인 관점이, (라)~(바)에는 과다한 소금 섭취가 건강을
위협한다는 부정적인 관점이 나타나 있다. 이와 같이 동일한 화제
에 대해 다른 관점을 지닌 글을 비교하여 읽으면 대상을 객관적으
로 파악하고 깊이 이해할 수 있다(대상의 다양한 측면을 이해할 수
있다. / 어느 한쪽에 치우치지 않은 균형 잡힌 시각을 지닐 수 있
다.). **07** 똑같은 양의 소금을 섭취하더라도 어른보다 아이들이
더 위험하므로, 아이들의 건강을 위해서 소금 섭취를 줄일 것을 당
부한다. **08** 짜게 먹는 아이일수록 음료를 많이 마신다는 사실
을 발견한 객관적인 연구 결과를 근거로 제시함으로써 주장의 설
득력을 높일 수 있다.

**3단계** **09** (가)~(다)는 대상의 특성을 체계적으로 정리하여 설
명하고, 구체적인 예시를 함께 제시하고 있다. 이는 대상에 대해 체
계적으로 파악할 수 있다는 효과가 있다. 반면 제시된 광고는 그림
을 활용하여 정보를 제공하며, 짧은 글과 핵심 단어를 반복하여 사
용하고 있다. 이는 짧은 시간 안에 중요한 내용을 쉽게 이해할 수
있다는 효과가 있다. **10** 짠맛과 단맛이 강한 음식을 함께 먹으
면 혈압이 더 빨리 상승하기 때문에 저염식 음식을 먹거나, 즉석식
품이나 통조림, 소시지 등 소금이 많이 함유된 음식을 피해야 한다.

**1단계**

**01** (가)~(다)는 소금의 역할과 필요성을, (라)~(바)는 과다한 소
금 섭취의 위험성을 다룬 글이다.

**02** 〈보기〉에 따르면 온대 지방 사람들은 채소를 소금에 절이는
염장의 방법을 활용해 겨울까지 채소를 보관하였다. 이는 식
품을 오래 보존하도록 하는 소금의 역할과 관련이 깊다.

**03** (라)에서는 음식을 너무 짜게 먹을 경우 소금이 세포의 수분
을 빼앗아 체세포가 제 기능을 발휘하지 못하게 되며, 이로
인해 우리의 신진대사 능력이 떨어지게 된다고 하였다.

**04** 김치를 담글 때 먼저 채소를 소금에 절이거나, 생선이나 고기
를 구워 먹을 때 소금을 뿌리는 것은 음식을 더욱 맛깔스럽게
하기 위해서이다.

**05** 글쓴이는 아이들의 혈액량이 어른들보다 적기 때문에, 아이
들이 부모와 똑같거나 더 많은 양의 소금을 섭취할 경우 더

위험해질 수 있으므로 이를 심각한 문제라고 생각한다.

**2단계**

**06** (가)~(다)와 (라)~(바)의 글쓴이는 '소금'이라는 동일한 화제에 대하여 각각 긍정적 입장과 부정적 입장의 태도를 나타내는데, 이와 같이 다른 관점을 지닌 글을 비교하여 읽으면 대상을 객관적으로 파악하고 깊이 있게 이해할 수 있으며, 어느 한쪽에 치우치지 않는 균형 잡힌 시각을 지닐 수 있다.

**07** 글쓴이는 어른에 비해 아이들의 혈액량이 적으므로, 똑같은 양의 소금을 섭취하더라도 아이들에게 훨씬 위험하다고 생각한다. 따라서 글쓴이는 독자에게 아이들의 건강을 위해서 소금 섭취를 줄일 것을 당부하기 위해 이 글을 썼을 것이다.

**08** 객관적인 연구나 설문 조사 등을 근거로 제시하여 주장의 신뢰성을 더함으로써 주장하는 글의 설득력을 높일 수 있다.

**3단계**

**09** (가)~(다)와 제시된 광고는 소금이라는 동일한 화제를 다루고 있다. 하지만 (가)~(다)가 주로 긴 글을 통해 내용을 체계적으로 설명하고 있는 데 반해, 제시된 광고는 그림과 짧은 글(핵심 단어)을 통해 내용을 제시하고 있다.

| 평가 목표 | 전달 형식의 차이에 따른 표현상의 특징과 효과를 파악하기 |
|---|---|
| 채점 기준 | ✔ (가)~(다)와 광고의 표현상 특징과 그 효과를 〈조건〉에 맞게 바르게 쓴 경우 [20점] |
| | ✔ (가)~(다)와 광고의 표현상 특징과 그 효과를 썼으나, 〈조건〉에 맞지 않은 경우 [10점] |
| | ✔ 띄어쓰기나 맞춤법이 잘못되었을 경우 [1점씩 감점] |

**10** (바)에서 아이들은 짠 음식으로 인한 갈증을 해소하기 위해 단맛이 강한 탄산 음료를 찾는데, 짠 음식과 당분이 높은 음료를 함께 섭취하면 혈압이 훨씬 더 빨리 상승한다고 하였다. 따라서 이를 해결하려면 저염식 음식을 먹거나, 소금이 많이 함유된 즉석식품, 통조림, 소시지 등의 음식을 피해야 한다.

| 평가 목표 | 글에 나타난 문제 상황과 해결 방법 파악하기 |
|---|---|
| 채점 기준 | ✔ 짠맛과 단맛이 강한 음식을 함께 먹을 때의 문제점과 그 해결 방법을 〈조건〉에 맞게 바르게 쓴 경우 [20점] |
| | ✔ 짠맛과 단맛이 강한 음식을 함께 먹을 때의 문제점과 그 해결 방법은 썼으나, 〈조건〉에 맞지 않은 경우 [10점] |
| | ✔ 띄어쓰기나 맞춤법이 잘못되었을 경우 [1점씩 감점] |

## [2] 보고하는 글 쓰기

**간단 복습 문제**      본문 37쪽

**쪽지 시험** **01** 보고하는 **02** 실험 **03** '끝' **04** ○ **05** ✕ **06** ○ **07** ㉠ **08** ㉣ **09** ㉤ **10** ㉡

**어휘 시험** **01** 약도 **02** 답사 **03** 왜곡 **04** 인용 **05** 고택 **06** 흉상 **07** 유적지 **08** 복원 **09** ㉠ **10** ㉢ **11** ㉡

**03** 보고하는 글의 '처음' 부분에는 관찰, 조사, 실험의 목적, 동기, 대상과 기간, 조사 방법 등을 써야 하며, '가운데' 부분에는 관찰, 조사, 실험의 구체적인 내용을 써야 한다. 그리고 '끝' 부분에는 소감과 참고한 자료의 출처를 쓴다.

**05** 도표를 활용하여 설문 조사 결과를 제시하면 복잡한 내용을 일목요연하게 한눈에 제시할 수 있다.

---

**06** '흉상'은 '사람의 모습을 가슴까지만 표현한 그림이나 조각'이라는 의미이며, '시비'는 '시를 새긴 비석'이라는 의미이다. '누구인지 알아볼 수 없는'이라는 내용이 들어 있으므로 제시된 문장에는 '흉상'이 들어가야 적절하다.

**예상 적중 소단원 평가**      본문 38~39쪽

**01** ② **02** ② **03** ③ **04** ② **05** ④ **06** 이 글에서 소개하는 곳 외에도 더 많은 유적지들을 조사해야 한다. **07** ⑤

**01** 보고하는 글은 주관적이거나 한쪽에 치우친 내용이 아닌, 사실에 근거한 내용을 바탕으로 써야 하는 객관적인 글이다.

**오답 풀이** ① 보고하는 글 중, 조사 보고서는 조사의 절차와 결과가 잘 드러나도록 써야 한다.
③ 보고하는 글의 구성은 간결하면서도 짜임새를 갖추고 있어야 하는데, 주로 '처음-가운데-끝'으로 구성된다.
④ 보고하는 글을 쓸 때에는 쓰기 윤리를 준수하여 조사한 내용과 결과를 과장, 축소, 변형, 왜곡하지 않고 제시해야 한다.
⑤ 그림, 사진, 도표 등의 보조 자료를 효과적으로 활용하면 조사 내용을 효과적으로 전달할 수 있다.

**02** 〈보기〉를 토대로 '효주네 모둠'이 작성하려는 보고서가 조사 보고서임을 알 수 있다. 그런데 '액체들의 녹는점 비교'는 실험 보고서의 주제이므로, 두 보고서의 종류는 서로 다르다.

**03** ㉢는 '계산 성당'의 건축적 특징에 대해 설명하는 인터넷 자료로, 전문적인 내용을 다루고 있어 우리 지역 관광지를 다른 지역 사람들에게 알리는 이 보고서의 목적에 맞지 않는다. 또한 자료를 수집한 명확한 출처가 제시되어 있지 않아 글에 활용할 자료로 적합하지 않다.

**04** '삼일 만세 운동 길'은 삼일 운동 당시 집결 장소로 향하던 학생들이 경찰의 눈을 피해 이용했던 지름길이자 비밀 통로였다.

**05** 보고하는 글을 쓸 때 내용과 관련한 사진 자료를 활용하면 대상의 모습을 생생하게 전달할 수 있으며, 독자가 글 내용을 이해하는 데 도움을 줄 수 있다.

**06** **서술형** 작성자들은 (마)에서 근대 문화 골목에는 이 글에 소개된 곳 외에도 유적지들이 많이 있는데, 더 조사하지 못한 것을 아쉬운 점으로 꼽고 있다.

**07** 보고하는 글에서 다른 사람이나 기관의 아이디어, 자료, 조사나 연구 결과를 활용했다면 글의 '끝' 부분에는 인용한 자료의 출처를 밝혀야 한다. 이는 쓰기 윤리를 준수하는 태도로, 보고하는 글의 신뢰성을 높이고 다른 사람의 저작권을 보호하는 방법이다.

## 고득점 서술형 문제

**1단계** **01** 보고 **02** ㄴ-ㄱ-ㅁ-ㄷ-ㄹ **03** ⓐ: 목적, ⓑ: 동기, ⓒ: 기간, ⓓ: 방법 **04** 대구 근대 문화 골목을 이루고 있는 유적지를 다른 지역 사람들에게 알리기 위해

**2단계** **05** 계획하기 단계에서는 조사 방법 및 역할 분담 등을 협의해야 한다. **06** '지호'는 설문 조사 결과의 내용을 왜곡하려고 한다. / '민아'는 다른 사람의 자료를 자기가 쓴 것처럼 표절하려고 한다.

**3단계** **07** 〈보기〉에 제시된 공모전의 공모 주제는 우리 지역의 관광지를 다른 지역 사람들에게 널리 알리는 것인데, (다)의 자료는 계산 성당의 건축적 특징에 대한 전문적인 지식만을 다루고 있기 때문에 (예상 독자에게 어려울 수 있어) 보고서의 자료로 활용하기에 적합하지 않다. **08** (라)의 직접 찍은 '삼일 만세 운동 길' 사진을 (나)와 함께 제시함으로써 '삼일 만세 운동 길'의 모습을 생생하고 생동감 있게 전달하고 있다.

### 1단계

**01** 보고하는 글은 어떤 주제에 대하여 관찰, 조사, 실험한 과정과 결과를 체계적으로 정리하여 알리는 것을 목적으로 하는 글이다.

**02** ㄱ은 자료 수집하기, ㄴ은 계획하기, ㄷ은 보고하는 글 쓰기, ㄹ은 평가하기, ㅁ은 자료 정리하기의 단계이다. 보고하는 글은 '계획하기 – 자료 수집하기 – 자료 정리하기 – 글쓰기 – 평가하기'의 절차에 따라 쓴다.

**03** 보고하는 글의 '처음' 단계에서는 조사 목적, 조사 동기, 조사 대상 및 기간, 조사 방법 등을 제시해야 한다.

**04** 조사자는 (가)에서 대구의 대표적 관광지인 대구 근대 문화 골목을 이루고 있는 유적지를 다른 지역 사람들에게 알리기 위해 이곳을 조사하였다고 하였다. 이는 이 보고서를 쓴 목적에 해당한다.

### 2단계

**05** 보고하는 글을 쓰기 위해 계획하는 단계에서는 대상, 목적 및 동기, 일정, 방법 및 역할 분담 등을 협의해야 한다. 이 중에서 〈보기〉의 대화에서는 자료 조사, 현장 조사 등의 조사 방법과 역할 분담을 협의하고 있다.

**06** 보고하는 글을 쓰는 과정에서 '지호'와 같이 조사 결과 등의 자료를 과장, 축소, 변형, 왜곡하는 태도나, '민아'와 같이 다른 사람의 자료를 자기의 것처럼 표절하는 것은 모두 쓰기 윤리에 어긋난 행동이다.

### 3단계

**07** (다)는 계산 성당의 건축적 특징에 대해 설명하는 인터넷 자료이다. 건축적 특징에 대한 전문적인 내용을 다루고 있어 보고서의 예상 독자에게 어려울 수 있고, 명확한 출처가 없으므로 글에 활용하기 어려운 자료이다.

| 평가 목표 | 자료의 적합성 판단하기 |
|---|---|
| 채점 기준 | ✔ 자료로 활용하기에 적합하지 않은 것을 찾고, 공모 주제와 관련하여 그 이유를 바르게 쓴 경우 [25점]<br>✔ 자료로 활용하기에 적합하지 않은 것을 찾고 그 이유를 제시하였으나, 〈조건〉에 맞지 않은 경우 [15점]<br>✔ 띄어쓰기나 맞춤법이 잘못되었을 경우 [1점씩 감점] |

**08** 보고하는 글을 쓸 때에 보조 자료를 효과적으로 활용하면 정보를 더 쉽게 전달할 수 있다. 〈보기〉와 같이 글과 관련된 사진 자료를 함께 제시하면 독자의 흥미를 유발할 수 있을 뿐만 아니라, 대상의 모습을 생생하게 전달할 수 있는 효과가 있다.

| 평가 목표 | 보조 자료의 효과 파악하기 |
|---|---|
| 채점 기준 | ✔ 제시된 자료의 활용 방법과 그 효과를 바르게 쓴 경우 [25점]<br>✔ 제시된 자료의 활용 방법과 그 효과를 썼으나, 〈조건〉에 맞지 않은 경우 [15점]<br>✔ 띄어쓰기나 맞춤법이 잘못되었을 경우 [1점씩 감점] |

## 예상 적중 대단원 평가

**01** ⑤ **02** ⑤ **03** ⑤ **04** 소금은 음식을 썩게 하는 미생물의 발생을 막아 주어, 식품이 신선한 상태로 유지되게 하기 때문이다. **05** ② **06** ① **07** 건강을 생각해서 지금이라도 아이들의 소금 섭취를 줄일 것을 독자에게 당부하는 내용이 이어질 것이다. / 건강을 생각해서 아이들의 소금 섭취를 줄이자고 주장하는 내용이 이어질 것이다. **08** ⑤ **09** ④ **10** ③ **11** ③ **12** ④ **13** ② **14** 대구 근대 문화 골목의 전체적인 모습과 각 유적지의 위치를 독자가 쉽게 파악할 수 있다.

**01** (가)에서는 소금이 과거부터 중요한 존재로 인식되어 왔다는 사실을 이야기하기 위해 소금이 이동하는 중심지에 교역로가 발달했다는 점과 소금 때문에 전쟁이 일어나기도 했다는 점을 언급하였다.

오답 풀이 ① (나)에서 사람에게 필요한 소금의 양은 하루에 3그램 정도밖에 되지 않는다고 하였다.
② (다)에서 소금은 주로 땀이나 오줌으로 배출되기 때문에, 사람과 달리 다른 동물 대부분은 소금을 아끼기 위해 아예 땀을 흘리지 않거나 오줌도 아주 적게 누도록 진화해 왔다고 하였다.
③ (라)에서 소금은 음식 본연의 맛과 잘 어우러지면 그 맛을 더욱 좋게 해 주기 때문에 사람들은 몇몇 기호 식품이나 과일을 빼고 거의 모든 음식에 소금을 넣는다고 하였다.
④ (나)에서 소금은 혈액이나 위액과 같은 체액의 주요 성분이 되어 영양소를 우리 몸 구석구석으로 보내기도 하고, 우리 몸에 쌓인 각종 노폐물을 땀이나 오줌으로 배출하기도 한다고 하였다.

**02** 〈보기〉는 '끝' 부분에 해당하는 내용으로, 지금까지 설명한 소금의 역할과 필요성을 요약하고 있다. 따라서 (마)의 뒤에 제시하는 것이 적합하다.

**03** (나)는 소금이 신진대사에 미치는 영향에 대해 예를 들어 설명하는 예시의 설명 방법이 사용되었다. ⑤ 역시 봄에 피는 꽃들에 대해 예를 들고 있다.

오답 풀이 ① 정의의 설명 방법이 사용되었다.
② 비교의 설명 방법이 사용되었다.
③ 대조의 설명 방법이 사용되었다.
④ 분석의 설명 방법이 사용되었다.

**04** 서술형 (마)의 마지막 문장에 소금을 넣으면 식품이 신선하게 유지되는 이유가 제시되어 있는데, 소금이 음식을 썩게 하는 미생물의 발생을 막아 주기 때문이라고 하였다.

**05** 광고는 그림, 짧은 글, 핵심 단어를 통해 정보를 제공하기 때문에 독자가 짧은 시간 안에 중요한 내용을 쉽게 이해할 수 있다. 하지만 광고는 담고 있는 내용이 글에 비해 적기 때문에 대상에 대해 더 체계적으로 파악할 수 있다고 보기는 어렵다.

**06** (가)에서 '즉석식품과 외식 자체가 문제가 아니라, 아이들이 그 음식들 안에 들어 있는 소금을 과하게 섭취하는 것이 문제'라고 하며 과다한 소금 섭취에 대한 문제를 제기하고 있다.

**07** 고난도 서술형 주장하는 글의 '끝' 부분에는 글쓴이의 주장이나 독자에 대한 당부가 제시된다. 따라서 (마)의 뒤에는 소금에 대한 글쓴이의 부정적인 태도를 토대로 아이들의 건강을 위해 소금 섭취를 줄이자는 주장이 제시될 것이다.

| 평가 목표 | 글쓴이의 주장과, 주장하는 글의 구성 파악하기 |
|---|---|
| 채점 기준 | ✔ (마) 뒤에 이어질 내용을 〈조건〉에 맞게 바르게 쓴 경우 [상] |
| | ✔ (마) 뒤에 이어질 내용을 썼으나, 〈조건〉에 맞지 않은 경우 [중] |
| | ✔ (마) 뒤에 이어질 내용을 바르게 쓰지 못한 경우 [하] |

**08** 보고하는 내용이나 그것을 분석한 결과는 사실에 근거를 두어야 하기 때문에 보고자의 추측이나 기대로 꾸며서는 안 된다. 또한 보고하는 내용을 쉽게 이해하도록 정확하고 명료한 용어를 사용해 간결하게 표현해야 한다.

**09** 자료를 인용할 때에는 꼭 필요한 부분에 해당하는 일부만 인용하고, 반드시 자료의 출처를 밝혀야 한다.

**10** ⓒ는 '계산 성당'의 건축적 특징에 대해 설명하는 인터넷 자료로, 전문적인 내용을 다루고 있어 예상 독자에게 어려울 수 있고 명확한 출처가 없으므로 글에 활용하기에 적합하지 않다.

**11** 이 글은 '대구 근대 문화 골목'에 대해 조사·분석한 내용을 쓴 조사 보고서이다. ③ 역시 조사 보고서로 작성할 수 있다.
오답 풀이 ①, ⑤ 실험 보고서에 적합한 주제이다.
②, ④ 관찰 보고서에 적합한 주제이다.

**12** '계산 성당'은 경상도에서 가장 오래된 성당이자 대구 최초의 서양식 건물이다.

**13** 보고하는 글은 '처음 – 가운데 – 끝'의 단계로 구성된다. '처음' 단계에는 조사 목적, 조사 동기, 조사 대상과 조사 기간, 조사 방법이 제시되며, '가운데' 단계에는 조사 내용이 제시된다. 한편 '끝' 단계에는 소감과 자료 출처가 제시되는데 (나)~(마)는 '가운데' 단계의 조사 내용에 해당한다.

**14** 서술형 (가) 앞에 〈보기〉의 자료를 추가하면, 대구 근대 문화 골목의 전체적인 모습과 뒤이어 소개할 각 유적지의 위치를 독자가 파악하기 쉬워진다.

---

**4** 함께 살아가는 우리

**[1]** 사회를 비추는 문학

간단 복습 문제
본문 47쪽

| 쪽지 시험 | **01** 연극 | **02** 해설 | **03** 갈등 | **04** 반영 |
|---|---|---|---|---|

**05** 밥상 풍경 **06** × **07** × **08** ○ **09** × **10** ○
**11** ⓛ **12** ⓔ, ⓒ **13** ⓙ

| 어휘 시험 | **01** 쑥대밭 | **02** 화수분 | **03** 이실직고 | **04** ⓔ |
|---|---|---|---|---|

**05** ⓛ **06** ⓙ **07** ⓒ

**01** 희곡은 무대에서 상연하기 위해 쓰인 연극의 대본이다. 영화의 대본은 시나리오라고 한다.

**02** 희곡에서 막이 오르기 전 필요한 무대 장치, 인물, 배경 등을 설명하는 구성 요소를 해설이라고 한다. 지시문은 무대 장치, 효과음, 조명, 등장인물의 표정이나 행동 등을 지시한다.

**09** 이 글에서 물질 만능주의가 팽배한 세상에서 탐욕스러운 사람들의 마음을 깨끗하고 순수하게 만들어 주는 공간은 '오아시스 세탁소'이다. '잡기장'은 '강태국' 아버지의 세탁 비법과 할머니의 비밀이 담겨 있는 공책이다.

- - - - - - - - - - - - - - - - - - - - - - - - - - - - - -

**01** '쑥대밭'은 '매우 어지럽거나 못 쓰게 된 모양을 비유적으로 이르는 말'이고, '가시밭'은 '가시덤불이 우거져 있는 곳' 또는 '괴롭고 어려운 환경을 비유적으로 이르는 말'이다.

**02** '화수분'은 '재물이 계속 나오는 보물단지로, 그 안에 온갖 물건을 담아 두면 끝없이 새끼를 쳐 그 내용물이 줄어들지 않는다는 설화상의 단지'를 이른다. '초과분'은 '초과한 분량'을 의미한다.

**03** '이실직고'는 '사실 그대로 고함.'을 의미하는 말이고, '적반하장'은 '도둑이 도리어 매를 든다는 뜻으로, 잘못한 사람이 아무 잘못도 없는 사람을 나무람을 이르는 말'이다.

예상 적중 소단원 평가
본문 48~49쪽

**01** ② **02** ③ **03** ① **04** 물질 앞에서 인간성을 상실하고 배금주의가 팽배했다. **05** ④ **06** 짐승 **07** ② **08** ④
**09** 얼굴 반찬

**01** 이 글은 희곡이다. 희곡은 일정한 크기의 무대 위에서 연극을 상연하는 것을 전제하기 때문에 등장인물의 수나 배경에 제약이 있다.

**02** (가)에서 안 패거리에 대항하던 '염소팔'과 (나)에서 중립적 태도를 보이던 '서옥화'는 (라)에서 세탁소에 몰래 잠입하여 할머니의 옷을 찾아 이익을 챙기려 한다.

**03** (가)에서 안 패거리는 할머니의 재산에 대한 단서를 찾기 위해 세탁물을 망가뜨리며 막무가내로 행패를 부리고 있다.

**04** <u>서술형</u> 제시된 기사문은 복돈이 유행하는 세태를 다루었으며 황금만능주의와 배금주의에 젖은 당시 사회의 단면을 보여 준다. ㉠에서 '안유식'은 어머니의 임종에는 관심이 없는, 인간성을 상실한 모습을 보이고 있으며, ㉡의 '염소팔'은 도둑이 되어도 상관없다며 돈을 향한 열망을 드러내고 있다.

**05** (가)~(나)는 희곡의 구성 단계상 '하강'에 해당한다. '하강'에서는 갈등 해소의 계기가 제시되거나 사건의 반전이 일어난다.
> <u>오답 풀이</u> ① '발단'에 대한 설명이다.
> ② '전개'에 대한 설명이다.
> ③ '절정'에 대한 설명이다.
> ⑤ '대단원'에 대한 설명이다.

**06** <u>서술형</u> '강태국'은, 할머니의 재산에 눈이 멀어 할머니에게 인간적인 도리를 다하지 않고, 자신의 이익과 욕망만 좇는 모습을 보인 사람들을 짐승 같다고 말하고 있다.

**07** (나)는 할머니 옷을 차지하기 위해 세탁기에 들어간 사람들을 세탁하는 장면이다. 이는 비현실적인 문학적 장치로, 이 과정을 통해 '강태국'과 사람들의 갈등이 해결된다.

**08** '고기반찬'은 오늘날 밥상을 채운 풍요로운 반찬을 의미한다. 그러나 이는 물질적으로는 풍요롭지만 따뜻함이 없는 밥상 풍경을 비판하기 위해 사용한 시어로 볼 수 있다.
> <u>오답 풀이</u> ①, ② 이 시는 반찬은 소박하지만 사람들이 함께 모여 밥을 먹던 과거의 밥상 풍경과, 반찬은 풍요롭지만 혼자서 밥을 먹는 현재의 밥상 풍경을 대조하고 있다.
> ③ 이 시의 시인은 과거와 달리 지금은 얼굴 반찬이 없어 인생에 재미가 없다며 과거의 밥상 풍경을 그리워하고 있다.
> ⑤ 이 시의 시인은 현대의 풍요로운 반찬인 '고기반찬'과 대조되는 과거의 소박한 반찬을 '풀잎 반찬'이라고 표현하였다.

**09** <u>서술형</u> ㉠~㉢은 함께 얼굴을 보며 식사를 하는 가족들에 해당한다. (다)에서는 이처럼 밥을 먹을 때 같이 모여서 얼굴을 보는 사람들이 반찬이 된다는 의미로 '얼굴 반찬'이라고 표현하고 있다.

---

**고득점 서술형 문제**
> 본문 50~51쪽

> **1단계 01** 적반하장(賊反荷杖)　**02** 암전　**03** 잡기장
> **04** 버튼 앞에 손을 내밀고 망설이며　**05** 할머니의 죽음
> **2단계 06** '강태국', '강태국' 외의 사람들　**07** 때 많은 세상 한 귀퉁이 때를 빼는 세탁소 일에 자부심과 신념을 지니고 있다.
> **08** 물질만을 중요시하며 인간성을 상실한 현대 사회와 사람들을 비판하고, 탐욕스러운 사람들의 마음이 정화되기를 바라는 의도를 드러냈다.
> **3단계 09** 〈보기〉에 제시된 과거의 밥상 풍경은 반찬이 소박해도 함께 밥을 먹는 사람이 많았는데 반해, 현재의 밥상 풍경은 반찬은 풍요롭지만 함께 밥을 먹을 사람이 없는 모습이다. 시인은 이를 통해 개인화된 현대 사회의 세태를 비판하며 이를 부정적으로 바라보고 있다.

---

**1단계**

**01** '허영분'은 세탁물을 망가뜨려 놓고서는 '염소팔'에게 자신을 건드리면 폭행죄로 처넣겠다고 위협하고 있다. 이는 도둑이 도리어 매를 든다는 뜻으로, 잘못한 사람이 아무 잘못도 없는 사람을 나무람을 이르는 말인 '적반하장(賊反荷杖)'으로 표현할 수 있다.

**02** 연극에서, 무대를 어둡게 한 상태에서 무대 장치나 장면을 바꾸는 것을 '암전'이라고 한다.

**03** (다)에서 '강태국'은 아버지의 잡기장을 보며 세탁 비법을 확인하고 있다.

**04** [A]에서 '강태국'은 세탁기 버튼을 누르려다 멈추고 고민하다가 마침내 버튼을 강하게 누른다. 이러한 '강태국'의 행동을 대사와 지시문으로 나타내면 버튼을 누르려다 망설인다는 지시문이 들어가야 한다.

**05** ㉢은 위독한 상태에 있던 할머니가 돌아가셨다는 것을 상징적으로 표현한 것이다.

**2단계**

**06** (나)에서부터 '강태국' 외의 사람들은 모두 할머니의 유산을 찾기 위한 단서를 찾으려 '강태국'과 갈등 관계에 놓이게 된다.

**07** (다)의 "이 때 많은 세상 한 귀퉁이 때 좀 빼면서, 그거 하나 지키면서 살아 보겠다는데 왜 흔들어?"에는 세상의 때를 뺀다는 세탁소 일의 의의와 이 직업에 대한 '강태국'의 자부심이 나타나며, "느이놈들이 다 몰라줘도 나 세탁소 한다. 그게 내 일이거든……."에는 그러한 신념을 지키고자 하는 '강태국'의 순수한 의지가 나타난다.

**08** (라)는 세탁기에 들어간 사람들을 세탁한다는 비현실적인 내용으로, 이를 통해 '강태국'과 사람들의 갈등 상황을 정리하고 있다. 이러한 장면을 통해 작가는 물질만을 중시하는 사회와 인간성마저 상실해 버린 사람들을 비판하고 있다. 그리고 세탁기 속에서 빨래의 때가 빠지듯이 탐욕스러운 사람들의 마음도 깨끗하게 정화되기를 바라는 작가의 의도를 담아내고 있다.

**3단계**

**09** 〈보기〉는 과거와 현재의 밥상 풍경을 대조하고 있다. 이를 통해 개인화되고 물질화된 현대 사회를 비판하고, 공동체적인 삶의 가치 회복에 대한 바람을 드러내고 있다.

| 평가 목표 | 시에 나타난 사회·문화적 상황과 시인의 의도 파악하기 |
|---|---|
| 채점 기준 | ✔ 과거와 현재의 밥상 풍경을 비교한 내용과 현대 사회의 특징, 그에 대한 시인의 태도를 모두 바르게 쓴 경우 [30점] <br> ✔ 과거와 현재의 밥상 풍경을 비교한 내용과 현대 사회의 특징, 그에 대한 시인의 태도 중 두 가지를 바르게 쓴 경우 [20점] <br> ✔ 과거와 현재의 밥상 풍경을 비교한 내용과 현대 사회의 특징, 그에 대한 시인의 태도 중 하나만 바르게 쓴 경우 [10점] <br> ✔ 띄어쓰기나 맞춤법이 잘못되었을 경우 [1점씩 감점] |

## [2] 자신 있게 말하기

**쪽지 시험** 01 ○ 02 × 03 경험 04 평가 05 소극
적 06 ㄴ 07 ㄹ 08 ㅁ 09 ㄱ 10 ㄷ
**어휘 시험** 01 확신 02 시선 03 자신감 04 발표
05 ㄷ 06 ㄱ 07 ㄴ 08 ㄹ 09 경청 10 대처
11 전환 12 신념

02 말하기 불안은 여러 사람 앞에서 말을 하기 전 또는 말을 하
는 과정에서 개인이 경험하는 불안 증상을 의미한다.

03 대중 앞에서 말을 해 본 경험이 많거나 말하기 상황에 친숙하
면 말하기 불안 정도가 상대적으로 낮다.

---

01 '확신하다'는 '굳게 믿다.'라는 의미이고, '준비하다'는 '미리 마
련하여 갖추다.'라는 의미이다.

03 친구는 경기를 반드시 이길 것이라고 생각하고 있으므로, '어
떤 대상을 무서워하여 마음이 불안한 느낌'이나 '마음에 꺼리거
나 염려스러운 느낌'을 의미하는 '두려움'은 어울리지 않는다.

01 ③ 02 ② 03 (발표 불안은) 불안을 느끼는 자신을 창피
하게 여기기 때문에 생기는 것이다. 04 ②

01 발표자는 발표에 부담을 느껴 고개를 들지 못하고 자신 있게
말하지 못하는 모습을 보이고 있으나, 말을 더듬는 모습은 보
이지 않는다.

오답 풀이 ① (가)의 발표자는 세상에서 발표 시간이 제일 싫다고
하면서 발표가 싫은 이유를 밝히고 있다. 이는 모두 말하기 불안에서
비롯된 것이다.
② (가)의 발표자는 '말하다가 실수하면 어떡하지?'와 같이 말하다 실
수할 것을 두려워하고 있다.
④ 첫 번째 그림에서 말줄임표는 발표자가 발표에 부담을 느끼고 자
신감 없는 태도로 발표를 시작하고 있음을 알 수 있는 부분이다.
⑤ (가)의 발표자는 '떨려서 목소리가 염소처럼 나오면 어떡하지?'와
같이 너무 떨려서 이상한 목소리가 나올까 봐 걱정하고 있다.

02 글쓴이는 웬만해서는 잘 안 떠는 지금과 달리, 그전에는 '발
표하다 긴장해서 얼굴이 빨개지면 창피할 텐데……'라는 생
각이 치밀어 올라 불안해졌다고 하였다.

03 **서술형** (나)의 글쓴이는 세 번째 문단에서 '발표 불안은 불안
을 느끼는 자신을 창피하게 여기기 때문에 생기는 것이다.'라
며 발표 불안이 생기는 이유를 설명하고 있다.

04 발표할 내용은 주제에 맞는 것으로 선정해야 하며, 주제에 맞
지 않은 내용은 아무리 좋은 내용이어도 발표에서 사용할 수
없으므로 수집할 필요가 없다.

**1단계** 01 말하기 불안 02 ·발표자의 말을 경청한다. /
·발표 내용 중에서 동의하는 부분에 고개를 끄덕인다. / ·발표자
의 질문에 대답을 잘 하거나 긍정적인 표정을 짓는다. 등
**2단계** 03 ·발표 전: 청중이 질문할 내용을 짐작하여 답변을
미리 마련해 둔다. / ·발표 도중: 바로 대답하기 어려운 질문에 대
해서는 모른다는 사실을 밝히고, 나중에 알려 주겠다고 당당하게
대답한다. 04 불안을 느끼는 자신을 부끄러워하지 않고, 남을
부러워하지 않는다. 05 ·우리 동네의 역사 및 명물 / ·우리
동네의 숨은 맛집 / ·우리 동네에 있는 나만의 단골 가게 / ·우리
동네에 얽힌 이야기 등
**3단계** 06 글쓴이는 '창피 좀 당하지 뭐.'라며 뻔뻔함을 키우고,
'차라리 실수해 버리지 뭐.'라고 속으로 읊조리고, '불안해도 괜찮
다.'라고 생각하며 말하기 불안을 극복하였다. 즉, 글쓴이는 생각의
전환을 통해 말하기 불안을 극복한 것이다.

**1단계**

01 여러 사람 앞에서 말을 하기 전 또는 말을 하는 과정에서 개
인이 경험하는 불안 증상을 말하기 불안이라고 한다.

02 발표자 입장에서는 청중이 발표자에게 집중하거나, 고개를
끄덕이거나, 질문에 대답을 잘 하거나, 긍정적인 표정을 지으
면 편안한 마음으로 발표할 수 있을 것이다.

**2단계**

03 〈보기〉에는 자신에게 어려운 질문을 할까 봐 걱정하고 있는
발표자의 속마음이 나타나 있다. 이러한 말하기 불안은 말할
내용을 충분히 준비하지 않았거나 내용에 확신이 없을 경우
에 나타난다. 따라서 이러한 말하기 불안에 대처하기 위해서
는 발표 전에 예상되는 질문에 대한 답변을 충분히 준비하고,
발표 도중에 바로 대답하기 어려운 질문이 나오면 이에 대해
서는 모른다는 사실을 밝히고 나중에 알려 주겠다고 당당하
게 대답하는 태도가 필요하다.

04 〈보기〉의 글쓴이는 불안을 느끼는 자신을 창피하게 여기기
때문에 발표 불안이 생기므로, 그러한 자신을 부끄러워하지
않고 남을 부러워하지 않게 되면 불안이 사라진다고 하였다.

05 말할 내용을 마련할 때에는 자신이 평소 관심이 있고 잘 알고
있는 내용으로 하되, 듣는 이의 관심이나 흥미 및 발표 시간
을 고려해야 한다. 따라서 '우리 동네'라는 주제로 말하기를
할 때는 우리 동네의 역사나 우리 동네에 얽힌 이야기, 우리
동네에만 있는 명물, 외지인은 알지 못하는 숨은 맛집, 내가
자주 가는 단골 가게 등이 적절하다.

**3단계**

06 〈보기〉에는 말하기 불안을 극복하기 전과 극복한 후의 글쓴
이의 태도가 나타나 있다. 이를 종합하면 글쓴이는 말하기 불
안에 대한 생각을 바꿈으로써 말하기 불안을 극복했음을 알
수 있다.

| 평가 목표 | 말하기 불안을 극복한 방법 이해하기 |
|---|---|
| 채점 기준 | ✔ 말하기 불안을 극복할 수 있었던 글쓴이의 태도를 쓰고, 이를 종합하여 글쓴이가 말하기 불안을 극복한 방법을 모두 바르게 쓴 경우 [30점]<br>✔ 말하기 불안을 극복할 수 있었던 글쓴이의 태도는 썼으나, 이를 종합하여 글쓴이가 말하기 불안을 극복한 방법은 쓰지 못한 경우 [15점]<br>✔ 말하기 불안을 극복할 수 있었던 글쓴이의 태도를 쓰지 못하고, 글쓴이가 말하기 불안을 극복한 방법을 바르게 쓴 경우 [10점]<br>✔ 띄어쓰기나 맞춤법이 잘못되었을 경우 [1점씩 감점] |

**예상 적중 대단원 평가**

본문 56~58쪽

**01** ⑤  **02** ①  **03** 세탁소에 잠입  **04** ①  **05** ⑤
**06** 세탁 전 인간성을 상실한 채 돈에만 눈이 멀었던 사람들이 세탁 후 순수하고 깨끗한 마음을 가진 사람들로 바뀌는 과정을 상징하며, 여기에는 탐욕스러운 사람들의 마음이 정화되기를 바라는 작가의 의도가 담겨 있다.  **07** ④  **08** 화수분  **09** ①
**10** ②  **11** ⑤  **12** ①  **13** ⑤

**01** 연극에서 등장인물과 관객이 소통하는 경우도 있지만, 이 글에서는 등장인물이 관객에게 말을 걸고 있지 않다.

**오답 풀이** ① (다)의 시간적 배경은 어두운 밤으로, 세탁소에 잠입한 사람들이 할머니의 옷을 찾기 위해서 작은 불빛이 나는 전등을 사용하는 것이 적절하다.
② 배경이 되는 세탁소는 2대째 운영하는 곳이므로, 오래된 느낌이 나는 것이 적절하다.
③ 주인공인 '강태국'은 자신의 일에 대한 자부심을 느끼는 인물이므로, 신념이 강한 인물로 설정하는 것이 적절하다.
④ (다)의 '그들은 강태국의 뒤에서 ~ 검은 복색 일색으로'를 통해 등장인물들이 검은 옷을 입어야 함을 알 수 있다.

**02** 이 글에서는 물질에 눈먼 사람들을 우스꽝스럽게 표현하여 풍자함으로써 물질 만능주의에 빠져 인간성을 상실한 사람들을 비판하고 있다.

**03** **서술형** (다)~(라)에는 할머니의 재산에 욕심내지 않고 묵묵히 자신의 일을 하는 '강태국'과 할머니의 재산을 찾기 위해 세탁소에 잠입한 사람들의 모습이 대조적으로 나타난다.

**04** ㉠에서 '허영분'은 자신이 먼저 '장민숙'을 밀어 놓고, 그런 자신을 말리는 '염소팔'에게 오히려 폭행죄를 묻겠다고 하였다. 이러한 상황에 어울리는 속담은 잘못을 저지른 쪽에서 오히려 남에게 성냄을 비꼬는 말인 '방귀 뀐 놈이 성낸다'이다.

**오답 풀이** ② 귀신 씻나락 까먹는 소리: 분명하지 아니하게 우물우물 말하는 소리를 비유적으로 이르는 말, 조용하게 몇 사람이 수군거리는 소리를 비꼬는 말, 이치에 닿지 않는 엉뚱하고 쓸데없는 말이다.
③ 지렁이도 밟으면 꿈틀한다: 아무리 눌려 지내는 미천한 사람이나, 순하고 좋은 사람이라도 너무 업신여기면 가만있지 아니한다는 말이다.
④ 아 해 다르고 어 해 다르다: 같은 내용의 이야기라도 이렇게 말하여 다르고 저렇게 말하여 다르다는 말이다.
⑤ 가는 말이 고와야 오는 말이 곱다: 자기가 남에게 말이나 행동을 좋게 하여야 남도 자기에게 좋게 한다는 말이다.

**05** (다)의 '강태국'의 말을 통해 할머니가 자식들을 원망하기는커녕 형제간에 의 상할까 걱정되어 유산에 관한 내용을 알리지 않았음을 알 수 있다.

**06** **고난도 서술형** 세탁기로 세탁한 사람들을 빨래집게에 걸어 너는 행위는 비현실적인 장면으로, 문학적 장치에 해당한다. 이는 세탁 과정을 통해 빨래의 때가 빠지듯이 사람들의 마음이 순수하게 바뀌는 과정을 상징하며, 여기에는 인간성을 상실하고 돈에 눈먼 사람들에 대한 비판과 함께 그들의 마음이 정화되기를 바라는 작가의 의도가 담겨 있다.

| 평가 목표 | 장면의 상징적 의미 파악하기 |
|---|---|
| 채점 기준 | ✔ 세탁 장면에 담긴 상징적 의미를 〈조건〉에 맞게 쓴 경우 [상]<br>✔ 세탁 장면에 담긴 상징적 의미를 〈조건〉 중 1개에만 맞게 쓴 경우 [중]<br>✔ 세탁 장면에 담긴 상징적 의미를 〈조건〉에 맞지 않게 쓴 경우 [하] |

**07** (라)는 과거와 현재의 밥상 풍경을 대조한 시이다. (라)의 첫 부분에 있는 '그러나 지금 내 새벽 밥상머리에는'을 통해 미루어 짐작할 때, 앞부분에는 과거의 밥상 풍경이 제시되었을 것임을 짐작할 수 있다.

**08** **서술형** 문맥의 흐름으로 볼 때, ㉠에는 절대로 줄지 않고 무한대로 쓸 수 있는 것을 의미하는 단어가 들어가야 한다. '화수분'은 '재물이 계속 나오는 보물단지'를 의미하므로 ㉠에 들어가기에 적절한 단어이다.

**09** ⓐ는 할머니가 자신의 사연을 빽빽하게 적은 옷고름을 의미한다. 하지만 이 옷고름의 내용은 할머니 '혼자만 아시고 아무 말씀도 안 하신' 것이며, 할머니가 '강태국'에게 직접 쓴 것이 아니라 누군가가 자신의 이야기를 이해해 주었으면 좋겠다는 의도로 할머니가 적어 놓은 것이다.

**10** (나)의 내용으로 미루어 볼 때, 발표를 할 때는 한 곳을 응시하며 발표하기보다는 청중을 한 명 한 명 바라보면서 발표하는 것이 적절함을 알 수 있다.

**오답 풀이** ① 발표자는 목소리의 크기와 말하는 속도를 적절하게 조절해야 한다.
③, ④ 청중은 발표자를 집중하여 쳐다보면서 발표 내용을 경청하고, 발표자의 질문에 대답해야 한다.
⑤ 청중은 발표 내용 중에서 동의하는 부분에 고개를 끄덕이면서 긍정적인 반응을 보여야 한다.

**11** ㉠에는 친구들이 자신을 비웃을까 봐 염려하는 모습이 나타나 있다. 이는 청중이 자신의 말에 대해 평가하고 반응하는 것에 대한 염려가 있을 때 나타나는 현상이다.

**12** (다)의 주제는 '나를 변화시킨 사람'이다. 따라서 (다)의 '가운데' 부분에는 봉사 활동을 하며 만난 사람들을 통해 어떤 깨달음을 얻었으며, 이것이 자신의 생각이나 행동을 구체적으로 어떻게 변화시켰는지 밝히는 내용이 들어가야 한다.

**13** ㉢은 발표할 때 불안을 느껴 긴장하고 실수할까 봐 걱정하는 자신을 창피하게 여기지 않고 그대로 받아들인다는 말이다.

본문 60~65쪽

## 실전에 강한 중간 모의고사

**01** ⑤ **02** '봄'은 자연의 섭리에 따라 겨울이 끝나면 반드시 찾아오는 계절이다. '봄'의 이러한 계절적 특성을 고려할 때, 이 시의 제목인 '봄'은 '반드시 찾아올 희망'을 의미한다고 볼 수 있다. **03** ① **04** 작품에 반영된 시대적 상황을 중심으로 해석하는 방법 **05** ③ **06** ① **07** 사람마다 인식 수준, 관심, 경험 등이 다르며 이에 따라 작품을 감상하는 기준이나 해석의 근거가 다르기 때문이다. **08** 증기 방앗간 **09** ② **10** ⑤ **11** ③ **12** 신문 기사 **13** ③ **14** ⑤ **15** ② **16** ② **17** ① **18** 아차(독립어)+내가(주어)+신발을(목적어)+학교에(부사어)+두었어(서술어). **19** ⑤ **20** ③ **21** ① **22** 인생은 짧다. 예술은 길다. **23** ⑤ **24** ① **25** 안긴문장 **26** ⑤ **27** ② **28** ③ **29** ② **30** ② **31** 참고 자료를 찾아 관련 분야에 대해 자세히 알아본다.

**01** (가)에서는 시상 전개에 따른 말하는 이의 심리 변화가 나타나지만, 향토적인 공간이 제시되지는 않았다.

**오답 풀이** ① (가)에서는 '봄'을 '너'로 의인화하여 상징적으로 표현하고 있다.
②, ④ (가)에서는 '온다'라는 단정적인 어조를 반복하여 '봄'이 반드시 올 것이라는 확신을 드러냄과 동시에 운율을 형성하고 있다.
③ (가)에서는 '뻘밭 구석', '썩은 물웅덩이'와 같이 '봄'이 오는 것을 가로막는 장애물이 있지만, 계절의 순환에 따라 '봄'은 반드시 온다고 표현하며 '봄'을 맞이하는 감격과 기쁨을 드러내고 있다.

**02** **고난도 서술형** 봄은 계절이 되풀이되는 과정에 따라 겨울이 끝나면 자연스럽게 찾아오는 속성을 지닌다. 춥고 어두운 겨울이 시련과 절망을 의미한다면, 밝고 따뜻한 봄은 생명과 희망을 의미한다고 볼 수 있다.

| 평가 목표 | 시어의 상징적 의미 파악하기 |
|---|---|
| 채점 기준 | ✔ '봄'의 계절적 특성을 근거로 제목의 의미를 바르게 쓴 경우 [상] |
| | ✔ '봄'의 계절적 특성은 썼으나, 제목의 의미를 바르게 쓰지 못한 경우 [중] |
| | ✔ '봄'의 계절적 특성을 근거로 제목의 의미를 바르게 쓰지 못한 경우 [하] |

**03** (나)는 작품이 창작된 당시의 시대적 상황을 고려하여 '봄'을 그 시대 사람들이 간절하게 원했던 '민주주의' 혹은 '자유'를 상징하는 것으로 보았다.

**04** **서술형** (나)는 독재 정권이 국민을 통제하던 1970년대의 시대적 상황과 관련지어 「봄」을 해석하고 있다.

**05** ⓒ은 대상인 '봄'을 맞이하여 감격한 말하는 이의 심리를 드러낸다.

**06** (가)의 말하는 이는 1~2행에서는 봄이 올 것을 확신하고 있으며, 3~10행에서는 더디게 오는 봄에 대한 조바심을 나타낸다. 그리고 11~16행에서는 봄을 맞이하는 감격과 기쁨을 표현하고 있다.

**07** **서술형** 사람들은 자신의 고유한 가치관과 경험을 토대로 작품을 감상하기 때문에 문학 작품에 대한 해석이나 평가는 사람마다 다양하게 나타난다.

**08** **서술형** '증기 방앗간'은 산업 혁명 이후에 연료를 사용하여 곡식을 가루로 만들던 곳으로, '코르니유' 영감이 지키던 전통적인 삶의 방식인 '풍차 방앗간'과 대조되는 근대화된 기계 문명을 상징한다.

**09** 〈보기〉에서는 시대의 변화를 안타깝게 여기면서도 그러한 변화를 수용하려는 태도가 나타난다. 이처럼 변화하는 시대의 흐름을 막을 수 없다는 점에서, 마을 사람들을 속이면서까지 풍차 방앗간만 고집한 '코르니유' 영감의 행동은 '시대의 변화를 거부하는 고집불통'이라고 평가할 수 있다.

**10** (가)의 학생은 블로그에 방문하는 친구들을 독자로 설정하여 그들에게 제주도 여행에 대한 정보를 주고자 한다.

**11** 초고 과정에서 글쓴이는 '난리를 피하여 옮겨 감.'을 뜻하는 단어가 무엇인지와 '구사하던'보다 더 쉬운 표현이 없는지에 대해 고민하고 있다. 이는 독자가 이해할 수 있는 적절한 단어와 표현이 무엇인지에 대해 고민하는 내용이다.

**12** **서술형** (라)에는 최근 명절 풍경의 변화를 다룬 신문 기사 내용을 통해 자신의 행동을 반성하고 깨달음을 얻은 글쓴이의 모습이 나타나 있다.

**13** (나)~(라)의 글쓴이는 「일가」를 읽고 난 후, 명절 때는 물론 평소에도 친척들을 자주 찾아뵈면서 일가의 정을 나누어야겠다는 깨달음을 얻었다.

**14** 생각이나 감정을 완결된 내용으로 표현하는 최소의 언어 형식은 문장이다. 문장 성분은 문장에서 문법적인 기능을 하는 각각의 부분으로, 주성분과 부속 성분, 독립 성분이 있다.

**15** '형이(주어)+사과를(목적어)+먹는다(서술어).'는 주성분인 주어, 목적어, 서술어로만 이루어진 완전한 문장이다.

**16** 관형어는 문장에서 체언을 꾸미는 역할을 한다. '빨리'는 용언인 '난다'를 꾸미는 역할을 하는 부사어이다.
**오답 풀이** ① '노란'은 '꽃'이라는 명사를 꾸며 주는 관형어이다.
③ '예쁜'은 '장난감'이라는 명사를 꾸며 주는 관형어이다.
④ '커다란'은 '멧돼지'라는 명사를 꾸며 주는 관형어이다.
⑤ '새'는 '옷'이라는 명사를 꾸며 주는 관형어이다.

**17** 독립어는 다른 문장 성분과 직접적인 관계를 맺지 않고 독립적으로 쓰이는 독립 성분에 해당한다. '아, 달이 밝다.'에서 감탄사인 '아'가 독립어이다.
**오답 풀이** ② 독립어는 다른 문장 성분과 직접적인 관계를 맺지 않고 독립적으로 쓰인다.
③ 문장을 이루는 데 꼭 필요한 성분은 주성분이며, 독립 성분인 독립어는 문장의 의미나 문장 형성에 영향을 주지 않는다.
④ 문장에서 주어의 움직임, 상태, 성질 등을 서술하는 말은 서술어이다.
⑤ 문장에서 관형어나 문장 전체를 꾸미는 말은 부사어이다.

**18** 서술형 '아차'는 문장에서 독립적으로 쓰이는 독립어에 해당하고, '내가'는 문장에서 서술어의 주체 역할을 하는 주어, '신발을'은 문장에서 서술어의 동작이나 행위의 대상이 되는 목적어, '학교에'는 문장에서 용언을 꾸며 주는 부사어, '두었어'는 문장에서 주어의 동작이나 상태를 풀이하는 서술어에 해당한다.

**19** '맑다'는 형용사로, 단어의 품사는 바뀌지 않는다. 하지만 단어가 문장에서 어떤 역할을 하느냐에 따라 문장 성분은 서술어가 되기도 하고, 관형어가 되기도 한다.

**20** 다른 문장 속에서 하나의 문장 성분처럼 쓰이는 홑문장은 안긴문장이다. 안은문장은 다른 홑문장을 자신의 문장 성분으로 안고 있는 문장을 말한다.

**21** 제시된 문장의 주어는 '우리는'과 '선생님께서'이다. 또한 안긴문장인 '선생님께서 우리에게 (책을) 추천하셨다.'에서 '책을'이라는 목적어가 한 번 생략되었다.

**22** 서술형 제시된 문장은 주어와 서술어의 관계가 두 번 이상 나타나는 겹문장으로, 이어진문장에 해당한다. 각각의 주어인 '인생은', '예술은'과 각각의 서술어인 '짧고', '길다'를 분리하여 두 개의 홑문장으로 나누어 쓸 수 있다.

**23** 제시된 내용은 종속적으로 이어진 문장에 대한 설명이다.

**24** '비가 내리고, 천둥이 친다.'는 대등하게 이어진 문장이고, 나머지는 모두 종속적으로 이어진 문장에 해당한다.

**25** 서술형 ㄱ과 ㄴ은 다른 문장 속에서 하나의 문장 성분처럼 쓰이는 홑문장인 안긴문장에 해당한다.

**26** '소리도 없이'는 문장에서 부사어의 역할을 하는 부사절이다.
오답 풀이 ①은 서술절, ②는 명사절, ③은 관형절, ④는 인용절의 역할을 한다.

**27** ㄱ은 주어와 서술어의 관계가 한 번만 나타나는 홑문장이므로, 안은문장 속에 포함되어 쓰이는 안긴문장이 될 수 없다.

**28** 글을 읽기 전에는 글을 읽는 목적과 자신의 읽기 수준을 점검하고 이에 맞는 글을 선정하는 점검 및 조정 과정이 필요하다.

**29** (가)~(다)에는 선조들이 남긴 서화 전적을 지키기로 결심한 '전형필'이 '오세창'을 찾아가 나눈 대화가 제시되어 있다. 이를 통해 '오세창'이 서화 전적과 골동품을 잘 알고 있는 전문가라고 추측할 수 있다.

**30** (라)~(마)에 제시된 일화를 통해 '전형필'의 단호한 성품과, 우리 문화유산이라면 거금을 주고서라도 지키려 하는 의지를 엿볼 수 있다.

**31** 서술형 ㉠에 대한 궁금증을 풀기 위해서는 인터넷을 검색하거나 백과사전을 활용하여 관련 내용을 더 자세히 알아보아야 한다. 이를 통해 '천학 매병'의 사진과 정보를 확인하면, 그 아름다움과 가치를 이해할 수 있게 된다.

---

**01** ②　　　**02** 대상에 대한 글쓴이의 관점이 다르기 때문이다.
**03** ⑤　　**04** ①　　**05** ①　　**06** 맛있는 유혹　　**07** ②　　**08** (가)~(라)는 줄글 형식의 설명하는 글과 주장하는 글이지만, (마)는 광고에 해당한다. (마)는 그림을 활용하여 정보를 제공하며, 짧은 글과 핵심 단어를 반복하여 사용한다는 특징이 있다. 이러한 표현상의 특징 때문에 독자가 짧은 시간 안에 중요한 내용을 쉽게 이해할 수 있는 효과가 있다.　　**09** ①　　**10** ⑤　　**11** ②　　**12** ⑤
**13** 조사 대상과 조사 기간　　**14** ⑤　　**15** ⑤　　**16** ④　　**17** ①
**18** ③　　**19** 물질보다 더 중요한 가치가 있음을 깨달아야 한다. / 물질보다는 인간으로서의 도리가 가장 중요하다.　　**20** ⑤
**21** ⑤　　**22** ③　　**23** ①　　**24** 생각　　**25** ④

**01** 관점이 다른 글을 비교하며 읽는다고 해서 이어질 내용을 예측할 수 있는 것은 아니다.

**02** 서술형 (가)~(나)의 글쓴이는 소금을 긍정적으로 바라보고 있고, (다)~(라)의 글쓴이는 소금을 부정적으로 바라보고 있다. 이처럼 동일한 대상을 다루더라도 그것을 바라보는 글쓴이의 관점이 어떤지에 따라 글의 주제는 달라진다.

**03** (가)의 글쓴이는 생명 유지에 소금이 필요한 이유를 설명하며 소금에 대한 긍정적인 관점을 보이고 있다.

**04** (나)는 앞에서 밝힌 소금의 역할을 '소금은 그 자체로~보존할 수 있게 한다.'로 요약하여 정리하고 있을 뿐, 소금의 경제적 가치를 제시하고 있지는 않다.

**05** (다)에서 글쓴이는 아이들이 즉석식품과 외식 위주의 잘못된 식습관으로 그 음식들 안에 들어 있는 소금을 과하게 섭취하는 것이 문제라고 지적하고 있다.

**06** 서술형 ㉠은 소금의 가치를 황금에 빗대어 표현한 것으로, 소금의 긍정적인 측면을 강조한 것이다. (라)에서는 소금을 '맛있는 유혹'이라고 표현하고 있는데, 이는 소금이 꼭 필요한 것이지만 과다하게 섭취하면 부작용이 있을 수 있다는 점을 강조한 것이다.

**07** (나)에서는 식품을 오래 보존해 주는 소금의 역할과, 소금을 넣으면 식품이 신선하게 유지되는 이유에 대해 설명하고 있다. 그러나 소금이 하는 역할을 과거와 비교하여 설명하고 있지는 않다.

**08** 고난도 서술형 동일한 화제를 다루고 있더라도, 글의 형식이 다르면 그에 따른 표현상의 특징과 표현의 효과는 달라질 수 있다.

| 평가 목표 | 형식에 따른 글의 특성과 표현의 효과 파악하기 |
|---|---|
| 채점 기준 | ✔ (가)~(라)와 (마)의 형식을 비교하고, (마)에 나타나는 표현상 특징과 효과를 모두 바르게 쓴 경우 [상] |
| | ✔ (가)~(라)와 (마)의 형식을 비교하였으나, (마)에 나타나는 표현상 특징과 효과 중 하나만 바르게 쓴 경우 [중] |
| | ✔ (가)~(라)와 (마)의 형식을 비교하였으나, (마)에 나타나는 표현상 특징과 효과를 모두 쓰지 못한 경우 [하] |

**09** (가)~(나)는 소금의 역할을 제시하면서 소금이 우리 생활에 매우 중요한 존재임을 밝히고 있다. 이를 통해 글쓴이가 소금에 대해 긍정적인 태도를 지니고 있다는 것을 알 수 있다.

**10** ㉠은 비유적 표현인 '물 도둑'을 사용해 소금이 체내 수분에 미치는 영향을 제시하고 있다.

**11** (가)에는 보고서를 쓰려고 하는 학생들이 등장하지만, 이들은 각자의 역할을 분담하고 있지는 않다.

　**오답 풀이** ① '보고하는 글'은 어떤 주제에 대하여 관찰, 조사, 실험한 과정과 결과를 정리한 글이다.
③ 모둠원들은 설문 조사를 통해 소개할 관광지를 정하려고 한다.
④ 모둠원들은 공모전에 참여하기 위해 관광지 조사 보고서를 쓰려고 한다.
⑤ 모둠원들이 쓰고자 하는 보고서의 목적은 해당 지역의 관광지를 다른 지역 사람들에게 널리 알리기 위함이다.

**12** 보고서를 쓰기 위해 꼭 필요한 자료는 일부만 인용하여 사용하고 출처를 반드시 밝혀야 한다. 또한 인용한 자료는 과장, 축소, 변형, 왜곡하지 않고 제시해야 한다.

**13** 〔서술형〕 보고서의 처음 부분에서는 조사 목적, 조사 동기, 조사 대상과 조사 기간, 조사 방법 등을 밝혀야 한다.

**14** '계산 성당'의 건축적 특징은 전문적인 내용이기 때문에 ㉡에 대해 보고하는 글의 자료로는 적합하지 않다. 또한 인터넷에 올라온 자료는 출처가 불분명하여 신뢰하기 어렵기 때문에 자료를 있는 그대로 사용하는 것은 적절하지 않다.

**15** 사진, 그림, 도표와 같은 보조 자료를 활용한다고 해서 조사 절차와 결과가 잘 드러나는 것은 아니다. 조사 절차와 결과가 잘 드러나도록 내용을 구성하는 것은 좋은 보고서가 갖추어야 할 요건 중에 하나이다.

**16** (라)는 '강태국'이 아버지의 잡기장을 보다가 할머니 옷에 대한 단서를 찾는 장면으로 '강태국'이 아버지를 그리워하는 모습은 나타나지 않는다.

**17** (다)~(마)에는 할머니 옷 보따리를 찾은 '강태국'과 옷 보따리를 빼앗으려는 다른 사람들의 갈등이 나타난다.

**18** 〈보기〉는 복돈이 유행하는 세태를 다룬 신문 기사로, 황금만능주의에 젖어든 당시 사회의 단면을 드러내고 있다. 이 글에서도 할머니의 자식들은 어머니의 이름조차 모르며, 어머니의 임종에는 관심도 없이 재산을 찾기 위해 혈안이 되어 있

다. 이처럼 〈보기〉와 이 글은 인간성을 상실하고 배금주의가 팽배한 사회·문화적 상황을 반영하고 있다.

**19** 〔서술형〕 이 글은 1990년대를 배경으로 황금만능주의에 눈이 멀어 인간의 도리를 지키지 않는 안 패거리와 자기 일을 묵묵히 하면서 인간의 도리를 다하는 '강태국'을 대비하여, 우리가 지켜야 할 가치는 물질보다 중요하다는 깨달음을 준다.

**20** (나)는 물질만을 중요시하고 인간성을 상실해 가는 현대 사회의 모습을 비판하는 동시에, 탐욕스러운 사람들의 마음이 정화되기를 바라는 작가의 의도가 반영된 비현실적인 장면이다.

　**오답 풀이** ① (나)는 사람들을 세탁기에 넣고 돌리는 비현실적 상황을 통해 할머니의 옷을 서로 차지하려고 탐욕을 부리는 사람들 간의 갈등을 정리하고 있다.
② 사람들이 세탁되는 장면은 그들의 탐욕스러운 마음이 깨끗해지는 것을 상징적으로 드러낸다.
③ 사람들이 세탁기 속에서 돌아가는 장면은 '강태국'이 순수하게 정화되어 나온 사람들을 보고 기뻐하는 마지막 장면과도 관련이 있다.
④ 세탁 장면은 세탁기에서 빨래의 때가 깨끗하게 빠지듯이 돈에 눈 먼 사람들의 마음이 순수하게 바뀌는 과정을 상징한다. 작가는 이러한 장면을 넣음으로써 인간성을 상실하고 물질만을 중요시하는 현대 사회의 모습을 비판하는 동시에 탐욕스러운 사람들의 마음이 정화되기를 바라고 있다.

**21** 〈보기〉는 함께 밥을 먹을 사람도 없이 바쁜 현대 사회의 세태를 비판하고 있으며, 이 글은 1990년대의 황금만능주의 세태를 비판하면서 순수한 인간성의 회복을 지향하고 있다. 따라서 둘 다 오늘날의 세태를 부정적으로 바라보고 있음을 알 수 있다.

**22** 자신의 말하기에 대한 청중의 평가를 염려하는 것은 말하기 불안의 원인에 해당한다. 또한 청중의 평가를 바로 반영하여 발표 내용을 수정하는 것도 말하기 불안을 해결할 수 있는 방법이라고 할 수 없다.

**23** 발표할 때에는 청중이 알아듣기 쉽게 적당한 속도로 또박또박 말하는 것이 중요하다.

**24** 〔서술형〕 (나)의 글쓴이는 과거에는 발표 상황에서 불안해하는 자신을 다그쳤으나, 발표에 대한 불안을 있는 그대로 받아들이게 되면서 말하기 불안을 극복했다고 하였다.

**25** (다)에서 글쓴이는 불안해하는 자신을 부끄러워하지 않고, 다른 사람도 자신만큼 불안해한다는 것을 깨달으면 발표 불안을 해소할 수 있다고 하였다.

한·끝·시·리·즈   필수 개념과 시험 대비를 한 권으로 끝! 국어 공부의 진리입니다.

대표전화 1544-0554
주소 서울특별시 구로구 디지털로33길 48 대륭포스트타워 7차 20층
협의 없는 무단 복제는 법으로 금지되어 있습니다.

비상 누리집에서 더 많은 정보를 확인해 보세요.
http://book.visang.com/

한끝

# 시험 대비 문제집

중등국어

## 3·1

교과서편

 **책 속의 가접 별책** (특허 제 0557442호)

'시험 대비 문제집'은 본책에서 쉽게 분리할 수 있도록 제작되었으므로
유통 과정에서 분리될 수 있으나 파본이 아닌 정상제품입니다.

우리는 남다른 상상과 혁신으로
교육 문화의 새로운 전형을 만들어
모든 이의 행복한 경험과 성장에 기여한다

**ABOVE IMAGINATION**

우리는 남다른 상상과 혁신으로
교육 문화의 새로운 전형을 만들어
모든 이의 행복한 경험과 성장에 기여한다

# 시험 대비 문제집

비상교육 교과서편

## 중등 국어 3-1

# 만점 마무리 〔1〕 다양한 해석과 비평

## ◆ 제재 선정 의도
「봄」은 상징성이 강한 시로, 다양한 해석이 가능하다. 특히 시인의 삶이나 이 시가 창작된 시대적 상황 등을 고려하게 되면 그 해석의 폭을 더욱 확장할 수 있기에 제재로 선정하였다. 또한 「코르니유 영감의 비밀」은 인물의 행동이나 사건을 다양하게 해석하는 활동이 가능하다는 점에서 제재로 선정하였다.

### 본문 제재 「봄」
◆ 제재 이해

| 갈래 | 자유시, 서정시 |
| --- | --- |
| 성격 | 상징적, 희망적 |
| 운율 | 내재율 |
| 제재 | 봄 |
| 주제 | 다가올 새로운 시대에 대한 강한 신념과 소망 |
| 특징 | • 대상을 의인화하여 상징적으로 표현함.<br>• 신념에 찬 어조로 말하는 이의 믿음을 강조함. |

◆ 제재의 짜임
- 1~2행 '봄'이 오는 자연의 당위성
- 3~10행 '봄'이 오기까지의 더딘 과정
- 11~16행 '봄'을 맞이하는 감격과 기쁨

### 적용 제재 「코르니유 영감의 비밀」
◆ 제재 이해

| 갈래 | 단편 소설, 외국 소설 |
| --- | --- |
| 성격 | 서정적, 낭만적, 상징적 |
| 배경 | • 시간: 산업화 시기<br>• 공간: 풍차 방앗간 마을 |
| 시점 | 1인칭 관찰자 시점 |
| 제재 | '코르니유' 영감의 풍차 방앗간 |
| 주제 | 전통을 지키려고 하는 '코르니유' 영감의 집념 |
| 특징 | • 극적 반전을 통해 주제를 효과적으로 나타냄.<br>• 상징적 의미를 지닌 소재를 통해 '전통'과 '산업화'를 표현함. |

### 본문 제재 「봄」
◇ 주요 시어의 의미

| 주요 시어 | 의미 |
| --- | --- |
| 너(봄) | 말하는 이가 간절하게 기다리는 대상 |
| 뻘밭 구석, 썩은 물웅덩이 | '봄'이 오는 것을 가로막는 장애물, 시련과 역경 |
| 다급한 사연 | '봄'이 어서 오기를 바라는 말하는 이의 간절함 |
| 바람 | 말하는 이의 간절한 소망을 '봄'에게 전달하는 매개체 |

◇ '봄'의 상징적 의미

| 봄 | • 희망의 이미지<br>• 간절한 기다림의 대상<br>• 계절의 순환에 따라 당연히 와야 할 대상 | ⇒ | 반드시 도래할 희망 |
| --- | --- | --- | --- |

### 적용 제재 「코르니유 영감의 비밀」
◇ '코르니유' 영감의 비밀

| '코르니유' 영감의 비밀 | • 풍차 방앗간에 일거리가 떨어졌는데도 일거리가 있는 것처럼 계속 풍차를 돌림.<br>• 밀가루 대신 깨진 회벽 조각과 백토 부스러기들을 당나귀에 싣고 다님. |
| --- | --- |

| 비밀을 만든 까닭 | '코르니유' 영감은 전통적인 방식으로 돌아가는 풍차 방앗간을 지키기 위해 풍차 방앗간의 일이 많은 것처럼 마을 사람들을 속임. |
| --- | --- |

◇ 소재의 상징적 의미

| 풍차 방앗간 | 증기 방앗간 |
| --- | --- |
| • 산업 혁명 이전에 자연적인 바람을 이용하여 곡물을 가루로 만들던 곳<br>• 전통적인 삶의 방식 | • 산업 혁명 이후에 연료를 사용하여 곡물을 가루로 만들던 곳<br>• 근대화된 기계 문명 |

◇ 문학 작품을 해석하는 방법

| 작품 자체의 내적 특징을 중심으로 해석하는 방법 | 작품에 사용된 표현 방식이나 구성 등을 중심으로 작품을 해석함. |
| --- | --- |
| 작품에 반영된 시대적 상황을 중심으로 해석하는 방법 | 작품 속의 시대적·문화적 상황과 관련지어 작품을 해석함. |
| 작품과 작가의 관계를 중심으로 해석하는 방법 | 작가의 생애 및 성향, 창작 의도 등을 중심으로 작품을 해석함. |
| 작품을 읽고 독자가 받은 영향을 중심으로 해석하는 방법 | 교훈이나 감동 등 작품이 독자에게 미치는 영향을 중심으로 작품을 해석함. |

# 간단 복습문제 [1] 다양한 해석과 비평

● 정답과 해설 24쪽

**쪽지 시험**

[01~03] 다음 문장에 들어갈 알맞은 낱말을 (    )에서 골라 ○표 하시오.

01 「봄」에서 말하는 이의 마음을 전하는 매개체는 ( 바람 / 사연 )이다.

02 「봄」에서는 대상을 ( 풍자화 / 의인화 )하여 상징적으로 표현했다.

03 「코르니유 영감의 비밀」에서 '나'는 소설에서 ( 주인공 / 관찰자 )의 역할을 한다.

[04~06] 다음 설명이 맞으면 ○표, 틀리면 ×표 하시오.

04 「봄」에서 말하는 이는 '봄'이 반드시 올 것이라고 확신하고 있다. (        )

05 「코르니유 영감의 비밀」의 배경이 되는 프로방스 마을은 지금도 밀을 빻기 위해 풍차 방앗간을 찾아온 사람들 덕에 활기찬 분위기이다. (        )

06 「코르니유 영감의 비밀」에서 증기 방앗간은 근대화된 기계 문명을 상징한다. (        )

[07~10] 다음 문장의 빈칸에 들어갈 알맞은 낱말의 기호를 〈보기〉에서 골라 쓰시오.

┤보기├
ㄱ 희망    ㄴ 해석    ㄷ 전통    ㄹ 자유

07 「봄」에서 간절한 기다림의 대상이자 '반드시 도래할 (        )'을/를 상징하는 소재는 '봄'이다.

08 이성부가 시 「봄」을 지었을 당시가 1970년대 독재 정권하임을 고려하여 '봄'의 의미를 해석할 때 그 의미는 '민주주의', 또는 (        )을/를 의미한다.

09 '코르니유' 영감은 (        )적인 방식을 사용하는 풍차 방앗간을 지키기 위해 풍차 방앗간의 일이 많은 것처럼 마을 사람들을 속였다.

10 문학 작품에 대한 (        )(이)나 평가는 문학 작품을 해석하는 방법이나 독자의 인식 수준, 관심, 또는 독자의 경험이나 가치관에 따라 달라진다.

**어휘 시험**

[01~03] 다음 설명에 해당하는 낱말을 〈보기〉에서 골라 쓰시오.

┤보기├
상징, 통제, 비밀

01 일정한 방침이나 목적에 따라 행위를 제한하거나 제약함. (        )

02 추상적인 사물이나 관념 또는 사상을 구체적인 사물로 나타내는 일 (        )

03 숨기어 남에게 드러내거나 알리지 말아야 할 일 (        )

[04~06] 다음 문장에 들어갈 알맞은 낱말을 (    )에서 골라 ○표 하시오.

04 자신의 주장이 옳다는 것을 입증하기 위해서는 타당한 ( 증거 / 근거 )를 들어 주장을 뒷받침해야 한다.

05 국제 도량형 총회에서는 길이나 무게 등의 ( 기준 / 방법 )을 세우고 여러 나라들이 이를 활용하도록 하고 있다.

06 어떤 손님이 요리가 맛없다고 불평하자 주방장이 나와서 ( 무례한 / 무안한 ) 말투로 식당에서 나가라고 소리쳤다.

[07~08] 다음 문장의 빈칸에 들어갈 알맞은 낱말을 〈보기〉에서 골라 쓰시오.

┤보기├
민주주의, 자유

07 과거에 미국의 흑인 노예들은 (        )를 얻기 위해 백인 지주들과 싸웠다.

08 사회적으로 합의가 어려운 문제라고 해도 (        )의 원리를 지켜 해결해야 한다.

[09~10] 다음 낱말과 그 뜻풀이를 바르게 연결하시오.

09 비평 •          • ㄱ 주로 예술 작품을 이해하여 즐기고 평가함.

10 감상 •          • ㄴ 사물의 옳고 그름, 아름다움과 추함 따위를 분석하여 가치를 논함.

# 예상 적중 소단원 평가 〔1〕 다양한 해석과 비평

**01~04** 다음 글을 읽고, 물음에 답하시오.

**가** 기다리지 않아도 오고
기다림마저 잃었을 때에도 너는 온다.
어디 뻘밭 구석이거나
썩은 물웅덩이 같은 데를 기웃거리다가
한눈 좀 팔고, 싸움도 한판 하고,
지쳐 나자빠져 있다가
다급한 사연 들고 달려간 바람이
흔들어 깨우면
눈 부비며 너는 더디게 온다.
더디게 더디게 마침내 올 것이 온다.
너를 보면 눈부셔
일어나 맞이할 수가 없다.
입을 열어 외치지만 소리는 굳어
나는 아무것도 미리 알릴 수가 없다.
가까스로 두 팔을 벌려 껴안아 보는
너, 먼 데서 이기고 돌아온 사람아.

**나**      자유를 꿈꾸는 시, '이성부'의 「봄」

이성부가 이 시를 지었을 당시인 1970년대는 군사력을 등에 업은 ㉠독재 정권이 강한 권력으로 국민을 통제하던 시기였다. 그러한 정부에 반대하던 많은 사람들은 민주주의를 외치다가 감옥에 갇히기도 했다.

이러한 시대적 상황이 이 시에 반영되어 있다고 볼 때, '봄'은 그 시대 사람들이 간절하게 원했던 '민주주의', 혹은 '자유'를 상징한 것이라고 볼 수 있다. 겨울이 지나면 반드시 봄이 오듯이, 이 시는 '민주주의'나 '자유' 역시 언젠가 반드시 우리에게 올 것이라는 믿음을 노래했던 것이다.

## 01 (가)에 대한 설명으로 알맞지 않은 것은?

① 시어의 반복을 통해 운율을 형성한다.
② '봄'을 맞이하는 감격과 기쁨을 표현한다.
③ 시적 대상에 대한 예찬적인 태도를 나타낸다.
④ '봄'을 '너'로 의인화하여 상징적으로 표현한다.
⑤ 대조적인 상황을 반복적으로 교차하여 주제를 강조한다.

## 02 (가)를 읽고 '봄'의 의미에 대해 〈보기〉와 같이 대화를 나누었다고 할 때, 대화의 내용이 적절하지 않은 사람은?

┤보기├

성은: 이 시에서 '봄'은 개인의 경험이나 가치관에 따라 다양한 의미로 해석될 수 있어.
민지: 나는 '봄'이 간절히 기다리는 대상이자 마침내 내게 왔을 때 큰 기쁨을 주는 존재 같아서 '짝사랑하는 사람'이라 생각했어.
소영: 나는 작년에 아파서 몸이 건강해지길 간절히 바랐거든. 그래서 나는 '봄'을 '건강해지는 것'이라고 생각했어.
가희: 이 시에서 '지쳐 나자빠져 있다가'라는 표현을 보고 나는 우리가 꿈을 이루는 과정을 생각했어. '봄'은 '우리가 이루고자 하는 꿈'이 아닐까?
진주: '봄'의 의미를 개인의 생각이 아니라 시인의 창작 의도대로 해석해야 작품을 제대로 평가할 수 있다고 생각해.

① 성은          ② 민지          ③ 소영
④ 가희          ⑤ 진주

## 03 (나)에 주로 사용된 작품 해석의 관점에 대한 설명으로 알맞은 것은?

① 작품과 작가의 관계를 중심으로 해석하였다.
② 표현, 방식, 구성 등 문학 작품의 내적 특징을 중심으로 해석하였다.
③ 작품을 읽고 독자가 받은 영향이나 교훈적 의미를 중심으로 해석하였다.
④ 작품을 작가의 사상과 감정을 표현한 것으로 보고 작가의 삶과 관련지어 해석하였다.
⑤ 작품을 현실을 반영하는 것으로 보고 작품에 반영된 시대적 상황을 중심으로 해석하였다.

✏️ 서술형

## 04 ㉠의 의미로 해석할 수 있는 시어 두 가지를 (가)에서 찾아 쓰시오.

**05~09** 다음 글을 읽고, 물음에 답하시오.

**가** 아주 오래전, ⓐ풍차 방앗간이 가득했던 프로방스 마을. 이곳은 밀을 빻기 위해 찾아오는 사람들 덕에 항상 활기찬 분위기였어. 그런데 마을에 최신식 ⓑ증기 방앗간이 들어서면서부터 이곳의 풍차 방앗간들은 하나둘씩 문을 닫았고, 지금처럼 쓸쓸한 마을이 되고 말았지. 그런데 이곳에 아직도 꿋꿋하게 돌아가는 풍차 방앗간이 하나 있었어. 바로 코르니유 영감의 풍차 방앗간이었지. 그런데 이상한 건 코르니유 영감에게 아무도 밀을 빻아 달라고 주문하지 않았다는 거야.

**나** 아이들이 방앗간에 도착했을 때, 코르니유 영감은 보이지 않았네. 문을 이중으로 자물쇠를 걸어 놓은 채 외출한 모양이야. 하지만 영감은 ⓒ사다리를 안에다 들여놓고 가는 것을 깜빡한 거야. 사다리가 문 옆에 세워져 있었어. 아이들은 그 사다리를 이용해서 ⓓ2층의 창문으로 올라갔지. 그리고 안으로 들어갔어. 도대체 코르니유 영감이 무엇을 그 안에 숨겨 놓았는지 확인해 보기로 했던 거야.

**다** 아아, 불쌍한 코르니유 영감……. 사실 영감도 증기 방앗간에 일거리를 빼앗긴 지 한참이 지났던 거야. 늘 풍차 날개는 돌아가고 있었지만, 방아는 헛돌고 있었던 것이지. 아이들은 눈물을 흘리면서 돌아왔네. 그리고 내게 모든 것을 이야기해 주었지. 아이들의 말을 듣고 나는 가슴이 찢어지는 줄 알았네. 나는 즉시 달려나가 마을 사람들에게 그 이야기를 해 주었네. 그리고 말했지. / "우리가 모을 수 있는 ⓔ밀을 최대한 많이 모아서 코르니유 영감에게 가져다줍시다."

그러자 마을 사람들도 고개를 끄덕이고 밀을 모아 당나귀에게 실어 코르니유 영감의 풍차 방앗간으로 향했지.

**라** ㉠우리는 비로소 그동안 우리가 무엇을 잘못했는지 알 수 있었어. 그래서 다짐했지. 영감에게 끊임없이 일감을 주기로 말이야. 물론 그 다짐은 오래도록 지켜졌네. / 하지만 오랜 세월이 흐른 뒤 어느 날, 코르니유 영감이 세상을 떠나자, ㉡결국 우리의 마지막 풍차 방앗간도 멈췄지. 이번에는 잠시 동안이 아니라 아주 영원히 말일세. 안타깝게도 영감의 풍차 방앗간을 물려받으려 하는 사람이 아무도 없었거든.

---

**05** 이 글의 서술자에 대한 설명으로 알맞은 것은?

① 이 글에서 '코르니유' 영감에 해당한다.
② 작품 밖에서 주인공의 말과 행동을 관찰한다.
③ 작품 속 관찰자의 입장으로 인물을 바라본다.
④ 작품 밖의 서술자로, 인물의 내면을 자세하게 서술한다.
⑤ 작품 속의 주인공으로, 자신의 이야기를 직접 전달한다.

**06** 다음 중 작품 자체의 내적 특징을 중심으로 한 해석 방법에 해당하지 <u>않는</u> 것은?

① 이 글에 나타난 결말 부분의 특징에 대해 살펴봐야지.
② 이 글에 나타난 극적 반전의 효과에 대해 생각해 봐야겠어.
③ 이 글에서 상징적 의미를 지닌 소재의 의미를 파악해 보려고 해.
④ 이 글을 통해 독자가 얻을 수 있는 깨달음에 대해 알아봐야겠어.
⑤ 이 글에 등장하는 인물들이 겪는 갈등의 양상을 파악해 보려고 해.

**07** ㉠의 의미로 가장 적절한 것은?

① '코르니유' 영감의 속마음을 모르는 척했다.
② 풍차 방앗간을 돈벌이 수단으로만 생각했다.
③ 지켜야 할 소중한 것을 잊어버리고 편한 것만 찾았다.
④ '코르니유' 영감의 풍차 방앗간을 수리하는 것에 반대만 했다.
⑤ '코르니유' 영감이 도움을 요청할 때 모두 거짓이라고 생각했다.

✎ **서술형**

**08** '풍차 방앗간'의 상징적 의미를 고려하여 ㉡이 의미하는 바를 한 문장으로 쓰시오.

**09** ⓐ~ⓔ 중, '코르니유' 영감의 비밀을 밝히는 데 중요한 역할을 한 소재로 알맞은 것은?

① ⓐ  ② ⓑ  ③ ⓒ  ④ ⓓ  ⑤ ⓔ

**01~10** 다음 글을 읽고, 물음에 답하시오.

**가** 기다리지 않아도 오고

기다림마저 잃었을 때에도 ㉠너는 온다.

어디 뻘밭 구석이거나

썩은 물웅덩이 같은 데를 기웃거리다가

한눈 좀 팔고, 싸움도 한판 하고,

지쳐 나자빠져 있다가

다급한 사연 들고 달려간 바람이

흔들어 깨우면 / 눈 부비며 너는 더디게 온다.

더디게 더디게 마침내 올 것이 온다.

너를 보면 눈부셔 / 일어나 맞이할 수가 없다.

입을 열어 외치지만 소리는 굳어

나는 아무것도 미리 알릴 수가 없다.

가까스로 두 팔을 벌려 껴안아 보는

너, 먼 데서 이기고 돌아온 사람아.

**나** 자, 이제 코르니유 영감의 비밀을 알겠나? 영감은 마을 사람들에게 아직도 자신의 ㉡풍차 방앗간이 밀을 빻고 있다고 믿게 하려고 저 자루를 노새에게 짊어지게 하여 오솔길을 오르내렸던 것이야.

그래, 맞아. 영감이 밀이라고 싣고 오가던 것은 바로 부서진 옛 방앗간의 폐기물들이었어. 그렇게 해서라도 풍차 방앗간의 명예를 지키고 싶었던 것이지. 아아, 불쌍한 코르니유 영감…… 사실 영감도 ㉢증기 방앗간에 일거리를 빼앗긴 지 한참이 지났던 거야. 늘 풍차 날개는 돌아가고 있었지만, 방아는 헛돌고 있었던 것이지. 아이들은 눈물을 흘리면서 돌아왔네. 그리고 내게 모든 것을 이야기해 주었지. 아이들의 말을 듣고 나는 가슴이 찢어지는 줄 알았네. 나는 즉시 달려 나가 마을 사람들에게 그 이야기를 해 주었네. 그리고 말했지.

"우리가 모을 수 있는 밀을 최대한 많이 모아서 코르니유 영감에게 가져다줍시다." / 그러자 마을 사람들도 고개를 끄덕이고 밀을 모아 당나귀에게 실어 코르니유 영감의 풍차 방앗간으로 향했지.

**다** 하지만 오랜 세월이 흐른 뒤 어느 날, 코르니유 영감이 세상을 떠나자, 결국 우리의 마지막 풍차 방앗간도 멈췄지. 이번에는 잠시 동안이 아니라 아주 영원히 말일세. 안타깝게도 영감의 풍차 방앗간을 물려받으려 하는 사람이 아무도 없었거든.

뭐, 어쩌겠는가? 이 세상 모든 일에는 끝이 있는 법 아니겠나. 론 강을 거슬러 올라가던 배들이 지나가는 것처럼, 마을에 있던 지방 법원이나 큰 꽃을 수놓은 외투가 유행하던 시대가 지나간 것처럼, 풍차의 시대도 지나가고 말았지. 우리도 이제는 그 사실에 익숙해질 수밖에 없을 것일세.

**1단계** 단답식 서술형 문제

**01** (가)에서 말하는 이의 간절한 소망을 '봄'에게 전달하는 매개체를 찾아 2음절로 쓰시오. [5점]

**02** (가)를 참고하여 다음 빈칸에 들어갈 알맞은 말을 차례대로 쓰시오. [5점]

> (가)에서 '봄'은 말하는 이에게 간절한 ☐☐☐의 대상으로, '반드시 도래할 ☐☐'을 의미한다.

**03** ㉠에 사용된 표현 방법을 쓰시오. [5점]

**04** '코르니유' 영감이 밀이라고 싣고 오가던 물건의 정체를 (나)에서 찾아 4어절로 쓰시오. [5점]

**05** (나)~(다)에서 대조되는 주요 소재를 다음과 같이 정리할 때, 빈칸에 들어갈 말을 쓰시오. [5점]

> 풍차 방앗간 ⬌ ( )

**09** (가)에 대한 〈보기〉의 비평문에서 '봄'의 의미와, 그렇게 해석한 근거를 찾아 쓰시오. [20점]

┤보기├

　이성부가 이 시를 지었을 당시인 1970년대는 군사력을 등에 업은 독재 정권이 강한 권력으로 국민을 통제하던 시기였다. 그러한 정부에 반대하던 많은 사람들은 민주주의를 외치다가 감옥에 갇히기도 했다.

　이러한 시대적 상황이 이 시에 반영되어 있다고 볼 때, '봄'은 그 시대 사람들이 간절하게 원했던 '민주주의', 혹은 '자유'를 상징한 것으로 볼 수 있다. 겨울이 지나면 반드시 봄이 오듯이, 이 시는 '민주주의'나 '자유' 역시 언젠가 반드시 우리에게 올 것이라는 믿음을 노래했던 것이다.

조건 ① '봄'의 의미 두 가지를 쓸 것
　　② 해석의 근거를 '~때문이다.'의 한 문장으로 쓸 것

---

**06** 다음은 (가)의 전개 과정을 정리한 것이다. 다음 ⓐ, ⓑ에 들어갈 알맞은 말을 쓰시오. [10점]

'너'가 오기를 기다림.

말하는 이의 태도: '너'가 올 것이라고 ( ⓐ ).

↓

'너'가 매우 더디게 옴.

말하는 이가 그렇게 느낀 까닭: '너'가 오기를 간절히 바라고 있기 때문임.

↓

마침내 '너'를 만남.

말하는 이의 심정: ( ⓑ ).

조건 ① ⓐ와 ⓑ는 '－ㅁ'으로 끝나는 명사형으로 쓸 것

**07** 〈보기〉는 작품에 반영된 시대적 상황을 바탕으로 (나)~(다)를 해석한 것이다. 〈보기〉의 ⓐ, ⓑ에 들어갈 알맞은 말을 쓰시오. [10점]

┤보기├

　이 소설이 쓰인 당시는 급격한 산업화가 진행되던 1860년대이다. 이 시기는 신기술이 도입되면서 기존의 것과 새로운 것이 충돌하던 때였다. 그런데 '코르니유' 영감은 ( ⓐ )은/는 인물이다. 이 소설은 이러한 '코르니유' 영감을 따뜻한 시선으로 그림으로써 ( ⓑ )을/를 드러내고 있다.

조건 ① ⓐ에는 '코르니유' 영감의 태도를 밝힐 것
　　② ⓑ는 이 글의 주제가 드러나도록 쓸 것

**10** (다)에서 알 수 있는 서술자의 심정과, 시대 변화에 대한 태도를 쓰시오. [20점]

조건 ① 멈춘 '풍차 방앗간'과 그것의 상징적 의미를 고려하여 서술자의 심정과 태도를 쓸 것
　　② '서술자는 ~고 있다.'의 한 문장으로 쓸 것

**08** ㉡과 ㉢이 각각 상징하는 바를 쓰시오. [15점]

조건 ① ㉡과 ㉢의 상징적 의미만을 쓸 것
　　② 한 문장으로 쓸 것

# 만점 마무리 〔2〕 맥락을 담은 글 쓰기

◆ 활동 의도

학생이 쓴 서평을 읽고, 그 학생이 글을 써 나가는 과정을 되짚으며 글쓰기 과정에서 겪는 어려움과 해결 방법을 이해하도록 하였다. 또한 한 권의 책을 선정하여 읽고, 그에 대한 서평을 써 봄으로써 학습자 스스로 글을 쓰는 과정에서 부딪치는 문제를 해결하며 한 편의 글을 완성해 보도록 하였다.

◆ 활동 목표
• 글을 쓰는 과정에서 겪을 수 있는 어려움 이해하기
• 문제 해결 과정으로서의 글쓰기의 특성 이해하기
• 한 권의 책을 읽고 서평 쓰기

◆ 활동 요약

| 글을 쓰는 과정에서 겪을 수 있는 어려움 이해하기 |
|---|
| 한 학생이 블로그 글을 쓰는 과정을 살펴보며 글쓰기 과정에서 겪는 어려움을 파악함. |

⊙

| 문제 해결 과정으로서의 글쓰기의 특성 이해하기 |
|---|
| '수지'가 서평을 쓰면서 부딪히는 여러 어려움을 해결하는 과정을 살펴보며 문제 해결 과정으로서의 글쓰기의 특성을 이해함. |

⊙

| 한 권의 책을 읽고 서평 쓰기 |
|---|
| 읽고 싶었던 책 한 권을 읽고, 글쓰기 과정에서 겪을 수 있는 문제를 해결하며 한 편의 서평을 써 봄. |

◇ 소설 「일가」를 읽고 쓴 서평의 주요 내용

| 이 소설을 떠올리게 된 계기 | 아빠와 이산가족 상봉 장면을 보고 이야기를 나누다가 「일가」의 등장인물인 '아저씨'가 떠오름. |
|---|---|
| 이 소설을 읽고 난 소감 | 이 소설을 다시 읽어 본 후에 소외된 사람인 '아저씨'의 외로움을 이해하게 됨. |
| 이 소설을 읽고 난 후 얻은 깨달음 | 일가친척과 주변 이웃들, 친구들을 소중히 여겨야겠다고 생각함. |

◇ 글쓰기 과정에서 부딪히는 어려움과 이를 해결하는 방법

| | 글쓰기 과정에서 부딪히는 어려움 | 해결 방법 |
|---|---|---|
| 계획하기 | 글을 어떻게 시작해야 할지 어려움. | 글의 전체적인 방향인 주제, 목적, 예상 독자, 매체 등을 먼저 설정함. |
| 내용 생성하기 | • 글의 내용을 마련하기 어려움.<br>• 글을 쓸 때 필요한 배경지식이 부족함. | • 글의 성격이나 갈래, 목적에 따라 생각 그물, 자유 연상하기, 경험 적어 보기 등의 방법을 통해 내용을 마련함.<br>• 책, 인터넷, 신문 기사 등의 다양한 매체에서 필요한 자료를 찾아봄. |
| 내용 조직하기 | 글을 어떻게 조직해야 할지 어려움. | 내용의 적절성을 판단하여 글에 들어갈 내용을 선정하고, 글의 목적을 고려하여 글의 구조에 따라 개요를 짬.<br>• 정서 표현: 시간의 흐름이나 공간의 이동, 사건의 전개 과정 등에 따라 내용을 조직함.<br>• 정보 전달 및 설득: '처음(서론) − 가운데(본론) − 끝(결론)'의 짜임에 따라 내용을 조직함. |
| 초고 쓰기 | 어떤 단어와 표현을 쓸지, 문단을 어떻게 배열할지 어려움. | • 문맥에 맞는지, 예상 독자가 이해할 수 있는 수준인지 판단하여 적절한 단어나 표현을 생성함.<br>• 내용을 잘 전달할 수 있도록 문단을 배열함. |
| 고쳐쓰기 | 초고를 어떻게 수정해야 할지 어려움. | 점검 항목을 바탕으로 글을 점검하고 조정하여 고쳐 씀.<br>• 글의 주제, 목적, 예상 독자를 고려하여 점검하기<br>• 글 전체의 흐름이 자연스러운지 점검하기<br>• 불필요하거나 보충해야 할 내용이 있는지 점검하기<br>• 문장과 단어가 바르고 정확한지 점검하기 |

◇ 문제 해결 과정으로서의 글쓰기

| 글을 쓸 때 부딪힐 수 있는 문제 상황의 예 | • 화제와 관련된 배경지식의 부족 문제<br>• 떠올린 내용을 옮길 적절한 단어나 표현의 생성 문제<br>• 독자의 이해를 돕기 위한 문단의 배열 문제 |
|---|---|

⊙

| 문제 해결 과정으로서의 글쓰기 | 글쓰기 과정에서 부딪히는 문제를 효과적으로 해결해야 한 편의 글을 완성할 수 있음. |
|---|---|

# 간단 복습문제

## [2] 맥락을 담은 글 쓰기

● 정답과 해설 25쪽

### 쪽지 시험

**[01~03]** 다음 문장에 들어갈 알맞은 낱말을 (  )에서 골라 ○표 하시오.

**01** 서평은 감상뿐만 아니라 설득력 있는 ( 근거 / 주장 )을/를 통해 책의 가치를 해석하고 평가하는 글이다.

**02** 블로그에 제주도 여행 관련 글을 쓰려고 한 학생은 여행에 대한 ( 사진 / 정보 )이/가 부족하여 어려움을 겪었다.

**03** '수지'는 「일가」에 대한 서평에 쓸 내용을 생성하기 위해 글에 들어갈 내용을 떠오르는 대로 적어 보는 ( 자유 연상하기 / 생각 그물 )의 방법을 활용했다.

**[04~06]** 다음 설명이 맞으면 ○표, 틀리면 ×표 하시오.

**04** '수지'는 「일가」를 처음 읽을 때부터 '아저씨'의 외로움을 이해했다. ( )

**05** '수지'는 아빠와 이산가족 상봉 장면을 보고 이야기를 나누면서 소설 「일가」를 떠올렸고 이것이 서평을 쓰게 된 동기였다. ( )

**06** 쓰기는 구체적인 쓰기 상황과 맥락 안에서 주제, 목적, 독자, 매체 등을 고려하면서 이루어지는 목표 지향적인 문제 해결 과정이다. ( )

**[07~10]** 다음 문장의 빈칸에 들어갈 알맞은 낱말의 기호를 〈보기〉에서 골라 쓰시오.

┤보기├
㉠ 문단    ㉡ 개요    ㉢ 내용    ㉣ 계획

**07** ( ) 단계에서는 글의 주제, 목적, 예상 독자, 매체 등을 설정한다.

**08** 글의 성격이나 갈래, 목적에 따라 자유 연상하기, 생각 그물 등의 방법으로 글에 들어갈 ( )을/를 마련한다.

**09** 내용을 생성한 후에는 내용의 적절성을 판단하여 글에 들어갈 내용을 선정하고, 글의 목적을 고려하여 구조에 맞게 ( )을/를 짠다.

**10** 글을 쓸 때에는 문맥에 맞고, 독자가 이해할 수 있는 적절한 단어와 표현을 사용하고 내용을 잘 전달할 수 있도록 ( )을/를 배열한다.

### 어휘 시험

**[01~03]** 다음 설명에 해당하는 낱말을 〈보기〉에서 골라 쓰시오.

┤보기├
환대, 친척, 피란

**01** 난리를 피하여 옮겨 감. ( )

**02** 친족(촌수가 가까운 일가)과 외척(어머니 쪽의 친척)을 아울러 이르는 말 ( )

**03** 반갑게 맞아 정성껏 후하게 대접함. ( )

**[04~07]** 다음 문장에 들어갈 알맞은 낱말을 (  )에서 골라 ○표 하시오.

**04** 앞만 보며 달려가는 현대 사회에서 뒤떨어져서 ( 관심 / 소외 )받는 사람들의 이야기를 전달하고 싶다.

**05** 공정하게 심사를 하기 위해서는 합리적인 기준에 따라 ( 평가 / 감상 )을/를 제대로 해야 한다.

**06** ( 초고 / 퇴고 )는 처음 쓴 글이기 때문에 개선하거나 보충할 점이 많다.

**07** 어려운 ( 문제 / 문항 )에 부딪히면 쉽게 포기하는 사람들이 많지만 너는 포기하지 않아서 마음에 든다.

**[08~10]** 다음 낱말과 그 뜻풀이를 바르게 연결하시오.

**08** 생성 •
　　　　　　• ㉠ 일정한 차례나 간격에 따라 죽 벌여 놓음.

**09** 배열 •
　　　　　　• ㉡ 가려서 따로 나눔.

**10** 선별 •
　　　　　　• ㉢ 사물이 생겨남. 또는 사물이 생겨 이루어지게 함.

● 정답과 해설 25쪽

**01~05** 다음 글을 읽고, 물음에 답하시오.

**가** 얼마 전에 텔레비전에서 남북한 이산가족이 만나는 장면을 보았다. 만나자마자 서로를 얼싸안고 눈물 흘리는 모습을 보니, 나도 코끝이 찡해졌다. 헤어진 지 오십 년이 넘어 다들 할머니, 할아버지가 되셨는데도 어린 시절 모습이 기억나시나 보다. 함께 텔레비전을 보던 아빠께서 어쩌면 북한에 우리 친척이 있을지도 모른다는 이야기를 하셨다. 아빠 쪽 친척 중에 육이오 전쟁 때 피란을 오신 분이 있다는 거다. 그 이야기를 듣자 문득 작년에 읽었던 「일가」의 등장인물, '아저씨'가 떠올랐다. 특이한 성격에 북한 말투를 사용하던, 다롄에서 갑작스레 찾아온 손님 '아저씨'가.

**나** 처음 「일가」를 읽었을 때 '아저씨'에 대한 나의 감정은 '엄마'와 비슷했다. 아무리 일가친척이라도 모르는 사람이 집에 오래 머무르면 불편한 감정이 들 것이다. 그런데 일 년이 지난 지금, 다시 「일가」를 읽어 보니 '아저씨'가 안쓰러웠다. 한국에 아는 사람이라고는 주인공의 가족뿐이었을 텐데 자신을 싫어하는 기색을 눈치챘을 때 매우 속상했을 것이다. 주인공이 일 년이 지난 뒤에야 '아저씨'를 떠올리며 눈물을 흘린 것과 같이, 나 역시 나이를 한 살 더 먹고 나니 다른 사람의 마음을 헤아릴 수 있게 된 것 같다.

**다** 최근에 한 신문 기사를 본 적이 있다. 명절이면 가족들이 모여 음식을 해 먹으며 담소를 나누던 과거와 달리, 최근에는 혼자 여행을 가는 사람들이 많다는 내용이었다. 나도 이번 명절에는 공부를 해야 한다는 핑계로 큰댁에 가지 않으려고 했다. 하지만 이 소설을 읽은 뒤 마음을 고쳐먹고 큰댁에 가기로 했다. 친척들은 분명히 같은 자리에서 나를 반겨 줄 것이다. 명절뿐 아니라 평소에도 친척들을 자주 찾아뵈면서 일가의 정을 나누어야겠다. 또한 내 주변 이웃들과 친구들도 소중히 여겨야겠다는 깨달음을 얻었다.

**라** 이 소설은 가족이라는 연결 고리가 희미해지는 요즘 시대에 꼭 읽어 볼 만한 가치가 있는 작품이다. 이 소설을 통해 '일가'의 의미를 되새기며 그 소중함을 깨달을 수 있기 때문이다. 친구들도 이 책을 읽고 '일가'의 소중함에 대한 이야기를 함께 나눌 수 있기를 기대해 본다.

**01** 이와 같은 글을 쓸 때, 계획하기 단계에서 고민할 내용이 아닌 것은?

① 어떤 단어와 표현을 쓰지?
② 글의 주제는 무엇으로 할까?
③ 누구를 예상 독자로 삼을까?
④ 서평을 어떤 매체로 전달할까?
⑤ 내가 서평을 쓰는 목적은 무엇인가?

**02** 이 글을 쓰는 과정 중, 다음과 같은 해결 방법이 쓰일 수 있는 단계로 알맞은 것은?

> 글의 설계도인 개요를 짜 보자. '처음 – 가운데 – 끝'에 어떤 내용을 넣을지 정리해야지.

① 계획하기　　　② 초고 쓰기
③ 고쳐쓰기　　　④ 내용 생성하기
⑤ 내용 조직하기

**03** 이 글을 쓰기 전 글쓴이가 생성한 내용이 〈보기〉라고 할 때, 이 글에 포함된 내용을 바르게 묶은 것은?

〈보기〉
ㄱ. 창작 당시 시대상
ㄴ. 각 인물들의 성격
ㄷ. 서평을 쓰게 된 동기
ㄹ. 소설에 대한 나의 평가
ㅁ. 소설을 읽고 깨달은 점

① ㄱ, ㄴ, ㄷ　② ㄱ, ㄴ, ㄹ　③ ㄴ, ㄷ, ㄹ
④ ㄴ, ㄹ, ㅁ　⑤ ㄷ, ㄹ, ㅁ

**04** 이 글의 글쓴이가 글을 쓸 때 참고했을 자료로 알맞은 것은?

① 다른 사람이 쓴 서평
② 우리나라 이산가족의 현황 보도 기사
③ '일가'의 사전적 의미를 설명한 국어사전
④ 최근 명절 풍경의 변화를 다룬 신문 기사
⑤ 작가 '공선옥'의 작품 성향을 서술한 비평집

✏️ 서술형

**05** 글쓴이가 「일가」를 추천하는 이유를 한 문장으로 쓰시오.

# 고득점 서술형 문제

## [2] 맥락을 담은 글 쓰기

### 1단계 단답식 서술형 문제

**01** 다음은 고쳐쓰기 과정에서 점검해야 할 항목들이다. 빈칸에 들어갈 알맞은 말을 쓰시오. [10점]

> 1. 글의 □□에 어긋나지 않게 썼는가?
> 2. 글의 목적에 맞게 썼는가?
> 3. 예상 독자를 고려하여 썼는가?
> 4. 글 전체의 흐름이 자연스러운가?

### 2단계 기본형 서술형 문제

**02~03** 〈보기〉는 한 학생이 자신의 블로그에 올릴 글을 쓰는 과정이다. 다음 물음에 답하시오.

┤보기├

> ① 제주도 여행 후기를 블로그에 올려야지. 내 블로그에 방문한 친구들이 흥미로워할 거야.
> ② 흠. 막상 글을 쓰려니 어렵네. 어떤 내용으로 글을 쓰지? 어떤 사진을 올릴까?
> ③ 제주도에 가려는 친구들에게 도움이 되는 여행 정보도 알려 주고 싶은데 기억나는 정보가 부족하네. 어떡하지?
> ④ 글을 쓰긴 했는데 왠지 어색해. 이 표현이 괜찮을까? 문장이 어색하게 연결된 것 같은데…….

**02** 이 학생이 글을 쓰려고 하는 목적을 쓰시오. [20점]

> 조건 ① ❶과 ❸을 참고하여 글을 쓴 목적 두 가지를 각각 한 문장으로 쓸 것

**03** 이 학생이 초고를 쓰기 전의 과정에서 겪은 문제를 쓰시오. [20점]

> 조건 ① 글쓰기 단계와 관련지어 글쓴이가 겪고 있는 어려움을 한 문장으로 쓸 것

**04** 글쓰기 과정을 고려하여 〈보기〉와 같은 문제를 겪는 사람에게 제시할 수 있는 해결 방법을 쓰시오. [20점]

┤보기├

> 이제 글에 들어갈 내용을 마련해야 하는데……. 후유, 창작의 고통이란 말이 괜히 나온 말이 아니구나. 어떤 내용을 써야 하지?

> 조건 ① 구체적인 해결 방법을 두 개 이상 제시할 것
> ② '~방법을 통해 내용을 마련한다.'의 형식으로 쓸 것

### 3단계 고난도 서술형 문제

**05** 〈보기 1〉과 〈보기 2〉의 내용을 쓰기 위해 참고했을 자료가 무엇인지 각각 쓰시오. [30점]

┤보기 1├

> 이 소설의 작가 '공선옥'은 이처럼 상처 입고 소외받는 사람들의 이야기를 많이 써 왔다. 작가의 다른 작품에는 1980년 광주 민주화 운동에서 아픔을 겪는 사람들, 가난 때문에 무시당하는 사람들의 모습도 담겨 있다. 「일가」 역시 쓸쓸하게 떠난 '아저씨'의 외로운 모습이 담겨 있다. 이 소설은 이처럼 소외받는 사람들을 통해 정이 사라져 가는 현대 사회를 비판하고 있다.

┤보기 2├

> 최근에 한 신문 기사를 본 적이 있다. 명절이면 가족들이 모여 음식을 해 먹으며 담소를 나누던 과거와 달리, 최근에는 혼자 여행을 가는 사람들이 많다는 내용이었다. 나도 이번 명절에는 공부를 해야 한다는 핑계로 큰댁에 가지 않으려고 했다. 하지만 이 소설을 읽은 뒤 마음을 고쳐먹고 큰댁에 가기로 했다. 친척들은 분명히 같은 자리에서 나를 반겨 줄 것이다.

> 조건 ① 〈보기 1〉, 〈보기 2〉의 중심 내용이 드러나게 쓸 것

**01~03** 다음 시를 읽고, 물음에 답하시오.

기다리지 않아도 오고
㉠기다림마저 잃었을 때에도 너는 온다.
어디 뻘밭 구석이거나
썩은 물웅덩이 같은 데를 ㉡기웃거리다가
한눈 좀 팔고, 싸움도 한판 하고,
지쳐 나자빠져 있다가
다급한 사연 들고 달려간 바람이
흔들어 깨우면
눈 부비며 너는 더디게 온다.
더디게 더디게 마침내 올 것이 온다.
너를 보면 ㉢눈부셔
일어나 맞이할 수가 없다.
입을 열어 ㉣외치지만 소리는 굳어
나는 아무것도 미리 알릴 수가 없다.
가까스로 두 팔을 벌려 ㉤껴안아 보는
너, 먼 데서 이기고 돌아온 사람아.

---

**01** 이 시의 말하는 이에 대한 설명으로 적절하지 <u>않은</u> 것은?

① '너'가 더디게 온다고 느끼고 있다.
② 시 속에 직접적으로 등장하고 있다.
③ '너'가 반드시 올 것이라고 확신하고 있다.
④ 빨리 오지 않는 '너'에 대해 원망하고 있다.
⑤ 끝내 '너'를 만나게 된 후 감격하며 기뻐하고 있다.

🖊 서술형

**02** 이 시에서 '봄'에 대한 예찬적인 태도가 나타나는 시행을 찾아 쓰시오.

**03** ㉠~㉤ 중, 말하는 이의 심리나 행동을 표현하는 시어가 <u>아닌</u> 것은?

① ㉠    ② ㉡    ③ ㉢    ④ ㉣    ⑤ ㉤

---

**04~05** 다음 글을 읽고, 물음에 답하시오.

**가** 자, 이제 코르니유 영감의 비밀을 알겠나? 영감은 마을 사람들에게 아직도 자신의 풍차 방앗간이 밀을 빻고 있다고 믿게 하려고 저 자루를 노새에게 짊어지게 하여 오솔길을 오르내렸던 것이야.

그래, 맞아. 영감이 밀이라고 싣고 오가던 것은 바로 부서진 옛 방앗간의 폐기물들이었어. 그렇게 해서라도 풍차 방앗간의 명예를 지키고 싶었던 것이지.

**나** 우리는 비로소 그동안 우리가 무엇을 잘못했는지 알 수 있었어. 그래서 다짐했지. 영감에게 끊임없이 일감을 주기로 말이야. 물론 그 다짐은 오래도록 지켜졌네.

하지만 오랜 세월이 흐른 뒤 어느 날, 코르니유 영감이 세상을 떠나자, 결국 우리의 마지막 풍차 방앗간도 멈췄지. 이번에는 잠시 동안이 아니라 아주 영원히 말일세. 안타깝게도 영감의 풍차 방앗간을 물려받으려 하는 사람이 아무도 없었거든. / 뭐, 어쩌겠는가? 이 세상 모든 일에는 끝이 있는 법 아니겠나. 론 강을 거슬러 올라가던 배들이 지나가는 것처럼, 마을에 있던 지방 법원이나 큰 꽃을 수놓은 외투가 유행하던 시대가 지나간 것처럼, 풍차의 시대도 지나가고 말았지.

---

**04** 이 글을 〈보기〉와 같이 해석한 기준에 해당하는 것은?

┤보기├
알퐁스 도데는 그의 고향인 남프랑스 프로방스 지방을 배경으로 많은 작품을 썼다. 특히 그는 프로방스 주민들의 순수하고 인간적인 면모를 작품 안에 담아내었다. 이 소설에서 '코르니유' 영감의 비밀이 밝혀진 후, 프로방스 마을 사람들이 보였던 행동에 이러한 특징이 잘 나타나 있다.

① 독자가 받은 영향을 중심으로 한 해석
② 작품의 교훈적 의미를 중심으로 한 해석
③ 작품과 작가의 관계를 중심으로 한 해석
④ 작품 자체의 내적 특징을 중심으로 한 해석
⑤ 작품에 반영된 시대 상황을 중심으로 한 해석

🖊 서술형

**05** 마을 사람들을 속인 '코르니유' 영감의 행동을 부정적인 입장에서 평가하여 한 문장으로 쓰시오.

## 06 다음 학생의 글을 쓰는 과정에 대한 설명으로 알맞지 <u>않은</u> 것은?

① 글의 주제는 제주도 여행 후기이다.
② 글의 내용을 마련하는 데 어려움을 겪는다.
③ 초고의 문장 연결과 표현이 어색하다고 느낀다.
④ 제주도 여행 정보를 담은 사진 자료가 부족하다.
⑤ 블로그에 방문한 친구들을 대상으로 글을 쓰려고 한다.

## 07 〈보기〉는 초고를 점검하는 항목이다. 계획하기 단계와 관련이 있는 것만 골라 바르게 묶은 것은?

┤보기├
ㄱ. 예상 독자를 고려했는가?
ㄴ. 글의 목적에 맞게 썼는가?
ㄷ. 글의 흐름이 자연스러운가?
ㄹ. 부족하거나 빠진 내용은 없는가?
ㅁ. 문장 성분 간의 호응이나 맞춤법이 올바른가?

① ㄱ, ㄴ     ② ㄱ, ㄹ     ③ ㄴ, ㄷ
④ ㄴ, ㄹ     ⑤ ㄷ, ㅁ

## 08 다음과 관련 있는 글쓰기의 단계로 알맞은 것은?

> 문맥에 맞고, 독자가 이해할 수 있는 적절한 단어와 표현이 무엇인지 찾아야겠어. 그리고 어떻게 문단을 배열해야 글의 내용이 잘 전달될지 생각해 봐야겠어.

① 계획하기      ② 초고 쓰기
③ 내용 생성하기    ④ 자료 선별하기
⑤ 내용 조직하기

---

[09~10] 다음 글을 읽고, 물음에 답하시오.

**가** 「일가」는 나와 비슷한 또래인 주인공이 자신의 집에 당숙 아저씨가 머물면서 겪게 되는 사건을 담은 소설이다. 가족들은 처음에는 '아저씨'를 환대하지만, '아저씨'가 집에 돌아가지 않고 계속 머무르자 '엄마'와 주인공은 점점 불만이 쌓여 간다. 하루는 주인공에게 온 편지를 '엄마'가 압수한 일로 부모님이 크게 다툰다. 이 사건으로 '엄마'가 며칠 집을 비우는데, 이를 자신의 탓으로 여긴 '아저씨'는 집을 떠나게 된다. 일 년이 지나고, 그때서야 '아저씨'의 외로움을 이해하게 된 주인공이 눈물을 흘리며 소설은 끝이 난다.

**나** 이 소설의 작가 '공선옥'은 이처럼 상처 입고 소외받는 사람들의 이야기를 많이 써 왔다. 작가의 다른 작품에는 1980년 광주 민주화 운동에서 아픔을 겪는 사람들, 가난 때문에 무시당하는 사람들의 모습도 담겨 있다. 「일가」 역시 쓸쓸하게 떠난 '아저씨'의 외로운 모습이 담겨 있다. 이 소설은 이처럼 소외받는 사람들을 통해 정이 사라져 가는 현대 사회를 비판하고 있다.

**다** 이 소설은 가족이라는 연결 고리가 희미해지는 요즘 시대에 꼭 읽어 볼 만한 가치가 있는 작품이다. 이 소설을 통해 '일가'의 의미를 되새기며 그 소중함을 깨달을 수 있기 때문이다. 친구들도 이 책을 읽고 '일가'의 소중함에 대한 이야기를 함께 나눌 수 있기를 기대해 본다.

---

## 09 이 글에서 알 수 있는 내용이 <u>아닌</u> 것은?

① 「일가」의 줄거리
② 작가의 작품 성향
③ 「일가」의 주제 의식
④ 「일가」를 추천하는 이유
⑤ 「일가」의 주인공에 대한 평가

> 고난도 서술형

## 10 (가)에서 중심 내용을 조직한 방식을 쓰시오.

조건
① 내용 전개 방식과 관련된 「일가」의 갈래상 특징을 밝혀 쓸 것

# 만점 마무리 〔1〕 문장의 짜임과 양상

◆ 활동 의도

여러 활동을 통해 일상생활에서 다양한 짜임의 문장이 사용되고 있음을 확인하고, 문장 유형에 따른 표현 효과를 알 수 있도록 하였다. 나아가 자신의 표현 의도에 적합한, 다양한 짜임의 문장을 생성할 수 있도록 하였다.

◆ 활동 목표
- 문장과 문장 성분의 개념 및 종류 파악하기
- 문장의 짜임과 겹문장의 종류 파악하기
- 문장의 유형에 따른 표현 효과 이해하기

◆ 활동 요약

| 문장과 문장 성분의 개념 및 종류 파악하기 |
|---|
| 문장과 문장 성분의 개념과 종류를 파악하고, 각 예문을 통해 주성분, 부속 성분, 독립 성분의 역할을 이해함. |

↓

| 문장의 짜임과 겹문장의 종류 파악하기 |
|---|
| 문장이 크게 홑문장과 겹문장으로 분류됨을 파악하고, 다양한 예문과 활동을 통해 겹문장의 종류인 이어진문장과 안은문장에 대해 이해함. |

| 문장의 유형에 따른 표현 효과 이해하기 |
|---|
| 문장의 짜임이 다른 여러 자료를 살펴보며, 문장의 유형에 따라 표현 효과가 어떻게 달라지는지 이해함. |

## ◇ 문장 성분의 종류

| 주성분 | 주어 | 동작, 상태, 성질의 주체를 나타내는 성분 | 목적어 | 서술어의 동작, 행위의 대상이 되는 성분 |
|---|---|---|---|---|
| | 서술어 | 동작, 상태, 성질 등을 설명하는 성분 | 보어 | 서술어 '되다, 아니다'를 보충하는 성분 |
| 부속 성분 | 관형어 | 명사, 대명사, 수사와 같은 체언을 꾸며 주는 성분 | 부사어 | 용언, 관형어, 부사어, 문장 전체를 꾸며 주는 성분 |
| 독립 성분 | 독립어 | 문장에서 다른 성분들과 직접적인 관계를 맺지 않고 독립적으로 쓰이는 성분 | | |

## ◇ 문장의 종류

| 홑문장 | 주어와 서술어의 관계가 한 번만 나타나는 문장<br>예 나는 개를 키운다. | |
|---|---|---|
| 겹문장 | 주어와 서술어의 관계가 두 번 이상 나타나는 문장<br>예 나는 빵을 먹고, 그는 밥을 먹는다. | |
| | 이어진문장 | 둘 이상의 홑문장이 나란히 이어진 문장 |
| | 안은문장 | 다른 홑문장을 자신의 문장 성분으로 안고 있는 문장 |

## ◇ 이어진문장의 종류

| 대등하게 이어진 문장 | • 둘 이상의 홑문장이 '나열, 대조, 선택' 등의 의미 관계로 대등하게 연결된 문장<br>• 연결 어미 '-고', '-지만', '-거나' 등을 통해 연결됨.<br>예 비가 오고, 바람이 분다. / 비가 오지만, 날씨가 춥지 않다. |
|---|---|
| 종속적으로 이어진 문장 | • 둘 이상의 홑문장이 '원인, 조건, 의도, 양보, 배경' 등의 의미 관계로 종속적으로 연결된 문장<br>• 연결 어미 '-아서/-어서', '-(으)면', '-(으)려고' 등을 통해 연결됨.<br>예 비가 오면, 곡식이 잘 자란다. / 우리는 비를 피하려고, 가게로 들어갔다. |

## ◇ 안긴문장의 종류

| 명사절 | 예 나는 봄이 오기를 바란다. |
|---|---|
| 서술절 | 예 그는 눈이 크다. |
| 관형절 | 예 이것은 그녀가 입던 옷이다. |
| 부사절 | 예 시냇물이 소리도 없이 흐른다. |
| 인용절 | 예 나는 숙제가 너무 많다고 불평했다. |

## ◇ 홑문장과 겹문장의 표현 효과

| 홑문장 | 겹문장 |
|---|---|
| • 내용을 간결하고 명확하게 전달할 수 있음.<br>• 사건이 빠르게 진행되는 느낌을 줄 수 있음. | • 내용을 집약적으로 전달할 수 있음.<br>• 사건이나 사실의 논리적인 관계를 잘 드러낼 수 있음. |

# 간단 복습 문제 [1] 문장의 짜임과 양상

● 정답과 해설 27쪽

**쪽지 | 시험**

**[01~03]** 다음 문장에 들어갈 알맞은 낱말을 ( )에서 골라 ○표 하시오.

**01** 관형어와 부사어는 모두 ( 주성분 / 부속 성분 / 독립 성분 )에 속한다.

**02** 단어의 품사는 ( 변하나 / 변하지 않으나 ), 문장 성분은 단어가 문장에서 하는 역할에 따라 ( 달라질 수 있다 / 달라지지 않는다 ).

**03** ( 홑문장 / 겹문장 )을 주로 사용하면 사건이나 사실의 논리적인 관계를 잘 드러낼 수 있다.

**[04~06]** 다음 설명이 맞으면 ○표, 틀리면 ✕표 하시오.

**04** 주어와 서술어만 갖추면 완전한 문장이 된다. ( )

**05** 독립어는 문장 안에서 다른 문장 성분들과 직접적인 관계를 맺지 않고 쓰인다. ( )

**06** 안긴문장을 포함한 문장을 대등하게 이어진 문장이라고 한다. ( )

**[07~13]** 다음 문장의 종류에 해당하는 기호를 〈보기〉에서 골라 쓰시오.

┌─ 보기 ─────────────────────┐
│ ㉠ 홑문장   ㉡ 대등하게 이어진 문장 │
│ ㉢ 종속적으로 이어진 문장   ㉣ 안은문장 │
└──────────────────────────┘

**07** 와! 산이 정말 높구나. ( )

**08** 그는 새가 날아가는 모습을 보았다. ( )

**09** 무슨 일이 있더라도, 오늘은 집에 가야 해. ( )

**10** 결국 그 아이는 다시 돌아왔다. ( )

**11** 나는 밥을 먹지만, 아기는 우유를 먹는다. ( )

**12** 네가 같이 가 준다면, 나도 그곳에 가겠다. ( )

**13** 비가 오거나 눈이 온다. ( )

**[14~18]** 다음 문장에 쓰인 안긴문장의 종류를 바르게 연결하시오.

**14** 이 책은 제목이 길다. •　　• ㉠ 명사절

**15** 나는 그가 왔다고 들었다. •　　• ㉡ 관형절

**16** 나는 가슴이 벅차게 기뻤다. •　　• ㉢ 부사절

**17** 내가 찾던 사람이 너였다. •　　• ㉣ 서술절

**18** 나는 노래를 하기가 싫었다. •　　• ㉤ 인용절

**어휘 | 시험**

**[01~03]** 다음 설명에 해당하는 낱말을 〈보기〉에서 골라 쓰시오.

┌─ 보기 ─────────────────────┐
│ 관형어, 인용절, 안긴문장 │
└──────────────────────────┘

**01** 남의 말이나 글에서 직접 또는 간접으로 따온 절 ( )

**02** 안은문장 속에 절의 형태로 포함되어 있는 문장 ( )

**03** 체언 앞에서 체언의 뜻을 꾸며 주는 구실을 하는 문장 성분 ( )

**01** 문장 성분에 대한 설명으로 알맞지 <u>않은</u> 것은?

① '누구를, 무엇을'에 해당하는 말은 목적어이다.
② 주성분은 문장을 이루는 데 꼭 필요한 성분이다.
③ 독립 성분은 문장의 의미를 자세하게 만들어 준다.
④ '어떻게, 언제, 어디서'에 해당하는 말은 부사어이다.
⑤ 부속 성분에는 관형어, 부사어가 있고, 독립 성분에는 독립어가 있다.

**02** 〈보기〉의 문장 성분에 대한 설명으로 알맞지 <u>않은</u> 것은?

┌─ 보기 ─────────────────────┐
나연아, 귀여운 아기가 지금 방긋 웃었어.
└───────────────────────────┘

① '나연아'는 다른 성분들과 직접적인 관계를 맺지 않는다.
② '귀여운'과 '지금'은 체언을 꾸며 주는 관형어이다.
③ '아기가'는 문장을 이루는 데 꼭 필요한 성분이다.
④ '방긋'은 '웃었어'를 꾸며 주는 부사어이다.
⑤ '웃었어'를 생략하면 완전한 문장이 되지 않는다.

**서술형**

**03** 다음 문장의 문장 성분을 주성분, 부속 성분, 독립 성분으로 구분하여 쓰시오.

┌─────────────────────────────┐
어머, 정말 그녀가 혼자 청소를 마쳤니?
└─────────────────────────────┘

**04** 다음 밑줄 친 부분의 문장 성분이 나머지와 <u>다른</u> 것은?

① 설마 내가 범인이겠니?
② 낙엽이 <u>우수수</u> 떨어진다.
③ 이 영화 <u>정말</u> 재미있겠네.
④ 나는 파란 하늘을 보았다.
⑤ 선수들이 <u>운동장에</u> 모였다.

**05** 다음 빈칸에 들어갈 문장 성분이 바르게 연결되지 <u>않은</u> 것은?

① 성실한 (        ) 필요하다. – 주어
② 나는 결코 (        ) 아니다. – 보어
③ 우리는 (        ) 잃어버렸다. – 목적어
④ 결국 그는 (        ) 인정했다. – 관형어
⑤ 하나야, 우리 (        ) 만나자. – 부사어

**06** 〈보기〉의 밑줄 친 부분을 통해 알 수 있는 사실로 알맞은 것은?

┌─ 보기 ─────────────────────┐
• <u>붉은</u> 노을이 아름답다.
• 노을이 <u>붉게</u> 물들었다.
└───────────────────────────┘

① 문장 성분에 따라 품사의 종류가 결정된다.
② 품사가 같은 단어는 문장 성분도 항상 같다.
③ 품사에 따라 주성분과 부속 성분을 구분할 수 있다.
④ 같은 단어라도 문장에서 쓰인 형태가 다르면 품사도 달라진다.
⑤ 품사가 같은 단어라도 역할에 따라 문장 성분은 다를 수 있다.

**서술형**

**07** 〈보기〉에서 독립 성분과 주성분만 찾아 하나의 문장으로 만들어 쓰시오.

┌─ 보기 ─────────────────────┐
아아, 마침내 그가 골문에 공을 정확히 넣었구나!
└───────────────────────────┘

**08** 주어와 서술어의 관계가 한 번만 나타나는 문장은?

① 그는 밤이 오기를 기다렸다.
② 날이 밝자 우리는 길을 떠났다.
③ 우리는 그가 건넨 과자를 먹었다.
④ 시험이 끝나서 마음이 홀가분하다.
⑤ 어제 아버지께서 내게 용돈을 주셨다.

**09** 두 문장의 결합이 자연스럽지 <u>못한</u> 것은?

① 비가 왔다. + 옷이 젖었다. → 비가 와서, 옷이 젖었다.

② 바람이 분다. + 꽃잎이 떨어진다. → 바람이 불더라도, 꽃잎이 떨어진다.

③ 운동장은 덥다. + 교실은 시원하다. → 운동장은 덥고, 교실은 시원하다.

④ 나는 책을 읽었다. + 그는 그림을 그렸다. → 나는 책을 읽었고, 그는 그림을 그렸다.

⑤ 우리는 비를 피했다. + 우리는 가게로 들어갔다. → 우리는 비를 피하려고, 가게로 들어갔다.

**10** 다음 중 안긴문장을 바르게 표시하지 <u>않은</u> 것은?

① 아기는 <u>눈동자가 맑다</u>.

② 나는 <u>엄마가 만든</u> 옷을 입었다.

③ 우리는 <u>행운이 계속되기</u>를 원했다.

④ 나는 <u>"우리가 해 보자."</u>라고 외쳤다.

⑤ 그녀는 머리카락이 <u>휘날리게</u> 달렸다.

**11** 〈보기〉에서 안은문장을 모두 골라 묶은 것은?

┤보기├
ㄱ. 콩쥐는 밑이 빠진 독을 바라보았다.
ㄴ. 여기가 제 고향인데 공기가 참 맑죠?
ㄷ. 흥부는 놀부에게 선뜻 도움을 주었다.
ㄹ. 아이들은 겨울이 오기를 간절히 기다렸다.
ㅁ. 남매는 호랑이를 피하려고 급히 집을 나섰다.

① ㄱ, ㄹ     ② ㄴ, ㄷ     ③ ㄹ, ㅁ
④ ㄱ, ㄷ, ㄹ     ⑤ ㄴ, ㄹ, ㅁ

✎ 서술형

**12** 다음 글에서 종속적으로 이어진 문장을 찾아, 두 개의 홑문장으로 나누어 쓰시오.

> 신데렐라는 마침내 무도회장으로 출발한다. 유리 구두를 신은 신데렐라는 왕자님과 춤을 춘다. 두 사람은 행복했지만 시간은 금세 흘러간다. 열두 시가 되면 마법이 풀린다.

**13** 〈보기〉의 ㉠과 ㉡에 대한 설명으로 알맞은 것은?

┤보기├
엄마: 지희야, 오늘 시험은 잘 봤니?
지희: ㉠저는 열심히 공부했지만, 시험을 잘 못 봤어요.
엄마: 속상하겠구나. ㉡하지만 최선을 다하는 모습이 정말 멋졌단다.

① ㉠은 겹문장이고, ㉡은 홑문장이다.

② ㉠은 안은문장이고, ㉡은 이어진문장이다.

③ ㉠은 이어진문장이고, ㉡은 안은문장이다.

④ ㉠은 대등하게 이어진 문장이고, ㉡은 종속적으로 이어진 문장이다.

⑤ ㉠은 종속적으로 이어진 문장이고, ㉡은 대등하게 이어진 문장이다.

**14** 〈보기〉의 (가)와 (나)에 주로 쓰인 문장의 짜임을 비교한 내용으로 알맞은 것은?

┤보기├
(가) 그런데 숙제가 몇 쪽이었더라. 도무지 생각이 나지 않았다. 민수는 알 것 같았다. 민수에게 문자를 보냈다. 그러나 답장이 없었다. 이러다 숙제를 못 하는 게 아닐까? 나는 초조해지기 시작했다.

(나) 그런데 숙제가 몇 쪽이었는지 도무지 생각이 나지 않았다. 민수는 알 것 같아서 민수에게 문자를 보냈는데 답장이 없었다. 나는 이러다 숙제를 못 할까 봐 초조해지기 시작했다.

① (가)는 내용을 정확하게 전달하고, (나)는 사건을 속도감 있게 전달한다.

② (가)는 사건의 인과 관계를 잘 드러내고, (나)는 내용을 정확하게 전달한다.

③ (가)는 내용을 집약적으로 전달하고, (나)는 사건의 인과 관계를 잘 드러낸다.

④ (가)는 내용을 간결하게 전달하고, (나)는 사건의 논리적인 관계를 잘 드러낸다.

⑤ (가)는 사건의 논리적인 관계를 잘 드러내고, (나)는 사건이 빠르게 진행되는 느낌을 준다.

✎ 서술형

**15** 〈보기〉의 두 문장을 결합하여 명사절을 안은 문장으로 만들어 쓰시오.

┤보기├
눈이 펑펑 내리다. / 우리는 원한다.

# 고득점 서술형 문제

## [1] 문장의 짜임과 양상

### 1단계 단답식 서술형 문제

**01** 다음 문장에서 부속 성분에 해당하는 말을 모두 찾아 쓰시오. [5점]

> 내 동생은 새 옷을 몹시 원했다.

**02** 〈보기〉의 ㉠과 ㉡이 완전한 문장이 되기 위해 필요한 성분을 각각 쓰시오. [5점]

> ┌ 보기 ┐
> ㉠ 그는 반드시 된다.
> ㉡ 나는 가족들과 함께 영화를.

**03** ㉠과 ㉡에 들어갈 알맞은 말을 쓰시오. [5점]

> 주어와 서술어의 관계가 몇 번 나오느냐에 따라 '달빛이 밝다.'와 같은 ( ㉠ )와/과, '달빛이 밝아서 우리는 밖으로 나갔다.'와 같은 ( ㉡ )(으)로 나눌 수 있다.

**04** 다음 문장에서 안긴문장을 찾아 쓰시오. [5점]

> 그 아이는 마음이 착하다.

### 2단계 기본형 서술형 문제

**05** 다음 문장이 완전하지 않은 이유와 문장을 완전하게 만들기 위한 방법을 쓰시오. [10점]

> 친구가 조용히 불렀다.

> 조건 ① '~때문에 ~을/를 넣어야 한다.' 형식의 한 문장으로 쓸 것

**06** 다음 문장을 구성하는 문장 성분을 주성분, 부속 성분, 독립 성분으로 분류하여 쓰시오. [10점]

> 그래, 이제야 네가 잘못을 뉘우쳤구나.

> 조건 ① 각각의 문장 성분을 밝혀 쓸 것

**07** ㉠, ㉡을 바탕으로 〈조건〉에 맞는 문장을 만들어 쓰고, 만든 문장의 종류를 구체적으로 밝혀 쓰시오. [10점]

> ㉠ 비가 많이 내렸다.
> ㉡ 그는 집을 나섰다.

> 조건 ① '대조'의 의미를 지닌 연결 어미를 사용하여 한 문장으로 만들 것

**08** 다음 문장의 안긴문장과, 안긴문장이 문장 안에서 하는 역할을 쓰시오. [10점]

> 우리는 방학이 오기를 간절히 기다린다.

> 조건 ① '이 문장의 안긴문장은 ~로, 문장 안에서 ~ 역할을 한다.' 형식의 한 문장으로 쓸 것

**3단계** 고난도 서술형 문제

**09** ㉠과 ㉡을 결합하여 안은문장으로 만들고, 이때 안긴문장의 역할을 구분하여 쓰시오. [20점]

> ㉠ 개나리가 빛깔이 노랗다.
> ㉡ 개나리가 피었다.

> 조건 ① ㉠을 각각 관형절과 부사절로 바꾸어 ㉡과 결합할 것
> ② 관형절을 안은 문장과 부사절을 안은 문장에서 ㉠이 하는 역할을 구체적으로 쓸 것

**10** 〈보기〉의 밑줄 친 부분을 두 문장으로 나누어 쓰고, 이때의 효과를 서술하시오. [20점]

> 보기
> 태풍 '솔릭'이 서해로 북상하면서 제주도와 전남 지역은 매우 강한 비바람이 몰아치고 있습니다. 기상청은 태풍이 내일 새벽 2시쯤 전북 서해안에 상륙하였다가, 내일 오후에나 동해상으로 진출할 것으로 내다봤습니다. 이에 따라 내일까지 전국에 매우 많은 비가 내리고 강한 바람이 몰아칠 것이기 때문에 기상청은 시설물 관리와 안전사고에 유의하고, 해안가에서는 만조 시간대에 해일로 인한 침수 피해가 없도록 철저히 대비해 달라고 당부했습니다.

> 조건 ① 나누어 썼을 때의 효과는 한 문장으로 쓸 것

# 만점 마무리 〔2〕 읽기의 점검과 조정

## ◇ 「간송 전형필」을 읽으며 읽기 과정을 점검하고 조정하는 방법

| | 예 | 방법 |
|---|---|---|
| 읽기 전 | 이 책은 내가 알고 싶었던 '간송 전형필'의 생애를 자세히 다루고 있네. 또 내가 읽기에도 적당한 수준의 책인 것 같아. | 글을 읽는 목적과 자신의 읽기 수준을 고려하여 글 선정하기 |
| 읽는 중 | '서화 전적'이 뭐지? 사전을 찾아보니 ~ 뜻이구나. | 뜻을 모르는 단어를 사전에서 찾아보기 |
| | • '전형필'이 찾아간 '오세창'은 어떤 사람일까? ~ 가르침을 청한다는 걸 보니, '오세창'은 서화 전적과 골동품을 잘 알고 있는 전문가인가 보군.<br>• '천학 매병'의 값인 2만 원은 현재 가치로 얼마나 될까? 79쪽으로 돌아가 보니 ~ 어마어마한 금액이군. | 이해가 되지 않는 부분은 앞뒤 맥락을 고려하여 의미 파악하기 |
| | 보물 중의 보물이라는 '천학 매병'은 무엇일까? 인터넷 검색을 통해 '천학 매병'의 아름다움과 가치에 대해 알게 되었어. | 참고 자료를 찾아 관련 분야에 대해 자세히 알아보기 |
| | '전형필'에게서 본받을 점은 무엇일까? ~ 그의 단호한 성품과 우리 문화유산을 지키려는 의지가 잘 드러나. 이는 우리가 본받아야 할 점이야. | 글을 읽는 목적을 확인하며 읽기 |
| 읽은 후 | 글의 내용을 표로 정리하니까 중심 내용을 쉽게 파악할 수 있었어. 또 자료를 더 찾아보니 '전형필'의 업적을 깊이 있게 이해할 수 있었어. | • 표, 그림을 활용하여 글의 중심 내용 정리하기<br>• 더 알고 싶은 내용에 관한 자료를 찾아 글을 더 깊이 있게 이해하기 |

## ◇ 「화가의 시간」을 읽으며 읽기 과정을 보완하는 방법

| | |
|---|---|
| • 제목인 '화가의 시간'은 무엇을 의미할까?<br>• 이 초상화 속 '여인'은 누구일까?<br>• 이 문장은 다빈치의 그림에서 특별한 아우라를 느끼는 다른 이유가 있다는 뜻일까? | 앞뒤 맥락을 고려하여 의미를 이해하도록 노력하기 |
| • '르네상스'가 무슨 말인지 모르겠어.<br>• '아우라'의 의미는 무엇일까? | 사전을 찾아 모르는 단어의 의미를 파악하기 |
| • 그림을 엑스레이로 분석한 다른 사례도 있을까?<br>• 다빈치가 그린 다른 그림에는 어떤 것이 있을까? | 더 알고 싶은 내용에 관한 자료를 찾아보기 |

## ◇ 읽기 과정을 점검하고 조정하는 것의 효과

• 읽는 목적을 효과적으로 달성할 수 있다.
• 능동적인 독자로 성장할 수 있다.
• 자신에게 부족한 점을 알게 된다.

# 간단 복습문제

## [2] 읽기의 점검과 조정

● 정답과 해설 28쪽

**쪽지 시험**

**[01~03]** 다음 문장에 들어갈 알맞은 낱말을 ( )에서 골라 ○표 하시오.

**01** 표나 그림을 활용해 글의 주요 내용을 정리하는 것은 ( 읽기 전 / 읽는 중 / 읽은 후 ) 이루어지는 활동이다.

**02** 이해가 되지 않는 부분은 다시 읽거나 앞뒤 맥락을 고려해서 의미를 파악하는 것은 ( 읽기 전 / 읽는 중 / 읽은 후 ) 이루어지는 활동이다.

**03** 읽기 과정을 점검하고 조정하며 글을 읽으면 ( 읽기 속도의 중요성 / 자신에게 부족한 점 )을 알게 된다.

**[04~07]** 다음 예에 해당하는 읽기 과정의 점검과 조정 방법을 〈보기〉에서 골라 쓰시오.

┤보기├
ⓐ 글을 읽는 목적을 확인하며 읽기
ⓑ 모르는 단어의 의미를 사전에서 찾아보기
ⓒ 참고 자료를 찾아 관련 분야에 대한 이해 넓히기
ⓓ 이해가 되지 않는 부분은 다시 읽거나 앞뒤 맥락을 고려해서 의미 파악하기

**04** 보물 중의 보물이라는 '천학 매병'은 무엇일까? 인터넷 검색을 통해 '천학 매병'의 아름다움과 가치에 대해 알게 되었어. ( )

**05** 역사적 인물에게서 본받을 점을 발표하기 위해 이 책을 읽었는데, '전형필'에게서 본받을 점은 뭘까? 일화에 나타나듯 그에게서는 우리 문화유산을 지키려는 의지를 본받아야겠구나. ( )

**06** '스푸마토 기법'이란 무엇일까? 백과사전을 찾아보니 안개와 같이 색을 미묘하게 변화시켜 색깔 사이의 윤곽을 명확히 구분 지을 수 없도록 자연스럽게 옮아가게 하는 명암법을 뜻하는구나. ( )

**07** 이 초상화 속 '여인'은 누구일까? 글을 더 읽어 보니, 다빈치의 후원자였던 루도비코 경의 애인 체칠리아 갈레라니의 초상화이구나. ( )

**[08~10]** 「간송 전형필」과 「화가의 시간」에 대한 다음 설명이 맞으면 ○표, 틀리면 ✕표 하시오.

**08** 「간송 전형필」은 글쓴이가 자신의 생애를 기록한 자서전이다. ( )

**09** '전형필'은 자신의 이익 때문이 아니라 나라와 민족을 위해 서화 전적과 골동품을 수집하기로 결심한다. ( )

**10** '화가의 시간'이란 화가가 좋은 그림을 그려야겠다는 의지를 갖게 된 때를 의미한다. ( )

**어휘 시험**

**[01~03]** 다음 설명에 해당하는 낱말을 〈보기〉에서 골라 쓰시오.

┤보기├

거간, 선친, 약관

**01** 남에게 돌아가신 자기 아버지를 이르는 말 ( )

**02** 스무 살을 달리 이르는 말. 또는 젊은 나이 ( )

**03** 사고파는 사람 사이에 들어 흥정을 붙이는 일을 하는 사람 ( )

**[04~06]** 다음 문장에 들어갈 알맞은 낱말을 ( )에서 골라 ○표 하시오.

**04** 그는 고서들을 집 안에 ( 수장했다 / 황망했다 ).

**05** 나는 어린 나이에 가족을 잃고 온갖 ( 세파 / 무아 )를 다 겪었다.

**06** 지진이 발생하면 국민들의 피해가 극심할 것은 ( 문외한 / 불문가지 )(이)다.

**01~04** 다음 글을 읽고, 물음에 답하시오.

**가** 오세창이 고개를 끄덕이며 말했다.

"쉽지 않은 큰 결심을 했구먼. 그런데 서화 전적을 지키려는 이유가 무엇인가?"

전형필은 잠시 혼란스러웠다. 지극히 당연한 걸 묻는 의도가 무엇일까?

"오래전 제 외숙께서, 세상의 유혹에 꿋꿋하려면 옛 선비와 같은 격조와 정신을 갖춰야 한다는 가르침을 주셨습니다. 고희동 선생님께서는 선조들이 남긴 귀중한 서화 전적을 왜놈들에게서 지키는 선비가 되라고 말씀하셨고요. 제 외종 형님도 민족의 앞날에 보탬이 되는 일을 찾으라고 하셨지요. 그러나 그때는 어르신께서 말씀하셨듯이 경제권이 없었습니다. 그런데 이번에 아버님이 남기신 논밭을 둘러보면서 결심했습니다. 왜놈들이 우리 서화 전적을 계속 일본으로 가지고 가는데, 그걸 이 땅에 남기고 싶습니다."

**나** "간송, 보물 중의 보물이 나타났습니다."

신보는 사진을 전형필에게 건넸다. 흑백 사진이었지만 매병의 완만한 곡선과 구름 사이로 날아가는 수십 마리 학의 모습은 또렷했다.

"그렇게 아름다운 옥색은 처음 봤습니다. 마에다 상은 수천 마리의 학이 구름을 헤치고 하늘로 날아가는 것 같다면서 천학 매병이라고 이름 붙였더군요. 제가 본 고려청자 가운데 가장 훌륭합니다." / "총독부에서만 원을 주겠다고 한 청자가 바로 이겁니까?"

**다** 전형필은 서화 골동이 눈앞에 나타났을 때, 자신의 취향보다는 그것이 이 땅에 꼭 남아야 할지 아니면 포기해도 좋을지를 먼저 생각했다. 그래서 깊이 생각하지만 오래 생각하지는 않았고, 그랬기 때문에 보존할 가치가 있는 문화유산이 나타났을 때 놓친 적이 거의 없었다. 천학 매병도 마찬가지였다.

**라** 잠시 후, 전형필이 커다란 가죽 가방을 마에다 앞에 내려놓았다. / "마에다 선생, 2만 원이오."

마에다와 신보는 다시 한번 놀란 표정으로 전형필을 바라보았다. 이제 막 서른을 넘겼을까 싶은 청년이 2만 원에서 한 푼도 깎지 않고 곧바로 현금 가방을 들고 나왔다는 사실이 도무지 믿기지 않았다.

**01** 이와 같은 글을 읽는 방법으로 알맞은 것은?

① 글쓴이의 주장과 근거가 타당한지 판단한다.
② 글쓴이가 비판하는 현실의 문제점을 파악한다.
③ 인물의 업적과 생애에서 삶의 깨달음을 얻는다.
④ 글쓴이의 가치관과 의미 있는 경험을 찾아본다.
⑤ 현실 세계를 반영하여 꾸며 낸 이야기에서 재미를 느낀다.

**02** 이 글의 내용을 바르게 이해하지 **못한** 학생은?

① 승준: '오세창'은 '전형필'의 속마음을 떠보았군.
② 윤서: 총독부에서도 천학 매병의 가치를 높이 평가했군.
③ 하늘: '마에다'와 '신보'는 문화재를 보는 '전형필'의 안목에 놀랐군.
④ 은혁: '전형필'은 천학 매병을 보존할 가치가 있는 문화유산이라고 여겼군.
⑤ 현종: '전형필'이 서화 전적을 모으기로 한 데에는 주변 사람들의 영향도 있었군.

**03** 〈보기〉에서 이 글을 읽은 과정과 읽기의 점검 및 조정 방법이 <u>잘못</u> 연결된 것끼리 묶은 것은?

┤보기├

ㄱ. '전형필'의 결심과 성품을 독서 기록장에 표로 정리하자. – 표로 글의 중심 내용 정리하기
ㄴ. '전형필'이 지킨 다른 문화재로 「훈민정음 해례본」이 있구나. – 읽기 목적을 확인하며 읽기
ㄷ. '서화'가 뭘까? 사전을 찾아보니 글씨와 그림을 아울러 이르는 말이네. – 더 알고 싶은 내용에 관한 자료 찾아보기
ㄹ. '보물 중의 보물은 뭘 가리키는 거지? 아, 더 읽어 보니 천학 매병을 말하는 거구나. – 이해가 되지 않는 부분은 앞뒤 맥락을 고려하여 의미 파악하기

① ㄱ, ㄹ    ② ㄴ, ㄷ    ③ ㄱ, ㄴ, ㄷ
④ ㄱ, ㄷ, ㄹ    ⑤ ㄴ, ㄷ, ㄹ

✎ **서술형**

**04** 읽는 과정에서 〈보기〉와 같은 생각을 떠올렸을 때 활용할 읽기의 점검과 조정 방법을 쓰시오.

┤보기├

'천학 매병'의 생김새와 가치가 궁금해.

**05~07** 다음 글을 읽고, 물음에 답하시오.

**가** 화가마다 평균적으로 그림을 완성하는 데 걸리는 시간이 다르고, 그림마다 완성으로 가는 여정 또한 다릅니다. 단번에 그려지는 그림이 있는가 하면 몇 년을 작업실에 놓고 시큰둥하게 노려보기만 하다가 붓 자국 하나씩 간신히 얹어 나가는 그림도 있지요. 이러한 시간을 지나 결국 화가가 표현하고 싶은 지점에 가장 가깝게 왔을 때, 비로소 그림이 완성되고 화면 안에 질서가 생기며 그림은 균형과 힘을 갖게 되는 것입니다.

**나** 체칠리아는 17세 정도의 나이로 표현되어 있으며, 그녀의 품에 안긴 담비는 루도비코 경을 상징하는 것입니다. 이 그림은 둘 사이의 애정을 공고히 할 목적으로 제작된 것이라고 알려져 있는데, 다빈치가 그림에 루도비코 경을 직접 등장시키지 않고 이런 독특한 설정으로 두 사람의 친밀감을 담아낸 점이 흥미롭습니다. ㉠그렇지만 이것만으로 이 그림의 특별한 아우라가 설명되진 않아요.

**다** 다빈치가 그린 그림들의 구석구석에는 그의 인문학적, 과학적, 해부학적인 이해를 바탕으로 한 형태와 색, 공간에 대한 완벽한 해석이 다빈치만의 특별한 기법으로 구현되어 있습니다. 그의 넓고 깊은 지식이 화면 속에 배어들어 검은 여백마저도 무언가로 꽉 들어차 있는 듯 무게감을 느끼게 합니다. 기하학과 과학, 문학, 해부학이 총체적으로 녹아 있는 다빈치 그림의 밀도는 대상을 정확하고 완벽하게 형상화하려는 그의 의지를 반영합니다.

**라** 최근 이 그림을 엑스레이로 양파 껍질 벗기듯 벗겨 내어 작품의 완성 과정을 분석한 뉴스 기사를 본 적이 있습니다. 처음에는 담비가 없었고 여인이 홀로 존재하다가 작업 중반에 가서야 짙은 회색의 호리호리한 담비가 등장합니다. 그러나 이내 그 담비마저 없어지고 지금 우리가 보고 있는 하얗고 탐스러운 담비가 체칠리아의 품에 자리 잡게 되죠.

**마** 그 시간은 지워진 화면, 실패한 붓질, 단념된 구도와 함께 사라진 것이 아닙니다. 최선의 선택을 하기 위해 보낸 화가의 시간은 끝내 살아남아 물감의 층과 층 사이에 신비한 힘을 저장하고 있는 것입니다.

**05** 이 글의 내용으로 알맞은 것은?

① 다빈치는 그림을 단번에 그려 내는 화가였다.
② 다빈치는 배경의 여백을 꽉 들어차게 그리는 것을 중시했다.
③ 다빈치는 그림 속 모델을 실제는 다르게 그리는 것에 집중했다.
④ 다빈치는 그림을 완성하기까지 고민하고 노력하는 시간을 거쳤다.
⑤ 다빈치는 한 가지 양식에 치우치지 않는 다양한 작품 경향을 보였다.

**06** ⓐ, ⓑ에 해당하는 읽기 중 활동으로 알맞은 것은?

┤보기├
ⓐ '아우라'가 무슨 말인지 몰라서 찾아보니, 예술 작품이 지니고 있는 흉내 낼 수 없는 고고한 분위기를 뜻하는 말이구나.
ⓑ 그림을 엑스레이로 분석한 다른 사례도 있을까? 뉴스를 찾아보니 피카소의 「웅크린 거지」를 엑스레이로 분석한 결과 그림 아래에서 풍경화가 발견되었다고 해.

| | ⓐ | ⓑ |
|---|---|---|
| ① | 글을 읽는 목적을 확인하며 읽기 | 더 알고 싶은 내용 찾기 |
| ② | 사전에서 모르는 단어의 의미 찾기 | 더 알고 싶은 내용 찾기 |
| ③ | 사전에서 모르는 단어의 의미 찾기 | 글을 읽는 목적을 확인하며 읽기 |
| ④ | 앞뒤 맥락을 고려하여 의미 파악하기 | 글을 읽는 목적을 확인하며 읽기 |
| ⑤ | 앞뒤 맥락을 고려하여 의미 파악하기 | 참고 자료를 찾아 관련 분야에 대해 이해하기 |

📝 **서술형**

**07** (다)를 참고하여 빈칸에 알맞은 내용을 쓰시오.

┤보기├
㉠은 다빈치의 그림에서 특별한 아우라를 느끼는 다른 이유가 있다는 뜻일까? 다빈치는 자신의 인문학적, 과학적, 해부학적 지식을 동원해서 대상을 ( ) 했기 때문에 그의 그림에서 아우라를 느낄 수 있는 거구나.

## 고득점 서술형 문제

### [2] 읽기의 점검과 조정

**01~10** 다음 글을 읽고, 물음에 답하시오.

**가** 전형필의 부친은 다른 지주들에 비해 소작인들에게 비교적 후하게 분배했기 때문에 이 중 쌀 2만 가마니를 거둬들였다. 그때 쌀 한 가마니가 16원 정도였으니, 세금과 인건비 등을 제한 순수입이 15만 원 정도 되었다. 이는 당시 기와집 150채 값이었고, 현재 화폐 가치로 450억 원에 달한다.

**나** 오세창은 잠시 전형필을 뚫어지게 바라보더니 마침내 호탕한 웃음을 터뜨렸다. / "조선 땅에 서화 전적과 골동품을 모으는 사람은 많다네. 자네처럼 이렇게 찾아와서 가르침을 청하는 수집가도 제법 있지. 그러나 뜻을 갖고 모으는 사람은 거의 보지 못했네. ㉠대부분 재산이 많거나 돈이 좀 생기자, 고상한 취미로 내세우기 위해 모으는 사람들이라고 해도 과언이 아니지. 그들은 수집벽이 식거나, 체면을 충분히 세웠다 싶으면 더 이상 모으지 않는다네. 그러나 자네는 조선의 자존심이기에 지키겠다고 하니, 그 뜻이 가상하군. 내가 듣고 싶은 대답이 바로 그것이었네. 하하하."

**다** 전형필은 서화 골동이 눈앞에 나타났을 때, 자신의 취향보다는 그것이 이 땅에 꼭 남아야 할지 아니면 포기해도 좋을지를 먼저 생각했다. 그래서 깊이 생각하지만 오래 생각하지는 않았고, 그랬기 때문에 보존할 가치가 있는 문화유산이 나타났을 때 놓친 적이 거의 없었다. 천학 매병도 마찬가지였다.

전형필은 눈이 휘둥그레진 마에다와 신보에게 살짝 고개를 숙여 보이고는 안채로 들어갔다. / 잠시 후, 전형필이 커다란 가죽 가방을 마에다 앞에 내려놓았다.

"마에다 선생, 2만 원이오." / ㉡마에다와 신보는 다시 한번 놀란 표정으로 전형필을 바라보았다. 이제 막 서른을 넘겼을까 싶은 청년이 2만 원에서 한 푼도 깎지 않고 곧바로 현금 가방을 들고 나왔다는 사실이 도무지 믿기지 않았다.

**라** 이 조용한 초상화에 담겨 있는 신비롭고 의미심장한 아우라는, 「모나리자」를 비롯해 레오나르도 다빈치의 그림을 완벽하게 만드는 마법 같은 특징입니다. ㉢그러면 이 특별한 아우라는 어디에서 비롯되었을까요?

**마** 그에게는 눈에 보이지 않는 공기와 그 공기 속에서 변화하는 무수한 색의 차이조차도 기필코 그려 내야 할 실체였음을 알 수 있습니다. 이처럼 다빈치의 모든 그림에는 자연과 인물에 대한 화가의 풍부한 지식과 정교한 탐구가 배어 있고, 그것이 그의 그림들을 신비로운 아우라로 빛나게 하는 것입니다.

**바** 최근 이 그림을 엑스레이로 양파 껍질 벗기듯 벗겨 내어 작품의 완성 과정을 분석한 뉴스 기사를 본 적이 있습니다. 처음에는 담비가 없었고 여인이 홀로 존재하다가 작업 중반에 가서야 짙은 회색의 호리호리한 담비가 등장합니다. 그러나 이내 그 담비마저 없어지고 지금 우리가 보고 있는 하얗고 탐스러운 담비가 체칠리아의 품에 자리 잡게 되죠. 이 분석은 매우 중요한 것을 말해 줍니다. 우리 눈에 보이지 않았던 다빈치의 시간, 화가가 원하는 이미지를 만나기 위해 지독하게 망설이고 결정하고 번복하던, 자신의 그림에 마침표를 찍기까지의 시간을 보여 주는 것이니까요.

---

### 1단계 단답식 서술형 문제

**01** 〈보기〉는 (가)~(바)의 읽기 과정과 이를 보완할 방법을 나타낸 것이다. 빈칸에 들어갈 말을 차례대로 쓰시오. [5점]

> ┤보기├
> '서화 전적'? '아우라'? 모르는 단어가 많아서 글의 내용을 이해하기 어려운 부분이 있었어.
> → 모르는 단어가 나오면 바로 (          )을/를 찾아보거나, 글의 전후 (          )을/를 고려해서 의미를 정확하게 이해하도록 노력해야 해.

**02** (다)를 참고하여 '전형필'이 서화 골동을 수집할 때 먼저 고려하는 점을 쓰시오. [5점]

**03** (다)를 바탕으로 ㉡의 이유를 한 문장으로 쓰시오. [5점]

**04** (라)~(바)의 중심 내용을 다음과 같이 정리할 때, 빈칸에 공통으로 들어갈 말을 쓰시오. [5점]

> (라) 레오나르도 다빈치의 그림이 완벽하다고 평가받는 이유
> – ☐☐☐
> ↓
> (마) 그림의 ☐☐☐을/를 만들어 내는 다빈치의 노력
> ↓
> (바) 「담비를 안은 여인」의 완성 과정이 보여 주는 화가 다빈치의 시간

**05** ㉢에 대한 답변을 (마)에서 찾아 첫 어절과 끝 어절을 쓰시오. [5점]

**06** 〈보기〉의 빈칸에 들어갈 읽기 과정의 보완 방법을 쓰시오. [10점]

─┤보기├─

현중: 천학 매병의 가격인 '2만 원'이 당시 화폐 가치로 얼마나 되는지 궁금했지만 그냥 넘겼더니 그 가치가 잘 와 닿지 않았어. 인터넷에 검색해서 찾아봤어야 할까?
정은: 굳이 인터넷에 검색해서 찾아보지 않더라도
(                              )

조건 ① 자연스러운 대화체의 한 문장으로 쓸 것

**07** 〈보기〉에 공통적으로 나타난 읽기 과정의 점검 및 조정 방법과 그 효과를 쓰시오. [10점]

─┤보기├─

• '전형필'이 지킨 다른 문화재를 찾아보니 「훈민정음 해례본」(국보 제70호), 청자 기린형 뚜껑 향로(국보 제65호), 청자 오리 모양 연적(국보 제74호), 신윤복의『풍속도화첩』(국보 제135호), 겸재 정선의『해악전신첩』(보물 제1949호) 등이 있구나.
• 레오나르도 다빈치가 그린 다른 그림에는 어떤 것이 있을까? 「최후의 만찬」, 「수태고지」, 「바쿠스」 등이 있구나.

조건 ① '~(으)로써 ~할 수 있다.' 형식의 한 문장으로 쓸 것

**08** (나)에서 ㉠과 같은 사람들과 '전형필'의 차이점을 쓰시오. [15점]

조건 ① '㉠과 같은 사람들은 ~을/를 위해 ~지만, 전형필은 ~다.' 형식의 한 문장으로 쓸 것

**09** 〈보기〉에 나타난 읽기 과정의 점검 및 조정 방법을 쓰고, 빈칸에 들어갈 '전형필'에게 본받을 점을 쓰시오. [20점]

─┤보기├─

• 읽기 전: 아! 저번에 간송 미술관에 갔다가 '전형필'이라는 인물을 알게 되었어. '전형필'의 생애를 자세히 알아보고, 그에게서 본받을 점을 발표해야겠다.
• 읽는 중: '전형필'에게서 본받을 점은 무엇일까? '전형필'이 천학 매병을 구입한 일화에 드러나듯, 그는 (                              )
이는 우리가 본받아야 할 점이야.

조건 ① '전형필'에게 본받을 점은 구어체의 한 문장으로 쓸 것

**10** (라)~(바)의 제목인 '화가의 시간'의 의미를 쓰시오. [20점]

조건 ① (바)에 나타난 뉴스 기사가 의미하는 바를 바탕으로 하여 쓸 것
② '뉴스 기사를 통해 ~을/를 알 수 있다. 즉, '화가의 시간'이란 ~을/를 의미한다.' 형식의 두 문장으로 쓸 것

**01** 문장 성분의 역할에 대한 설명으로 바르지 <u>않은</u> 것은?

① 관형어는 문장에서 체언을 꾸며 준다.
② 주어는 동작이나 상태, 성질의 주체가 된다.
③ 목적어는 서술어 '되다, 아니다'를 보충한다.
④ 서술어는 동작이나 상태, 성질 등을 설명한다.
⑤ 독립어는 다른 성분들과 직접적인 관계를 맺지 않고 독립적으로 쓰인다.

**02** 주성분만으로 이루어진 문장에 해당하는 것은?

① 공을 힘껏 던졌다.
② 그 아이가 나타났다.
③ 우리는 교실을 청소했다.
④ 그는 위대한 인물이 되었다.
⑤ 내 동생은 너를 정말 좋아한다.

**03** ㉠, ㉡이 완전한 문장이 되기 위해 필요한 문장 성분을 바르게 연결한 것은?

> ㉠ 마침내 그는 만들었다.
> ㉡ 따뜻한 마음을 갖고 있다.

| | ㉠ | ㉡ | | ㉠ | ㉡ |
|---|---|---|---|---|---|
| ① | 보어 | 주어 | ② | 보어 | 목적어 |
| ③ | 주어 | 목적어 | ④ | 목적어 | 주어 |
| ⑤ | 목적어 | 보어 | | | |

🖊 서술형

**04** 다음 문장에 쓰인 말을 주성분, 부속 성분, 독립 성분으로 분류하시오.

> 아! 네가 운동화를 이미 샀구나.

**05** 다음 문장의 문장 성분에 대한 설명으로 알맞지 <u>않은</u> 것은?

> 과연 그가 그녀의 제안을 선뜻 허락할까?

① '그가', '허락할까'는 주성분에 해당한다.
② '과연'은 '그'를 꾸며 주며, 부속 성분이다.
③ '그녀의'는 '제안'을 꾸며 주는 관형어이다.
④ '제안을'을 생략하면 문장이 완전하지 않다.
⑤ '선뜻'은 '허락할까'를 꾸며 주는 부사어이다.

**06** ㉠~㉢ 중, 문장 성분이 <u>다른</u> 하나는?

> 눈을 떴다. 하늘이 ㉠벌써 어두웠다. 시계는 9시를 가리키고 있었다. 나는 ㉡깜짝 놀랐다. 맞아. 숙제가 있었지. 나는 ㉢급히 책상에 앉았다. 그리고 책을 폈다. 그런데 숙제가 ㉣몇 쪽이었더라. ㉤도무지 생각이 나지 않았다.

① ㉠　② ㉡　③ ㉢　④ ㉣　⑤ ㉤

**07** ㉠, ㉡에 대한 설명으로 알맞지 <u>않은</u> 것은?

> • ㉠아름다운 목소리가 들린다.
> • 목소리가 ㉡아름답게 들렸다.

① ㉠과 ㉡의 품사는 다르다.
② ㉠과 ㉡의 문장 성분은 다르다.
③ ㉠은 체언을 꾸며 주는 역할을 한다.
④ ㉡은 용언을 꾸며 주는 역할을 한다.
⑤ ㉠과 ㉡은 모두 부속 성분에 속한다.

**08** 다음 중 홑문장이 <u>아닌</u> 것은?

① 하늘이 매우 푸르다.
② 그가 읽은 책은 흥미롭다.
③ 와, 수업이 드디어 끝났다.
④ 동생이 슬며시 내게 다가왔다.
⑤ 우리는 이곳에서 비를 피했다.

**09** 〈보기〉에 대한 설명으로 알맞은 것은?

┤보기├
> ㉠ 나는 영화를 보고, 밥을 먹었다.
> ㉡ 나는 영화를 보려고, 극장에 갔다.

① ㉠은 홑문장, ㉡은 겹문장이다.
② ㉠은 종속적으로 이어진 문장이다.
③ ㉡은 대등하게 이어진 문장이다.
④ ㉠은 두 문장이 '대조'의 의미 관계로 이어졌다.
⑤ ㉡은 두 문장이 '의도'의 의미 관계로 이어졌다.

🖊️ 서술형

**10** ㉠과 ㉡의 문장의 종류를 구분하여 쓰시오.

> ㉠ 봄이 오면 꽃이 핀다.
> ㉡ 우리는 꽃이 피기를 기다린다.

**11** 다음 문장에 대한 설명으로 알맞지 <u>않은</u> 것은?

> 우리는 선생님께서 우리에게 추천하신 책을 읽었다.

① 관형절을 안은 문장이다.
② 주어와 서술어의 관계가 두 번 나타난다.
③ 안긴문장이 문장에서 목적어 역할을 한다.
④ 다른 홑문장을 자신의 문장 성분으로 안고 있는 문장이다.
⑤ '선생님께서 우리에게 책을 추천하셨다.'라는 문장이 안겼다.

🖊️ 서술형

**12** 〈보기〉에서 안긴문장을 찾아 쓰고, 그것이 어떤 문장 성분의 역할을 하는지 쓰시오.

┤보기├
> 창밖에 가랑비가 소리도 없이 내린다.

**13** 문장의 짜임에 대한 설명으로 알맞지 <u>않은</u> 것은?

① '길이 비가 와서 질다.'는 서술절을 안은 문장이다.
② '그는 날씨가 춥다고 말했다.'는 인용절을 안은 문장이다.
③ '우리는 아침이 오기를 바랐다.'는 명사절을 안은 문장이다.
④ '그는 날이 새도록 책을 읽었다.'는 부사절을 안은 문장이다.
⑤ '나는 경치가 아름다운 산에 갔다.'는 관형절을 안은 문장이다.

🖊️ 고난도 서술형

**14** ㉠을 '원인'의 의미 관계로 이어진 문장으로 바꾸어 ㉡에 쓰고, ㉠, ㉡의 공통된 문장의 종류를 쓰시오.

┤보기├
> 규보: 승호야, 오늘 나 대신 청소해 줄 수 있어? 내가 급한 일이 생겨서.
> 승호: ㉠네가 나에게 책을 빌려주면, 내가 대신 청소를 해 줄게.
> → (　　　　　　　㉡　　　　　　　)

┤조건├
> ① ㉠과 ㉡의 공통된 문장의 종류는 구체적으로 밝혀 쓸 것

**15** 〈보기〉에 대한 설명으로 알맞은 것은?

┤보기├
> 닭이 푸드덕댄다. 그러자 주인이 달려 나온다. "고양이가 또 찾아왔구나!" 마당에 담뱃대가 사정없이 휘날린다. 고양이는 달아나기 바쁘다.

① 홑문장을 주로 써서 긴박감이 느껴진다.
② 홑문장을 주로 써서 사건의 순서를 잘 드러낸다.
③ 홑문장을 주로 써서 내용을 집약적으로 전달한다.
④ 겹문장을 주로 써서 내용을 간결하게 전달한다.
⑤ 겹문장을 주로 써서 사건의 논리적인 관계를 잘 드러낸다.

**[16~18]** 다음 글을 읽고, 물음에 답하시오.

**가** 전형필은 선조들이 남긴 귀중한 서화 전적을 왜놈들로부터 지켜 달라는 스승 고희동의 당부가 떠올랐다. 서화를 모으는 일은 재물도 있어야 하고, 안목도 있어야 하고, 무엇보다 오랜 인내와 지극한 정성이 있어야 한다던 오세창의 훈계도 떠올랐다. 민족과 함께할 수 있는 일을 찾으라던 외종형 월탄의 조언도 떠올랐다.

**나** 전형필은 끊임없이 묻고 대답하기를 반복했다.
'그러나 반도 여학교는 이미 문을 닫지 않았는가. 게다가 교육 사업을 하기에는 지금 내 연륜이 짧으니, 훗날 도모하기로 하고…… . 고희동 선생님과 오세창 어르신이 서화 전적을 지키라고 말씀하신 것은, 그 길이 우리 민족의 앞날에 보탬이 된다는 확신이 있으셨기 때문이 아닐까? 그렇다면…… .'

**다** "지난해에 부친상을 당했다는 소식을 들었네. 약관의 나이에 그런 큰일을 당했으니 얼마나 애통한가."
오세창이 안타까운 표정으로 전형필을 위로했다.
"너무나 급작스레 당한 일이라 황망하고 비통하기 짝이 없었지만, 이제는 많이 안정되었습니다."
전형필의 목소리는 담담했다.
"그렇다고 슬픔이 어디 쉬이 가시겠는가. 나도 열여섯 어린 나이에 선친을 여의어 그 비통한 마음을 이해하네."

**라** "마에다 상, 가격을 말씀해 보시지요."
신보가 자세를 바로잡으며 흥정할 태세를 갖추었다.
"신보 상, 이미 말씀드렸듯이 2만 원이오."
"2만 원이면 기와집 스무 채 값인데 이제까지 2만 원에 거래된 청자 매병은 없습니다. 그건 마에다 상도 잘 아시지 않습니까. 총독부에서 제시했던 만 원에 5천 원을 더 드리겠습니다. 이 정도 가격이면 지금까지 거래된 청자 매병 중에서 최고가입니다."
"신보 상, 이만한 명품이 또 나올 거라고 생각하시오? 이 매병은 평생에 한 번도 만나기 힘든 명품 중의 명품이오."
마에다는 빙그레 웃으며 신보를 바라보았다. 어쩌면 그 웃음은 조선인에게 이만한 값을 치를 배짱이 있겠느냐는 비웃음인지도 몰랐다.

**16** 이 글의 내용을 바르게 감상하지 **못한** 학생은?
① 하나: '전형필'은 교육 사업에 뛰어들기에는 자신의 연륜이 부족하다고 여겼구나.
② 준희: '오세창'은 '전형필'에게 동병상련(同病相憐)의 심정으로 위로를 건넸구나.
③ 우영: '전형필'은 일제 강점기에 살았고, 이때 일본인들이 우리 문화유산을 탐냈구나.
④ 윤지: '전형필'이 서화 전적을 지키기로 결심한 데에는 주변 사람들의 영향도 있었구나.
⑤ 진우: '마에다'는 '전형필'이 2만 원에 청자를 구입할 것을 눈치챘기에 흥정에 응하지 않았구나.

**17** 〈보기〉에 해당하는 읽기 과정의 점검과 조정 방법 및 그 효과에 대한 설명으로 알맞은 것은?

┤보기├
　이외에도 '전형필'이 지킨 문화재를 찾아보니 「훈민정음 해례본」, 청자 기린형 뚜껑 향로, 청자 오리 모양 연적, 신윤복의 『풍속도화첩』 등이 있었어.

① 더 알고 싶은 내용에 관한 자료를 찾아 글을 더 깊이 이해한다.
② 뜻을 모르는 단어를 사전에서 찾아보며 의미를 바르게 파악한다.
③ 이해가 안 되는 부분은 앞뒤 맥락을 살펴보며 의미를 제대로 파악한다.
④ 글을 읽는 목적을 확인하며 읽으면서 읽기 목적을 효과적으로 달성한다.
⑤ 글의 내용을 이해하고 있는지 질문하며 읽으면서 자신에게 부족한 점을 깨닫는다.

**18** 다음 중 읽기 후 활동에 해당하는 것은?
① '서화 전적'이 무슨 뜻인지 사전을 찾아봐야겠어.
② 2만 원이 현재의 가치로는 얼마일지 인터넷에 검색해 보자.
③ (나)의 '그렇다면' 뒤에 생략된 말은 '서화 전적을 모아 보자.'겠어.
④ 이 글의 중심 내용을 표로 정리하고 '전형필'에게서 본받을 점을 써 봐야겠어.
⑤ 이 책은 내가 알고 싶었던 '전형필'의 생애를 자세히 다루고 있으니 읽어 봐야겠군.

**19~21** 다음 글을 읽고, 물음에 답하시오.

**가** 잠시 후, 전형필이 커다란 가죽 가방을 마에다 앞에 내려놓았다. / "마에다 선생, 2만 원이오."

마에다와 신보는 다시 한번 놀란 표정으로 전형필을 바라보았다. 이제 막 서른을 넘겼을까 싶은 청년이 2만 원에서 한 푼도 깎지 않고 곧바로 현금 가방을 들고 나왔다는 사실이 도무지 믿기지 않았다.

**나** 신보는 천학 매병을 오동나무 상자에 넣는 전형필을 보면서 전율을 느꼈다. 참으로 무서운 승부사다. 이렇게 큰 거래를 이토록 전광석화처럼 끝내는 경우는 듣도 보도 못했다. 천학 매병이 정말 그 정도의 가치가 있는 것일까? 혹 전형필의 허세는 아닌가?

전형필은 눈썹 하나 까딱하지 않고 보자기에 오동나무 상자를 차분히 갈무리했다. 그의 표정은 어찌 보면 희열에 찬 것 같기도 했다.

**다** 여기 이탈리아 여인의 초상화가 있습니다. 분명 귀족의 의뢰로 만들어진 초상이지만, 그녀는 마치 신화 속의 존재 같습니다. 그녀가 안고 있는 담비의 당찬 눈빛과 옹골찬 잔근육은 기묘하면서도 강렬한 인상을 주죠. 짐승을 부드럽게 어루만지는 길고 우아한 손가락은 신비로운 전설의 일부처럼 느껴집니다.

**라** 이 그림은 다빈치가 밀라노의 궁정 화가였던 시절, 다빈치의 후원자였던 루도비코 스포르차 경이 의뢰하여 제작한 그의 애인 체칠리아 갈레라니의 초상화입니다. 체칠리아는 17세 정도의 나이로 표현되어 있으며, 그녀의 품에 안긴 담비는 루도비코 경을 상징하는 것입니다.

**마** 그에게는 눈에 보이지 않는 공기와 그 공기 속에서 변화하는 무수한 색의 차이조차도 기필코 그려 내야 할 실체였음을 알 수 있습니다. 이처럼 다빈치의 모든 그림에는 자연과 인물에 대한 화가의 풍부한 지식과 정교한 탐구가 배어 있고, 그것이 그의 그림들을 신비로운 아우라로 빛나게 하는 것입니다.

**바** 캔버스 앞에서 끊임없이 머뭇거렸을 화가의 이 발걸음은 완벽한 그림을 그려 내고자 했던 르네상스적 인간의 깊은 고민과 집요한 열정을 보여 줍니다. 그 시간은 지워진 화면, 실패한 붓질, 단념된 구도와 함께 사라진 것이 아닙니다. 최선의 선택을 하기 위해 보낸 ㉠화가의 시간은 끝내 살아남아 물감의 층과 층 사이에 신비한 힘을 저장하고 있는 것입니다.

**19** (가)~(나)와 (다)~(바)에 대한 설명으로 알맞지 <u>않은</u> 것은?

① (가)~(나)는 전기문이고, (다)~(바)는 비평문이다.

② (가)~(나)는 일화를 통해 실제 인물의 가치관을 드러낸다.

③ (가)~(나)는 모범이 될 만한 인물의 삶을 통해 교훈을 전달한다.

④ (다)~(바)는 해당 그림에 대한 분석과 해설이 나타난다.

⑤ (다)~(바)는 주관적 관점을 배제하고 객관적 정보를 전달한다.

**20** 읽기 과정을 점검하고 조정하는 방법이 나머지와 <u>다른</u> 것은?

① '마에다'와 '신보'는 왜 놀랐을까? '전형필'이 흥정 없이 큰돈을 바로 내밀었기 때문이구나.

② '전형필'은 어떤 사람인가? 큰 거래를 망설임 없이 끝내는 걸 보니 단호한 성품을 지녔구나.

③ 초상화 속 '여인'은 누구지? 다빈치의 후원자였던 루도비코 경의 애인 체칠리아 갈레라니구나.

④ '신보'는 왜 '전형필'을 보면서 전율을 느꼈을까? 그가 거액이 오가는 거래를 순식간에 끝냈기 때문이구나.

⑤ '아우라'가 뭐지? 백과사전을 찾아보니, 예술 작품이 지닌 흉내 낼 수 없는 고고한 분위기를 뜻하는 거구나.

**21** (다)~(바)를 읽고 ㉠의 의미를 바르게 정리한 것은?

① 화가가 자신의 진로를 선택하기까지 걸린 시간

② 화가의 그림에 아우라가 느껴지는 이유를 깨닫는 시간

③ 화가가 작품을 완성하기 위해 고민하고 노력했던 시간

④ 화가가 새로운 기법을 자기 것으로 만드는 데 걸린 시간

⑤ 화가가 자신의 그림을 감상하는 사람들과 소통하는 시간

# 만점 마무리 〔1〕같은 화제 다른 글

## ◆ 제재 선정 의도

두 글은 모두 '소금'을 제재로 다루었지만, 소금에 대해 서로 다른 관점을 보인다. 또한 각각 설명문과 논설문이라는, 서로 다른 갈래로 쓰인 글이다. 따라서 이 글들을 통해, 동일한 화제의 글이라도 서로 관점이나 형식이 달라질 수 있음을 살펴볼 수 있기에 제재로 선정하였다.

### 제재 ❶ 소금 없인 못 살아

**◆ 제재 이해**

| 갈래 | 설명하는 글(설명문) |
|---|---|
| 성격 | 분석적, 객관적 |
| 제재 | 소금 |
| 주제 | 우리 생활에서 없어서는 안 될 중요한 존재인 소금 |
| 특징 | • 소금의 역할을 체계적으로 정리하여 쉽게 전달함.<br>• 독자의 이해를 돕기 위해 다양하고 구체적인 예시를 제시함. |

**◆ 제재 요약**

처음 예부터 중요한 존재로 인식되어 온 소금
가운데 소금의 역할과 필요성
끝 다양한 역할로 우리에게 매우 중요한 존재가 된 소금

### 제재 ❷ 맛있게 먹은 소금이 병을 부른다

**◆ 제재 이해**

| 갈래 | 주장하는 글(논설문) |
|---|---|
| 성격 | 과학적, 논리적, 객관적 |
| 제재 | 소금 |
| 주제 | 과다한 소금 섭취의 위험성 경고 |
| 특징 | • 현실 상황을 제시하며 독자의 흥미를 유발함.<br>• 과학적 사실과 연구 결과를 근거로 글쓴이의 주장을 뒷받침함. |

**◆ 제재 요약**

서론 소금을 과하게 섭취하여 건강을 위협받는 아이들
본론 과다한 소금 섭취가 건강을 해치는 이유
결론 아이들의 건강을 위해 줄여야 하는 소금 섭취

---

### 제재 ❶ 소금 없인 못 살아

## ◇ 소금의 역할

| 생명을 유지하는 데 꼭 필요함. | • 체액의 주요 성분이 되어 영양소를 우리 몸 구석구석으로 보냄.<br>• 우리 몸에 쌓인 노폐물을 땀이나 오줌으로 배출함. |
|---|---|
| 음식의 맛을 살림. | 소금의 짠맛은 음식과 잘 어우러지면서 음식의 맛을 더욱 좋게 함. |
| 식품을 신선하게 유지해 줌. | • 생선을 소금에 절이면 보존 기간이 길어짐.<br>• 소금에 절인 고기를 훈제하는 방식을 통해 고기를 오랫동안 보존함.<br>• 온대 지방 사람들은 채소를 염장하여 겨울까지 먹으면서 부족한 비타민을 섭취함. |

## ◇ 소금에 대한 글쓴이의 관점

| 글쓴이가 바라보는 소금의 특성 | 글쓴이의 관점 |
|---|---|
| • 생명을 유지하는 데 꼭 필요함.<br>• 음식의 맛을 살림.<br>• 식품을 신선하게 유지해 줌. | 소금을 긍정적인 태도로 바라보고 있음. |

---

### 제재 ❷ 맛있게 먹은 소금이 병을 부른다

## ◇ 과다한 소금 섭취가 건강을 해치는 이유

| | |
|---|---|
| 소금이 세포의 수분을 빼앗아 체세포에 수분이 충분히 공급되지 않음. | 체세포가 제 기능을 발휘하지 못하여 신진대사 능력이 떨어짐. |
| 혈관이 좁아져서 영양소가 세포로 이동하기 어려워짐. | • 체세포가 영양소를 제대로 공급받지 못함.<br>• 혈압이 높아져 순환 장애가 생김.<br>• 심장이 약해져 다른 기관에도 문제가 발생함. |
| • 아이들은 어른들보다 혈액량이 적어 혈액 속 염화 나트륨의 비율이 어른들보다 훨씬 높아짐.<br>• 어릴 때부터 소금을 많이 먹으면 혀가 둔감해져 점점 더 짜고 자극적인 맛을 찾게 됨.<br>• 짠 음식을 먹고 난 후 갈증을 달래기 위해 탄산 음료 등의 단맛이 강한 음료를 찾음. | • 똑같은 양의 소금을 섭취하더라도 어른보다 아이들이 특히 더 위험함.<br>• '음식 중독'에 걸릴 수 있으며, 결국 폭식증이나 비만에 시달리게 됨.<br>• 짠 음식과 당분이 높은 음료를 함께 섭취하면 혈압이 더 빨리 상승함. |

## ◇ 소금에 대한 글쓴이의 관점과 당부

| 글쓴이가 바라보는 소금의 특성 | 글쓴이의 관점 |
|---|---|
| • 체세포에서 수분을 빼앗아 가고, 혈관을 좁히는 등 우리의 건강을 위협함.<br>• 어른들보다 아이들에게 더욱 위험함. | 소금을 부정적인 태도로 바라보고 있음. |

| 글쓴이의 당부 | 건강을 생각해서 지금이라도 당장 아이들의 소금 섭취를 줄여야 함. |
|---|---|

# 간단 **복습** 문제   [1] 같은 화제 다른 글

● 정답과 해설 31쪽

## 쪽지 시험

**[01~03]** 다음 문장에 들어갈 알맞은 낱말을 (      )에서 골라 ○표 하시오.

**01** 「소금 없인 못 살아」의 글쓴이는 소금을 ( 긍정적 / 부정적 )으로, 「맛있게 먹은 소금이 병을 부른다」의 글쓴이는 소금을 ( 긍정적 / 부정적 )으로 바라본다.

**02** 「소금 없인 못 살아」에서는 소금이 우리 몸의 노폐물을 땀이나 오줌으로 배출하는 등 ( 호흡 / 생명 ) 유지에 반드시 필요한 것이라고 하였다.

**03** 「맛있게 먹은 소금이 병을 부른다」의 글쓴이는 소금이 ( 어른 / 아이 )들에게 더 좋지 않은 영향을 미친다고 생각한다.

**[04~05]** 다음 내용이 맞으면 ○표, 틀리면 ×표 하시오.

**04** 「소금 없인 못 살아」에서는 소금이 예전에는 중요하게 인식되지 않았지만, 시간이 흐르면서 그 가치를 인정받게 되었다고 하였다.          (      )

**05** 「맛있게 먹은 소금이 병을 부른다」에서는 소금이 세포의 수분을 빼앗아 신진대사 능력을 떨어지게 한다고 하였다.          (      )

**[06~08]** 다음 문장의 빈칸에 들어갈 알맞은 낱말의 기호를 〈보기〉에서 골라 쓰시오.

┌─ 보기 ─┐
　　　㉠ 비만　　　㉡ 짠맛　　　㉢ 보존
└────────┘

**06** 「소금 없인 못 살아」에서는 과거에 소금이 냉장고를 대신해 식품을 신선한 상태로 (      )하는 역할을 했다고 하였다.

**07** 「맛있게 먹은 소금이 병을 부른다」에서는 과다한 소금 섭취가 아이들을 (      )이나 폭식증에 시달리게 한다고 하였다.

**08** 「맛있게 먹은 소금이 병을 부른다」에서는 (      )이 강한 음식을 먹을수록 음료를 많이 마신다는 연구 결과를 근거로 제시하며, 주장의 설득력을 높이고 있다.

## 어휘 시험

**[01~04]** 다음 문장의 빈칸에 들어갈 알맞은 낱말을 〈보기〉에서 골라 쓰시오.

┌─ 보기 ─┐
　염장, 신진대사, 저염식, 사각지대
└────────┘

**01** 비만이나 고혈압, 당뇨 환자들에게는 (      )이/가 좋다.

**02** 발효나 (      )을/를 한 식품은 잘 부패되지 않아 어느 계절에나 먹을 수 있다.

**03** 복지 정책의 (      )에 있는 사람들을 구제할 제도의 마련이 시급하다.

**04** (      )이/가 활발하지 못하면 몸 안에 노폐물이 쌓여 병의 근원이 된다.

**[05~07]** 다음 문장에 들어갈 알맞은 낱말을 (      )에서 골라 ○표 하시오.

**05** 하루 이틀의 시간이 ( 축적 / 수집 )되어서 세월이 된다.

**06** 그는 음식을 보자마자 며칠 굶은 사람처럼 ( 단식 / 폭식 )했다.

**07** 탄산 음료, 주스, 콜라는 ( 염분 / 당분 )이 높아 비만의 원인이 된다.

**[08~10]** 다음 낱말과 그 뜻풀이를 바르게 연결하시오.

**08** 교역로　　　•

• ㉠ 소금의 화학적 이름. 흰색의 결정으로 물에 녹으며, 생물체 내에서 중요한 생리 작용을 함.

**09** 염화 나트륨　•

• ㉡ 주로 나라와 나라 사이에서 물건을 사고팔고 하여 서로 바꾸기 위해 이동하는 길

**10** 미량 영양소　•

• ㉢ 아주 적은 양으로 작용하는 동물의 영양소

**예상 적중 소단원 평가** [1] 같은 화제 다른 글

**01~04** 다음 글을 읽고, 물음에 답하시오.

**가** 소금은 나트륨 원자 하나가 염소 원자 하나와 결합한 분자들의 결정체에 지나지 않고, 사람에게 필요한 소금의 양도 하루에 3그램 정도밖에 되지 않는다. 하지만 우리 몸에 들어온 소금은 나트륨 이온과 염화 이온으로 나뉘어 신진대사에 많은 영향을 미친다. 예를 들어 혈액이나 위액과 같은 체액의 주요 성분이 되어 영양소를 우리 몸 구석구석으로 보내기도 하고, 우리 몸에 쌓인 각종 노폐물을 땀이나 오줌으로 배출하기도 한다. 이처럼 소금은 사람을 비롯하여 모든 동물이 생명을 유지하는 데 없어서는 안 되는 존재인 것이다.

**나** 채집과 사냥으로 먹을거리를 구하던 옛날에는 주로 고기에서 염분을 섭취할 수 있었다. 그러다가 농사를 짓기 시작한 다음부터는 소금을 섭취하기가 어려워졌다. 곡식에는 염분이 지극히 적었기 때문이다. 옛날에도 바닷가에서는 소금을 쉽게 구할 수 있었다. 하지만 바다에서 멀리 떨어진 곳에 살던 사람들에게는 소금이 매우 귀중한 필수품일 수밖에 없었다.

**다** 만약 살기 위한 목적으로만 소금을 먹는 것이라면, 한 사람당 1년에 1킬로그램 정도의 소금만 섭취하면 충분하다. 하지만 사람들은 실제로 그것의 몇 배가 넘는 소금을 소비한다. 이렇게 사람들이 소금을 많이 먹는 까닭은 소금이 지닌 짠맛의 매력 때문이다.

소금은 그냥 먹으면 너무 짜고 쓰기까지 하지만, 음식 본연의 맛과 잘 어우러지면 그 맛을 더욱 좋게 해 주는 놀라운 작용을 한다.

**라** 요즘은 냉장고 덕분에 음식을 오래 두고 먹을 수 있지만, 냉장 시설이 제대로 갖추어져 있지 않던 옛날에는 그러기 어려웠다. 그래서 옛날 사람들은 식품을 오래 보존하기 위해 소금을 이용했다. 소금은 음식을 썩게 하는 미생물의 발생을 막아 주어, 식품이 신선한 상태로 유지되게 하기 때문이다.

**마** 소금은 생선이나 고기뿐만 아니라 채소의 보존 기간도 늘려 준다. 온대 지방 사람들은 겨울이 되어 채소를 먹을 수 없게 되면 극심한 비타민 부족 현상을 겪는다. 그래서 이를 극복하기 위해 채소를 염장하였고, 이것을 겨울까지 먹으며 부족한 비타민을 섭취하였다.

**01** 이 글을 읽고 나눈 대화의 내용으로 알맞은 것은?

① 상현: 이 글에는 소금의 가치를 드러낸 관용 표현이 사용되어 있어.
② 주미: 이 글에는 소금에 대한 상반된 입장이 병렬적으로 제시되어 있어.
③ 원준: 이 글은 다양한 사례를 들어 소금의 가치를 알기 쉽게 설명하고 있어.
④ 희선: 이 글은 구체적인 근거를 들어 소금이 필요하다는 점을 설득하고 있어.
⑤ 지호: 이 글에서 글쓴이는 소금의 긍정적인 역할을 깨닫게 된 자신의 경험을 고백하고 있어.

**02** (가)~(마)에 제시된 소금의 역할로 알맞지 <u>않은</u> 것은?

① 영양소를 우리 몸 구석구석으로 보내 준다.
② 우리 몸에 쌓인 노폐물을 몸 밖으로 배출한다.
③ 음식 본연의 맛과 어우러져 음식에 풍미를 더한다.
④ 과거에는 냉장 시설을 대신해 식품을 오래 보존해 주었다.
⑤ 비타민이 풍부하게 함유되어 예로부터 채소의 역할을 대신해 왔다.

**03** (가)~(마) 중, 〈보기〉와 같은 반론이 제기될 수 있는 문단은?

┤보기├
소금은 분명 맛있는 유혹이지만, 무심코 먹은 맛있는 음식이 큰 병이 되어 아이들에게 돌아올 수도 있다. 아이들에게 맛있는 음식을 많이 챙겨 주는 것만이 능사가 아니다.

① (가)  ② (나)  ③ (다)  ④ (라)  ⑤ (마)

**서술형**

**04** (가)를 다음과 같이 정리할 때, ㉠에 들어갈 우리 몸의 변화 두 가지를 각각 한 문장으로 쓰시오.

| 소금을 섭취함. | | 소금은 생명 유지에 반드시 필요함. |

㉠

**05~07** 다음 글을 읽고, 물음에 답하시오.

**가** 학교 성적에 대한 스트레스, 부모와의 갈등 같은 불안정한 생활 환경도 아이들의 건강에 영향을 주었겠지만, 무엇보다도 즉석식품과 외식 위주의 잘못된 식습관이 아이들을 건강의 사각지대로 내몰고 있다. 즉석식품과 외식 자체가 문제가 아니라, 아이들이 그 음식들 안에 들어 있는 소금을 과하게 섭취하는 것이 문제인 것이다.

**나** 우리 몸은 수많은 체세포로 구성되어 있다. 따라서 신체가 건강하려면 체세포가 건강해야 한다. 하지만 음식을 너무 짜게 먹으면 체세포에 수분이 충분히 공급되지 않아, 체세포가 제 기능을 발휘하지 못하게 된다. 소금이 세포의 수분을 빼앗아 우리의 신진대사 능력이 떨어지는 것이다. 또한 소금을 과다하게 섭취하면 혈관이 좁아져서 비타민, 미량 영양소, 효소, 단백질 등이 세포로 이동하기 어려워진다. 그러면 체세포는 영양소를 제대로 공급받지 못하고, 혈압이 높아져 순환 장애가 생기며, 심장 또한 약해져 다른 기관에도 문제가 발생한다.

**다** 근래에는 아직 초등학교에도 입학하지 않은 어린 아이들이 부모와 똑같은, 혹은 더 많은 양의 소금을 섭취하고 있다고 한다. 이는 대단히 심각한 문제이다. 아이들은 어른들보다 혈액량이 적어 똑같은 양의 소금을 섭취하더라도 혈액 속 염화 나트륨의 비율이 어른들보다 훨씬 높아지기 때문이다.

**라** 어릴 때부터 소금을 많이 먹으면 혀가 둔감해져 점점 더 짜고 자극적인 맛을 찾게 된다. 짠맛은 뇌의 쾌감 중추를 자극한다. 만약 계속해서 소금을 과하게 섭취한다면 아이들은 이런 쾌감을 유지하기 위해 배가 고프지 않더라도 음식을 계속 먹는 '음식 중독'에 걸릴 수 있다. 결국 폭식증이나 비만에 시달리게 되는 것이다.

**마** 영국의 한 대학 연구팀에서 4세에서 18세까지의 아동 및 청소년 1,688명을 일주일간 관찰한 결과, 짜게 먹는 아이일수록 음료를 많이 마신다는 사실을 발견했다. 소금이 체세포의 수분을 빼앗아 그만큼 갈증이 나기 때문이다. 그런데 대부분의 아이들은 갈증을 달래기 위해 건강에 좋은 음료가 아니라, 단맛이 강한 탄산 음료를 찾는다. 탄산 음료 속에 녹아 있는 탄수화물은 비만을 더욱 부추길 수 있다.

**05** 이 글에 대한 설명으로 알맞지 않은 것은?
① 현실 상황을 제시함으로써 독자의 흥미를 유발한다.
② 중심 소재에 대한 용어의 의미를 정의하며 글을 시작한다.
③ 과학적 사실을 근거로 들어 주장을 효과적으로 뒷받침한다.
④ 소금에 대한 부정적인 관점을 처음부터 끝까지 일관되게 유지한다.
⑤ 잘못된 식습관에 대한 문제를 제기하며 근본적으로는 과다한 소금 섭취의 위험성을 지적한다.

**06** (가)~(마)를 참고했을 때, 〈보기〉와 같은 식습관으로 일어날 수 있는 문제가 아닌 것은?

┤보기├
　　하루에 우리 몸에 필요한 소금의 양은 3, 4그램 정도이다. 그러나 대부분의 사람이 필요량보다 몇 배나 많은 소금을 섭취하고 있다.

① 음식 중독에 걸려 폭식증이나 비만에 시달리게 된다.
② 소금이 세포의 수분을 빼앗아 신진대사 능력이 떨어진다.
③ 비타민, 미량 영양소, 효소, 단백질 등이 세포로 이동하기 어려워진다.
④ 뇌의 쾌감 중추를 자극해 단맛에 대해서도 더 자극적인 맛을 찾게 한다.
⑤ 혈압이 높아져 순환 장애가 생기며 심장 등 다른 기관에도 문제가 발생한다.

**07** 이 글을 읽은 독자의 반응으로 가장 알맞은 것은?
① 즉석식품과 외식 위주의 식습관이 가장 큰 문제야.
② 소금을 과하게 섭취하더라도 물을 많이 마시면 괜찮겠구나.
③ 주스나 콜라는 알려진 것과 달리 갈증을 해소해 주지는 못하는구나.
④ 아이들이 어른들과 같은 양의 소금을 섭취하면 더욱 위험해질 수 있어.
⑤ 짠맛도 결국 중독이라고 하니, 앞으로는 소금을 절대 섭취하지 말아야겠어.

**01~10** 다음 글을 읽고, 물음에 답하시오.

**가** 소금은 나트륨 원자 하나가 염소 원자 하나와 결합한 분자들의 결정체에 지나지 않고, 사람에게 필요한 소금의 양도 하루에 3그램 정도밖에 되지 않는다. 하지만 우리 몸에 들어온 소금은 나트륨 이온과 염화 이온으로 나뉘어 신진대사에 많은 영향을 미친다. 예를 들어 혈액이나 위액과 같은 체액의 주요 성분이 되어 영양소를 우리 몸 구석구석으로 보내기도 하고, 우리 몸에 쌓인 각종 노폐물을 땀이나 오줌으로 배출하기도 한다. 이처럼 소금은 사람을 비롯하여 모든 동물이 생명을 유지하는 데 없어서는 안 되는 존재인 것이다.

**나** 김치를 담글 때 먼저 채소를 소금에 절이는데, 소금에 절인 푸성귀가 발효되면서 맛있는 신맛을 낸다. 생선이나 고기를 구워 먹을 때 소금을 뿌리는 것도 ㉠이런 이유 때문이다. 생선과 고기가 지닌 본래의 맛에 소금이 어우러지면서 더욱 맛깔스럽게 변하는 것이다.

**다** 요즘은 냉장고 덕분에 음식을 오래 두고 먹을 수 있지만, 냉장 시설이 제대로 갖추어져 있지 않던 옛날에는 그러기 어려웠다. 그래서 옛날 사람들은 식품을 오래 보존하기 위해 소금을 이용했다. 소금은 음식을 썩게 하는 미생물의 발생을 막아 주어, 식품이 신선한 상태로 유지되게 하기 때문이다.

**라** 음식을 너무 짜게 먹으면 체세포에 수분이 충분히 공급되지 않아, 체세포가 제 기능을 발휘하지 못하게 된다. 소금이 세포의 수분을 빼앗아 우리의 신진대사 능력이 떨어지는 것이다. 또한 소금을 과다하게 섭취하면 혈관이 좁아져서 비타민, 미량 영양소, 효소, 단백질 등이 세포로 이동하기 어려워진다. 그러면 체세포는 영양소를 제대로 공급받지 못하고, 혈압이 높아져 순환 장애가 생기며, 심장 또한 약해져 다른 기관에도 문제가 발생한다.

**마** 근래에는 아직 초등학교에도 입학하지 않은 어린아이들이 부모와 똑같은, 혹은 더 많은 양의 소금을 섭취하고 있다고 한다. ㉡이는 대단히 심각한 문제이다. 아이들은 어른들보다 혈액량이 적어 똑같은 양의 소금을 섭취하더라도 혈액 속 염화 나트륨의 비율이 어른들보다 훨씬 높아지기 때문이다.

**바** 영국의 한 대학 연구팀에서 4세에서 18세까지의 아동 및 청소년 1,688명을 일주일간 관찰한 결과, 짜게 먹는 아이일수록 음료를 많이 마신다는 사실을 발견했다. 소금이 체세포의 수분을 빼앗아 그만큼 갈증이 나기 때문이다. 그런데 대부분의 아이들은 갈증을 달래기 위해 건강에 좋은 음료가 아니라, 단맛이 강한 탄산 음료를 찾는다. 탄산 음료 속에 녹아 있는 탄수화물은 비만을 더욱 부추길 수 있다. 또한 짠 음식을 먹을 때 주스나 콜라와 같이 당분이 높은 음료를 함께 마시면 혈압이 훨씬 더 빨리 상승한다. 그래서 어떤 부모들은 아이들의 건강을 위해 요리할 때 소금을 일부러 적게 넣기도 하고 저염식 음식을 찾기도 한다. 하지만 건강을 위협하는 소금은 쉽게 먹을 수 있는 즉석식품이나 통조림, 소시지와 같은 곳에 더 많기 때문에 먹거리를 선택할 때 항상 주의해야 한다.

**01** (가)~(바)에서 공통적으로 다루는 화제를 한 단어로 쓰시오. [5점]

**02** (가)~(바) 중, 〈보기〉에 나타난 소금의 역할과 관련 있는 문단을 쓰시오. [5점]

┌보기┐
온대 지방 사람들은 겨울이 되어 채소를 먹을 수 없게 되면 극심한 비타민 부족 현상을 겪는다. 그래서 이를 극복하기 위해 채소를 염장하였고, 이것을 겨울까지 먹으며 부족한 비타민을 섭취하였다.

**03** 체세포에 수분이 충분히 공급되지 않을 때 일어나는 현상을 쓰시오. [5점]

**04** ㉠의 구체적인 내용을 (나)에서 찾아 3어절로 쓰시오. [5점]

**05** ㉡이 가리키는 문제가 무엇인지 쓰시오. [5점]

**2단계** 기본형 서술형 문제

**06** (가)~(다), (라)~(바)와 같이 동일한 화제에 대해 다른 관점을 지닌 글을 비교하여 읽는 것의 의의를 쓰시오. [15점]

> **조건** ① (가)~(다)와 (라)~(바)에 나타난 글쓴이의
> 관점을 포함하여 두 문장으로 쓸 것

**07** (라)~(바)의 글쓴이가 글을 쓴 목적을 쓰시오. [10점]

> **조건** ① 아이들의 소금 섭취에 대한 글쓴이의 생각
> 을 반영하여 쓸 것
> ② '~을/를 당부한다.'의 형식으로 쓸 것

**08** (바)에서 글쓴이가 주장에 대한 설득력을 높이기 위해 사용한 방법을 쓰시오. [10점]

> **조건**
> ① 연구 결과를 포함하여 쓸 것
> ② '~함으로써 ~수 있다.' 형식의 한 문장으로 쓸 것

**09** (가)~(다)와 다음 광고의 표현상의 특징과 그 효과를 비교하여 쓰시오. [20점]

> **조건** ① (가)~(다)와 광고의 표현상의 특징을 각각
> 두 가지씩 쓸 것

**10** (바)를 토대로 짠맛과 단맛이 강한 음식을 함께 먹을 때 발생하는 문제점을 해결할 수 있는 방법을 쓰시오. [20점]

> **조건** ① 짠맛과 단맛이 강한 음식을 함께 먹을 때
> 의 문제점을 포함하여 쓸 것
> ② '~기 때문에 ~한다.'의 형식으로 쓸 것

# 만점 마무리 〔2〕 보고하는 글 쓰기

◆ 활동 의도
'효주네 모둠'이 조사 보고서를 쓰는 과정을 살펴보며, 보고하는 글을 쓰는 방법과 절차, 쓰기 윤리를 이해할 수 있도록 하였다. 또한 학습한 내용을 활용하여 직접 보고하는 글을 써 보도록 하였다.

◆ 활동 목표
• 보고하는 글의 의미 이해하기
• 보고하는 글을 쓰는 절차와 방법 이해하기
• 쓰기 윤리의 개념과 쓰기 윤리를 준수하는 방법 이해하기
• 보고하는 글 쓰기의 절차와 방법에 따라 보고하는 글을 직접 써 보기

◆ 활동 요약

**보고하는 글의 의미 이해하기**
'효주네 모둠'의 대화 속에서 보고하는 글의 의미를 찾아보고, '효주네 모둠'이 쓸 보고서의 종류와 목적을 파악함.

⬇

**보고하는 글을 쓰는 절차와 방법 이해하기**
'효주네 모둠'이 '계획하기, 자료 수집하고 정리하기, 보고하는 글 쓰기와 평가하기'의 절차에 따라 보고하는 글을 완성하는 과정을 살펴보고, 보조 자료의 효과와 적절성을 파악함.

⬇

**쓰기 윤리의 개념과 쓰기 윤리를 준수하는 방법 이해하기**
'효주네 모둠'이 나눈 대화를 바탕으로, 글을 쓸 때 지켜야 할 점을 정리해 보며 쓰기 윤리의 개념과 이를 준수하는 방법을 이해함.

⬇

**보고하는 글 쓰기의 절차와 방법에 따라 보고하는 글을 직접 써 보기**
모둠별로 보고하는 글의 주제를 선정한 뒤, 보고하는 글 쓰기의 절차에 따라 한 편의 보고하는 글을 써 보고 이를 평가함.

## ◇ 보고하는 글의 개념과 요건

| 개념 | | 어떤 주제에 대하여 관찰, 조사, 실험한 과정과 결과를 체계적으로 정리한 글 |
|---|---|---|
| 요건 | 객관성 | 주관적이거나 한쪽에 치우친 내용이 아닌, 사실에 근거한 내용이어야 함. |
| | 정확성 | 관찰, 조사, 실험의 내용과 결과를 왜곡하거나 과장하지 않으며 그 내용과 결과가 뚜렷하고 분명해야 함. |
| | 신뢰성 | 사실에 근거한 정보, 자료 등을 제시하고, 해당 분야 전문가의 의견을 제시하는 등 믿을 만한 자료를 사용해야 함. |
| | 체계성 | 관찰, 조사, 실험한 내용과 결과를 짜임새 있게 조직해야 함. |

## ◇ 보고하는 글을 쓰는 과정

| 계획하기 | 대상, 목적 및 동기, 일정, 방법 및 역할 분담 등을 정함. |
|---|---|
| 자료 수집하기 | 관찰, 조사, 실험 등의 방법으로 자료를 수집함. |
| 자료 정리하기 | 수집한 자료를 정리하고, 객관적으로 정확하게 분석함. |
| 보고하는 글 쓰기 | • 글의 목적을 고려하여 일정한 형식에 따라 짜임새 있게 구성하여 씀.<br>• 객관적이고 정확한 사실에 근거하여 내용을 쓰되, 그림, 사진, 도표 등의 매체 자료를 효과적으로 활용하여 씀. |
| 평가하기 | 내용 및 표현의 측면과, 쓰기 윤리의 측면에서 평가하고 고쳐 씀. |

## ◇ 쓰기 윤리의 개념과 준수 방법

| 개념 | 글쓴이가 글을 쓰는 과정에서 준수해야 할 윤리적 규범 |
|---|---|
| 준수 방법 | • 조사 결과나 연구 결과 등의 자료를 과장, 축소, 변형, 왜곡하지 않음.<br>• 다른 사람이나 기관이 생산한 자료, 글 등을 표절하지 않고, 필요한 경우에는 인용하고 출처를 밝힘. |

## ◇ '효주네 모둠'의 보고서의 내용

| 종류 | | | 조사 보고서 |
|---|---|---|---|
| 목적 | | | 우리 지역의 관광지를 다른 지역 사람들에게 널리 알리기 위함. |
| 자료 조사 방법 | 설문 조사 | | 학교 학생 100명을 대상으로 다른 지역에 소개하고 싶은 우리 지역 관광지를 추천받음. |
| | 자료 조사 | 자료 ❶ | 대구 근대 문화 골목을 소개한 텔레비전 뉴스 보도 자료 |
| | | 자료 ❷ | 삼일 만세 운동 길에 대해 소개한 책의 내용 → 자료 ❹를 함께 제시하면 독자의 이해를 돕고 생동감을 더함. |
| | | 자료 ❸ | 계산 성당의 건축적 특징을 설명한 인터넷 자료 → 전문적인 내용을 다루어 예상 독자에게 어려울 수 있으며, 명확한 출처가 없어 글에 활용하기 어려움. |
| | 현장 조사 | 자료 ❹ | 삼일 만세 운동 길, 서상돈 고택을 방문해 직접 찍은 사진 |
| | | 자료 ❺ | 이상화 고택과 서상돈 고택에 대한 문화 해설사의 설명 |

## ◇ '효주네 모둠'이 활용한 보조 자료의 효과

| 도표 | '다른 지역에 소개하고 싶은 우리 지역 관광지'의 설문 조사 결과를 한눈에 보여 줌. |
|---|---|
| 그림 (약도) | • 대구 근대 문화 골목의 전체적인 모습을 보여 줌.<br>• 뒤이어 소개할 각 유적지의 위치와 모습을 쉽게 파악할 수 있게 함. |
| 사진 | 대구 근대 문화 골목 내의 다양한 유적지의 모습을 생생하게 전달함. |

# 간단 복습 문제  〔2〕 보고하는 글 쓰기

●정답과 해설 32쪽

## 쪽지 시험

**[01~03]** 다음 문장에 들어갈 알맞은 낱말을 (　)에서 골라 ○표 하시오.

**01** ( 설명하는 / 보고하는 ) 글이란 어떤 주제에 대하여 관찰, 조사, 실험한 과정과 결과를 체계적으로 정리한 글이다.

**02** 실험 계획과 과정을 기록하고, 결과를 분석하여 이끌어 낸 결론을 쓰는 것은 ( 관찰 / 실험 ) 보고서이다.

**03** 보고하는 글의 ( '가운데' / '끝' ) 부분에는 관찰, 조사, 실험한 내용을 요약하거나 소감을 제시하고, 인용한 자료의 출처를 밝혀 쓴다.

**[04~06]** 다음 설명이 맞으면 ○표, 틀리면 ✕표 하시오.

**04** '효주네 모둠'은 자신들이 살고 있는 우리 지역의 관광지를 다른 지역 사람들에게 널리 알리기 위해 조사 보고서를 쓰려고 한다. (　　)

**05** 도표를 활용하여 설문 조사 결과를 제시하면 조사 결과를 생동감 있게 보여 줄 수 있다. (　　)

**06** 보고하는 글을 쓸 때에는 조사한 내용을 사실 그대로 객관적으로 정확하게 써야 한다. (　　)

**[07~10]** 다음 문장의 빈칸에 들어갈 알맞은 낱말의 기호를 〈보기〉에서 골라 쓰시오.

┌ 보기 ┐
ⓐ 계획하기　ⓑ 신뢰성　ⓒ 목적　ⓓ 현장 조사

**07** 보고하는 글을 쓸 때 (　　) 단계에서는 대상, 목적 및 동기, 일정, 방법 및 역할 분담 등을 정해야 한다.

**08** '효주네 모둠'이 근대 문화 골목을 방문하여 유적지 사진을 찍은 것은 (　　) 방법에 해당한다.

**09** '효주네 모둠'이 작성한 개요 중에서 '계산 성당'에 대한 자료는 건축적 특징에 대한 전문적인 지식을 다루어, 쓰려는 글의 (　　)에 맞지 않고 출처도 명확하지 않으므로 추가로 자료를 조사해야 한다.

**10** 보고하는 글에서 인용한 자료의 출처를 밝히면 (　　)을/를 높일 수 있다.

## 어휘 시험

**[01~03]** 다음 설명에 해당하는 낱말을 〈보기〉에서 골라 쓰시오.

┌ 보기 ┐
약도, 왜곡, 답사

**01** 간략하게 줄여 주요한 것만 대충 그린 도면이나 지도
(　　)

**02** 현장에 가서 직접 보고 조사함. (　　)

**03** 사실과 다르게 해석하거나 그릇되게 함. (　　)

**[04~06]** 다음 문장에 들어갈 알맞은 낱말을 (　)에서 골라 ○표 하시오.

**04** 이 부분의 ( 표절 / 인용 )은 문맥의 흐름상 적절하지 못하다.

**05** 우리 마을에는 ( 건축 / 고택 )이 많아서 관광객들의 발걸음이 끊이지 않는다.

**06** 마당에는 누구인지 알아볼 수 없는 ( 흉상 / 시비 ) 하나가 세워져 있다.

**[07~08]** 다음 문장의 빈칸에 들어갈 알맞은 낱말을 〈보기〉에서 골라 쓰시오.

┌ 보기 ┐
유적지, 복원

**07** 이번에 발굴해 낸 (　　)에 수많은 연구자들이 관심을 나타내고 있다.

**08** 이 그림은 파손 상태가 심해서 (　　)이/가 불가능합니다.

**[09~11]** 다음 낱말과 그 뜻풀이를 바르게 연결하시오.

**09** 근대　　•　　•ⓐ 얼마 지나가지 않은 가까운 시대

**10** 공모　　•　　•ⓑ 대한 제국 때에, 일본으로부터 빌려 쓴 1,300만 원을 갚기 위하여 벌인 애국 운동

**11** 국채 보상 운동　•　　•ⓒ 일반에게 널리 공개하여 모집함.

## 예상 적중 소단원 평가 〔2〕 보고하는 글 쓰기

**01~03** 다음을 읽고, 물음에 답하시오.

**가** 지호: 소개할 관광지가 정해지면 내가 방송이나 인터넷을 통해 자료를 찾아볼게.

현우: 그럼 도서부원인 내가 책에서 자료를 수집할게.

민아: 그럼 내가 효주와 함께 현장 답사를 가서 문화 해설사의 설명을 듣고, 사진도 찍어 올게.

지호: 좋아. 자료를 정리하고, ㉠보고하는 글을 쓰는 것은 다 함께 하자.

효주: 얘들아! ㉡설문 조사 결과가 나왔어!

**나**

자료 ❶ 텔레비전 뉴스

ⓐ

대구광역시 중구에 자리한 근대 문화 골목은 도심에서 대구의 근대 문화유산인 청라 언덕의 선교사 주택, 삼일 만세 운동 길, 계산 성당, 이상화 고택과 서상돈 고택 등을 만날 수 있는 골목입니다. 이 지역은 한국 전쟁 당시에 다른 지역에 비해서 피해가 크지 않았습니다. 따라서 오래된 근대 건축물들을 비롯한 근대 문화유산이 잘 보존되어 있고, 오늘날까지도 많은 관광객들에게 사랑받고 있습니다.
– 「케이비에스(KBS) 뉴스」 2017. 6. 21.

대구광역시 중구에 자리한 근대 문화 골목은 살아 있는 대구의 역사를 만날 수 있는 골목입니다.

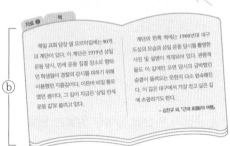

자료 ❷ 책

ⓑ

제일 교회 담장 옆 오르막길에는 90개의 계단이 있다. 이 계단은 1919년 삼일 운동 당시, 만세 운동 장소로 향하던 학생들이 경찰의 감시를 피하기 위해 이용했던 지름길이다. 이른바 비밀 통로였던 셈이다. 그 길이 지금은 '삼일 만세 운동 길'로 불리고 있다.

계단의 한쪽 벽에는 1900년대 대구 도심의 옛 모습과 삼일 운동 당시를 촬영한 사진 및 설명이 게재되어 있다. 관광객들도 이 길에만 오면 당시의 급박했던 승경이 둘려오는 듯하고 다소 엄숙해진다. 이 길은 대구에서 가장 걷고 싶은 길에 손꼽히기도 한다.
– 김진규 외, 『근대 로(路)의 여행』

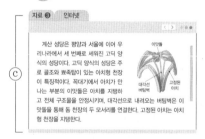

자료 ❸ 인터넷

ⓒ

계산 성당은 평양과 서울에 이어 우리나라에서 세 번째로 세워진 고딕 양식의 성당이다. 고딕 양식의 성당은 주로 골조와 뾰족탑이 있는 아치형 천장이 특징적이다. 꼭대기에서 아치가 만나는 부분의 이맛돌은 아치를 지탱하고 전체 구조물을 안정시키며, 대각선으로 내려오는 버팀벽은 이맛돌을 통해 돌 천장의 두 모서리를 연결한다. 고정된 아치는 아치형 천장을 지탱한다.

이맛돌
대각선 버팀벽
고정된 아치

자료 ❹ 직접 찍은 사진

ⓓ

서상돈 고택

삼일 만세 운동 길

자료 ❺ 문화 해설사의 설명

ⓔ

[이상화 고택]
• 이상화 시인이 말년을 보낸 장소임.
• 이상화 시인이 일제에 대한 저항 의식을 담은 시를 쓴 민족 시인으로, 「빼앗긴 들에도 봄은 오는가」가 대표작임.
• 안방에 시인의 유품, 가족사진 등 이상화 시인과 관련된 자료가 전시되어 있음.
• 뒤뜰에 시인의 흉상을, 마당에 시비를 세워 시인을 기리고 있음.

[서상돈 고택]
• 서상돈 선생의 옛 집터에 당시의 모습을 복원한 것으로, 이상화 고택의 맞은편에 위치함.
• 서상돈 선생은 일제 강점기에 대구에서 시작된 국채 보상 운동을 주도한 독립운동가임.
• 국채 보상 운동은 국민들이 돈을 모아 나라가 일제에 진 빚을 갚음으로써 경제적인 독립을 이루자는 국권 회복 운동임.

**01** ㉠과 같은 글을 평가하는 항목으로 알맞지 않은 것은?

① 조사의 절차와 결과가 잘 드러나는가?

② 조사자의 주관적인 관점을 정확히 드러내었는가?

③ 보고하는 글의 구성에 따라 짜임새 있게 조직했는가?

④ 조사한 내용과 결과 등을 왜곡하거나 과장하지 않았는가?

⑤ 그림, 사진, 도표 등 매체 자료를 효과적으로 사용했는가?

**02** ㉡이 〈보기〉와 같다고 할 때, 다음 설명 중 알맞지 않은 것은?

⊣보기├

**다른 지역에 소개하고 싶은 우리 지역 관광지**

• 조사 대상: 우리 학교에 다니는 학생 100명
• 조사 기간: ○○월 ○○일~○○월 ○○일
• 조사 결과: '근대 문화 골목'이 33명의 추천을 받아 1위, '팔공산'이 24명으로 2위, '두류 공원'이 18명으로 3위, '서문 시장'이 15명으로 4위를 차지하였고, 그 외의 관광지를 추천한 응답자가 10명이었다.

① '효주네 모둠'은 학교 학생 100명을 대상으로 설문 조사를 실시했다.

② 쓰기 윤리의 측면에서, '효주네 모둠'은 '근대 문화 골목'에 대한 보고서를 쓸 것이다.

③ 〈보기〉의 조사 결과를 도표로 제시하면 내용을 한눈에 파악할 수 있어 더 효과적이다.

④ '효주네 모둠'이 쓸 보고서는 '액체들의 녹는점 비교'를 주제로 하는 보고서와 종류가 같다.

⑤ '효주네 모둠'은 설문 조사를 통해 다른 지역에 소개하고 싶은 우리 지역의 관광지를 추천받았다.

**03** ⓐ~ⓔ 중, 〈보기〉의 설명에 해당하는 것은?

⊣보기├

이 자료는 쓰기 윤리의 측면에서 출처가 불분명하여 신뢰하기 어려우므로, 보고서에 쓸 자료로 사용하기에 적합하지 않다.

① ⓐ  ② ⓑ  ③ ⓒ  ④ ⓓ  ⑤ ⓔ

**04~07** 다음 글을 읽고, 물음에 답하시오.

**가** ① 청라 언덕

청라 언덕은 근대 문화 골목 입구에 있는 작은 공원이다. '청라'라는 이름은 '푸른 담쟁이'라는 뜻으로, 1893년경부터 대구에서 선교 활동을 하던 미국인 선교사들이 이 근방에 담쟁이를 많이 심은 데서 유래하였다. 청라 언덕에는 서양식으로 꾸며진 정원과 세 채의 주택이 있는데, 이 역시 미국인 선교사들이 짓고 자신들의 집으로 사용하던 것이다.

**나** ② 삼일 만세 운동 길

삼일 만세 운동 길은 일제 강점기였던 1919년 삼일 운동 당시, 만세 운동 집결 장소로 향하던 학생들이 경찰의 감시를 피하기 위해 이용했던 지름길이자 비밀 통로였다. 90개의 계단의 옆에 세워진 벽면에는 1900년대 대구 도심의 모습이 담긴 사진과 삼일 운동 당시를 촬영한 사진이 전시되어 있어서 당시의 모습을 생생하게 느낄 수 있다.

**다** ③ 계산 성당

계산 성당은 경상도에서 가장 오래된 성당이자, 대구 최초의 서양식 건물이다. 1899년에 최초로 세워졌으나 지은 지 얼마 되지 않아 불이 나서 무너지고, 1902년에 현재의 모습으로 재건되었다. 이 성당은 고딕 형식의 건물로, 성당 외벽은 붉은 벽돌과 회색 벽돌이 조화롭게 섞여 있고, 원형의 색유리 그림으로 아름답게 장식되어 있다.

**라** ④ 이상화 고택과 서상돈 고택

이상화 고택은 「빼앗긴 들에도 봄은 오는가」라는 시로 잘 알려진 민족 시인 이상화가 말년을 보낸 곳이다. 안방에는 시인의 유품과 가족사진 등 시인과 관련된 자료를 전시하고 있으며, 마루에는 시인의 흉상을, 마당에는 시비를 세워 이상화 시인을 기리고 있다.

**마** • 소감

조사를 하면서 대구 근대 문화 골목에는 근대의 역사와 문화를 엿볼 수 있는 유적지가 많다는 사실을 알게 되었다. 〈중략〉

근대 문화 골목에는 우리가 소개한 곳 외에도 유적지들이 많이 있는데, 더 조사하지 못한 점이 아쉬웠다.

앞으로도 근대 문화 골목에 지속적인 관심을 기울이며 많은 사람들에게 근대 문화 골목의 가치를 알리고 싶다.

**04** 이 글의 내용과 일치하는 것은?

① (가): '청라 언덕'은 선교사들의 업적을 기리는 곳이다.
② (나): '삼일 만세 운동 길'은 삼일 운동 당시 학생들의 비밀 통로였다.
③ (다): 현재의 '계산 성당'은 초기 모습 그대로이다.
④ (다): '계산 성당'은 우리나라에서 가장 오래된 성당이다.
⑤ (라): '이상화 고택'의 마당에는 시인의 흉상이 있다.

**05** (가)~(라)에 사진 자료를 추가했을 때 얻을 수 있는 효과로 가장 알맞은 것은?

① 조사 결과를 한눈에 보여 줄 수 있다.
② 보고하는 글의 신뢰성을 높일 수 있다.
③ 유적지의 위치를 쉽게 파악할 수 있다.
④ 유적지의 모습을 생생하게 전달할 수 있다.
⑤ 유적지의 역사·문화적 가치를 강조할 수 있다.

🖊 서술형

**06** (마)에 제시된 작성자들의 생각을 바탕으로 이 글에서 보완하면 좋을 점이 무엇인지 쓰시오.

**07** 〈보기〉를 참고할 때, (마)의 뒤에 제시되어야 할 항목으로 알맞은 것은?

┤보기├
　다른 사람이 생산한 아이디어나 자료, 글 등을 자신이 쓴 것처럼 하는 행위는 쓰기 윤리에 어긋나는 것이다. 필요한 자료가 있다면 공정한 관행에 따른 인용의 방법을 활용해야 한다.

① 조사 방법　　　　② 조사 목적과 동기
③ 조사 대상과 기간　④ 조사 내용과 결과
⑤ 참고 자료의 출처

**1단계** 단답식 서술형 문제

**01** 다음 빈칸에 들어갈 알맞은 말을 쓰시오. [5점]

> □□하는 글은 어떤 주제에 대하여 관찰, 조사, 실험한 과정과 결과를 체계적으로 정리한 글이다.

**02** 보고하는 글 쓰기의 절차에 따라 ㄱ~ㅁ을 순서대로 배열하시오. [5점]

> ㄱ. 주제에 대하여 자료를 수집한다.
> ㄴ. 조사 목적, 대상, 방법 등을 결정한다.
> ㄷ. 조사한 사실 그대로 정확하고 명료하게 기록한다.
> ㄹ. 내용 및 표현, 쓰기 윤리의 측면에서 평가하고 고쳐 쓴다.
> ㅁ. 수집한 자료를 정리하여 객관적으로 정확하게 분석한다.

**03~04** 다음 글을 읽고, 물음에 답하시오.

**가** • 조사 ( ⓐ )

　대구 근대 문화 골목은 우리 고장의 역사와 문화가 잘 남아 있는 곳으로, 대구의 대표적인 관광지이다. 대구 근대 문화 골목을 이루고 있는 유적지를 다른 지역 사람들에게 알리기 위해 이곳을 조사하기로 하였다.

**나** • 조사 ( ⓑ )

　우리 학교 학생 100명 중 33명이 다른 지역에 소개하고 싶은 우리 지역 관광지로 '근대 문화 골목'을 추천하였다. 이에 따라 조사 대상을 '근대 문화 골목'으로 선정하였다.

**다** • 조사 대상과 조사 ( ⓒ )

　대구 근대 문화 골목의 유적지를 ○○월 ○○일부터 ○○월 ○○일까지 조사하였다.

**라** • 조사 ( ⓓ )

| 자료<br>조사 | 텔레비전 뉴스, 책, 인터넷 등을 활용하여 대구 근대 문화 골목에 대한 자료를 수집하였다. |
|---|---|
| 현장<br>조사 | 근대 문화 골목을 직접 방문하여 문화 해설사의 설명을 듣고, 유적지의 사진을 촬영하였다. |

**03** (가)~(라)는 보고하는 글의 '처음' 단계이다. ⓐ~ⓓ에 들어갈 알맞은 말을 각각 한 단어로 쓰시오. [5점]

**04** 조사자가 이 글을 쓴 목적은 무엇인지, (가)~(라)에서 찾아 쓰시오. [5점]

**2단계** 기본형 서술형 문제

**05** 〈보기〉의 대화를 참고하여 계획하기 단계에서 협의해야 할 사항들을 한 문장으로 쓰시오. [15점]

> ┤보기├
> 지호: 소개할 관광지가 정해지면 내가 방송이나 인터넷을 통해 자료를 찾아볼게.
> 현우: 그럼 도서부원인 내가 책에서 자료를 수집할게.
> 민아: 그럼 내가 효주와 함께 현장 답사를 가서 문화 해설사의 설명을 듣고, 사진도 찍어 올게.
> 지호: 좋아. 자료를 정리하고, 보고하는 글을 쓰는 것은 다 함께 하자.

**06** 〈보기〉의 대화에 나타난 '지호'와 '민아'의 문제점을 각각 쓰시오. [15점]

> ┤보기├
> 지호: 음, 설문 조사 결과를 좀 바꾸면 어때? 내 생각엔 '두류 공원'이 더 흥미로울 것 같은데.
> 민아: 어? 인터넷에 근대 문화 골목에 대한 보고서가 있네! 이름만 바꿔서 내자.

> 조건　① 쓰기 윤리의 관점에서 문제점을 파악할 것
> 　　　② 각각 한 문장으로 쓸 것

**07~08** 다음을 읽고, 물음에 답하시오.

**가**

자료 ❶ 텔레비전 뉴스

배명숙 골목 문화 해설사
대구광역시 중구에 자리한 근대 문화 골목은 살아 있는 대구의 역사를 만날 수 있는 골목입니다.

대구광역시 중구에 자리한 근대 문화 골목은 도심에서 대구의 근대 문화유산인 청라 언덕의 선교사 주택, 삼일 만세 운동 길, 계산 성당, 이상화 고택과 서상돈 고택 등을 만날 수 있는 골목입니다. 이 지역은 한국 전쟁 당시에 다른 지역에 비해서 피해가 크지 않았습니다. 따라서 오래된 근대 건축물들을 비롯한 근대 문화유산이 잘 보존되어 있고, 오늘날까지도 많은 관광객들에게 사랑받고 있습니다.

– 케이비에스(KBS) 뉴스, 2017. 6. 21.

**나**

자료 ❷ 책

제일 교회 담장 옆 오르막길에는 90개의 계단이 있다. 이 계단은 1919년 삼일 운동 당시, 만세 운동 집결 장소로 향하던 학생들이 경찰의 감시를 피하기 위해 이용했던 지름길이다. 이른바 비밀 통로였던 셈이다. 그 길이 지금은 '삼일 만세 운동 길'로 불리고 있다.

계단의 한쪽 벽에는 1900년대 대구 도심의 모습과 삼일 운동 당시를 촬영한 사진 및 설명이 게재되어 있다. 관광객들도 이 길에만 오면 당시의 급박했던 숨결이 들려오는 듯한지 다소 엄숙해진다. 이 길은 대구에서 가장 걷고 싶은 길에 손꼽히기도 한다.

– 김진규 외, 「근대 로(路)의 여행」

**다**

자료 ❸ 인터넷

계산 성당은 평양과 서울에 이어 우리나라에서 세 번째로 세워진 고딕 양식의 성당이다. 고딕 양식의 성당은 주로 골조와 뾰족탑이 있는 아치형 천장이 특징적이다. 꼭대기에서 아치가 만나는 부분의 이맛돌은 아치를 지탱하고 전체 구조물을 안정시키며, 대각선으로 내려오는 버팀벽은 이맛돌을 통해 돔 천장의 두 모서리를 연결한다. 고정된 아치는 아치형 천장을 지탱한다.

이맛돌 / 대각선 버팀벽 / 고정된 아치

**라**

자료 ❹ 직접 찍은 사진 / 서상돈 고택 / 삼일 만세 운동 길

**마**

자료 ❺ 문화 해설사의 설명

[이상화 고택]
• 이상화 시인이 말년을 보낸 장소임.
• 이상화 시인은 일제에 대한 저항 의식을 담은 시를 쓴 민족 시인으로, 「빼앗긴 들에도 봄은 오는가」가 그의 대표작임.
• 안방에 시인의 유품, 가족사진 등 이상화 시인과 관련된 자료가 전시되어 있음.
• 마루에 시인의 흉상을, 마당에 시비를 세워 시인을 기리고 있음.

[서상돈 고택]
• 서상돈 선생의 옛 집터에 당시의 모습을 복원한 것으로, 이상화 고택의 맞은편에 위치함.
• 서상돈 선생은 일제 강점기에 대구에서 시작된 국채 보상 운동을 주도한 독립운동가임.
• 국채 보상 운동은 국민들이 돈을 모아 나라가 일제에 진 빚을 갚음으로써 경제적인 독립을 이루자는 국권 회복 운동임.

**07** (가)~(마)를 〈보기〉에 제시된 공모전에 참여하기 위해 모은 자료라고 할 때, 적합하지 않은 것을 찾아 그 이유를 쓰시오. [25점]

┤보기├
**제1회 관광지 조사 보고서 공모전**
• 공모 주제: 우리 지역의 관광지를 다른 지역 사람들에게 널리 알리기
• 응모 자격: 대한민국 청소년 누구나
• 응모 기간: ○○월 ○○일 ~ ○○월 ○○일

조건 ① 공모 주제와 관련하여 자료의 적합성을 평가할 것
② '~기 때문에 ~에 적합하지 않다.'의 형식으로 쓸 것

**08** (가)~(마)의 자료가 〈보기〉에서 어떻게 활용되었는지 쓰시오. [25점]

┤보기├
삼일 만세 운동 길

삼일 만세 운동 길은 일제 강점기였던 1919년 삼일 운동 당시, 만세 운동 집결 장소로 향하던 학생들이 경찰의 감시를 피하기 위해 이용했던 지름길이자 비밀 통로였다. 90개의 계단의 옆에 세워진 벽면에는 1900년대 대구 도심의 모습이 담긴 사진과 삼일 운동 당시를 촬영한 사진이 전시되어 있어서 당시의 모습을 생생하게 느낄 수 있다.

조건 ① 〈보기〉와 같이 자료를 활용할 때의 효과를 함께 쓸 것
② '~하고 있다.'의 형식으로 쓸 것

**01~04** 다음 글을 읽고, 물음에 답하시오.

**가** 소금이 이동하는 중심지에는 교역로가 발달하였다. 그뿐만 아니라 소금 때문에 전쟁이 일어나기도 하였다고 하니, 사람들이 소금을 얼마나 귀하게 여겼는지 알 만하다. 사람들은 조그만 알갱이에 불과한 소금을 왜 이렇게 중요한 존재로 인식하였을까?

**나** 소금은 나트륨 원자 하나가 염소 원자 하나와 결합한 분자들의 결정체에 지나지 않고, 사람에게 필요한 소금의 양도 하루에 3그램 정도밖에 되지 않는다. 하지만 우리 몸에 들어온 소금은 나트륨 이온과 염화 이온으로 나뉘어 신진대사에 많은 영향을 미친다. 예를 들어 혈액이나 위액과 같은 체액의 주요 성분이 되어 영양소를 우리 몸 구석구석으로 보내기도 하고, 우리 몸에 쌓인 각종 노폐물을 땀이나 오줌으로 배출하기도 한다.

**다** 소금은 주로 땀이나 오줌으로 배출되기 때문에, 동물 대부분은 소금을 아끼기 위해 아예 땀을 흘리지 않거나 오줌도 아주 적게 누도록 진화해 왔다. 하지만 사람은 다른 동물들과 달리, 땀과 오줌으로 아낌없이 소금을 배출한다. 따라서 사람은 소금을 충분히 섭취하여 보충해 주어야만 한다.

**라** 소금은 그냥 먹으면 너무 짜고 쓰기까지 하지만, 음식 본연의 맛과 잘 어우러지면 그 맛을 더욱 좋게 해 주는 놀라운 작용을 한다. 그 때문에 사람들은 차나 커피와 같은 몇몇 기호 식품이나 과일을 빼고 거의 모든 음식에 소금을 넣는다. 우리 밥상에 흔히 올라오는 김치도 마찬가지이다. 김치를 담글 때 먼저 채소를 소금에 절이는데, 소금에 절인 푸성귀가 발효되면서 맛있는 신맛을 낸다.

**마** ㉠소금은 식품을 보존하는 데도 큰 역할을 한다. 요즘은 냉장고 덕분에 음식을 오래 두고 먹을 수 있지만, 냉장 시설이 제대로 갖추어져 있지 않던 옛날에는 그러기 어려웠다. 그래서 옛날 사람들은 식품을 오래 보존하기 위해 소금을 이용했다. 소금은 음식을 썩게 하는 미생물의 발생을 막아 주어, 식품이 신선한 상태로 유지되게 하기 때문이다.

**01** (가)~(마)의 내용과 일치하는 것은?
① 우리 몸에 필요한 소금의 양은 점점 늘고 있다.
② 사람을 제외한 다른 동물들은 땀과 오줌으로 소금을 배출한다.
③ 음식 본연의 맛을 살려 주는 소금은 모든 재료와 잘 어울린다.
④ 소금은 체액의 주요 성분이 되어 혈압을 일정하게 유지해 준다.
⑤ 예로부터 소금은 매우 귀하게 여겨져, 전쟁의 원인이 되기도 했다.

**02** (가)~(마)의 흐름을 고려할 때, 〈보기〉의 내용이 위치하기에 알맞은 것은?

┤보기├
　지금까지 알아본 것처럼, 소금은 그 자체로 우리의 생명을 유지하는 데 꼭 필요하다. 또한 소금은 음식의 맛을 더하고, 식품을 오랫동안 보존할 수 있게 한다. 이처럼 소중한 존재가 바로 하얀 황금, 즉 소금이다.

① (가)의 뒤　　② (나)의 뒤　　③ (다)의 뒤
④ (라)의 뒤　　⑤ (마)의 뒤

**03** 다음 중 (나)와 동일한 설명 방법이 사용된 것은?
① 문학은 언어를 표현 수단으로 하는 예술이다.
② 숟가락과 젓가락은 밥을 먹을 때 쓰는 도구이다.
③ 희곡은 연극의 대본이고, 시나리오는 영화의 대본이다.
④ 꽃은 꽃잎, 암술, 수술, 꽃받침 등으로 이루어져 있다.
⑤ 봄에 피는 꽃에는 개나리, 진달래, 목련, 벚꽃 등이 있다.

**서술형**

**04** 소금이 ㉠과 같은 역할을 할 수 있는 이유를 찾아 한 문장으로 쓰시오.

**[05~07]** 다음 글을 읽고, 물음에 답하시오.

**가** 언제부터인가 비만으로 인한 고혈압이나 당뇨병으로 고생하는 아이들이 많아졌다. 학교 성적에 대한 스트레스, 부모와의 갈등 같은 불안정한 생활 환경도 아이들의 건강에 영향을 주었겠지만, 무엇보다도 즉석식품과 외식 위주의 잘못된 식습관이 아이들을 건강의 사각지대로 내몰고 있다. 즉석식품과 외식 자체가 문제가 아니라, 아이들이 그 음식들 안에 들어 있는 소금을 과하게 섭취하는 것이 문제인 것이다.

**나** 세포 생물학자들은 현대 사회에서 겪는 건강 문제 대부분은 체내의 수분이 부족한 탓이라고 말한다. 그들은 사람들의 체내 수분이 부족한 이유가 물을 적게 마시기 때문이 아니라, 음식을 너무 짜게 먹기 때문이라고 주장한다. 소금이 우리 몸에서 수분을 빼앗아 가는 물 도둑이라는 것이다.

**다** 음식을 너무 짜게 먹으면 체세포에 수분이 충분히 공급되지 않아, 체세포가 제 기능을 발휘하지 못하게 된다. 〈중략〉 또한 소금을 과다하게 섭취하면 혈관이 좁아져서 비타민, 미량 영양소, 효소, 단백질 등이 세포로 이동하기 어려워진다. 그러면 체세포는 영양소를 제대로 공급받지 못하고, 혈압이 높아져 순환 장애가 생기며, 심장 또한 약해져 다른 기관에도 문제가 발생한다.

**라** 근래에는 아직 초등학교에도 입학하지 않은 어린 아이들이 부모와 똑같은, 혹은 더 많은 양의 소금을 섭취하고 있다고 한다. 이는 대단히 심각한 문제이다. 아이들은 어른들보다 혈액량이 적어 똑같은 양의 소금을 섭취하더라도 혈액 속 염화 나트륨의 비율이 어른들보다 훨씬 높아지기 때문이다.

**마** 영국의 한 대학 연구팀에서 4세에서 18세까지의 아동 및 청소년 1,688명을 일주일간 관찰한 결과, 짜게 먹는 아이일수록 음료를 많이 마신다는 사실을 발견했다. 소금이 체세포의 수분을 빼앗아 그만큼 갈증이 나기 때문이다. 그런데 대부분의 아이들은 갈증을 달래기 위해 건강에 좋은 음료가 아니라, 단맛이 강한 탄산 음료를 찾는다. 탄산 음료 속에 녹아 있는 탄수화물은 비만을 더욱 부추길 수 있다.

**05** 이 글과 다음 광고를 비교한 독자의 반응으로 알맞지 <u>않은</u> 것은?

① 이 글과 달리 광고는 그림을 활용해 정보를 제공하고 있어.
② 광고는 이 글보다 대상에 대해 더 체계적으로 파악할 수 있어.
③ 광고는 이 글과 관점이 비슷한데, 다른 형식으로 표현되었구나.
④ 광고는 이 글에 비해 짧은 시간 안에 중요한 정보를 전달할 수 있겠어.
⑤ 이 글과 달리 광고는 짧은 글과 핵심 단어를 반복하여 사용하고 있구나.

**06** (가)~(마)에 대한 설명으로 알맞지 <u>않은</u> 것은?

① (가): 즉석식품과 외식 위주의 식습관 자체에 대해 문제를 제기하고 있다.
② (나): 소금을 '물 도둑'에 비유하고 있다.
③ (다): 건강을 위협하는 소금에 대해 이야기하고 있다.
④ (라): 과다한 소금 섭취가 어른보다 아이들에게 더 위험하다는 입장이 나타나 있다.
⑤ (마): 객관적인 연구 결과를 근거로 제시해 주장의 신뢰성을 더하고 있다.

▸ 고난도 서술형

**07** 이 글의 흐름상, (마) 뒤에 이어질 내용이 무엇인지 쓰시오.

조건
① 일반적으로 주장하는 글의 '끝' 부분에 제시되는 내용을 쓸 것
② '~는 내용이 이어질 것이다.'의 형식으로 쓸 것

**[08~10]** 다음을 읽고, 물음에 답하시오.

**가** 지호: 소개할 관광지가 정해지면 내가 방송이나 인터넷을 통해 자료를 찾아볼게. 〈중략〉

지호: 좋아. 자료를 정리하고, ㉠보고하는 글을 쓰는 것은 다 함께 하자.

효주: 얘들아! 설문 조사 결과가 나왔어!

현우: '근대 문화 골목'이 가장 많은 표를 얻었네.

지호: 음, 설문 조사 결과를 좀 바꾸면 어때? 내 생각엔 '두류 공원'이 더 흥미로울 것 같은데. / 현우: ( ㉡ )

민아: 어? 인터넷에 근대 문화 골목에 대한 보고서가 있네! 이름만 바꿔서 내자. / 현우: ( ㉢ )

**나**

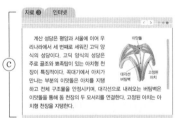

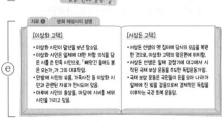

**08** 〈보기〉에서 ㉠과 같은 글의 특성을 바르게 파악한 사람끼리 짝지은 것은?

│보기│
가영: 작성자의 추측이나 기대가 포함되어야 한다.
진수: 글의 정확성을 높이기 위해 주로 전문 용어를 사용한다.
석진: 수집한 자료는 글의 목적에 부합하고 신뢰할 수 있어야 한다.
예린: 관찰, 실험, 조사한 결과 그대로를 정확하고 분명하게 표현한다.
종근: 자료를 수집하고 정리해 각 단계에서 다루어야 할 내용을 짜임새 있게 쓴다.

① 가영, 진수, 석진　　② 가영, 석진, 종근
③ 진수, 석진, 예린　　④ 진수, 예린, 종근
⑤ 석진, 예린, 종근

**09** 쓰기 윤리를 준수하기 위해 ㉡과 ㉢에 들어갈 내용으로 알맞지 **않은** 것은?

① ㉡: 조사한 내용을 왜곡해서는 안 돼.
② ㉡: 설문 조사 결과는 사실에 근거해 써야 해.
③ ㉢: 꼭 필요한 자료는 자료의 출처를 밝혀야 해.
④ ㉢: 자료의 일부가 아닌 글 전체를 인용하는 게 좋아.
⑤ ㉢: 남의 자료를 자기가 쓴 것처럼 하는 행위는 표절에 해당해.

**10** ⓐ~ⓔ에 대한 설명으로 알맞지 **않은** 것은?

① ⓐ: 조사 방법 중에서 자료 조사에 해당한다.
② ⓑ: ⓓ와 함께 제시하면 생동감을 더하고 독자의 이해를 도울 수 있다.
③ ⓒ: '계산 성당'의 역사적 가치를 평가한 인터넷 자료이다.
④ ⓓ: ⓔ와 마찬가지로 조사 지역을 직접 방문해 수집한 자료이다.
⑤ ⓔ: '이상화 고택'과 '서상돈 고택'에 대한 문화 해설사의 설명을 듣고 정리한 자료이다.

**11~14** 다음 글을 읽고, 물음에 답하시오.

**가** 대구의 근대 문화 골목은 대구 도심에 자리하고 있으며, 오래된 건축물들을 비롯한 근대의 문화유산이 잘 보존되어 있다. 그 이유는 이 지역이 한국 전쟁 당시 다른 지역에 비해서 피해가 크지 않았기 때문이다. 따라서 대구 근대 문화 골목에 찾아오면 한국 전쟁 이전의 생활상을 엿볼 수 있다.

**나** ① 청라 언덕 / 청라 언덕은 근대 문화 골목 입구에 있는 작은 공원이다. '청라'라는 이름은 '푸른 담쟁이'라는 뜻으로, 1893년경부터 대구에서 선교 활동을 하던 미국인 선교사들이 이 근방에 담쟁이를 많이 심은 데서 유래하였다. 청라 언덕에는 서양식으로 꾸며진 정원과 세 채의 주택이 있는데, 이 역시 미국인 선교사들이 짓고 자신들의 집으로 사용하던 것이다.

**다** ② 삼일 만세 운동 길 / 삼일 만세 운동 길은 일제 강점기였던 1919년 삼일 운동 당시, 만세 운동 집결 장소로 향하던 학생들이 경찰의 감시를 피하기 위해 이용했던 지름길이자 비밀 통로였다. 90개의 계단의 옆에 세워진 벽면에는 1900년대 대구 도심의 모습이 담긴 사진과 삼일 운동 당시를 촬영한 사진이 전시되어 있어서 당시의 모습을 생생하게 느낄 수 있다.

**라** ③ 계산 성당 / 계산 성당은 경상도에서 가장 오래된 성당이자, 대구 최초의 서양식 건물이다. 1899년에 최초로 세워졌으나 지은 지 얼마 되지 않아 불이 나서 무너지고, 1902년에 현재의 모습으로 재건되었다. 이 성당은 고딕 형식의 건물로, 성당 외벽은 붉은 벽돌과 회색 벽돌이 조화롭게 섞여 있고, 원형의 색유리 그림으로 아름답게 장식되어 있다.

**마** ④ 이상화 고택과 서상돈 고택

이상화 고택은 「빼앗긴 들에도 봄은 오는가」라는 시로 잘 알려진 민족 시인 이상화가 말년을 보낸 곳이다. 〈중략〉/ 이상화 고택의 맞은편에 위치한 서상돈 고택은 독립운동가인 서상돈 선생의 집을 복원한 것이다. 서상돈 선생은 일제에게서 경제적으로 독립하기 위해 국민들이 돈을 모아 나라의 빚을 갚자는 '국채 보상 운동'을 주도했던 인물이다.

**바** 근대 문화 골목에는 우리가 소개한 곳 외에도 유적지들이 많이 있는데, 더 조사하지 못한 점이 아쉬웠다. 앞으로도 근대 문화 골목에 지속적인 관심을 기울이며 많은 사람들에게 근대 문화 골목의 가치를 알리고 싶다.

**11** 다음 중 이 글과 같은 종류의 보고서로 작성할 수 있는 것은?
① 천연 비누 만들기 실험
② 시간에 따른 달의 위치 변화
③ 청소년들의 비속어 사용 실태
④ 우리 교실의 미세 먼지 농도 변화 관찰
⑤ 물의 온도와 금붕어의 호흡의 상관관계

**12** 이 글에서 소개한 장소들의 특징으로 알맞지 <u>않은</u> 것은?

| | 장소 | 특성 |
|---|---|---|
| ① | 근대 문화 골목 | 한국 전쟁 이전의 생활상을 엿볼 수 있음. |
| ② | 청라 언덕 | 근대 문화 골목 입구의 공원 |
| ③ | 삼일 만세 운동 길 | 만세 운동 집결 장소로 향하던 학생들의 지름길이자 비밀 통로 |
| ④ | 계산 성당 | 전통적 건축 양식과 서양식 건축 양식이 조화를 이루는 건물 |
| ⑤ | 이상화 고택, 서상돈 고택 | 이상화 고택과 서상돈 고택은 서로 마주하고 있음. |

**13** 보고하는 글의 항목 중, (나)~(마)에 해당하는 것은?
① 조사 대상　② 조사 내용　③ 조사 목적
④ 조사 동기　⑤ 조사 방법

✎ 서술형

**14** (가) 앞에 〈보기〉의 자료를 추가할 때, 독자 입장에서 얻을 수 있는 효과를 한 문장으로 쓰시오.

┌ 보기 ┐
각 유적지의 위치가 담긴 대구 근대 문화 골목의 약도
└─────────────┘

# 만점 마무리 〔1〕 사회를 비추는 문학

## ◆ 제재 선정 의도
이 희곡은 인물들의 대사와 행동을 통해 배금주의에 빠진 현대 사회의 모습과 세태를 비판적으로 드러내고 있는 작품으로, 문학 작품에 반영된 사회·문화적 배경을 파악하고 작품의 의미를 이해하기에 적합하여 제재로 선정하였다.

## ◆ 제재 이해

| 갈래 | 희곡 |
|---|---|
| 성격 | 현실 비판적, 풍자적, 교훈적 |
| 시점 | 전지적 작가 시점 |
| 배경 | • 시간: 1990년대<br>• 공간: 오아시스 세탁소 |
| 제재 | 세탁소에 맡겨진 할머니의 옷 |
| 주제 | 이기적이고 탐욕스러운 인간에 대한 풍자 및 순수한 인간성에 대한 지향 |
| 특징 | • 인물의 행동을 과장하여 웃음을 유발함.<br>• 비현실적인 문학 장치로 갈등이 해결되는 과정을 보여 줌. |

## ◆ 제재 요약
**발단** 아버지의 대를 이어 2대째 오아시스 세탁소를 맡고 있는 '강태국'은 자신의 일에 대해 신념과 자부심이 있음.

**전개** 할머니의 유산을 찾으러 온 할머니의 가족인 안 패거리가 세탁소를 난장판으로 만듦.

**절정** '강태국'은 아버지를 떠올리며 세상살이의 고달픔을 토로하고, 다른 사람들은 할머니의 유산을 찾기 위해 세탁소에 잠입함.

**하강** 탐욕스러운 사람들의 모습에 화가 난 '강태국'이 사람들을 세탁기에 넣어 돌림.

**대단원** '강태국'이 깨끗하게 세탁된 사람들의 모습을 보며 기뻐함.

## ◇ 주요 등장인물의 성격 및 특징

| 세탁소 사람들 | 안 패거리 |
|---|---|
| • 강태국: 세탁소 주인. 자신의 일에 최선을 다하는 인물로 정직하고 순수함.<br>• 장민숙: '강태국'의 아내. 할머니 가족들의 제안 이후 물질에 대한 욕망을 보임.<br>• 강대영: '강태국'과 '장민숙'의 딸<br>• 염소팔: 세탁소 종업원. 서울에 집 한 칸을 마련하여 어머니를 모시고 살고자 함. | • 안유식, 허영분: 할머니의 첫째 아들 부부<br>• 안경우: 할머니의 둘째 아들<br>• 안미숙: 할머니의 막내딸<br>→ 할머니의 죽음 앞에서도 탐욕스러움을 드러내는 부정적 인물들<br>• 서옥화: 할머니의 간병인. 할머니의 유산을 찾아 자신의 처지를 바꾸어 보고자 함. |

## ◇ 등장인물의 말과 행동에서 드러나는 사회·문화적 상황

| 세탁소 사람들 | 안 패거리 |
|---|---|
| • 장민숙: 할머니 재산에 대한 이야기를 듣고 남편인 '강태국'과 종업원인 '염소팔'을 의심함.<br>• 염소팔: 도둑이 되어도 상관이 없다며 돈을 향한 열망을 드러냄. | • 자신들의 어머니인 할머니의 이름조차 모르며 할머니의 임종에 대해 무관심함.<br>• 할머니의 유산을 찾는 일에 혈안이 되어 세탁소를 습격하여 난장판으로 만듦.<br>• 세탁소 사람들을 함부로 대함. |

인간성을 상실하고, 사람보다 물질을 중시하는 세태를 드러냄.

## ◇ 이 글에서 비판하는 사회·문화적 상황

| 세탁소에 잠입한 사람들의 모습 | |
|---|---|
| • 어두운 조명 아래 검은 복색을 하고 세탁소의 이곳저곳을 샅샅이 뒤짐.<br>• 자신의 정체가 드러나지 않도록 고양이나 쥐의 흉내를 냄.<br>• 서로의 소리나 그림자에 놀라고 서로 스쳐 지나가면서도 알아보지 못함. | • 물질에 눈먼 사람들을 우스꽝스럽게 표현하여 풍자함.<br>• 물질 만능주의가 지배하는 당시의 사회·문화적 상황을 비판함. |

## ◇ 세탁 장면의 상징성

| 물질에 눈먼 사람들의 마음이 순수하게 바뀌는 과정 |
|---|

이기적이고 탐욕스러운 마음을 가진 사람들 → (세탁) → 순수하고 깨끗한 마음을 가진 사람들

## ◇ 제목 '오아시스 세탁소'의 의미

| 오아시스 | 오아시스 세탁소 |
|---|---|
| 사람들이 살기 어려운 사막에서 샘이 솟고 풀과 나무가 자라는 장소 | 물질 만능주의가 팽배한 세상에서 탐욕스러운 사람들의 마음을 깨끗하고 순수하게 만들어 주는 공간 |

# 간단 복습 문제

## [1] 사회를 비추는 문학

• 정답과 해설 34쪽

**쪽지 시험**

**[01~05]** 다음 문장에 들어갈 알맞은 낱말을 (    )에서 골라 ○표 하시오.

**01** 희곡은 ( 연극 / 영화 )을/를 무대에서 상연하기 위해 쓰인 대본을 가리킨다.

**02** 희곡에서 막이 오르기 전 필요한 무대 장치, 인물, 배경 등을 설명하는 구성 요소를 ( 지시문 / 해설 )이라고 한다.

**03** 희곡은 등장인물 간의 대립과 ( 갈등 / 조화 )을/를 중심으로 사건이 전개된다.

**04** 문학은 창작 당시의 사회·문화적 상황을 포함한 현실을 ( 무시 / 반영 )한다.

**05** 「얼굴 반찬」은 과거와 현재의 ( 밥상 풍경 / 식사 예절 )을 대조하여, 현대 사회의 모습을 비판하고 있다.

**[06~10]** 「오아시스 세탁소 습격 사건」에 대한 다음 설명이 맞으면 ○표, 틀리면 ✕표 하시오.

**06** 세탁소 종업원인 '염소팔'은 자신의 일에 최선을 다하는 정직하고 순수한 인물이다. (        )

**07** 안 패거리는 할머니의 이름도 잘 모르지만, 할머니의 임종을 지키는 최소한의 도리는 하였다. (        )

**08** 이 글은 세탁소에 잠입하여 우스꽝스러운 행동을 하는 인물들을 통해 물질 만능주의가 지배하는 당시의 세태를 드러낸다. (        )

**09** '잡기장'은 탐욕스러운 사람들의 마음을 깨끗하고 순수하게 만들어 주는 일기장을 의미한다. (        )

**10** 이 글은 읽는 이에게 돈이나 물질보다 더 중요한 가치가 있다는 깨달음을 준다. (        )

**[11~13]** 다음 문장의 빈칸에 들어갈 알맞은 낱말의 기호를 〈보기〉에서 골라 쓰시오.

**┤보기├**

㉠ 고기반찬    ㉡ 난장판    ㉢ 의    ㉣ 재산

**11** 안 패거리는 할머니의 유산을 찾기 위해 세탁소를 습격하여 (        )을/를 만든다.

**12** 할머니의 비밀은 (        )을/를 모두 자식들을 위해 써서 남은 것이 없지만, 형제간에 (        )이/가 상할까 봐 말을 하지 않은 것이다.

**13** 「얼굴 반찬」에서 (        )은/는 물질적인 풍요로움을 상징한다.

**어휘 시험**

**[01~03]** 다음 문장에 들어갈 알맞은 낱말을 (    )에서 골라 ○표 하시오.

**01** 이웃 마을에 산불이 나서 ( 가시밭 / 쑥대밭 )이 되었다.

**02** 자녀에 대한 부모님의 사랑은 ( 초과분 / 화수분 )처럼 마르지 않는다.

**03** 네가 지난 방학 때 저지른 일을 ( 이실직고 / 적반하장 )하는 것이 너에게 조금이나마 유리할 것이다.

**[04~07]** 다음 낱말과 그 뜻풀이를 바르게 연결하시오.

**04** 임종  •　　　•㉠ 끔찍하고 절망적이다. 또는 몹시 슬프고 괴롭다.

**05** 통째  •　　　•㉡ 나누지 아니한 덩어리 전부

**06** 참담하다  •　　　•㉢ 아름답지 못하고 추잡한 데가 있다.

**07** 불미스럽다  •　　　•㉣ 죽음을 맞이함. 또는 부모가 돌아가실 때 그 곁을 지키고 있음.

# 예상 적중 소단원 평가 〔1〕 사회를 비추는 문학

**01~04** 다음 글을 읽고, 물음에 답하시오.

**가** 장민숙: (달려들며) 어머나, 어머나, 아니 저 여자가 미쳤나. (붙잡아 막으며) 왜 남의 세탁물은 망가뜨려요?

허영분: (장민숙을 밀어 넘기며) 옷이 문제야, 지금? 전 재산이 왔다 갔다 하는 판국에…….

장민숙: (잘못 넘어져 다친 손목을 흔들며) 아이고, 손이야. 야, 염소팔 뭐해?

염소팔: (달려와 허영분을 말리며) 아니, 이 아줌마가 돌았나?

허영분: 그래, 돌았다. 건드리기만 해, 아주. 폭행죄로 처넣을 테니까. / 염소팔: 뭐여?

**나** 서옥화: (양은 대야를 두들기며) 그만! 잠깐만! 지 말 좀 들어요. 아니, 뭘 찾든지 간에 이름을 알든지 옷을 알든지 해야지. 사장, 사모님 자 듣는 분이 이게 뭔 경우래요? (안 패거리에게) 찾으시는 게 뭐래요?

허영분: (당황하여) 여보, 뭐지?

안미숙: (안경우에게) 김순례 아냐?

안경우: 아냐, 안중댁이라고 그러는 거 같던데…….

허영분: 그거야 어머님 고향이 안중이고…….

**다** 안유식: (받는다.) ㉠여보세요. 아, 김 박사님. 예? 임종이요? 아니 찾지도 못했는데……. 아, 예, 그런 게 있어요. 아, 가야지요. (소리 지른다.) 지금 간다니까! (끊는다.) / 안미숙: 엄마 간대?

허영분: 어머님도, 조금만 더 인심 쓰시지 않고. 세탁이 뭐야, 달룽 세탁!

서옥화: 어서 가 보세요. 혹시 남은 반토가리 말이라두 들을지 알아요? 〈중략〉

안유식: (가다가 돌아서서) 아무래도 안 되겠어. 저, 말이지……. 누구든지 먼저 찾는 사람한테 50 프로를 주겠소!

**라** 염소팔: 내 이번 한 번만 봐주믄 다시는 도와 달라고 하지 않을 팅게 지발 덕분에 우리 엄니랑 두 다리 뻗고 잘 집 한 칸 마련하게 도와주십시오. (확인하듯이) 집 한 칸, 아가씨 데려다 앉히고 엄니 모시러 가고……. ㉡엄니, 내는 이자부터 도둑놈입니다.

서옥화: 누구든 찾기만 해라. 내가 쪽쪽 다 빨아먹어 줄 테니. 서옥화 팔자 한번 바꾸어 보드라고!

---

**01** 이와 같은 글에 대한 설명으로 알맞지 않은 것은?

① 막과 장을 구성 단위로 한다.
② 등장인물의 수나 공간에 제약이 없다.
③ 무대 상연을 목적으로 쓰인 대본이다.
④ 해설, 대사, 지시문 등으로 이루어져 있다.
⑤ 모든 사건을 눈앞에 일어나는 것처럼 현재화하여 보여 준다.

**02** 이 글에서 다음과 같은 태도 변화를 보이는 인물을 바르게 묶은 것은?

> 작품 초반에는 안 패거리에 대항하거나 중립적이었던 인물이 할머니의 유산을 나누어 주겠다는 말에 자신의 이익을 챙기려는 모습을 보인다.

① 장민숙, 허영분 　 ② 허영분, 염소팔
③ 염소팔, 서옥화 　 ④ 서옥화, 허영분
⑤ 장민숙, 안유식

**03** (가)~(다)의 안 패거리에 대한 설명으로 알맞은 것은?

① 돈에 눈이 멀어 막무가내로 행동한다.
② 사회적 신분에 맞게 예의를 갖춰 사람을 대한다.
③ 자신보다 공동체 구성원의 권리를 먼저 생각한다.
④ 어려운 일이 닥치면 앞장서서 해결하려는 태도를 보인다.
⑤ 자신에게 주어진 조건에 만족하며 욕심을 부리지 않는다.

✏️ 서술형

**04** 다음을 이 글의 창작 당시 기사문이라고 할 때, ㉠과 ㉡에 드러나는 사회·문화적 상황을 쓰시오.

> "행운의 '복돈'입니다. 이것만 안방에 걸어 놔 보세요. 돈이 슬슬 굴러들어 옵니다."
> 　최근 사람이 많이 지나다니는 도심지 길거리에, 1만 원 권과 5천 원 권 지폐를 컬러로 확대 복사해 판매하는 일명 '복돈 판매상'이 등장했다. 일반 지폐보다 다섯 배 정도 큰 이 복돈은, 어른은 물론 청소년에게도 날개 돋친 듯 팔리고 있다.

`05~09` 다음 글을 읽고, 물음에 답하시오.

**가** 강태국: 에이, 나쁜 사람들. (옷을 가지고 문으로 향하며) 나 못 줘! (울분에 차서) 이게 무엇인지나 알어? 나 당신들 못 줘. 내가 직접 할머니 갖다 드릴 거야.

장민숙: 여보, 나 줘! / 강대영: 아버지, 나요!

강태국: 안 돼, 할머니 갖다줘야 돼. 왠지 알어? 이건 사람 것이거든. 당신들이 사람이믄 주겠는데, 당신들은 형상만 사람이지 사람이 아냐. 당신 같은 짐승들에게 사람의 것을 줄 순 없어. (나선다.)

안유식: 에이! (달려든다.) / 강태국: (도망치며) 안 돼!

**나** 강태국, 재빨리 옷을 세탁기에 넣는다. 사람들 서로 먼저 차지하려고 세탁기로 몰려 들어간다. 강태국이 얼른 세탁기 문을 채운다. 놀라는 사람들, 세탁기를 두드린다.

강태국, 버튼 앞에 손을 내밀고 망설인다. 사람들 더욱 세차게 세탁기 문을 두드린다. 강태국, 버튼에 올려놓은 손을 부르르 떨다가 강하게 누른다. 음악이 폭발하듯 시작되고 꿩음을 내고 돌아가는 세탁기. 무대 가득 거품이 넘쳐난다. 빨래 되는 사람들의 고통스러운 얼굴이 유리에 부딪혔다 사라지고, 부딪혔다 사라지고……

**다** 옛날 밥상머리에는
㉠할아버지 할머니 얼굴이 있었고
㉡어머니 아버지 얼굴과
㉢형과 동생과 누나의 얼굴이 맛있게 놓여 있었습니다.
가끔 이웃집 아저씨와 아주머니 / 먼 친척들이 와서
밥상머리에 간식처럼 앉아 있었습니다.
어떤 때는 외지에 나가 사는
고모와 삼촌이 외식처럼 앉아 있기도 했습니다.
이런 얼굴들이 풀잎 반찬과 잘 어울렸습니다.

그러나 지금 내 새벽 밥상머리에는
고기반찬이 가득한 늦은 밥상머리에는
아들도 딸도 아내도 없습니다.
모두 밥을 사료처럼 퍼 넣고
직장으로 학교로 동창회로 나간 것입니다.

밥상머리에 얼굴 반찬이 없으니
인생에 재미라는 영양가가 없습니다.

**05** (가)~(나)의 구성 단계상 특징으로 알맞은 것은?
① 등장인물과 배경이 소개된다.
② 등장인물 간의 갈등이 시작된다.
③ 등장인물 간의 갈등이 최고조에 이른다.
④ 등장인물 간의 갈등이 해소되는 계기가 나타난다.
⑤ 등장인물 간의 갈등이 해소되고 사건이 마무리된다.

🖊️ **서술형**

**06** (가)에서 다음 설명에 해당하는 말을 찾아 쓰시오.

> 물질에 현혹되어 인간의 기본적인 도리를 지키지 않은 사람을 비판하기 위해 비유한 말

**07** (나)에 대한 설명으로 알맞은 것은?
① 운문의 요소를 가미하여 문학성을 높인다.
② 비현실적 장치를 활용해 갈등 상황을 정리한다.
③ 인물의 불행한 운명을 통해 비극성을 강화한다.
④ 섬세한 심리 묘사로 서정적 분위기를 형성한다.
⑤ 음악을 통해 인물이 겪는 내적 갈등을 보여 준다.

**08** (다)에 대한 학생의 반응으로 적절하지 않은 것은?
① 은지: 이 시는 과거와 오늘날의 밥상 풍경을 제시하고 있어.
② 준수: 응. 그런데 두 개의 풍경이 참 대조적이야.
③ 우연: 시인은 그중에서 예전의 밥상 풍경을 그리워하는 것 같아.
④ 경원: 그렇지만은 않아. 오늘날 밥상 풍경에 '고기반찬'이라는 시어를 활용해서 긍정적인 의미를 나타냈어.
⑤ 가영: 나는 소박한 반찬을 '풀잎 반찬'이라고 표현한 것이 색다르게 느껴졌어.

🖊️ **서술형**

**09** ㉠~㉢의 의미를 모두 포함할 수 있는 시어를 찾아 쓰시오.

**01~08** 다음 글을 읽고, 물음에 답하시오.

**가** 장민숙: (달려들며) 어머나, 어머나, 아니 저 여자가 미쳤나. (붙잡아 막으며) 왜 남의 세탁물은 망가뜨려요? / 허영분: (장민숙을 밀어 넘기며) 옷이 문제야, 지금? 전 재산이 왔다 갔다 하는 판국에…….

장민숙: (잘못 넘어져 다친 손목을 흔들며) 아이고, 손이야. 야, 염소팔 뭐해?

염소팔: (달려와 허영분을 말리며) 아니, 이 아줌마가 돌았나?

허영분: ㉠그래, 돌았다. 건드리기만 해, 아주. 폭행죄로 처넣을 테니까.

염소팔: 뭐여? / 장민숙: (손목을 흔들어 보이며) 아구구, 폭행은 누가 했는데…….

**나** ( ㉡ ). 무대 밝아지면 어두운 무대. 다림질대를 밝히는 백열전구 아래 강태국이 러닝셔츠 차림으로 열심히 김을 뿜어 대며 다림질을 하고 있다. 어두운 무대에 작은 불빛들이 반짝이며 움직인다. 어둠 속을 누비는 불빛들. 장민숙과 강대영, 염소팔, 안유식과 허영분, 안경우, 서옥화, 안미숙이다.

**다** 강태국: 가라, 가. (솔로 옷을 턴다.) 우리 마누라 알뜰해서 너 먹을 거 없다. (고개를 갸웃거리며 입에 대고 맛을 본다.) 어디 보자. 이게 뭐냐? 떫은맛이 나는 것도 같고, 어디 보자. (상자 속에서 옛날 아버지 잡기장을 꺼내 읽어 본다.) 이 법은 옷에 묻은 물의 맛에 따라 그와 반대되는 맛 가진 물건으로 빼는 것이니……. 〈중략〉 세상이 어떤 세상인데 세탁소를 하나? (또 한 모금 마신다.) 인간 강태국이가 세탁소 좀 하면서 살겠다는데 그게 그렇게도 이 세상에 맞지 않는 짓인가? 이 때 많은 세상 한 귀퉁이 때 좀 빼면서, 그거 하나 지키면서 보람 있게 살아 보겠다는데 왜 흔들어? 돈이 뭐야? 돈이 세상의 전부야? (술 한 모금 마시고) 느이놈들이 다 몰라줘도 나 세탁소 한다. 그게 내 일이거든…….

**라** 강태국, 재빨리 옷을 세탁기에 넣는다. 사람들 서로 먼저 차지하려고 세탁기로 몰려 들어간다. 강태국이 얼른 세탁기 문을 채운다. 〈중략〉

**[A]** 강태국, 버튼 앞에 손을 내밀고 망설인다. 사람들 더욱 세차게 세탁기 문을 두드린다. 강태국, 버튼에 올려놓은 손을 부르르 떨다가 강하게 누른다. 음악이 폭발하듯 시작되고 굉음을 내고 돌아가는 세탁기. 무대 가득 거품이 넘쳐난다. 빨래 되는 사람들의 고통스러운 얼굴이 유리에 부딪혔다 사라지고, 부딪혔다 사라지고…….

**마** 강태국: (눈물 고름을 받쳐 들고) 할머니, 비밀을 지켜 드렸지요? 그 많은 재산, 이 자식 사업 밑천, 저 자식 공부 뒷바라지에 찢기고 잘려 나가도, 자식들은 부모 재산이 화수분인 줄 알아서, 이 자식이 죽는 소리로 빼돌리고, 저 자식이 앓는 소리로 빼돌려, 할머니를 거지를 만들어 놓아도 불효자식들 원망은커녕 형제간에 의 상할까 걱정하시어 끝내 혼자만 아시고 아무 말씀 안 하신 할머니 마음. 이제 마음 놓고 가셔서 할아버지 만나서 다 이르세요. 〈중략〉

음악 높아지며, ㉢할머니의 혼백처럼 눈부시게 하얀 치마저고리가 공중으로 올라간다. 세탁기 속의 사람들도 빨래집게에 걸려 죽 걸린다.

강태국: (바라보고) 깨끗하다! 빨래 끝! (크게 웃는다.) 하하하.

**01** (가)의 상황을 고려하여 ㉠과 같은 태도를 표현할 수 있는 한자 성어를 쓰시오. [5점]

**02** ㉡에 들어갈 말로, 다음의 기능을 하는 용어를 2음절로 쓰시오. [5점]

> 무대를 어둡게 한 상태에서 무대 장치나 장면을 바꿈.

**03** (다)에서 다음의 역할을 하는 소재를 찾아 3음절로 쓰시오. [5점]

> 옷을 세탁하는 다양한 방법이 정리되어 있음.

**04** [A]를 대사와 지시문으로 재구성한다고 할 때, 다음 빈칸에 들어갈 말을 쓰시오. [5점]

> 강태국: ( ) 세탁 버튼을 눌러야 할까, 말아야 할까. 그래, 이렇게라도 해서 사람들의 마음을 깨끗하게 하는 것이 필요해. 결심했어! 버튼을 누르자. (버튼을 강하게 누른다.)

**05** ㉢이 상징하는 바를 2어절로 쓰시오. [5점]

**2단계**  기본형 서술형 문제

**06** (가)에 나타나는 인물 간의 갈등 양상과 그 이후의 갈등 양상을 다음과 같이 정리할 때, 빈칸에 들어갈 말을 쓰시오. [15점]

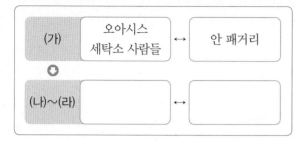

**07** (다)에 나타난 '강태국'의 면모를 쓰시오. [15점]

조건  ① 직업에 대한 '강태국'의 태도를 쓸 것
② '강태국'이 생각하는 자신의 직업이 갖는 의의를 '강태국'의 대사를 참고하여 쓸 것

**08** (라)의 장면에 나타난 작가의 의도를 쓰시오. [15점]

조건  ① 작가가 비판하는 현대 사회의 세태와 그에 따른 작가의 바람을 한 문장으로 쓸 것

**09** 〈보기〉에 반영된 현대 사회의 모습과, 이에 대한 시인의 태도를 서술하시오. [30점]

┤보기├
옛날 밥상머리에는
할아버지 할머니 얼굴이 있었고
어머니 아버지 얼굴과
형과 동생과 누나의 얼굴이 맛있게 놓여 있었습니다.
가끔 이웃집 아저씨와 아주머니
먼 친척들이 와서
밥상머리에 간식처럼 앉아 있었습니다.
어떤 때는 외지에 나가 사는
고모와 삼촌이 외식처럼 앉아 있기도 했습니다.
이런 얼굴들이 풀잎 반찬과 잘 어울렸습니다.

그러나 지금 내 새벽 밥상머리에는
고기반찬이 가득한 늦은 밥상머리에는
아들도 딸도 아내도 없습니다.
모두 밥을 사료처럼 퍼 넣고
직장으로 학교로 동창회로 나간 것입니다.

밥상머리에 얼굴 반찬이 없으니
인생에 재미라는 영양가가 없습니다.

조건  ① 과거와 현재의 밥상 풍경의 특징을 비교하여 쓸 것
② 과거와 현재의 비교를 통해 드러나는 현대 사회의 특징과, 이에 대한 시인의 태도를 포함하여 쓸 것

# 만점 마무리 [2] 자신 있게 말하기

◆ **활동 의도**

자신의 말하기 상황을 점검하면서 말을 할 때 어려움을 겪는 이유를 파악하고, 만화와 칼럼을 감상하면서 여러 사람 앞에서 말을 할 때 어려움을 겪는 원인과 말하기 불안에 대처하는 방법을 알아보도록 하였다. 또한 평소 자신이 관심을 두고 있는 주제에 대해 3분 말하기를 해 보고 평가해 보도록 하였다.

◆ **활동 목표**

• 자신이 말을 할 때 어려움을 겪는 이유 파악하기
• 여러 사람 앞에서 말을 할 때 어려움을 느끼는 원인 알아보기
• 말하기 불안에 대처하는 방법 알아보기
• 친구들과 함께 3분 말하기를 하고 서로 평가하기

◆ **활동 요약**

| 자신이 말을 할 때 어려움을 겪는 이유 파악하기 |
|---|
| 자신의 말하기 상황을 점검하면서 말을 할 때 어려움을 겪는 이유를 이야기함. |

| 여러 사람 앞에서 말을 할 때 어려움을 느끼는 원인 알아보기 |
|---|
| 만화를 보고 여러 사람 앞에서 말을 할 때 어려움을 느끼는 원인을 찾고, 어려움을 극복할 수 있는 방법을 정리함. |

| 말하기 불안에 대처하는 방법 알아보기 |
|---|
| 칼럼을 읽고, 말하기 불안을 극복하기 전과 후의 글쓴이의 태도를 정리함. |

| 친구들과 함께 3분 말하기를 하고 서로 평가하기 |
|---|
| 모둠별로 생활과 관련된 주제를 정해 개요를 작성하여 3분 말하기를 하고, 기준에 따라 평가함. |

## ◇ 말하기 불안의 개념과 원인

| 개념 | 여러 사람 앞에서 말을 하기 전 또는 말을 하는 과정에서 개인이 경험하는 불안 증상을 의미함. |
|---|---|
| 원인 | • 말하기 준비를 제대로 하지 않았을 경우<br>• 공식적인 상황에 익숙하지 않은 경우<br>• 상대방 혹은 말하기 과제에 대하여 과도한 부담을 느끼는 경우 |

## ◇ 말하기 불안에 대처하는 방법

• '유창한 말하기'에 대한 잘못된 생각을 바꾼다.
• 철저한 준비와 연습을 통해 말하기에 대한 자신감을 얻는다.

## ◇ 만화에서 '송우연'이 겪는 말하기 불안

| '송우연'이 발표 시간을 제일 싫어하는 이유 | 해결 방안 |
|---|---|
| • 너무 떨려서 이상한 소리가 나올까 봐 걱정되기 때문에<br>• 말하다가 실수할까 봐 두렵기 때문에<br>• 친구들이 자신을 비웃을까 봐 염려되기 때문에<br>• 친구들이 자신에게 어려운 질문을 할까 봐 걱정되기 때문에<br>• 자신만 쳐다보는 친구들의 시선이 부담스럽기 때문에 | • 자신감이 생길 때까지 발표 연습을 함.<br>• 청중이 질문할 내용을 짐작해 보고, 이에 대한 답변을 마련해 놓음.<br>• 너무 긴장될 때는, 깊게 숨을 쉬면서 호흡을 가다듬고 간단한 체조를 하면서 몸을 풀어 줌.<br>• 바로 대답하기 어려운 질문을 받으면 모르고 있다는 사실을 밝히고, 나중에 알아보고 알려 주겠다고 당당하게 대답함. |

## ◇ 「발표 불안」의 글쓴이가 말하기 불안을 극복한 방법

| 극복 전 | 극복 후 |
|---|---|
| • 긴장해서 얼굴이 빨개지면 창피할 것이라고 생각함.<br>• 실수할까 봐 떨림.<br>• '마음 좀 단단히 먹어.'라며 자신을 다그침. | • '창피 좀 당하고 말지 뭐.'라고 생각함.<br>• '차라리 실수해 버리지 뭐.'라고 생각함.<br>• '불안해도 괜찮다.'라고 생각하면서 불안을 있는 그대로 받아들임. |

| 생각의 전환을 통해 말하기 불안을 극복함. |
|---|

## ◇ 「발표 불안」의 글쓴이가 생각하는, 말하기 불안의 이유와 해소 방법

| 이유 | 불안을 느끼는 자신을 창피하게 여기기 때문임. |
|---|---|
| 해소 방법 | • 불안해도 된다고 인정함.<br>• 남들도 나만큼 불안해한다는 것을 깨달음.<br>• 자기 스스로를 부끄러워하지 않음.<br>• 남을 부러워하지 않음. |

# 간단 복습 문제
## [2] 자신 있게 말하기

● 정답과 해설 36쪽

**쪽지 시험**

**[01~02]** 다음 설명이 맞으면 ○표, 틀리면 ×표 하시오.

**01** 여러 사람 앞에서 말을 하는 과정에서 개인이 경험하는 불안 증상을 말하기 불안이라고 한다. (　　　)

**02** 말하기 불안은 여러 사람 앞에서 말을 하기 전에는 나타나지 않는다. (　　　)

**[03~05]** 다음 빈칸에 들어갈 알맞은 말을 쓰시오.

**03** 대중 앞에서 말을 해 본 (　　　)이/가 적으면 말하기 불안 정도가 높아진다.

**04** 청중이 자신의 말을 어떻게 (　　　)하고 반응할 것인가에 대한 염려도 말하기 불안의 원인이 된다.

**05** 성격이 (　　　)이고 부끄러움을 잘 타는 사람은 말하기 불안을 더 심하게 경험할 수 있다.

**[06~10]** 다음은 말하기 불안에 대처하는 방법이다. 빈칸에 들어갈 알맞은 낱말의 기호를 〈보기〉에서 골라 쓰시오.

┌ 보기 ┐
ㄱ 긴장　ㄴ 상황　ㄷ 창피　ㄹ 현상　ㅁ 확신

**06** 실제 말하기 (　　　)에 맞춰 충분히 연습한다.

**07** 말하기 불안을 자연스러운 (　　　)(으)로 받아들인다.

**08** 말하기 내용에 대해 (　　　)이/가 생길 수 있도록 철저히 준비한다.

**09** (　　　)이/가 될 때는 호흡을 가다듬고 간단한 체조를 하면서 몸을 풀어 준다.

**10** 실수해서 (　　　)을/를 당하는 일이 크게 잘못된 일이 아니라고 대수롭지 않게 생각한다.

**어휘 시험**

**[01~04]** 다음 문장에 들어갈 알맞은 낱말을 (　　　)에서 골라 ○표 하시오.

**01** 우리는 남북 대화가 계속될 것으로 ( 준비 / 확신 ) 한다.

**02** 두 사람의 ( 마음 / 시선 )이 마주치는 순간, 불꽃이 튀는 느낌이 들었다.

**03** 친구는 이번 경기에서 반드시 이길 것이라며 ( 두려움 / 자신감 )을 나타냈다.

**04** 많은 청중 앞에서 어떤 주제에 대해 ( 발표 / 실수 ) 하는 것은 쉬운 일이 아니다.

**[05~08]** 다음 낱말과 그 뜻풀이를 바르게 연결하시오.

**05** 다반사　　•　　• ㉠ 결국 서로 같음.

**06** 매한가지　•　　• ㉡ 목적한 바를 이룸.

**07** 성취　　　•　　• ㉢ 보통 있는 예사로운 일

**08** 창피　　　•　　• ㉣ 체면이 깎이는 일이나 아니꼬운 일을 당하거나 그에 대한 부끄러움.

**[09~12]** 다음 설명에 해당하는 낱말을 〈보기〉에서 골라 쓰시오.

┌ 보기 ┐
경청, 신년, 전환, 대처

**09** 귀를 기울여 들음. (　　　)

**10** 어떤 정세나 사건에 대하여 알맞은 조치를 취함. (　　　)

**11** 다른 방향이나 상태로 바뀌거나 바꿈. (　　　)

**12** 새로 시작되는 해 (　　　)

# 예상 적중 소단원 평가 [2] 자신 있게 말하기

● 정답과 해설 36쪽

01~03 다음을 읽고, 물음에 답하시오.

**나** 예전에는 사람들 앞에서 발표하는 게 무척 힘들었다. 심장이 두근거리는 건 다반사였고 목소리가 떨려서 하고 싶은 말도 제대로 못했다. 머릿속 말들이 수증기처럼 날아가 버릴까 두려워서 종이에 꼼꼼히 적어 놓고 읽기도 했다. 하지만 지금은 웬만해서는 잘 안 떤다.

그전에는 '발표하다 긴장해서 얼굴이 빨개지면 창피할 텐데……'라는 생각이 치밀어 올라 불안해졌는데 이제는 '창피 좀 당하고 말지 뭐.'라며 뻔뻔함을 키웠더니 불안이 줄었다. 실수할까 봐 떨릴 때에도 '차라리 실수해 버리지 뭐.'라고 속으로 읊조리니까 오히려 덜 긴장하게 됐다. '마음 좀 단단히 먹어.'라며 자기를 다그치기보다 '불안해도 괜찮다.'라고 생각하니 편해졌다. 쉽게 불안해지고 마는 나 자신을 부끄럽게 여기지 않고, 있는 그대로 받아들이니까 불안이 확 줄었다. 〈중략〉

발표 불안은 불안을 느끼는 자신을 창피하게 여기기 때문에 생기는 것이다. 불안해도 되고, 남들도 나만큼 불안해한다는 걸 깨닫게 되면 마음은 한결 편해지기 마련이다. 나를 부끄러워하지 않고, 남을 부러워하지 않게 되면 불안도 사라진다.

**01** (가)에 대한 설명으로 알맞지 않은 것은?

① 발표자는 말하기 불안을 겪고 있다.

② 발표자는 말하다 실수할 것을 두려워하고 있다.

③ 발표자는 긴장감 때문에 계속해서 말을 더듬고 있다.

④ 발표자는 자신감 없는 태도로 발표를 시작하고 있다.

⑤ 발표자는 너무 떨려서 이상한 목소리가 나올까 봐 걱정하고 있다.

**02** (나)에 제시된, 글쓴이가 말하기 불안을 극복하기 전의 모습에 해당하는 것은?

① 청중의 시선을 피하며 발표를 하였다.

② 긴장해서 얼굴이 빨개질까 봐 불안해하였다.

③ 창피를 당하고 말겠다며 뻔뻔하게 생각하였다.

④ 실수를 하지 않기 위해 발표 내용을 철저히 외워 발표하였다.

⑤ 마음을 단단히 먹기보다는 불안을 있는 그대로 받아들였다.

**서술형**

**03** (나)의 글쓴이가 생각하는, 말하기(발표) 불안이 생기는 이유를 본문에서 찾아 한 문장으로 쓰시오.

**04** 자신이 관심을 두고 있는 주제에 대하여 발표를 할 때, 주의해야 할 점이 아닌 것은?

① 자신에게 주어진 시간에 맞게 발표해야 한다.

② 주제와 상관없어도 좋은 내용이면 모두 수집해야 한다.

③ 듣는 이의 관심이나 흥미, 수준에 맞는 내용을 선정해야 한다.

④ 목소리의 크기와 말하는 속도가 발표하는 상황에 적절해야 한다.

⑤ 발표하는 내용에 알맞은 준언어·비언어적 표현을 사용해야 한다.

# 고득점 서술형 문제

## 〔2〕 자신 있게 말하기

### 1단계 단답식 서술형 문제

**01** 다음 빈칸에 들어갈 알맞은 말을 쓰시오. [5점]

> 여러 사람 앞에서 말을 하기 전 또는 말을 하는 과정에서 개인이 경험하는 불안 증상을 □□□ □□(이)라고 한다.

**02** 발표자가 편안한 마음으로 발표할 수 있게 도와주는 청중의 바람직한 태도를 두 가지 이상 쓰시오. [10점]

### 2단계 기본형 서술형 문제

**03** 〈보기〉의 상황에서 말하기 불안에 대처할 수 있는 방법을 발표 전과 발표 도중에 할 수 있는 것으로 나누어 쓰시오. [25점]

> ─보기─
> 어려운 질문 같은 게 나오면 어떡하지?

**04** 〈보기〉를 참고하여 말하기 불안을 해소할 수 있는 방법을 쓰시오. [15점]

> ─보기─
> 발표 불안은 불안을 느끼는 자신을 창피하게 여기기 때문에 생기는 것이다. 불안해도 되고, 남들도 나만큼 불안해한다는 걸 깨닫게 되면 마음은 한결 편해지기 마련이다. 나를 부끄러워하지 않고, 남을 부러워하지 않게 되면 불안도 사라진다.

**05** '우리 동네'를 주제로 3분 말하기를 할 때, 말할 내용으로 알맞은 것을 세 가지 이상 쓰시오. [15점]

### 3단계 고난도 서술형 문제

**06** 〈보기〉를 읽고, 글쓴이가 말하기 불안을 극복한 방법을 쓰시오. [30점]

> ─보기─
> 예전에는 사람들 앞에서 발표하는 게 무척 힘들었다. 심장이 두근거리는 건 다반사였고 목소리가 떨려서 하고 싶은 말도 제대로 못했다. 머릿속 말들이 수증기처럼 날아가 버릴까 두려워서 종이에 꼼꼼히 적어 놓고 읽기도 했다. 하지만 지금은 웬만해서는 잘 안 떤다.
> 그전에는 '발표하다 긴장해서 얼굴이 빨개지면 창피할 텐데…….'라는 생각이 치밀어 올라 불안해졌는데 이제는 '창피 좀 당하고 말지 뭐.'라며 뻔뻔함을 키웠더니 불안이 줄었다. 실수할까 봐 떨릴 때에도 '차라리 실수해 버리지 뭐.'라고 속으로 읊조리니까 오히려 덜 긴장하게 됐다. '마음 좀 단단히 먹어.'라며 자기를 다그치기보다 '불안해도 괜찮다.'라고 생각하니 편해졌다. 쉽게 불안해지고 마는 나 자신을 부끄럽게 여기지 않고, 있는 그대로 받아들이니까 불안이 확 줄었다.

> **조건** ① 말하기 불안을 극복할 수 있었던 글쓴이의 태도를 쓸 것
> ② ①을 종합하여, 글쓴이가 말하기 불안을 극복한 방법을 쓸 것

**01~04** 다음 글을 읽고, 물음에 답하시오.

**가** │앞부분 줄거리│ '강태국'은 2대째 내려오는 오아시스 세탁소의 주인으로, 세탁소 일을 정리하고 세탁 편의점을 하자는 아내 '장민숙'의 잔소리에도 꿋꿋하게 세탁소를 지켜 내고 있다. '강태국'은 자신이 하는 일이 사람의 마음을 세탁하는 일이라는 신념으로 자신의 직업에 자부심을 느끼고 있기 때문이다. 그러던 어느 날, 할머니의 가족인 '안유식'과 '허영분', '안경우', '안미숙'이 세탁소로 다짜고짜 쳐들어와 할머니의 간병인이 맡긴 것을 내놓으라며 난동을 부린다.

**나** 장민숙: (달려들며) 어머나, 어머나, 아니 저 여자가 미쳤나. (붙잡아 막으며) 왜 남의 세탁물은 망가뜨려요?

허영분: (장민숙을 밀어 넘기며) 옷이 문제야, 지금? 전 재산이 왔다 갔다 하는 판국에…….

장민숙: (잘못 넘겨져 다친 손목을 흔들며) 아이고, 손이야. 야, 염소팔 뭐해? / 염소팔: (달려와 허영분을 말리며) 아니, 이 아줌마가 돌았나?

허영분: ㉠그래, 돌았다. 건드리기만 해, 아주. 폭행죄로 처넣을 테니까.

**다** 암전. 무대 밝아지면 어두운 무대. 다림질대를 밝히는 백열전구 아래 강태국이 러닝셔츠 차림으로 열심히 김을 뿜어 대며 다림질을 하고 있다. 어두운 무대에 작은 불빛들이 반짝이며 움직인다. 어둠 속을 누비는 불빛들. 장민숙과 강대영, 염소팔, 안유식과 허영분, 안경우, 서옥화, 안미숙이다. 곡예를 하듯 옷과 옷 사이를 누비고 숨으며 각기 결심을 피력한다. 〈중략〉

그들은 강태국의 뒤에서, 밑에서, 앞에서 숨어서 마치 임무를 수행하는 첩보원들처럼 검은 복색 일색으로 우스꽝스럽게 꾸며 입고 세탁소에 잠입하여 서로가 모르려니 제 생각만 하고 옷들을 뒤지기 시작한다. 서로의 소리에 놀라면 야옹거리고, 서로의 그림자에 놀라면 찍찍거려 숨으며, 서로 스쳐 지나가면서도 돈에 눈이 가리어 알아보지 못한다.

**라** 강태국: (뭔가 느끼고) 뭐야, 염소팔이냐?

염소팔: (똥 마려운 강아지처럼) 으응! (놀라) 끄응!

사람들: (점점 더 음흉스럽게 짐승 소리로 으르렁댄다.)

강태국: (알겠다는 듯이 짐짓 과장스럽게) 우리 세탁소에 도둑괭이들이 단체로 들어왔나?

사람들: (단체로) 예, 야옹!

**01** 이 글을 바탕으로 연극을 공연할 때, 고려할 점으로 알맞지 않은 것은?

① 소품으로는 작은 불빛이 나는 전등을 준비해야 해.
② 배경이 되는 세탁소는 오래된 느낌이 났으면 좋겠어.
③ 주인공인 '강태국'은 신념이 강한 인물로 설정해야겠어.
④ '강태국'을 제외한 인물들이 입을 검은 옷을 준비해야겠어.
⑤ 등장인물이 관객에게 말을 거는 부분을 통해 사건의 현장감을 살려야지.

**02** 이 글에서 비판하는 사람들의 모습으로 가장 알맞은 것은?

① 물질 만능주의에 빠져 인간성을 상실한 사람들
② 허황된 꿈을 좇느라 소중한 시간을 낭비하는 사람들
③ 자기주장만을 일관하는 편중된 사고방식을 가진 사람들
④ 가족만 중시하고 타인을 배려하지 않는 이기적인 사람들
⑤ 어려운 일을 쉽게 포기하고 쉬운 길만 찾는 얌체 같은 사람들

✏️ 서술형

**03** 다음은 (다)~(라)에 등장하는 인물의 특성을 정리한 것이다. 빈칸에 들어갈 알맞은 내용을 (다)에서 찾아 2어절로 쓰시오.

| '강태국' | | '강태국' 외의 사람들 |
|---|---|---|
| 할머니의 재산에 욕심 내지 않고 묵묵히 자신의 일을 함. | ↔ | 할머니의 재산을 찾기 위해 (          )함. |

**04** ㉠의 상황에 어울리는 속담으로 알맞은 것은?

① 방귀 뀐 놈이 성낸다
② 귀신 씻나락 까먹는 소리
③ 지렁이도 밟으면 꿈틀한다
④ 아 해 다르고 어 해 다르다
⑤ 가는 말이 고와야 오는 말이 곱다

**05~09** 다음 글을 읽고, 물음에 답하시오.

**가** 안미숙: (안경우에게) 김순례 아냐?

안경우: 아냐, 안중댁이라 그러는 거 같던데…….

허영분: 그거야 어머님 고향이 안중이고……. 〈중략〉

안유식: (가다가 돌아서서) 아무래도 안 되겠어. 저, 말이지……. 누구든지 먼저 찾는 사람한테 50 프로를 주겠소!

**나** 강태국: 이게 사람의 형상이야? 뭐야! 뭐에 미쳐서 들뛰다가 지 형상도 잊어버리는 거냐고. (손에 든 옷보따리를 흔들어 보이며) 이것 때문에 그래? 1998년 9월 김순임? / 장민숙: (감격에) 여보!

강대영: 엄마, 아빠가 찾았다!

안경우: (동생을 때리며) 야, 김순임이잖아!

**다** 강태국이 주머니에서 ⓐ글씨가 빽빽이 적힌 눈물 고름을 꺼내어 들고 무릎을 꿇고 앉는다.

강태국: (눈물 고름을 받쳐 들고) 할머니, 비밀은 지켜 드렸지요? 그 많은 재산, 이 자식 사업 밑천, 저 자식 공부 뒷바라지에 찢기고 잘려 나가도, 자식들은 부모 재산이 ( ㉠ )인 줄 알아서, 이 자식이 죽는 소리로 빼돌리고, 저 자식이 않는 소리로 빼돌려, 할머니를 거지를 만들어 놓아도 불효자식들 원망은커녕 형제간에 의 상할까 걱정하시어 끝내는 혼자만 아시고 아무 말씀 안 하신 할머니의 마음, 이제 마음 놓고 가셔서 할아버지 만나서 다 이르세요. 그럼 안녕히 가세요! ⓑ우리 아버지 보시면 꿈에라도 한번 들러 가시라고 전해 주세요. (눈물 고름을 태워 드린다.)

음악 높아지며, ⓒ할머니의 혼백처럼 눈부시게 하얀 치마저고리가 공중으로 올라간다. 세탁기 속의 사람들도 빨래집게에 걸려 죽 걸린다.

강태국: (바라보고) 깨끗하다! 빨래 끝! (크게 웃는다.) 하하하.

**라** 그러나 지금 내 새벽 밥상머리에는
고기반찬이 가득한 늦은 밥상머리에는
ⓓ아들도 딸도 아내도 없습니다.
모두 밥을 사료처럼 퍼 넣고
직장으로 학교로 동창회로 나간 것입니다.

밥상머리에 얼굴 반찬이 없으니
ⓔ인생에 재미라는 영양가가 없습니다.

**05** (가)~(다)를 읽고 이해한 내용으로 알맞지 <u>않은</u> 것은?

① '강태국'은 할머니가 남긴 눈물 고름을 태웠다.
② 할머니는 자식들을 위해 자신의 재산을 모두 썼다.
③ '장민숙'은 할머니의 유산을 얻을 수 있다는 기쁨에 감격하였다.
④ '안경우'는 어머니의 이름조차 모르는 등 어머니에 대해 무관심해 왔다.
⑤ 할머니는 돈에 눈이 먼 자식들을 원망하는 마음에 유산에 관한 내용을 알리지 않았다.

**고난도 서술형**

**06** (다)의 세탁 장면에 담긴 상징적 의미를 쓰시오.

> **조건**
> ① 세탁 전과 후, 사람들의 모습을 비교하여 쓸 것
> ② 해당 장면에 담긴 작가의 의도를 쓸 것

**07** (라)의 앞부분에 나온 내용을 바르게 추측한 것은?

① 인정이 넘치던 이웃들의 모습
② 여유 없이 살아가는 현대인들의 삶
③ 어렸을 때 즐겨 먹던 어머니의 반찬
④ 함께 마주하여 식사했던 과거의 밥상 풍경
⑤ 영양가 없는 음식으로 해결하는 오늘날의 식사

**서술형**

**08** ㉠에 들어갈 알맞은 단어를 3음절로 쓰시오.

**09** ⓐ~ⓔ에 대한 설명으로 알맞지 <u>않은</u> 것은?

① ⓐ: 할머니가 '강태국'에게 직접 쓴 편지이다.
② ⓑ: 아버지에 대한 '강태국'의 그리움이 나타난다.
③ ⓒ: 할머니의 죽음을 암시한다.
④ ⓓ: 개인화된 현대 사회의 모습을 의미한다.
⑤ ⓔ: 각자의 일로 바빠 함께 밥을 먹지 못하는 현대 사회에 대한 비판적인 인식이 나타난다.

**10~13** 다음을 읽고, 물음에 답하시오.

**가**

**나** 우연아, 발표한 내용은 잘 들었어.

목소리는 조금 떨렸지만, 적당한 속도로 발표해 주어서 내용을 잘 들을 수 있었어. 발표하는 것만으로도 긴장되었을 텐데 청중을 배려해 주어서 고마워.

너는 발표를 하면서 우리를 한 명 한 명 바라봐 주더라. 준비한 발표 내용을 열심히 전달하려는 너의 마음이 느껴지더라고. 그래서 나도 너를 집중하여 쳐다보았고, 동의하는 부분에는 고개를 끄덕였어. 네가 던진 질문에 대답을 하기도 했는데, 발표를 할 때 도움이 되었다면 좋겠어.

**다** 3분 말하기를 위해 작성한 개요

| 주제 | 나를 변화시킨 사람 |
|------|------|

↓

| 처음 | 주제를 선정한 이유 |
|------|------|
| 가운데 | • 봉사 활동을 하게 된 계기<br>• 봉사 활동을 하며 만난 사람들<br>• (     ⓛ     ) |
| 끝 | 힘들고 어려운 때일수록 다른 사람을 돕는 일을 해 보라는 당부 |

**라** 발표 불안은 불안을 느끼는 자신을 창피하게 여기기 때문에 생기는 것이다. 불안해도 되고, 남들도 나만큼 불안해한다는 걸 깨닫게 되면 마음은 한결 편해지기 마련이다. ⓒ나를 부끄러워하지 않고, 남을 부러워하지 않게 되면 불안도 사라진다.

---

**10** (나)를 통해 알 수 있는 발표자와 청중의 올바른 태도에 해당하지 <u>않는</u> 것은?

| 발표자 | • 적당한 속도로 말을 한다. ······· ① |
|------|------|
| | • 한 곳을 계속 응시하며 발표한다. ······· ② |
| 청중 | • 발표자의 질문에 대답한다. ······· ③ |
| | • 발표자를 집중하여 쳐다본다. ······· ④ |
| | • 발표 내용 중 동의하는 부분에는 고개를 끄덕인다. ······· ⑤ |

**11** ㉠과 같은 불안이 나타나는 원인으로 가장 알맞은 것은?

① 말할 내용에 확신이 서지 않기 때문이다.
② 발표에 대한 막연한 불안 심리가 있기 때문이다.
③ 청중이나 말하기 환경에 친숙하지 않기 때문이다.
④ 말할 내용이 충분히 준비되어 있지 않기 때문이다.
⑤ 청중이 자신의 말에 대해 평가하고 반응하는 것에 대한 염려가 있기 때문이다.

**12** ⓛ에 들어갈 수 있는 내용으로 가장 알맞은 것은?

① 봉사 활동을 하며 깨달은 점
② 봉사 활동의 역사와 의미를 소개한 책
③ 학생들이 할 수 있는 봉사 활동의 종류
④ 우리 동네에서 봉사 활동을 할 수 있는 장소
⑤ 봉사 활동을 여러 사람이 함께해야 하는 이유

**13** ⓒ의 의미로 알맞은 것은?

① 발표 내용을 꼼꼼히 준비하여 읽고
② 발표를 공포라고 느끼는 마음을 인정하고
③ 발표가 두려워 다른 사람에게 발표를 맡기고
④ 발표할 때 긴장한다는 사실을 청중에게 알리고
⑤ 발표할 때 불안을 느끼는 자신을 창피하게 여기지 않고

# 실전에 강한
# 중간 · 기말 모의고사

**01~05** 다음 글을 읽고, 물음에 답하시오.

――――――――――――――――――| 1(1) 단원 |

**가** ㉠기다리지 않아도 오고

기다림마저 잃었을 때에도 너는 온다.

어디 뻘밭 구석이거나

썩은 물웅덩이 같은 데를 기웃거리다가

한눈 좀 팔고, 싸움도 한판 하고,

지쳐 나자빠져 있다가

㉡다급한 사연 들고 달려간 바람이

흔들어 깨우면 / 눈 부비며 너는 더디게 온다.

더디게 더디게 마침내 올 것이 온다.

┌ 너를 보면 눈부셔

│ 일어나 맞이할 수가 없다.

㉢ 입을 열어 외치지만 소리는 굳어

└ 나는 아무것도 미리 알릴 수가 없다.

가까스로 두 팔을 벌려 껴안아 보는

너, ㉣먼 데서 이기고 돌아온 사람아.

**나**         자유를 꿈꾸는 시, '이성부'의 「봄」

이성부가 이 시를 지었을 당시인 1970년대는 군사력을 등에 업은 독재 정권이 강한 권력으로 국민을 통제하던 시기였다. 그러한 정부에 반대하던 많은 사람들은 민주주의를 외치다가 감옥에 갇히기도 했다.

이러한 ㉤시대적 상황이 이 시에 반영되어 있다고 볼 때, '봄'은 그 시대 사람들이 간절하게 원했던 '민주주의', 혹은 '자유'를 상징한 것이라고 볼 수 있다. 겨울이 지나면 반드시 봄이 오듯이, 이 시는 '민주주의'나 '자유' 역시 언젠가 반드시 우리에게 올 것이라는 믿음을 노래했던 것이다.

**01** (가)에 대한 설명으로 알맞지 <u>않은</u> 것은?

① 대상을 의인화하여 시상을 전개한다.

② 단정적인 어조로 말하는 이의 확신을 드러낸다.

③ 시련과 역경을 이겨 낸 희망적인 분위기를 형성한다.

④ 동일한 시어를 반복적으로 사용하여 운율을 형성한다.

⑤ 향토적 공간을 통해 말하는 이의 심리 변화를 나타낸다.

고난도 서술형

**02** (가)의 제목인 '봄'의 의미를 쓰시오.

> **조건**
> ① 작품 자체의 내적 특징을 중심으로 해석하여 쓸 것
> ② '봄'의 계절적 특성을 근거로, 제목의 의미를 쓸 것

**03** (나)에서 해석한 '봄'의 의미로 알맞은 것은?

① 민주주의 혹은 자유

② 부조리한 현실의 상황

③ 포용력 있는 삶에 대한 열망

④ 말하는 이의 소망을 전달하는 매개체

⑤ 사람들의 소망을 가로막는 시련과 역경

**서술형**

**04** 다음은 문학을 해석하는 네 가지 방법이다. (나)는 이 네 가지 방법 중 어떤 방법을 사용하여 작품을 해석한 것인지 쓰시오.

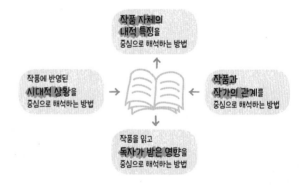

**05** ㉠~㉤에 대한 설명으로 알맞지 <u>않은</u> 것은?

① ㉠: 계절이 되풀이되는 자연의 섭리가 드러난다.

② ㉡: 대상이 오기를 간절히 바라는 말하는 이의 마음이 담겨 있다.

③ ㉢: 대상과 재회하는 과정이 쉽지 않음을 알 수 있다.

④ ㉣: 대상에 대한 말하는 이의 예찬적 태도가 드러난다.

⑤ ㉤: 독재 권력이 국민을 통제하던 시기를 의미한다.

**06~09** 다음 글을 읽고, 물음에 답하시오.

〔1⑴ 단원〕

**가** 기다리지 않아도 오고
　기다림마저 잃었을 때에도 너는 온다.
　어디 뻘밭 구석이거나
　썩은 물웅덩이 같은 데를 기웃거리다가
　한눈 좀 팔고, 싸움도 한판 하고,
　지쳐 나자빠져 있다가
　다급한 사연 들고 달려간 바람이
　흔들어 깨우면 / 눈 부비며 너는 더디게 온다.
　더디게 더디게 마침내 올 것이 온다.
　너를 보면 눈부셔 / 일어나 맞이할 수가 없다.
　입을 열어 외치지만 소리는 굳어
　나는 아무것도 미리 알릴 수가 없다.
　가까스로 두 팔을 벌려 껴안아 보는
　너, 먼 데서 이기고 돌아온 사람아.

**나** ㉠영감이 밀이라고 싣고 오가던 것은 바로 부서진 옛 방앗간의 폐기물들이었어. 그렇게 해서라도 풍차 방앗간의 명예를 지키고 싶었던 것이지. 아아, 불쌍한 코르니유 영감⋯⋯. 사실 영감도 증기 방앗간에 일거리를 빼앗긴지 한참이 지났던 거야.

**다** 영감이 우리를 돌아보면서 말했어.
　"하하, 나는 자네들이 다시 돌아올 줄 알았어. 증기 방앗간 놈들은 전부 도둑놈들이거든."
　우리는 영감이 무척 자랑스러웠다네. 그래서 영감을 아주 성대히 마을로 모셔 가려 했지. 하지만 영감은 고개를 젓더군.
　"아닐세. 아니야. 그보다 먼저 내 방앗간에 먹이부터 주어야지. 저 놈은 아주 오랫동안 굶었거든. 입에 아무것도 대지 못했단 말일세."
　그렇게 말하고 영감은 부산스럽게 움직였어. 밀이 담긴 부대를 열고, 방아를 살펴보기도 하면서 말이야.

**라** 하지만 오랜 세월이 흐른 뒤 어느 날, 코르니유 영감이 세상을 떠나자, 결국 우리의 마지막 풍차 방앗간도 멈췄지. 이번에는 잠시 동안이 아니라 아주 영원히 말일세. 안타깝게도 영감의 풍차 방앗간을 물려받으려 하는 사람이 아무도 없었거든.

**06** 다음은 (가)의 시상 전개에 따른 말하는 이의 정서를 정리한 것이다. 빈칸에 들어갈 내용으로 알맞은 것은?

　믿음과 확신 ➡ 조바심 ➡ (　　　　)

① 감격과 기쁨　　　② 그리움과 외로움
③ 공허함과 허무감　④ 실망과 자기반성
⑤ 안타까움과 쓸쓸함

✎서술형

**07** 다음은 (가)의 제목인 '봄'을 해석한 내용이다. 이처럼 '봄'의 의미를 해석한 내용이 다양한 이유를 쓰시오.

> • '봄'은 우리 민족이 고대하는 통일이지 않을까.
> • '봄'은 우리가 이루고자 하는 꿈을 의미하는 것 같아.
> • '봄'은 내가 간절히 기다리는 짝사랑하는 사람이라고 생각해.

✎서술형

**08** '코르니유' 영감이 지키던 전통적 삶의 방식과 대조되는 소재를 (나), (다)에서 찾아 쓰시오.

**09** 〈보기〉를 근거로 ㉠에 나타난 '코르니유' 영감의 행동을 바르게 평가한 것은?

┤보기├
　이 세상 모든 일에는 끝이 있는 법 아니겠나. 론강을 거슬러 올라가던 배들이 지나가는 것처럼, 마을에 있던 지방 법원이나 큰 꽃을 수놓은 외투가 유행하던 시대가 지나간 것처럼, 풍차의 시대도 지나가고 말았지. 우리도 이제는 그 사실에 익숙해질 수밖에 없을 것일세.

① 아무 데도 의지할 곳이 없는 외톨이야.
② 시대의 변화를 거부하는 고집불통이야.
③ 전통의 가치를 꼿꼿하게 지키는 예술가야.
④ 주체적으로 나서서 문제를 해결하려는 선구자야.
⑤ 줏대 없이 다른 사람의 말에 흔들리는 팔랑귀야.

**10~13** 다음을 읽고, 물음에 답하시오.

——| 1(2) 단원 |

**가**

**나** 함께 텔레비전을 보던 아빠께서 어쩌면 북한에 우리 친척이 있을지도 모른다는 이야기를 하셨다. 아빠 쪽 친척 중에 육이오 전쟁 때 피란을 오신 분이 있다는 거다. ㉠그 이야기를 듣자 문득 작년에 읽었던 「일가」의 등장인물, '아저씨'가 떠올랐다. 특이한 성격에 북한 말투를 사용하던, 다롄에서 갑작스레 찾아온 손님 '아저씨'가.

**다** 처음 「일가」를 읽었을 때 '아저씨'에 대한 나의 감정은 '엄마'와 비슷했다. 아무리 일가친척이라도 모르는 사람이 집에 오래 머무르면 불편한 감정이 들 것이다. 그런데 일 년이 지난 지금, ㉡다시 「일가」를 읽어 보니 '아저씨'가 안쓰러웠다.

**라** 최근에 한 신문 기사를 본 적이 있다. 명절이면 가족들이 모여 음식을 해 먹으며 담소를 나누던 과거와 달리, 최근에는 혼자 여행을 가는 사람들이 많다는 내용이었다. 나도 이번 명절에는 공부를 해야 한다는 핑계로 큰댁에 가지 않으려고 했다. 하지만 이 소설을 읽은 뒤 마음을 고쳐먹고 큰댁에 가기로 했다. 친척들은 분명히 같은 자리에서 나를 반겨 줄 것이다. ㉢명절뿐 아니라 평소에도 친척들을 자주 찾아뵈면서 일가의 정을 나누어야겠다.

**마** ㉣이 소설은 가족이라는 연결 고리가 희미해지는 요즘 시대에 꼭 읽어 볼 만한 가치가 있는 작품이다. 이 소설을 통해 '일가'의 의미를 되새기며 그 소중함을 깨달을 수 있기 때문이다. ㉤친구들도 이 책을 읽고 '일가'의 소중함에 대한 이야기를 함께 나눌 수 있기를 기대해 본다.

**10** (가)의 학생에 대한 설명으로 알맞지 <u>않은</u> 것은?

① 제주도 여행 후기를 주제로 글을 쓰고자 한다.
② 블로그라는 매체를 통한 글쓰기 활동을 하고 있다.
③ 자신이 사용한 문장과 표현이 어색하다고 느낀다.
④ 글의 내용을 마련하는 과정에서 어려움을 겪고 있다.
⑤ 예상 독자를 설정하지 못해 글쓰기 과정에 어려움을 겪고 있다.

**11** 〈보기〉를 (나)의 초고라고 할 때, 글쓴이가 초고를 쓰는 과정에서 했을 생각으로 알맞은 것은?

┌ 보기 ┐
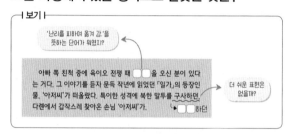
└────────┘

① 글을 쓰기 위해 글의 뼈대인 개요를 짜야겠어.
② 글을 쓰기 전에 글의 주제와 독자를 먼저 설정해야지.
③ 독자가 이해할 수 있는 적절한 단어와 표현은 무엇일까?
④ 글의 내용을 생성하기 위해 자유 연상하기의 방법을 사용해야겠지?
⑤ 다양한 매체 자료를 찾고, 그중에서 글을 쓸 때 필요한 자료를 선별해야지.

**서술형**

**12** 글쓴이가 (라)의 내용을 쓸 때 활용한 자료를 쓰시오.

**13** ㉠~㉤ 중, 다음 개요의 밑줄 친 부분에 해당하는 것은?

| 처음 | 이 소설을 떠올리게 된 계기 |
|---|---|
| 가운데 | • 이 소설의 줄거리<br>• 이 소설을 처음 읽었을 때의 느낌과 다시 읽었을 때의 느낌 |
| 끝 | • <u>이 소설을 읽고 얻은 깨달음 및 평가</u><br>• 이 책을 친구들에게 추천하는 까닭 |

① ㉠　② ㉡　③ ㉢　④ ㉣　⑤ ㉤

**14~17** 다음을 읽고, 물음에 답하시오.

╌┤ 2(1) 단원 |

**가** '문장'은 생각이나 감정을 완결된 내용으로 표현하는 최소의 언어 형식이다. 문장은 문장 안에서 일정한 역할을 하는 부분들로 이루어지는데, 이렇게 문법적인 기능을 하는 각각의 부분을 '문장 성분'이라고 한다.

**나**

예 자, 내가 이 공을 힘껏 던질게.

**다** 문장 성분에는 '주어, 서술어, 목적어, 보어, 관형어, 부사어, 독립어'가 있는데, 이들은 문장 안에서의 역할에 따라 크게 'ㄱ주성분', '부속 성분', '독립 성분'으로 묶을 수 있다. '주어, 서술어, 목적어, 보어'는 주성분에, 'ㄴ관형어'와 '부사어'는 부속 성분에 속한다. 마지막으로 'ㄷ독립어'는 독립 성분에 속한다.

**라** 문장의 주성분을 꾸며 주는 문장 성분을 부속 성분이라고 한다. 부속 성분으로는 관형어와 부사어가 있다. 관형어는 체언을 꾸미는 역할을 한다. 부사어는 주로 용언을 꾸미는 역할을 하지만, 관형어나 다른 부사어, 문장 전체를 꾸밀 수도 있다.

**14** 다음은 (가)~(라)의 내용을 표로 정리한 것이다. ⓐ~ⓒ에 들어갈 알맞은 내용을 차례대로 묶은 것은?

| 문장 | 생각이나 감정을 완결된 내용으로 표현하는 ( ⓐ )의 언어 형식 |
|---|---|
| 문장 성분 | 문장에서 ( ⓑ )인 기능을 하는 각각의 부분 |
| | • 주성분: 문장을 이루는 데 꼭 필요한 성분<br>• ( ⓒ ): 문장의 주성분을 꾸며 주는 성분<br>• 독립 성분: 다른 성분들과 직접적인 관계를 맺지 않고 독립적으로 쓰이는 성분 |

| | ⓐ | ⓑ | ⓒ |
|---|---|---|---|
| ① | 구성 | 형식적 | 부가 성분 |
| ② | 문자 | 의미적 | 배치 성분 |
| ③ | 소리 | 내용적 | 종속 성분 |
| ④ | 의미 | 실질적 | 조건 성분 |
| ⑤ | 최소 | 문법적 | 부속 성분 |

**15** ㄱ으로만 이루어진 완전한 문장에 해당하는 것은?
① 형이 먹는다.
② 형이 사과를 먹는다.
③ 형이 빨간 사과를 먹는다.
④ 형이 빨간 사과를 맛있게 먹는다.
⑤ 형이 매우 빨간 사과를 맛있게 먹는다.

**16** 다음 밑줄 친 단어 중, ㄴ에 해당하지 않는 것은?
① 노란 꽃이 아름답게 피었다.
② 하늘에 있는 새가 빨리 난다.
③ 동생은 아주 예쁜 장난감을 샀다.
④ 커다란 멧돼지가 도로를 가로질러 간다.
⑤ 사람이 언제나 새 옷만을 입을 수는 없다.

**17** ㄷ에 대한 설명으로 알맞은 것은?
① '아, 달이 밝다.'에서 '아'에 해당한다.
② 다른 문장 성분과 직접적인 관계를 맺는다.
③ 문장을 이루는 데 꼭 필요한 성분에 해당한다.
④ 문장에서 주어의 움직임, 상태 등을 서술한다.
⑤ 문장에서 관형어나 문장 전체를 꾸미기도 한다.

 서술형

**18** 다음 문장의 문장 성분을 각각 쓰시오.

> 아차, 내가 신발을 학교에 두었어.

**19** 다음을 통해 알 수 있는 품사와 문장 성분에 대한 설명으로 알맞은 것은?

| 품사 | 맑다 → 형용사 |
|---|---|
| 문장 성분 | 푸른 하늘이 맑다. → 서술어 |
| | 맑은 하늘이 푸르다. → 관형어 |

① 품사와 문장 성분은 반드시 짝을 이룬다.
② 품사와 달리 문장 성분은 형태가 변한다.
③ 품사가 형용사인 단어는 문장에서 서술어와 관형어로만 쓰인다.
④ 단어의 품사는 하나이고, 문장에서도 하나의 문장 성분으로만 쓰인다.
⑤ 단어의 품사는 변하지 않지만, 문장에서 쓰일 때 문장 성분은 달라질 수 있다.

**20** 문장의 짜임에 대한 다음 설명 중, 알맞은 내용끼리 바르게 묶은 것은?

> ㄱ. 홑문장은 주어와 서술어의 관계가 한 번만 나타나는 문장이다.
> ㄴ. 겹문장은 주어와 서술어의 관계가 두 번 이상 나타나는 문장이다.
> ㄷ. 이어진문장은 둘 이상의 홑문장이 나란히 이어진 문장이다.
> ㄹ. 안은문장은 다른 문장 속에서 하나의 문장 성분처럼 쓰이는 홑문장이다.

① ㄱ, ㄴ      ② ㄱ, ㄷ
③ ㄱ, ㄴ, ㄷ      ④ ㄱ, ㄷ, ㄹ
⑤ ㄱ, ㄴ, ㄷ, ㄹ

**21** 다음 문장에 대한 설명으로 적절하지 <u>않은</u> 것은?

> 우리는 선생님께서 우리에게 추천하신 책을 읽었다.

① 주어는 '우리는'과 '우리에게'이다.
② 서술어는 '추천하신'과 '읽었다'이다.
③ 겹문장 중에서도 안은문장에 해당한다.
④ 주어와 서술어의 관계가 두 번 이상 나타나는 문장이다.
⑤ 여러 홑문장이 하나의 겹문장으로 합쳐지는 과정에서 목적어가 한 번 생략되었다.

**서술형**

**22** 다음 문장을 두 개의 홑문장으로 나누어 쓰시오.

> 인생은 짧고, 예술은 길다.

**23** 다음에서 설명하는 문장의 종류로 알맞은 것은?

> • 둘 이상의 홑문장이 '원인, 조건, 의도, 양보, 배경' 등의 의미 관계로 종속적으로 연결된 문장
> • 연결 어미 '-아서/-어서', '-(으)면', '-(으)려고', '-라도', '-ㄴ데' 등을 통해 연결됨.

① 홑문장      ② 안은문장
③ 안긴문장      ④ 대등하게 이어진 문장
⑤ 종속적으로 이어진 문장

**24** 다음 중 문장의 종류가 <u>다른</u> 것은?

① 비가 내리고, 천둥이 친다.
② 비가 내리면, 천둥이 친다.
③ 비가 내리는데, 천둥이 치지 않는다.
④ 비가 내리더라도, 학교에 가야 한다.
⑤ 비가 내리지 않아서, 채소들이 시들었다.

**서술형**

**25** 다음 밑줄 친 문장들의 공통된 종류를 쓰시오.

> ㄱ. 우리는 <u>선생님이 댁으로 가신</u> 사실을 몰랐다.
> ㄴ. 누구나 <u>사람은 자유를 누릴 권리가 있다고</u> 믿는다.

**26** 밑줄 친 부분이 부사절의 역할을 하는 것은?

① 토끼는 <u>앞발이 짧다.</u>
② 나는 <u>일요일에 농구 하기를</u> 원한다.
③ 영수는 <u>어제 먹은</u> 아이스크림 때문에 탈이 났다.
④ 공자는 <u>지혜로운 사람은 물을 좋아한다고</u> 말하였다.
⑤ 아버지가 아끼는 화분을 깬 동생이 <u>소리도 없이</u> 도망쳤다.

**27** 다음 문장에 대한 설명으로 알맞지 <u>않은</u> 것은?

> ㄱ. 역시 우리 반이 우승이야.
> ㄴ. 우리 반이 우승했다는 속보입니다.

① ㄱ은 주어와 서술어의 관계가 한 번만 나타나는 홑문장이다.
② ㄱ은 다른 문장 속에서 하나의 문장 성분처럼 쓰이는 홑문장인 안긴문장이다.
③ ㄴ은 주어와 서술어의 관계가 두 번 이상 나타나는 겹문장이다.
④ ㄴ은 다른 홑문장을 자신의 문장 성분으로 안고 있는 안은문장이다.
⑤ ㄱ과 ㄴ은 비슷한 내용을 담고 있지만, 문장의 형식은 다르게 표현한 것이다.

**28~31** 다음 글을 읽고, 물음에 답하시오.

| 2⑵ 단원 |

**가** 전형필은 선조들이 남긴 귀중한 서화 전적을 왜놈들로부터 지켜 달라는 스승 고희동의 당부가 떠올랐다. 서화를 모으는 일은 재물도 있어야 하고, 안목도 있어야 하고, 무엇보다 오랜 인내와 지극한 정성이 있어야 한다던 오세창의 훈계도 떠올랐다.

**나** 전형필은 오세창을 찾아갔다.

"지난해에 부친상을 당했다는 소식을 들었네. 약관의 나이에 그런 큰일을 당했으니 얼마나 애통한가."

오세창이 안타까운 표정으로 전형필을 위로했다.

"너무나 급작스레 당한 일이라 황망하고 비통하기 짝이 없었지만, 이제는 많이 안정되었습니다."

**다** "조선 땅에 서화 전적과 골동품을 모으는 사람은 많다네. 자네처럼 이렇게 찾아와서 가르침을 청하는 수집가도 제법 있지. 그러나 뜻을 갖고 모으는 사람은 거의 보지 못했네. 대부분 재산이 많거나 돈이 좀 생기자, 고상한 취미로 내세우기 위해 모으는 사람들이라고 해도 과언이 아니지. 그들은 수집벽이 식거나, 체면을 충분히 세웠다 싶으면 더 이상 모으지 않는다네. 그러나 자네는 조선의 자존심이기에 지키겠다고 하니, 그 뜻이 가상하군. 내가 듣고 싶은 대답이 바로 그것이었네. 하하하."

**라** "간송, 보물 중의 보물이 나타났습니다."

신보는 사진을 전형필에게 건넸다. 흑백 사진이었지만 매병의 완만한 곡선과 구름 사이로 날아가는 수십 마리 학의 모습은 또렷했다.

"그렇게 아름다운 옥색은 처음 봤습니다. 마에다 상은 수천 마리의 학이 구름을 헤치고 하늘로 날아가는 것 같다면서 ㉠천학 매병이라고 이름 붙였더군요. 제가 본 고려청자 가운데 가장 훌륭합니다."

**마** 전형필은 서화 골동이 눈앞에 나타났을 때, 자신의 취향보다는 그것이 이 땅에 꼭 남아야 할지 아니면 포기해도 좋을지를 먼저 생각했다. 그래서 깊이 생각하지만 오래 생각하지는 않았고, 그랬기 때문에 보존할 가치가 있는 문화유산이 나타났을 때 놓친 적이 거의 없었다. 천학 매병도 마찬가지였다.

전형필은 눈이 휘둥그레진 마에다와 신보에게 살짝 고개를 숙여 보이고는 안채로 들어갔다.

잠시 후, 전형필이 커다란 가죽 가방을 마에다 앞에 내려놓았다. / "마에다 선생, 2만 원이오."

**28** 이와 같은 글을 읽기 전에 활용할 수 있는 점검 및 조정 방법에 해당하는 것은?

① 표나 그림으로 읽을 글의 내용을 정리한다.
② 읽기 과정에서 필요한 자료를 미리 찾아본다.
③ 자신의 읽기 목적에 맞는 적절한 글을 선정한다.
④ 자신의 읽기 수준보다 약간 어려운 글을 고른다.
⑤ 글에서 중요하게 느껴지는 정보에 밑줄을 긋는다.

**29** (가)~(다)를 바탕으로 '오세창'이라는 인물에 대해 바르게 추측한 것은?

① '전형필'의 사정을 잘 아는 친척인가 보군.
② 서화 전적과 골동품을 잘 아는 전문가인가 보군.
③ 자신의 이익을 위하여 나라의 이권을 팔아먹는 친일파인가 보군.
④ 고상한 취미로 내세우기 위해 골동품을 수집하는 사람인가 보군.
⑤ 일본이 빼앗아 간 우리 문화재를 되찾기 위해 수단과 방법을 가리지 않는 사람인가 보군.

**30** 다음은 (라)~(마)를 읽은 후 작성한 기록장이다. 빈칸에 들어갈 내용으로 알맞은 것은?

| 일화 | '천학 매병'을 거금 2만 원에 인수함. |
|------|----------------------------------|
| '전형필'의 성품과 의지 | • 성품: 일을 단호하게 처리함.<br>• 의지: (                    ) |

① 사진만 보고도 문화재의 가치를 알아봄.
② 우리 문화유산이라면 어떻게든 지키려 함.
③ 골동품을 사고팔아 큰 이익을 남기려 함.
④ 자신의 취향에 맞는 것이라면 놓치지 않음.
⑤ 상대와 거래할 때는 언제나 현금을 사용함.

✎ 서술형

**31** 다음은 글을 읽는 중에 ㉠에 대해 생긴 궁금증이다. 이를 해결할 수 있는 읽기 과정의 점검과 조정 방법을 쓰시오.

> 보물 중의 보물이라는 '천학 매병'은 무엇일까?

**01** 관점이 다른 글을 비교하며 읽을 때의 효과로 적절하지 <u>않은</u> 것은?

① 대상을 객관적으로 파악할 수 있다.
② 이어질 내용을 예측하며 읽을 수 있다.
③ 대상의 다양한 측면을 이해할 수 있다.
④ 균형 잡힌 시각으로 글을 읽을 수 있다.
⑤ 능동적으로 글을 읽는 태도를 지닐 수 있다.

---

[02~06] 다음 글을 읽고, 물음에 답하시오.

ㅡ 3(1) 단원 ㅣ

**가** 소금은 나트륨 원자 하나가 염소 원자 하나와 결합한 분자들의 결정체에 지나지 않고, 사람에게 필요한 소금의 양도 하루에 3그램 정도밖에 되지 않는다. 하지만 우리 몸에 들어온 소금은 나트륨 이온과 염화 이온으로 나뉘어 신진대사에 많은 영향을 미친다. 예를 들어 혈액이나 위액과 같은 체액의 주요 성분이 되어 영양소를 우리 몸 구석구석으로 보내기도 하고, 우리 몸에 쌓인 각종 노폐물을 땀이나 오줌으로 배출하기도 한다. 이처럼 소금은 사람을 비롯하여 모든 동물이 생명을 유지하는 데 없어서는 안 되는 존재인 것이다.

**나** 지금까지 알아본 것처럼, 소금은 그 자체로 우리의 생명을 유지하는 데 꼭 필요하다. 또한 소금은 음식의 맛을 더하고, 식품을 오랫동안 보존할 수 있게 한다. 이처럼 소중한 존재가 바로 ㉠하얀 황금, 즉 소금이다.

**다** 언제부터인가 비만으로 인한 고혈압이나 당뇨병으로 고생하는 아이들이 많아졌다. 학교 성적에 대한 스트레스, 부모와의 갈등 같은 불안정한 생활 환경도 아이들의 건강에 영향을 주었겠지만, 무엇보다도 즉석식품과 외식 위주의 잘못된 식습관이 아이들을 건강의 사각지대로 내몰고 있다. 즉석식품과 외식 자체가 문제가 아니라, 아이들이 그 음식들 안에 들어 있는 소금을 과하게 섭취하는 것이 문제인 것이다.

**라** 소금은 분명 맛있는 유혹이지만, 너무 많이 섭취하면 우리의 세포를 죽이고 건강을 위협한다. 특히 무심코 먹은 맛있는 음식이 큰 병이 되어 아이들에게 돌아올 수도 있다. 아이들에게 맛있는 음식을 많이 챙겨 주는 것만이 능사가 아니다. 건강을 생각한다면 지금이라도 당장 아이들의 소금 섭취를 줄여야 한다.

---

✎ 서술형

**02** 다음은 (가)~(나), (다)~(라)의 제목이다. 이처럼 같은 대상을 다루었음에도 글의 제목이 다른 이유가 무엇인지 쓰시오.

| (가)~(나) | | (다)~(라) |
|---|---|---|
| 소금 없인 못 살아 | ↔ | 맛있게 먹은 소금이 병을 부른다 |

**03** 글쓴이가 자신의 주장을 뒷받침하기 위해 (가)에서 활용한 근거로 알맞은 것은?

① 소금은 음식의 맛을 살려 준다.
② 소금은 몸속 소화 작용을 돕는다.
③ 소금은 식품을 신선하게 유지해 준다.
④ 소금은 경제적 부가 가치를 창출해 준다.
⑤ 소금은 모든 동물이 생명을 유지하는 데 꼭 필요하다.

**04** (나)와 (라)에 대한 설명으로 알맞지 <u>않은</u> 것은?

① (나)는 소금의 경제적 가치를 요약정리하고 있다.
② (나)는 소금이 우리에게 소중한 존재임을 밝히고 있다.
③ (라)는 글쓴이의 궁극적인 주장을 담고 있다.
④ (라)는 과다한 소금 섭취를 줄여야 하는 필요성을 강조하고 있다.
⑤ (나)는 설명하는 글이고, (라)는 주장하는 글이다.

**05** (다)에서 글쓴이가 제기하고 있는 문제로 알맞은 것은?

① 아이들이 소금을 과하게 섭취하고 있다.
② 어릴 때의 비만은 어른이 되어서도 유지된다.
③ 부모님들이 고혈압이나 당뇨병으로 고생하고 있다.
④ 즉석식품과 외식 위주의 식습관을 바르게 고쳐야 한다.
⑤ 학교 성적에 대한 스트레스는 아이들에게 불안감을 준다.

✎ 서술형

**06** ㉠과 반대되는 내용의 비유적 표현을 (라)에서 찾아 2어절로 쓰시오.

**07~10** 다음을 읽고, 물음에 답하시오.

─────────────── | 3(1) 단원 |

**가** 소금은 그냥 먹으면 너무 짜고 쓰기까지 하지만, 음식 본연의 맛과 잘 어우러지면 그 맛을 더욱 좋게 해 주는 놀라운 작용을 한다. 그 때문에 사람들은 차나 커피와 같은 몇몇 기호 식품이나 과일을 빼고 거의 모든 음식에 소금을 넣는다. 우리 밥상에 흔히 올라오는 김치도 마찬가지이다. 김치를 담글 때 먼저 채소를 소금에 절이는데, 소금에 절인 푸성귀가 발효되면서 맛있는 신맛을 낸다. 생선이나 고기를 구워 먹을 때 소금을 뿌리는 것도 이런 이유 때문이다.

**나** 소금은 식품을 보존하는 데도 큰 역할을 한다. 요즘은 냉장고 덕분에 음식을 오래 두고 먹을 수 있지만, 냉장 시설이 제대로 갖추어져 있지 않던 옛날에는 그러기 어려웠다. 그래서 옛날 사람들은 식품을 오래 보존하기 위해 소금을 이용했다. 소금은 음식을 썩게 하는 미생물의 발생을 막아 주어, 식품이 신선한 상태로 유지되게 하기 때문이다.

**다** 세포 생물학자들은 현대 사회에서 겪는 건강 문제 대부분은 체내의 수분이 부족한 탓이라고 말한다. 그들은 사람들의 체내 수분이 부족한 이유가 물을 적게 마시기 때문이 아니라, 음식을 너무 짜게 먹기 때문이라고 주장한다. ㉠소금이 우리 몸에서 수분을 빼앗아 가는 물 도둑이라는 것이다.

**라** 영국의 한 대학 연구팀에서 4세에서 18세까지의 아동 및 청소년 1,688명을 일주일간 관찰한 결과, 짜게 먹는 아이일수록 음료를 많이 마신다는 사실을 발견했다. 소금이 체세포의 수분을 빼앗아 그만큼 갈증이 나기 때문이다. 그런데 대부분의 아이들은 갈증을 달래기 위해 건강에 좋은 음료가 아니라, 단맛이 강한 탄산 음료를 찾는다.

**마**

**07** (가)~(마)에 대한 설명으로 적절하지 <u>않은</u> 것은?

① (가)는 설명을 뒷받침하는 구체적인 예를 제시하고 있다.

② (나)는 대상이 하는 역할을 과거와 비교하여 설명하고 있다.

③ (다)는 대상이 미치는 영향에 대한 전문가의 견해를 제시하고 있다.

④ (라)는 객관적인 연구 결과를 근거로 제시하고 있다.

⑤ (마)는 시각 자료를 활용하여 내용을 효율적으로 전달하고 있다.

 고난도 서술형

**08** (가)~(라)와 (마)의 차이점을 비교하고, (마)에 나타나는 표현의 효과를 쓰시오.

┌─ 조건 ──────────────────────┐
│ ① (가)~(라)와 (마)의 형식을 비교하여 쓸 것 │
│ ② (마)에 나타나는 표현상 특징과 표현의 효과를 │
│   함께 쓸 것 │
└────────────────────────────┘

**09** 다음은 (가)~(나)에 나타난 글쓴이의 관점을 정리한 것이다. 빈칸에 들어갈 내용으로 알맞은 것은?

| 소금의 역할 | | 소금에 대한 글쓴이의 태도 |
|---|---|---|
| • 음식의 맛을 살림.<br>• 식품을 신선하게 유지해 줌. | ➡ | 소금을 (      )으로 바라보고 있음. |

① 긍정적　　② 낙관적　　③ 냉소적

④ 비판적　　⑤ 현실적

**10** ㉠의 역할로 알맞은 것은?

① 소금과 물의 관계를 사실적으로 묘사한다.

② 소금을 많이 섭취하는 식습관을 돌려서 비판한다.

③ 소금이 몸속에서 수분을 빼앗는 과정을 보여 준다.

④ 과다한 소금 섭취의 위험성을 사실적으로 제시한다.

⑤ 소금이 체내 수분에 미치는 영향을 비유적으로 표현한다.

11~15 다음을 읽고, 물음에 답하시오.

━━━━━━━━━━━━━━━ 3(2) 단원 |

 가

 나

| 처음 | • 조사 목적        • 조사 동기<br>• (   ㉠   )      • 조사 방법 |
|---|---|
| 가운데 | • 조사 내용<br>　- ㉡대구 근대 문화 골목의 유적지 소개<br>　　① 청라 언덕<br>　　② 삼일 만세 운동 길<br>　　③ 계산 성당<br>　　④ 이상화 고택과 서상돈 고택 |
| 끝 | • 소감          • 자료 출처 |

**다** 계산 성당은 경상도에서 가장 오래된 성당이자, 대구 최초의 서양식 건물이다. 1899년에 최초로 세워  졌으나 지은 지 얼마 되지 않아 불이 나서 무너지고, 1902년에 현재의 모습으로 재건되었다. 이 성당은 고딕 형식의 건물로, 성당 외벽은 붉은 벽돌과 회색 벽돌이 조화롭게 섞여 있고, 원형의 색유리 그림으로 아름답게 장식되어 있다.

**라** 근대 문화 골목에는 우리가 소개한 곳 외에도 유적지들이 많이 있는데, 더 조사하지 못한 점이 아쉬웠다. 앞으로도 근대 문화 골목에 지속적인 관심을 기울이며 많은 사람들에게 근대 문화 골목의 가치를 알리고 싶다.

**11** (가)를 통해 알 수 있는 내용이 <u>아닌</u> 것은?

① 보고하는 글의 개념
② 모둠원이 각자 분담한 역할
③ 조사할 대상을 정하기 위한 방법
④ 모둠에서 보고서를 쓰려고 하는 이유
⑤ 모둠에서 쓰려고 하는 보고서의 목적

**12** (다)~(라)와 같은 보고서를 쓸 때 주의할 점으로 알맞은 것은?

① 다른 보고서에 있는 내용 전체를 활용한다.
② 보고서의 목적에 맞게 조사 결과를 수정한다.
③ 보고서를 간결하게 구성하고 주관적인 내용을 담는다.
④ 보고서의 가독성을 위해 사진을 최대한 많이 첨부한다.
⑤ 보고서에 꼭 필요한 자료는 일부만 인용하고 출처를 밝혀 사용한다.

✎ 서술형

**13** ㉠에 들어갈 보고서의 요소를 쓰시오.

**14** ㉡에 대해 보고하는 글을 쓰기 전, 자료를 수집·정리하는 단계에서 계획한 내용으로 알맞지 <u>않은</u> 것은?

① 서상돈 고택을 방문해서 직접 사진을 찍어야지.
② 삼일 만세 운동 길에 대해 소개한 책의 내용을 살펴봐야지.
③ 근대 문화 골목을 소개한 텔레비전 뉴스의 내용을 찾아봐야겠어.
④ 이상화 고택에 대한 문화 해설사의 설명을 듣고 내용을 정리해야지.
⑤ 계산 성당의 건축적 특징을 설명한 인터넷 자료를 있는 그대로 사용해야지.

**15** ㉢과 같이 보조 자료를 보고서에 활용했을 때의 효과로 알맞지 <u>않은</u> 것은?

① 독자의 흥미를 유발할 수 있다.
② 대상의 모습을 생생하게 전달할 수 있다.
③ 많은 양의 정보를 일목요연하게 전달할 수 있다.
④ 독자가 글의 내용을 이해하는 데 도움을 줄 수 있다.
⑤ 조사 절차와 결과가 잘 드러나도록 내용을 구성할 수 있다.

**16~18** 다음 글을 읽고, 물음에 답하시오.

———————————┤ 4(1) 단원 ├

**가** 허영분: (장민숙을 밀어 넘기며) 옷이 문제야, 지금? 전 재산이 왔다 갔다 하는 판국에…….

장민숙: (잘못 넘어져 다친 손목을 흔들며) 아이고, 손이야. 야, 염소팔 뭐 해? / 염소팔: (달려와 허영분을 말리며) 아니, 이 아줌마가 돌았나?

허영분: 그래, 돌았다. 건드리기만 해, 아주. 폭행죄로 처넣을 테니까.

**나** 안유식: (받는다.) 여보세요. 아, 김 박사님. 예? 임종이요? 아니 찾지도 못했는데……. 아, 예, 그런 게 있어요. 아, 가야지요. (소리 지른다.) 지금 간다니까! (끊는다.)

안미숙: 엄마 간대? / 허영분: 어머님도, 조금만 더 인심 쓰시지 않고. 세탁이 뭐야, 달랑 세탁!

서옥화: 어서 가 보세요. 혹시 남은 반토가리 말이라두 들을지 알아요?

안경우: 맞아요, 형, 사람들도 곧 올 텐데…….

**다** 암전. 무대 밝아지면 어두운 무대. 다림질대를 밝히는 백열전구 아래 강태국이 러닝셔츠 차림으로 열심히 김을 뿜어 대며 다림질을 하고 있다. 어두운 무대에 작은 불빛들이 반짝이며 움직인다. 어둠 속을 누비는 불빛들. 장민숙과 강대영, 염소팔, 안유식과 허영분, 안경우, 서옥화, 안미숙이다.

**라** 강태국, 고개를 갸웃거리며 옷들 사이를 이리저리 살펴본다. 다시 흥얼거리며 옷을 정리하는 강태국. 잠깐 놀란 듯이 멈추며 옷을 들고 서 있다가 세탁대로 와서 아버지의 잡기장을 뒤진다.

강태국: 그렇지, 할머니가 처음 세탁물을 맡겼을 때가 아버지가 살아 계셨을 때니까. (세탁대에 앉아 잡기장을 읽으며 고개를 끄덕인다.) 아버지! 그래, 여기 있네, 있어.

**마** 강태국: 이게 사람의 형상이야? 뭐야! 뭐에 미쳐서 들뛰다가 지 형상도 잊어버리는 거냐고. (손에 든 옷 보따리를 흔들어 보이며) 이것 때문에 그래? 1998년 9월 김순임? / 장민숙: (감격에) 여보!

강대영: 엄마, 아빠가 찾았다!

안경우: (동생을 때리며) 야, 김순임이잖아!

안유식: (다가가며) 이리 줘!

---

**16** (가)~(마)에 대한 설명으로 알맞지 <u>않은</u> 것은?

① (가): 안 패거리와 세탁소 사람들의 갈등이 나타난다.

② (나): 어머니의 죽음보다 유산의 행방에만 관심을 쏟는 안 패거리의 모습이 나타난다.

③ (다): '강태국'을 제외한 사람들의 탐욕적인 모습이 나타난다.

④ (라): 아버지에 대한 '강태국'의 그리움이 나타난다.

⑤ (마): 물질에 눈이 먼 사람들에 대한 '강태국'의 분노가 나타난다.

**17** 다음은 (다)~(마)에 나타난 인물에 대해 정리한 것이다. 빈칸에 들어갈 내용으로 알맞은 것은?

| '강태국' | | '강태국' 외의 사람들 |
|---|---|---|
| • 할머니 재산에 욕심내지 않고 묵묵하게 자기 일을 함.<br>• 할머니 옷 보따리를 찾음. | ↔ | • 할머니의 재산을 찾기 위해 세탁소에 잠입함.<br>• (       ) |

① 할머니 옷 보따리를 빼앗으려 함.

② 옷 보따리를 할머니께 돌려 드리라고 함.

③ 할머니 옷 보따리를 찾도록 '강태국'을 도움.

④ 할머니 옷 보따리의 원래 주인을 알고 감격함.

⑤ 할머니 옷 보따리를 찾은 '강태국'을 자랑스러워함.

**18** 〈보기〉는 이 글이 창작된 1990년대의 세태를 드러낸 기사문이다. 〈보기〉와 이 글을 통해 알 수 있는 당시의 사회·문화적 상황으로 알맞은 것은?

┤ 보기 ├
> 최근 사람이 많이 지나다니는 도심지 길거리에, 1만 원 권과 5천 원 권 지폐를 컬러로 확대 복사해 판매하는 일명 '복돈 판매상'이 등장했다. 일반 지폐보다 다섯 배 정도 큰 이 복돈은, 어른은 물론 청소년에게도 날개 돋친 듯 팔리고 있다.

① 부의 대물림이 심화되는 세태

② 사회적 약자를 배려하지 못하는 현실

③ 인간성을 상실하고 배금주의가 팽배한 현실

④ 능력을 최우선 가치로 여기는 사회적 분위기

⑤ 이웃 간의 정을 상실하고 이기적으로 살아가는 현실

**19~21** 다음 글을 읽고, 물음에 답하시오.
| 4(1) 단원 |

**가** 강태국: 당신들이 사람이야? 어머님 임종은 지키고 온 거야? / 사람들: 아니!

강태국: 에이, 나쁜 사람들. (옷을 가지고 문으로 향하며) 나 못 줘! (울분에 차서) 이게 무엇인지나 알어? 나 당신들 못 줘. 내가 직접 할머니 갖다 드릴 거야.

장민숙: 여보, 나 줘! / 강대영: 아버지, 나요!

강태국: 안 돼, 할머니 갖다 줘야 돼. 왠지 알어? 이건 사람 것이거든. 당신들이 사람이믄 주겠는데, 당신들은 형상만 사람이지 사람이 아니야. 당신 같은 짐승들에게 사람의 것을 줄 순 없어. (나선다.)

**나** 강태국, 재빨리 옷을 세탁기에 넣는다. 사람들 서로 먼저 차지하려고 세탁기로 몰려 들어간다. 강태국이 얼른 세탁기 문을 채운다. 놀라는 사람들, 세탁기를 두드린다.

강태국, 버튼 앞에 손을 내밀고 망설인다. 사람들 더욱 세차게 세탁기 문을 두드린다. 강태국, 버튼에 올려놓은 손을 부르르 떨다가 강하게 누른다. 음악이 폭발하듯 시작되고 굉음을 내고 돌아가는 세탁기. 무대 가득 거품이 넘쳐난다. 빨래 되는 사람들의 고통스러운 얼굴이 유리에 부딪혔다 사라지고, 부딪혔다 사라지고……

**다** 강태국: (눈물 고름을 받쳐 들고) 할머니, 비밀은 지켜 드렸지요? 그 많은 재산, 이 자식 사업 밑천, 저 자식 공부 뒷바라지에 찢기고 잘려 나가도, 자식들은 부모 재산이 화수분인 줄 알아서, 이 자식이 죽는 소리로 빼돌리고, 저 자식이 앓는 소리로 빼돌려, 할머니를 거지를 만들어 놓았어도 불효자식들 원망은커녕 형제간에의 상할까 걱정하시어 끝내는 혼자만 아시고 아무 말씀 안 하신 할머니의 마음, 이제 마음 놓고 가셔서 할아버지 만나서 다 이르세요. 그럼 안녕히 가세요! 〈중략〉

음악 높아지며, 할머니의 혼백처럼 눈부시게 하얀 치마 저고리가 공중으로 올라간다. 세탁기 속의 사람들도 빨래 집게에 걸려 죽 걸린다.

강태국: (바라보고) 깨끗하다! 빨래 끝! (크게 웃는다.) 하하하.

 **서술형**

**19** 이 글을 통해 오늘날 얻을 수 있는 교훈을 쓰시오.

**20** (나)를 읽고 나눈 대화 내용으로 적절하지 <u>않은</u> 것은?

① 원경: 비현실적 상황을 통해 갈등 상황을 정리하는 모습이 인상적이야.
② 지수: 이것은 장면을 상징적으로 드러내는 문학적 장치라고 봐야겠지.
③ 성훈: 그리고 '강태국'이 세탁기에서 나온 사람들을 보고 웃는 마지막 장면의 내용과도 연관되어 있어.
④ 수현: 작가는 물질만을 중요시하는 현대 사회의 모습을 비판하기 위해 이 장면을 넣은 것 같아.
⑤ 나래: 맞아. 인간의 도리를 잊은 사람에게는 강력한 처벌이 필요하다는 작가의 생각이 담겨 있지.

**21** 이 글과 〈보기〉에 대한 설명으로 알맞지 <u>않은</u> 것은?

┤보기├

옛날 밥상머리에는
할아버지 할머니 얼굴이 있었고
어머니 아버지 얼굴과
형과 동생과 누나의 얼굴이 맛있게 놓여 있었습니다. / 가끔 이웃집 아저씨와 아주머니
먼 친척들이 와서
밥상머리에 간식처럼 앉아 있었습니다.
어떤 때는 외지에 나가 사는
고모와 삼촌이 외식처럼 앉아 있기도 했습니다.
이런 얼굴들이 풀잎 반찬과 잘 어울렸습니다.

그러나 지금 내 새벽 밥상머리에는
고기반찬이 가득한 늦은 밥상머리에는
아들도 딸도 아내도 없습니다.
모두 밥을 사료처럼 퍼 넣고
직장으로 학교로 동창회로 나간 것입니다.

밥상머리에 얼굴 반찬이 없으니
인생에 재미라는 영양가가 없습니다.

① 이 글은 황금만능주의가 팽배하던 시기를 배경으로 한다.
② 이 글에는 순수하고 깨끗한 마음을 되찾길 바라는 마음이 반영되어 있다.
③ 〈보기〉는 과거와 현재의 밥상 풍경을 대조하였다.
④ 〈보기〉에는 따뜻한 공동체의 모습이 되살아나기를 바라는 마음이 나타난다.
⑤ 이 글과 〈보기〉는 모두 오늘날의 세태를 희망적인 시선으로 바라보고 있다.

**22~25** 다음을 읽고, 물음에 답하시오.

| 4(2) 단원 |

**가**

**나** 그전에는 '발표하다 긴장해서 얼굴이 빨개지면 창피할 텐데…….'라는 생각이 치밀어 올라 불안해졌는데 이제는 '창피 좀 당하고 말지 뭐.'라며 뻔뻔함을 키웠더니 불안이 줄었다. 실수할까 봐 떨릴 때에도 '차라리 실수해 버리지 뭐.'라고 속으로 읊조리니까 오히려 덜 긴장하게 됐다. '마음 좀 단단히 먹어.'라며 자기를 다그치기보다 '불안해도 괜찮다.'라고 생각하니 편해졌다. 쉽게 불안해지고 마는 나 자신을 부끄럽게 여기지 않고, 있는 그대로 받아들이니까 불안이 확 줄었다.

**다** 발표 불안은 불안을 느끼는 자신을 창피하게 여기기 때문에 생기는 것이다. 불안해도 되고, 남들도 나만큼 불안해한다는 걸 깨닫게 되면 마음은 한결 편해지기 마련이다. 나를 부끄러워하지 않고, 남을 부러워하지 않게 되면 불안도 사라진다.

**22** (가)에서 '송우연'이 겪는 어려움을 해결할 수 있는 방법으로 알맞지 <u>않은</u> 것은?

① 자신감이 생길 때까지 발표 연습을 한다.
② 너무 긴장되었을 때는 숨을 깊게 쉬면서 호흡을 가다듬는다.
③ 자신에 대한 청중의 평가를 바로 반영하여 발표 내용을 수정한다.
④ 청중이 질문할 내용을 짐작해 보고, 이에 대한 답변을 마련해 놓는다.
⑤ 바로 대답하기 어려운 질문을 받으면, 나중에 알아보고 알려 주겠다고 당당히 말한다.

**23** 다음은 '송우연'의 발표를 들은 친구의 말이다. 밑줄 친 부분에 해당하는 내용으로 적절한 것은?

> 우연아, 발표한 내용은 잘 들었어. 목소리는 조금 떨렸지만, 적당한 속도로 발표해 주어서 내용을 잘 들을 수 있었어. 발표하는 것만으로도 긴장되었을 텐데 청중을 배려해 주어서 고마워.

① 청중이 알아듣기 쉽게 또박또박 말한다.
② 발표 중간에 청중에게 질문하는 기회를 준다.
③ 청중과 눈을 마주치지 않아 부담을 주지 않는다.
④ 청중에게 많은 질문을 던져 발표에 집중하게 한다.
⑤ 발표 내용이 헷갈리지 않도록 손짓이나 몸동작 등을 활용하지 않는다.

*서술형*

**24** (나)의 글쓴이가 말하기 불안을 극복한 방법을 빈칸을 채워 완성하시오.

> 글쓴이는 발표에 대한 (          )의 전환을 통해 말하기 불안을 극복하였다.

**25** (다)에서 제시한, 발표 불안을 해소하는 방법으로 알맞은 것은?

① 발표 불안을 극복한 남을 부러워함.
② 다른 사람에게 발표할 기회를 넘김.
③ 발표 불안에 대해 정신적인 상담을 받음.
④ 불안을 느끼는 자신을 부끄럽게 여기지 않음.
⑤ 내용을 꼼꼼히 적어 놓고 발표에 대한 대비를 함.

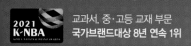

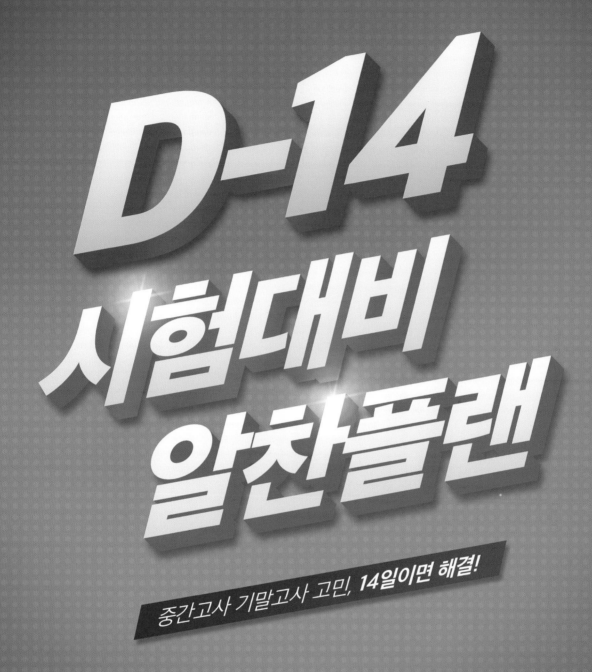

# D-14
## 시험대비
## 알찬플랜

중간고사 기말고사 고민, 14일이면 해결!

알찬
기출문제집

시험 잘 치는 중학생들의 **전 과목 고득점 비법**

· 교과서 분석을 바탕으로 시험에 꼭 출제되는 **핵심 개념**을 체계적으로 정리
· **최신 기출 문제 분석**을 통해 출제 경향을 반영한 적중률 높은 문제를 수록
· 출판사별 교재 제공, 내 교과서에 딱 맞는 시험 대비
· 수박씨 닷컴 **전 과목의 1등 동영상 강의를 웹과 모바일로 제공**(국어 제외)

한·끝·시·리·즈 　필수 개념과 시험 대비를 한 권으로 끝! 국어 공부의 진리입니다.

대표전화 1544-0554
주소 서울특별시 구로구 디지털로33길 48 대륭포스트타워 7차 20층
협의 없는 무단 복제는 법으로 금지되어 있습니다.

# 매경TEST
# 히든노트

—— 적중 시사용어 ——

# 300선

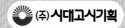

# 매경 TEST
# 히든노트

—— 적중 시사용어 ——

# 300선

 (주)시대고시기획

# 적중 시사용어 300선

##  최신 시사용어

### 001 옴니채널 Omni-channel

소비자가 온라인, 오프라인, 모바일 등 다양한 경로를 넘나들며 상품을 검색하고 구매할 수 있도록 한 서비스로서, 각 유통 채널의 특성을 결합해 어떤 채널에서든 같은 매장을 이용하는 것처럼 느낄 수 있도록 한 쇼핑 환경을 말한다. 미국의 Best Buy와 같은 기업이 대표적으로 성공한 예이다.

### 002 스테이블 코인 Stable coin

암호화폐 중 가격변동성이 낮게 설계된 것으로, 미국 달러나 유로와 같은 법정화폐와 1대1로 교환이 가능하도록 가치가 연동되어 있다. 다른 가상화폐와 달리 변동성이 낮아 가상 화폐 거래나 탈중앙화 금융인 '디파이(DeFi)' 같은 가상화폐 기반 금융상품에 이용된다.

### 003 넛지 마케팅 Nudge marketing

넛지는 '슬쩍 지르다', 또는 '주의를 환기시키다'는 뜻을 가진 단어로 타인의 행동을 유도하는 부드러운 개입을 말한다. 리처드 세일러 (Richard H. Thaler)는 부드러운 개입으로 특정 행동을 유도하는 것이 더 효과적이라고 주장했으며, 이러한 방식은 기업의 마케팅 활동, 공익추구활동 등 일상 속 다양한 분야에 이용되고 있다.

### 004 프롭테크

부동산 자산(Property)과 기술(Technology)의 합성어로써 정보 기술을 결합한 부동산 서비스 산업을 말한다. 2000년대 등장한 인터넷 부동산 시세조회·중개 서비스에서 기술적으로 더 나아갔다. 프롭테크 비즈니스 영역은 크게 중개 및 임대, 부동산 관리, 프로젝트 개발, 투자 및 자금 조달 분야로 분류할 수 있다.

## 005 윈도우드레싱 Window dressing

분식(Window dressing)은 '실제보다 좋게 보이도록 거짓으로 꾸미는 것'을 의미한다. 즉, 분식회계는 회사의 실적을 좋게 보이게 하기 위해 회사의 회계장부를 조작하는 것이다. 예를 들면 가공의 매출을 기록한다거나 발생한 비용을 적게 계상해 누락시키는 등의 방법으로 재무제표상의 수치를 고의로 왜곡할 수 있다.

## 006 버즈 마케팅 Buzz marketing

바이럴 마케팅(Viral marketing)의 일종으로 소비자가 자발적으로 구매한 상품에 대해 주위 사람들에게 긍정적인 내용을 전달함으로써 입소문을 통해 마케팅을 시도하는 전략이다. 버즈란 말은 최근 고객이 특정 제품이나 서비스에 팬이 되는 과정을 나타내는 표현으로 사용되고 있다.

## 007 ESG Environmental, Social, and Governance

환경, 사회, 지배구조의 영문 단어의 앞글자를 따서 만든 용어로서, 비재무적인 요소를 고려해 투자하자는 내용을 담고 있다. 투자 의사결정 시 재무적 성과만을 우선으로 하는 것이 아니라 사회책임투자, 지속가능한 투자 등에 주목하자는 바람이 일고 있다.

## 008 차등의결권제도

차등의결권은 최대주주나 경영진이 실제 보유한 지분보다 많은 의결권을 행사할 수 있도록 하는 것이 가능하다. 이 주식에는 특별히 많은 의결권이 있기 때문에 주주총회 의결사항에 대해 절대적 거부권을 행사할 수 있는 황금주 등을 발행해 의견을 표명할 수 있다. 창업주가 외부자금은 끌어들이되 적대적 M&A를 방어하는 등 경영권 방어수단으로 쓰인다. 대한민국은 이 제도가 허용되지 않고 있다.

## 009 슈퍼주총데이

매년 3월 주주총회가 집중되어 있는 날을 가리킨다. 기업이 같은 날 주주총회를 열면 소액주주들은 동시에 여러 주주총회에 참석할 수 없기 때문에 이러한 행태에 대한 비판이 일고 있다.

## 010 C2M

고객과 제조사가 플랫폼에 의해 연결되는 유통구조를 가리키는 말로 Customer to Manufacturer의 약자이다. 플랫폼 사업자는 고객의 니즈를 파악해 자체 브랜드가 없는 OEM 업체에 제품기획과 주문을 전달함으로써 소비자와 제조사 간의 공급사슬을 단순화시킬 수 있다.

## 011 SPAC Special Purpose Acquisition Company

기업인수목적회사라고도 불리며, 공모로 액면가에 신주를 발행해 다수의 개인투자 자금을 모은 후 상장한 후 3년 내에 비상장 우량 기업을 합병해야 한다. 우회상장과 유사하지만 SPAC는 실제 사업이 없고 상장만을 위해 존재하는 페이퍼컴퍼니라는 점이 다르다. SPAC의 최종 목적은 기업 인수가 아니라 투자 차익이기 때문에 기존 경영진을 유지하는 경우가 대부분이다.

## 012 래플 마케팅 Raffle marketing

추첨식 복권을 뜻하는 말로, 적은 수의 상품을 많은 사람이 갖고 싶어 할 때 응모를 받아 판매하는 방법을 말한다. 희소한 제품에 프리미엄을 얹어 사고파는 리셀 시장이 성장하면서 래플 마케팅도 주목을 받고 있다.

## 013 라이브 커머스 Live commerce

소비자와 실시간으로 소통하면서 상품을 소개하는 스트리밍 방송이다. 라이브 커머스의 생방송이 진행되는 동안 이용자들은 채팅을 통해 진행자, 혹은 다른 구매자와 실시간 소통할 수 있다. 특히 코로나19로 판로가 막힌 중소기업들에게 새로운 판로가 되면서 라이브 커머스 시장은 빠르게 성장하고 있으며, 네이버와 카카오, 쿠팡 등 e 커머스 업체들이 독자 플랫폼을 도입하면서 경쟁이 치열해지고 있다.

## 014 서머랠리와 산타랠리

증시가 약세에서 강세로 전환하는 현상을 '랠리'라고 말한다. 서머랠리는 초여름 6월 말부터 7월까지 휴가 기간 동안 주가가 상승하는 경향을 말한다. 산타랠리는 기업들이 연말에 보너스를 집중적으로 지급함에 따라, 가족이나 친지들에게 선물을 하기 위해 소비가 늘어나기 때문에 발생한다.

## 015 풀필먼트 Fullfillment

물류 전문 업체가 물건을 판매하려는 업체들의 위탁을 받아 배송과 보관, 포장, 배송, 재고관리, 교환·환불 서비스 등의 모든 과정을 담당하는 물류 일괄 대행 서비스를 말한다. 최근 온라인 거래가 증가하면서 풀필먼트가 유통기업 경쟁력의 핵심 요소로서 주목을 받고 있다.

## 016 사이버먼데이 Cyber Monday

추수감사절 이후 첫 번째 금요일에 진행되는 할인 행사 블랙 프라이데이(Black Friday)의 연장선에서 그 다음 주 월요일에 진행되는 미국 최대 온라인 쇼핑 할인행사다. 블랙프라이데이 때 쇼핑을 하지 못한 소비자들에게 한 번 더 기회를 주는 성격으로, 연휴를 마치고 복귀한 직장인들이 사무실에서 온라인 쇼핑에 열중하는 점에 착안한 마케팅이다.

## 017  O4O와 O2O

O4O(Online For Offline)는 온라인 사업을 통해 축적한 기술과 데이터를 상품 배송, 큐레이션과 접목해 오프라인으로 사업을 확장하는 비즈니스 모델을 뜻한다. 아마존이 전자상거래 시장에서 쌓은 노하우를 바탕으로 오프라인 매장 '아마존 고'를 운영하는 것이 그 사례이다. 단순히 온라인과 오프라인을 연결하는 O2O(Online to Online) 서비스와는 구분된다.

## 018  엑셀러레이터 Accelerator

스타트업 사업자에게 사무공간을 비롯한 창업 관련 비용을 대거나 컨설팅 및 멘토링 서비스를 제공하는 개인이나 단체를 뜻한다. 멘토 또는 창업기획자라고 부르기도 한다.

## 019  앰비슈머 Ambisumer

양면성(Ambivalent)와 소비자(Consumer)의 합성어로, 소비의 우선순위가 높은 것에는 돈을 아낌없이 쓰지만 후순위에 있는 것에는 최대한 돈을 아끼는 소비자를 뜻한다. 즉, 일반적인 소비행태에서는 가성비를 중요하게 여기지만, 자신의 선호도가 높은 재화나 서비스에 대해서는 과감한 지출을 마다하지 않는 양면성이 나타난다.

## 020  마이데이터

개인이 자신의 정보를 적극적으로 관리·통제하는 것은 물론 이러한 정보를 신용이나 자산 관리 등에 능동적으로 활용하는 일련의 과정을 말한다. 각 개인은 마이데이터를 통해 각종 기업이나 기관 등에 흩어져 있는 자신의 정보를 한꺼번에 확인할 수 있고, 자발적으로 개인 정보를 제공하면 이를 활용해 맞춤 상품이나 서비스를 추천받을 수 있다.

## 021  리쇼어링

인건비 등 각종 비용 절감을 이유로 해외에 나간 자국 기업이 다시 국내에 돌아오는 현상을 말한다. 제조업이 일자리 창출을 일으켜 국가 경제에 크게 긍정적인 작용을 한다는 점에서 리쇼어링은 요즘 세계 각국 정부의 화두가 되고 있다.

## 022  코스파 Cospa

코스트(Cost)와 퍼포먼스(Performance)를 일본식으로 발음한 합성어이다. 일본 경제가 장기 불황에 빠지면서 2000년대 처음 사용되었다. 주어진 예산으로 효용을 극대화하는 소비행태를 뜻한다.

### 023 적대적 M&A

상대 기업의 동의 없이 강행하는 기업의 인수와 합병을 뜻한다. 이에 대한 방어책으로는 인수자의 매수 자금에 부담을 주는 방법과 재무적인 전략, 회사 정관을 이용한 전략 등이 있다. 또한 인수 시도 사전과 사후 전략으로 나누어 방어를 시도할 수도 있다.

### 024 페이턴트 트롤 Patent troll

개인 또는 기업으로부터 특허기술을 사들여 로열티 수입을 챙기는 회사를 일컫는 말이다. 제조, 서비스 등의 생산 활동은 하지 않고 특허를 매입한 뒤 특허를 침해한 기업을 상대로 소송 등을 제기해 소송 합의금, 로열티 등으로 수익을 얻는 지식재산관리회사를 주로 이렇게 부른다. 특허관리전문회사(NPE ; Non-practicing Entity)라고 부르기도 한다.

### 025 BATH

BATH는 중국의 메가테크 기업인 바이두·알리바바·텐센트·화웨이의 약자이다. 최근 미중 ICT 공룡에 맞서기 위해 네이버의 라인과 소프트뱅크의 야후재팬이 각각 50%의 지분을 갖는 조인트벤처를 설립한다고 밝혔다.

### 026 효율성임금

기업이 임금을 노동시장의 균형 수준 이상으로 지급하는 것을 말한다. 이를 통해 노동생산성이 향상되면 기업은 높은 임금을 지급하는 데서 오는 인건비 부담 이상으로 산출량 증가를 달성할 수 있다는 장점이 있다. 이에 노동자 입장에서는 근무태만으로 인사불이익을 겪을 것을 감내해야 하므로 성실히 근무를 해야 할 동기가 생긴다.

### 027 달러라이제이션 Dollarization

미국 달러화를 자국 통화로 이용하는 것을 말한다. 미국의 통화정책과 대미 무역의존도가 높은 중남미 국가에서 도입하는 양태를 보인다. 기축통화인 미국 달러화를 법정화폐로 이용하면 환율변동으로 인한 환리스크를 줄일 수 있어 해외투자 유도와 국채 발행에 있어 이점을 누릴 수 있다.

### 028 루이스 전환점

노벨경제학상 수상자인 아더 루이스가 제창한 개념으로, 개발도상국에서 농촌 잉여노동력이 고갈되면 임금이 급등하고 성장세가 꺾이는 현상을 지적했다. 루이스 전환점에 이르면 노동력의 수요와 공급 간의 불일치로 인해 임금이 급등하며 고비용-저효율 구조가 일어나는 것이 전형적이다.

## 029  K자형 경기회복

경기회복 시에 업종에 따라 반등하는 속도와 양상이 크게 차이 나는 것을 말한다. 코로나19 확산 이후 IT와 의약품, 원격교육 플랫폼 등 비대면 시대에 수요가 급증한 업종은 빠르게 성장한 반면, 여행, 레저, 식당, 및 접객 서비스는 회복하지 못하고 있어 업종별 양극화가 심해지고 있다.

## 030  생활SOC

국민생활의 편익을 증진시키는 기초 인프라와 안전시설 등을 말한다. 그 예로는 상하수도, 전기, 가스, 문화, 체육, 보육, 의료, 복지와 관련된 인프라가 있다. 국민의 삶의 질을 개선하는 목적을 지닌 점에서 생산활동 중심의 사회간접자본과는 차이가 있다.

## 031  유보소득세

개인 유사 법인의 초과 유보 소득에 대해 부과하는 세금을 말한다. 개인사업자가 법인을 설립해 고액의 세금을 회피하는 수단을 막기 위해 도입이 검토되고 있다. 현행법상 유보된 자금이 회사의 경비 등으로 비용처리할 수 있어 조세 회피 수단으로 악용되는 지적이 꾸준히 있어왔다.

## 032  CBDC
### Central Bank Digital Currency

중앙은행(Central Bank)이 블록체인 등 분산원장기술을 활용해 전자 형태로 발행하는 화폐다. 비트코인이나 이더리움 등 암호화폐와 달리 각국 중앙은행이 발행하며 현금처럼 가치변동이 거의 없다는 특징을 지닌다. 실물을 발행할 필요가 없어 비용을 줄일 수 있고 자금의 흐름을 쉽게 파악할 수 있어 빅브러더 논란도 크다.

## 033  프로토콜 경제

프로토콜 경제는 블록체인 기술을 기반함으로써 특정 플랫폼 운영자 없이도 거래가 이루어지도록 하는 '탈중앙화'를 특징으로 한다. 블록체인 기반의 기술을 이용해 플랫폼에 모인 개체들이 합의를 한 뒤 일정한 규칙(프로토콜)을 만드는 등 참여자 모두에게 공정과 투명성을 확보하는 참여형 경제체계를 말한다.

## 034 한국형 재정준칙

2020년 10월 정부가 2025년부터 국내총생산 (GDP) 대비 국가채무비율을 60%, 통합재정수지비율을 −3% 이내로 관리하며, 이를 넘길 경우 건전화 대책을 의무적으로 마련해야 한다는 한국형 재정준칙을 마련해 논의가 이어지고 있다. 확장적 재정정책은 생산을 자극하고 실업률을 낮춰줌으로써 경기조절에 활용되고 있다. 이를 통해 국가채무, 재정적자 등 국가 재정건전성 지표가 일정 수준을 넘지 않도록 관리하고자 한다.

## 035 공정경제 3법 개정안

2020년 12월 9일 국회 본회의에서 가결된 법으로, 상법 일부 개정안·공정거래법 전부 개정안·금융복합기업집단법 제정안이다. 기업지배구조 개선, 대기업집단의 부당한 경제력 남용 근절, 금융그룹의 재무 건전성 확보 등을 목적으로 한다. 상법 일부 개정안에는 다중대표소송제 도입·3% 룰 포함, 공정거래법 전부 개정안에는 일감 몰아주기 규제 대상 확대·자회사 지분 의무 보유 규제 강화·대기업 CVC (기업주도형 벤처캐피털) 보유 허용, 금융복합기업집단법 제정을 주요 내용으로 한다.

## 036 폴 밀그롬

스승인 로버트 윌슨(Robert B. Wilson) 스탠퍼드대 명예 교수와 경매이론을 개척한 공로로 올해 노벨 경제학상을 공동 수상한 경제학자이다. 경매이론은 구매자가 상품의 가치를 정확히 알 수 없는 비대칭정보 상황에서 상품을 효율적으로 분배하는 방법을 연구하는 경제학의 주요 분과이다. 이들이 제안한 동시 다중라운드 경매는 1994년 미국 연방통신위원회(FCC)가 개인휴대통신(PCS) 사업자 선정 방식으로 채택되기도 했다.

## 037 건화물지수

세계 해운업계 경기 현황을 나타내는 지수로서, 85년 1월 4일 운임 수준을 기준으로 삼아 발표되는 종합운임지수이다. 주로 석탄, 광석, 곡물, 건축 자재 등 포장 없이 벌크선으로 운송되는 원자재의 운임을 비교평가한다. 이 지수가 상승한다는 것은 해운 업체의 경기가 개선됨을 뜻한다. 최근 세계 주요국들의 경제 상황이 코로나19 확산 초기에 비해 나아지며 건화물지수도 따라 상승했다.

## 038 CERs Certified Emission Reductions

선진국이 개발도상국에 투자하여 저감한 온실가스의 일정량을 투자국의 감축실적으로 인정하는 청정개발체제(Clean Development Mechanism ; CDM)에서 발생하는 배출권을 뜻한다. 현재 국제연합 기후변화협약(UNFCCC)에서 발급하며, 주식이나 채권처럼 거래소나 장외에서 거래할 수 있다. 2030년까지 연간 배출량 감축이 예정돼 있어 가격이 폭등하고 있다.

## 039 기술적 리세션 Technical recession

통상 2개 분기 연속으로 국내총생산(GDP) 증가율이 마이너스를 기록하는 것을 뜻한다. 최근 세계 최대 채권운용사인 핌코(PIMCO)가 2021년 상반기 미국과 유럽 경제가 기술적 리세션을 겪을 가능성이 크다고 경고해 주목받은 바 있다.

## 040 주택구입부담지수
### K-HAI(Housing Affordabillity Index)

가계의 주택 매입 부담 정도와 추이를 파악하기 위해 만들어진 지수다. 표준적인 대출을 받아 중간가격의 주택을 구매할 때 원리금을 상환할 수 있는 소득수준(대출상환 가능소득)을 계산하고, 중간소득 가구의 소득 대비 대출상환 가능소득의 비율을 계산하여 지수를 산출한다.

## 041 유효구인배율

전국 공공직업안정소에 신청된 구직자 수에 기업이 채용하고자 하는 구인자 수를 구직자 수로 나눈 지표이다. 1을 기준으로 작을수록 구직자가 일자리보다 더 많아 취업 경쟁이 치열한 상태임을 나타낸다. 한국은 약 0.6 수준으로 나타나고 있다.

## 042 폴 로머 Paul Romer

미국의 경제학자로 '내생적 성장' 연구에 기여한 공로로 노벨경제학상을 수상하였다. 과거 신고전파 성장모형은 '기술진보'의 과정을 모형화하지 못했으나, 폴 로머는 기업이 새로운 지식과 기술 창출의 주체가 되는 모형을 연구함으로서 기존 모형의 한계점을 해결했다.

## 043 민간임대주택법 개정

민간이 주택을 임대해 주고 월세를 받고자 할 때 적용받는 법으로, 최근 개정되어 논란이 일고 있다. 현행법에는 단기임대의 경우 4년, 장기일반 민간임대주택의 경우 8년의 의무임대 기간을 만족하면 종부세, 재산세, 양도세 등에서 공제 등 인센티브를 받을 수 있다. 의무임대 기간 중에는 임대료 상승률이 연 5%의 상한으로 적용되었다. 개정안에서는 주택이 신규 건설이 아닌 매입한 경우 장기 의무임대(10년)만 가능하며, 장기보유에 따른 세제혜택이 감소하였다. 또 임대 사업자는 보증금 반환에 대한 보증상품을 의무적으로 가입해야 한다.

## 044 역내포괄적경제동반자협정

Regional Comprehensive Economic Partnership

역내포괄적경제동반자협정(RCEP)은 아시아·태평양 지역을 하나의 자유무역지대로 통합하는 '아세안+6' FTA로, 동남아시아국가연합(ASEAN) 10개국과 한·중·일 3개국, 호주·뉴질랜드 등 15개국이 참여한 협정이다. 2019년 11월 4일 협정이 타결됐으며, 2020년 11월 15일 최종 타결 및 서명이 이뤄졌다.

## 045 잠재GDP

노동, 자본 등 가용한 생산요소를 최대로 활용하였을 때 달성할 수 있는 실질GDP를 말한다. 잠재GDP 성장률은 경제의 적정성장목표 설정 등의 거시경제 정책에 이용될 수 있다.

## 046 지니계수

소득불평등 정도를 측정하는 척도로, 20세기 초 이탈리아 통계학자 코라도 지니(Corrado Gini)가 개발했다. 로렌츠 곡선에서 불균등면적(로렌츠곡선과 완전균등선 사이의 면적)을 완전균등선 아래 전체 면적(0.5)로 나누어 계산한다. 대체로 지니계수가 0.4 이상이면 빈부격차가 높게 나타나는 것으로 보고, 0.7 이상이면 소득양극화로 인해 심각한 사회 혼란을 겪을 가능성이 높다고 본다.

## 047 게츠비 곡선

경제적 불평등이 클수록 세대 간 계층 이동성이 낮다는 것을 보여주는 곡선이다. 2012년 경제학자 앨런 크루거가 소개하며 화제가 됐다. 이 곡선은 소득불평등이 심한 국가일수록 부모의 소득과 자녀가 성인이 된 후의 소득이 비슷한 정도, 즉 세대 간 소득탄력성도 높게 나타났다는 결과를 보여준다.

## 048 테일러 준칙

스탠퍼드대 존 테일러(John Talor) 교수가 제안한 것으로, 중앙은행이 금리를 결정할 때 경제성장률과 물가상승률에 맞춰 조정하는 것을 말한다. 중앙은행은 실제 경제성장률과 잠재 경제성장률의 차이인 GDP갭과 실제 물가상승률과 목표 물가상승률과의 차이인 인플레이션 갭에 가중치를 부여해 금리를 조정한다.

## 049 FDI Foreign Direct Investment

한 나라의 기업이 다른 나라에 설립된 기존 사업체를 인수하거나 신규 사업체를 설립해 장기적으로 실질적인 영향력을 행사하는 투자로, 외국인 직접투자라고도 한다. 지적재산권과 부동산 등 모든 형태의 유·무형 자산이 이전되어 부를 창조할 목적으로 이뤄지는 투자를 포함한다.

## 050 임베디드 Embedded 금융

임베디드 금융은 비금융회사가 자사 플랫폼에 금융상품과 금융서비스를 내장시켜 금융수익을 얻는 것을 말한다. 따라서 당사 플랫폼을 통해 고객 데이터를 수집한 뒤 이를 상품 판매에 이용할 수 있으며, 고객의 플랫폼 의존도를 높일 수 있다.

## 051 앰부시 마케팅 Ambush marketing

스포츠 이벤트에서 공식 후원 업체가 아니면서도 광고 문구 등을 통해 매복(Ambush) 하듯이 후원 업체라는 인상을 주어 고객의 시선을 모으는 판촉 전략이다. 2002년 월드컵 당시 월드컵 공식 후원 업체가 아니면서도 '붉은 악마' 등을 광고에 활용한 전략을 예로 들 수 있다. '기생 마케팅'이라고도 불린다.

## 052 리츠 REITs

부동산투자회사를 말하며 부동산에 투자하여 운용하는 것을 주된 목적으로 설립된 회사이다. 리츠는 보통 주식회사 형태로 설립되며, 상장하면 주식매매가 가능해 일반인도 소액으로 부동산에 투자할 수 있는 기회를 제공한다.

## 053 ISA 개인종합자산관리계좌 ; Individual Savings Account

다양한 금융상품을 한 계좌에서 운용할 수 있는 금융상품이다. 세제상의 불이익 없이 계좌 내 금융상품을 자유로이 바꿀 수 있다. 예금 및 적금, 펀드와 상장지수펀드(ETF), 주식 등 다양한 금융상품에 투자하면 통상 매매차익의 200만원까지 비과세 혜택을 주는 상품으로 알려져 있다.

## 054 차액결제거래 Contract for difference

복수 금융기관 간 자금결제에 있어서 일정기간 (보통 1일) 동안 발생한 거래를 모두 상계처리한 후 그 차액만을 결제하는 시스템을 말한다. 일정 증거금만 내면 증권사가 주식을 대리로 사고팔아 생기는 차액을 현금화할 수 있는 장외 파생상품으로 세금 회피처로 인식돼왔다.

## 055 금융취약성지수

금융 시스템의 중·장기적인 잠재리스크를 통해 한국의 금융 안정 상황을 종합적으로 평가하기 위한 지수다. 외환위기 당시인 1997년 11월을 100으로 해 산출하며, 이 지수가 높아질수록 금융 불균형 심화와 금융기관 복원력 약화 등으로 인해 구조적 취약성이 심각해지고 미래에 위기가 닥칠 경우 금융과 경제가 받는 충격이 확산할 위험이 커진다는 의미이다.

## 056 금융소비자보호법

금융상품에 대해 정보제공부터 사후관리까지 투자사의 의무를 정함으로써 소비자의 권익을 보호하기 위한 법으로 2021년 3월 16일 금융소비자보호법(금소법) 시행령이 국무회의를 통과했다. 6대 판매원칙인 적합성원칙, 적정성원칙, 설명의무, 불공정영업행위 금지, 부당권유행위 금지, 허위과장광고 금지에 대한 내용을 담고 있다.

## 057 공매도

주식시장에서 공매도(Short sale)란 향후 주가가 하락할 것으로 예상되는 종목의 주식을 빌려서 매도한 뒤 실제로 주가가 하락하면 싼 값에 되사들여 빌린 주식을 갚음으로써 차익을 얻는 매매기법이다. 공매도는 특정 주식의 가격이 단기적으로 과도하게 상승할 경우, 매도 주문을 증가시켜 주가를 정상 수준으로 되돌리는 등 증권시장의 유동성을 높이는 긍정적인 역할을 한다. 하지만 시세를 조종하려는 동기가 될 수 있을 뿐만 아니라 대규모 공매도일 경우 채무불이행이 일어날 가능성이 있다.

## 058 비트코인과 이더리움

비트코인은 2009년 사토시 나카모토라는 프로그래머가 개발한 디지털 통화이며, 블록체인 기반의 가상화폐로 당사자들이 직접 거래할 수 있도록 설계되었다. 동일한 원장을 여러 곳에서 동의하에 기록할 수 있기 때문에 인기를 얻게 되었다. 이더리움은 비탈릭 부테린이 개발한 것으로 기존 블록체인 거래 방식에 '스마트 컨트랙트'라는 전자계약 기능을 얹은 확장형 블록체인을 갖고 있다. 따라서 신탁, 채권, 은행 업무 등에 활용 가능하다.

## 059 배당락

결산기일이 지나서 배당을 받을 권리가 없어진 주가의 상태를 말한다. 자세히는 두 가지 경우가 있다. 첫째는, 배당기준일이 경과하여 배당금을 받을 권리가 없어지는 것을 말한다. 둘째는, 주식배당으로 주식 수가 늘어난 것을 감안해 시가총액을 배당락 전과 동일하게 맞추기 위해 주가를 인위적으로 떨어뜨리는 것을 말한다.

## 060 반대매매 Liquidation

증권사나 은행으로부터 돈을 빌려 자산을 매입하는 경우, 빌린 돈을 만기 내 변제하지 못할 경우가 생긴다. 이때 고객의사와는 무관하게 해당 자산을 강제로 매도처분하는 매매를 말한다.

## 061  디파이 DeFi

탈중앙화된 금융 시스템을 일컫는 개념이다. 이를 통해 정부나 기업 등 중앙기관의 통제 없이 인터넷 연결만 가능하면 블록체인 기술로 다양한 금융 서비스를 제공받을 수 있다.

## 062  버핏지수

명목GDP 대비 전체 상장사 시가총액의 비중으로 측정하며, 보통 100%를 넘을 경우 주식시장이 과열된 것으로 판단한다. 워런 버핏이 제안한 지수로써, 주식시장의 과열을 판단하기 위해 사용된다. 2021년 주식시장 광풍에 대해 설명하기 위해 언급되고 있다.

## 063  숏 스퀴즈 Short squeeze

숏 스퀴즈는 투자자가 주가 하락을 예상하고 공매도를 이용해 차익을 실현하려 했으나 오히려 주가가 상승할 때 나타난다. 이때 투자자는 손실을 줄이기 위해 주식을 매수하고 이로 인해 주식 가격은 또 한 번 치솟는 현상을 말한다. 최근 미국의 게임스탑 사태 때 주가에서 숏 스퀴즈가 일어나며 언급되었다.

## 064  PIR Price to Income Ratio

주택 구입가격을 가구당 연 소득으로 나눈 비율로 주택 구입능력을 측정하는 지표로 이용된다. 예를 들어 PIR이 10배라면 10년 치 가구 소득을 모두 모아야 주택을 살 수 있다는 의미이다. PIR이 커질수록 가구의 내 집 마련 기간이 길어진다.

## 065  OEM펀드

OEM(주문자 제조)펀드는 자산운용사가 은행·증권사 등 펀드 판매사로부터 특정자산 편입을 요청받고 자체 위험관리 기준 마련 없이 판매사의 관여에 따라 펀드를 설정·운용하는 것을 말한다. 금융당국은 OEM펀드가 투자자의 수익률 제고보다 피투자사의 투자자금 유치, 판매사의 개인적 이익 추구 등을 위해 운영될 부작용을 우려해 단속하고, 자본시장법을 통해 금지하고 있다.

## 066  VIX Volatility Index

시카고옵션거래소에 상장된 S&P 500 지수옵션의 향후 30일간의 변동성에 대한 시장의 기대를 나타내는 지수로, 증시 지수와는 반대로 움직이는 특징이 있다. 2021년이 되면서 증시 랠리가 지속되는 가운데 VIX지수가 상승하면서 조정기가 도래할 것이라는 해석도 나오고 있다.

## 067 사모펀드

소수의 투자자로부터 사모방식으로 자금을 조성하여 투자대상, 투자비중 등에 제한이 없어 주식, 채권, 부동산, 원자재 등에 자유롭게 투자하는 펀드를 말한다. 투자신탁업법상에는 100인 이하의 투자자, 증권투자회사법(뮤추얼펀드)에는 49인 이하의 투자자를 대상으로 모집하는 펀드다.

## 068 LTV

주택을 담보로 돈을 빌릴 때 인정되는 자산 가치의 비율을 말한다. 만약, 주택담보대출비율이 40%이고, 8억원의 주택을 담보로 돈을 빌리고자 한다면 빌릴 수 있는 최대 금액은 3억 2천만원(8억원×40%)이 된다. 지나치게 낮을 경우 시장불균형을 초래한다는 지적을 받을 수 있다.

## 069 DSR Debt Service Ratio

차입자의 총 금융부채 원리금 상환액을 연 소득으로 나눈 비율을 말한다. 가계가 연 소득 중 주택담보대출과 기타대출(신용대출 등)의 원금과 이자를 갚는데 얼마를 쓰는지 보여준다. 국가를 기준으로 했을 때는 수출 대금, 무역외수지 등 경상수입에 대한 원리금상환액의 비율을 말한다.

## 070 콜드 월렛 Cold wallet

콜드 월렛은 오프라인에서 동작하는 지갑으로 하드웨어 지갑, 유에스비(USB) 보관, 종이 지갑 등이 있다. 핫 월렛(Hot wallet)은 언제나 인터넷에 연결되어 있어 사용이 편리하지만 해킹에 취약하고, 콜드 월렛은 인터넷에 연결되어 있지 않아 해킹이 거의 불가능하다.

## 071 글로벌 본드

세계 주요 금융시장에서 동시에 발행돼 유통되는 국제채권을 뜻하며, 미국 금융시장에서만 발행되는 양키본드와 같은 채권과 대비되는 속성을 지닌다. 발행에 수반되는 부대비용이 크지만 분산 발행에 따른 지역 시장 간 경쟁으로 발행금리를 낮출 수 있다는 장점이 있으며, 대규모 국채 모집이 가능하다.

## 072 배드뱅크 Bad bank

금융사고 등으로 금융회사의 자산 중 일부가 부실화되었을 때, 부실자산을 인수시켜 처리하는 임시기구를 말한다. 부실자산을 흡수할 수 있는 은행의 자정기능이 한계에 다다를 때 이를 받아주는 은행이라고 할 수 있겠다. 최근 라임자산운용 사태로 발생한 부실자산을 처리하기 위해 배드뱅크를 설립한 바 있다.

## 073 펀드패스포트

펀드와 여권을 뜻하는 패스포트의 합성어로, 펀드의 등록·판매에 대한 공통규범을 마련하여 회원국 간 펀드의 교차판매 절차를 간소화하는 제도이다. 이 제도가 도입되면 한 국가에서 등록 절차를 마치면 수월하게 다른 국가에서 판매할 수 있다. 2020년 5월부터 시행됐다.

## 074 프리보드

한국금융투자협회가 코스피 및 코스닥시장에 상장되지 않은 주권의 매매 거래를 위해 개설 및 운영하는 증권시장이다. 유가증권시장과 코스닥시장에 이어 세 번째로 문을 열었으며, 다른 시장에 비해 진입요건과 진입절차가 간단하다. 2013년 7월 중소기업 전용의 코넥스 시장이 개설되면서 그 역할이 모호해졌다.

## 075 업틱룰 Up-tick rule

주식을 공매도할 때에 매도호가를 직전 체결가 이상으로 제시하도록 제한한 규정을 말한다. 즉 시장거래가격 밑으로 호가를 낼 수 없도록 함으로써 공매도로 인한 주가하락을 막기 위한 조치이다. 하지만 예외 조항이 12가지에 달해 외국인 등이 악용할 수 있다는 지적이 꾸준히 제기되어 왔다.

## 076 포괄적 주식교환

비상장기업 주주들이 상장기업에 지분을 모두 넘겨주고 그 대가로 상장기업의 신주를 받는 것을 말한다. 이 방식은 겉으로는 비상장기업이 상장기업의 완전 자회사가 되는 것이지만, 비상장기업이 우회상장을 하는 방법으로도 사용된다.

## 077 로보애널리스트

로봇(Robot)과 투자분석가(Analyst)의 합성어로 AI와 빅데이터를 활용해 증시 변수의 영향력, 뉴스 연관성 분석, 시장이슈에 대한 맞춤형 분석 등 다양한 서비스를 제공하는 것이다. 최근 신영증권이 로보애널리스트를 강화하겠다는 보도를 한 바 있다.

## 078 소비자경보

금융소비자의 피해를 예방하고 확산을 방지하기 위한 제도로 금융감독원이 발령을 담당하고 있다. 금융소비자의 민원이 증가하거나 금융범죄사고로 소비자 피해가 발생할 것으로 예상될 경우 '주의', '경고', '위험'의 3단계로 발령되고 있다.

## 079 스트레스 테스트 Stress test

금융시스템 스트레스 테스트는 금융시스템의 스트레스 상황을 가정해 취약성을 측정하는 시도를 한다. 이러한 상황에는 거시경제의 급격한 변동상황이 포함되며, 환율, 생산과 같은 것들을 예로 들 수 있다. 스트레스 테스트를 위한 GDP, 실업률, 주택가격 등 은행 손익에 결정적 영향을 미치는 지표들의 악화 정도를 놓고 기본 시나리오와 악화된 시나리오 두 가지 시뮬레이션을 적용할 수 있다. 비슷한 테스트로는 몬테 카를로 시뮬레이션이 있다.

## 080 CDS 프리미엄

Credit default swap premium

CDS는 신용부도스왑이라 불리며, 어떤 채권이 신용사건이 발생할 때 채권보유자의 피해를 줄여주도록 설계된 파생금융상품이다. CDS구입에 대한 수수료를 CDS프리미엄이라 하며, 부도위험이 높은 채권일수록 상승하는 특징이 있다. 국채에 대한 CDS프리미엄은 그 국가의 신용도를 평가하는 주요 지표로 사용되고 있다.

## 081 순자산부채비율

부채총액을 순자산(자기자본)으로 나누 비율로, 기업의 채무상환능력을 보여주는 지표 중 하나이다. 만약 부채가 순자산보다 많아 순자산부채비율이 100%를 넘는 경우, 기업이 자기자본을 모두 처분하더라도 모든 부채를 일시에 상환할 수 없는 상태임을 의미한다.

## 082 판다본드

판다본드는 외국 정부 또는 기관이 중국 본토에서 발행하는 위안화 표시 채권을 말한다. 홍콩 시장에서 발행하는 위안화 표시 채권인 '딤섬본드'와는 구별된다.

## 083 ELF Equity-linked fund

주가지수나 개별 종목의 주가에 연동되는 투자신탁상품으로 ELS(주가연계증권)에 투자하는 펀드 상품으로 볼 수 있다. 주로 자산운용사가 증권사 또는 은행이 발행한 특정 ELS 상품을 묶어 펀드로 구성해 판매하는 방법으로 운용되기 때문에 상품의 기본 수익구조에서는 ELS와 거의 차이가 없다.

### 084 서킷브레이커 Circuit breaker

주가가 일정 수준 이상 급락하는 경우 투자자들에게 냉정한 투자 판단 시간을 제공하기 위해 시장에서의 모든 매매 거래를 일시적으로 중단하는 제도를 말한다. 대한민국은 1998년 12월부터 도입해 실시 중이며, 매매 거래 중단 요건은 주가지수가 직전 거래일의 종가보다 8%(1단계), 15%(2단계), 20%(3단계) 이상 하락한 경우 매매 거래 중단의 발동을 예고할 수 있다. 이 상태가 1분간 지속되는 경우 주식 시장의 모든 종목의 매매 거래를 중단하게 된다.

### 085 사이드카 Sidecar

사이드카(Sidecar)는 선물가격이 전일 종가 대비 5%(코스피), 6%(코스닥) 이상 급등 혹은 급락 상태가 1분 이상 지속될 경우 발동한다. 서킷브레이커와는 다르게 사이드카는 5분이 지나면 자동 해제돼 매매가 재개된다는 점, 하루 한차례에 한해 발동되며 주식시장 매매거래 종료 40분 전 이후, 즉 오후 2시 20분 이후에는 발동되지 않는다. 대한민국에서는 2020년 3월 12일 코로나19의 팬데믹 선언 후 발동한 적 있다.

### 086 해피콜

소비자가 충분히 이해하고 금융상품을 매입할 수 있도록 판매 과정에서 상품 설명이 제대로 됐는지 사후 점검하는 제도를 말한다. 그동안 보험사만 의무적으로 실시해왔으나, 앞으로는 금융회사 모두 전반적으로 해피콜 제도가 적용된다.

### 087 숏커버링 Short covering

공매도(short selling) 후 매수하는 전략을 말한다. 주가의 하락이 예상될 때 주식 시장에서 주식을 빌려서 먼저 파는 공매도 후, 주가가 예상대로 하락하면 다시 환매수하는 숏커버링을 해 주식 수량만큼 갚는다. 기업의 결산, 주주총회 등의 이벤트에 큰 영향을 받는다.

### 088 TRS Total Return Swap

신용파생상품의 하나로 기초자산(주식, 채권, 상품자산 등)의 신용위험과 시장위험을 이전하는 상품이다. 채무보증과 비슷한 효과가 있어 일부 대기업이 부실 계열사를 지원하는 데 TRS를 활용한다는 지적이 있다. 일종의 대출 형태로 계약이 이뤄지면서 TRS 계약을 맺은 증권사들은 자금 회수에 우선권을 갖게 된다.

## 089 투자자예탁금

투자매매업자 또는 투자중개업자가 투자자로 부터 금융투자상품의 매매, 그 밖의 거래와 관련하여 예탁 받은 금전을 말한다. 고객예탁금에는 위탁자예수금, 장내파생상품거래예수금, 저축자예수금, 수익자예수금, 조건부예수금, 청약자예수금, 신용거래보증금 등이 있다. 신종 코로나 바이러스 사태와 미국과 이란의 갈등이 고조되면서 대기자금이 줄어들었다.

## 090 소비기한

2021년 7월 24일 '식품 등의 표시 광고에 관한 법률' 개정안이 국회 본회의를 통과해 흔히 유통기한으로 알려진 표시가 '2023년 1월 1일부터 '소비기한'으로 변경된다. 소비기한은 표기된 보관 기간을 준수했을 경우 소비자가 식품을 섭취해도 안전에 이상이 없다고 판단되는 최종 소비기한이다.

## 091 Plogging

플로깅은 스웨덴어로 '이삭을 줍는다(plocka upp)'는 말과 영어의 '달리다(joggin)'는 뜻을 가진 단어의 합성어이다. 조깅을 하면서 동시에 쓰레기를 줍는 운동으로, 스웨덴에서 시작돼 북유럽을 중심으로 확산됐다. 플로깅은 건강과 환경을 동시에 챙길 수 있다는 점에서 인기를 끌고 있다.

## 092 뉴 스페이스 New space 시대

일론 머스크(Ellon Musk)의 스페이스X, 제프 베이조스(Jeff Bezos)의 블루오리진 등 우주 산업에 민간업체들이 참여하면서 뉴 스페이스 시대가 열리고 있다. 그동안 국가차원에서 추진되던 사업들이 로켓을 재사용하는 등의 방식으로 비용을 낮춰 유인 달 탐사 프로젝트와 같은 적극적인 우주계획을 가능하게 했다.

## 093 게이트 키핑 Gate keeping

게이트 키핑(Gate keeping)은 뉴스 미디어 조직 내에서 기자나 편집과 같은 뉴스 결정권자가 뉴스를 취사선택하는 과정을 의미한다. 디지털시장으로의 접근을 결정할 수 있는 힘을 지닌 지배적 플랫폼 사업자를 뜻하는 의미로 쓰이게 됐다. 최근 EU는 디지털시장법 제정에 대한 의지를 천명하며 공정경쟁을 해칠 우려를 나타내기도 했다.

## 094 넷플릭스법

최근 전기통신사업법 개정안을 말하는 것으로, 과도한 트래픽을 유발하는 부가통신사업자가 안정적인 서비스를 유지하도록 의무를 부과하는 내용을 담고 있다. 넷플릭스와 같은 글로벌 IT기업들의 한국 이동 통신망에 대한 무임승차 논란이 일면서 제안되었다.

## 095 트래블버블 Travel bubble

트래블버블은 비격리여행권역이라고도 불리며, 국가 간 합의에 의해 양국 모두 격리조치 없이 관광객의 입국 제한을 해제하는 것이다. 이 합의가 이루어지면 코로나19 확산 방지를 위한 해외발 입국 시 2주간 격리 의무가 면제될 수 있다.

## 096 채찍효과

하류의 고객 주문 정보가 상류로 전달되면서 정보가 왜곡되고 확대되는 현상이다. 소몰이 채찍을 사용할 때 손잡이의 적은 힘으로도 끝부분에 큰 움직임을 만들어 낼 수 있는 점을 보고 유사점을 찾은 효과이다. 고객의 수요가 상부 단계 방향으로 전달될수록 각 단계별 수요의 변동성이 증가하는 현상을 말한다.

## 097 TSMC Taiwan Semiconductor Manufacturing Company, Limited

대만의 반도체 파운드리, 즉 위탁제조기업으로써, 세계에서 가장 큰 반도체 제조 기업이다. ATI 테크놀로지스, 브로드컴, 엔비디아의 발주를 받는 기업으로 알려져 있으며, 애플과 긴밀한 협력관계로 유명하다. '고객과 경쟁하지 않는다'는 원칙으로 인해 지금의 성장을 이룰 수 있었다는 평이다.

## 098 인저뉴어티 Ingenuity

미국 항공우주국(NASA)의 화성 탐사용 무인 소형 헬리콥터로, 2021년 4월 19일 오전 30분 사상 최초로 화성 하늘을 비행하는 데 성공한 바 있다. 인류가 개발한 동력체가 처음 지구 밖 행성에서 하늘을 비행한 사건으로 의의가 있다고 할 수 있겠다.

## 099 헤커톤

해킹(Hacking)과 마라톤(Marathon)의 합성어다. 프로그래머나 개발팀이 일정 기간 내에 결과물을 만들어 내는 행사를 말한다. 프로그램 개발이나 신규 사업아이템 발굴, 정부 시스템 효율성 향상 등 다양한 목적을 가지고 개최될 수 있으며, 시상식을 통해 수상하는 방식을 이용해 인센티브를 부여할 수 있다.

## 100 FOMO Fear of missing out

포모(FOMO)는 'fear of missing out'의 약자로써, 흐름을 놓치거나 소외되는 것에 대한 불안 증상을 말한다. 최근 주식시장 주가가 급등하면서 20~30대 젊은 층에서는 주식을 안 하면 나만 돈을 못 벌까 봐 불안해하는 포모 증후군이 퍼지고 있다.

## 101 RE100 Renewable Energy 100%

기업이 사용하는 전력량의 100%를 태양광, 풍력, 수력, 지열 등의 재생에너지로 사용하자는 캠페인이다. 구글, 애플, BMW 등이 RE100 캠페인에 참여하고 있다. RE100의 세계적 확산에 따라 2020년 말부터 국내에서도 LG화학, SK하이닉스, SK텔레콤, 한화큐셀 등이 잇따라 RE100 참여를 선언하고 있다.

## 102 욜드 YOLD

Young과 Old의 줄임말로 1946~1964년의 베이비부머 세대의 젊은 노인을 의미한다. 영국의 주간지 이코노미스트에서 처음 등장한 신조어이다. 이들은 은퇴한 후에도 생산과 소비생활에 적극적으로 참여하여, 고령화 사회에서 새로운 경제 성장 동력으로 기대되고 있다.

## 103 아스트라제네카

스웨덴 아스트라 AB(Astra AB)와 영국의 제네카(Zeneca)가 1999년 합병해 탄생한 다국적 제약회사이다. 아스트라제네카 코로나19 백신은 2~8℃ 냉장보관이어서 기존의 백신 유통망을 그대로 이용할 수 있는 장점이 있다. 정부는 요양병원·시설 등 입원·입소자와 종사자 전체를 대상으로 아스트라제네카 코로나19 백신 접종을 시작했다.

## 104 이익공유제

이익공유제는 기업의 이익을 생산에 참여하는 협력업체와 나눈다는 의미이다. 최근 논의되는 '코로나 이익공유제'는 코로나19가 야기한 사업 환경 변화로 이익을 얻은 기업들의 자발적 기부를 통해 코로나로 어려움을 겪는 소상공인과 자영업자들을 지원하는 취지에서 시작되었다.

## 105 파운드리 Foundry

반도체 산업에서 주로 반도체 설계만 전담하고 생산은 외주를 주는 업체로부터 반도체 설계 디자인을 위탁받아 생산하는 기업을 말한다. 최근 AI, 자율 주행 자동차 등의 발전으로 AP, GPU, 차량용 반도체의 수요가 급증하고 있지만, 파운드리 업체가 생산능력을 확대하고 싶어도 미세공정의 생산능력 한계 때문에 납품을 충분히 할 수 없어, 반도체 수급 차질 문제가 발생하고 있다.

## 106 청년특화주택

정부는 2020년 12월 '제1차 청년정책 기본계획'을 통해 7만 6900호 등 총 27만 3000호를 공급하고, 대학 캠퍼스 내외에 연합기숙사, 행복기숙사 등 다양한 유형의 기숙사를 늘려 2025년까지 3만 명을 지원한다고 밝혔다. 청년특화주택은 다양한 청년의 삶의 방식을 반영해 도심 내에 업무와 문화시설이 복합된 맞춤형 서비스를 제공하는 주거시설로, 임대료를 시세의 50~95% 수준으로 제공한다.

## 107 메타버스 Metaverse

현실 세계를 의미하는 'Universe(유니버스)'와 '가공, 추상'을 의미하는 'Meta(메타)'의 합성어로 3차원 가상세계를 뜻한다. 가상현실(VR) 뿐 아니라 증강현실(AR)과 라이프로깅 등 현실과 기술이 접목된 분야까지 포괄하는 광범위한 개념이다. 최근 개발되고 있는 증강현실(Augmented Reality) 및 가상현실(Virtual Reality) 등을 포괄하는 개념으로 알려져 있다.

## 108 탄소중립

탄소중립은 이산화탄소를 배출하는 양만큼 다시 이산화탄소를 포집해 실질적 배출량을 '0'으로 만듦을 의미한다. 이를 달성하려면 화석에너지 비중을 줄이고 신재생에너지 사용을 확대해야 한다. 또한, 제조업에 속한 기업들은 탄소배출량 감축에 관한 신기술 도입 및 이산화탄소포집기술 개발 등과 같은 노력을 해야 한다. 넷제로(Net Zero)와 혼용되어 쓰이고 있지만 엄격히 따지면 다른 개념이다.

## 109 쿼드 Quadrilateral Security Dialogue, Quad

미국, 일본, 인도, 호주의 4각 연합협력체로써 중국을 견제하기 위해 재활성화되었다. 2007년 미국, 일본, 인도, 호주가 처음 연 '4자 안보대화(Quadrilateral Security Dialogue)'의 맨 앞부분만 따서 만든 말이다. 이 협력체에 한국과 뉴질랜드 등을 참여시키는 '쿼드 플러스(Quad plus)'도 고려되고 있다.

## 110 프로크루스테스의 침대

자신의 기준으로 다른 사람의 생각을 억지로 자신에게 맞추려고 하는 횡포나 독단을 이른다. 그리스 신화 속 프로크루스테스가 지나가는 행인을 초대해 그의 집에 있는 침대보다 키가 크면 큰 만큼 자르고, 작으면 침대에 맞게 잡아 늘렸던 이야기에서 유래했다. 최근 전국의 전월세 임대료를 직전 계약 금액의 5%를 초과할 수 없도록 규제한 것을 이에 빗대기도 했다.

## 111 소상공인 새희망자금

2020년 9월 22일 국회를 통과한 4차 추경에 따라 시행되는 것으로, 코로나19로 타격을 입은 소상공인들에게 지급되는 현금 지원 방안이다. 9월 24일부터 온라인 신청을 통해 9월 25일부터 지급이 시작되며, 지원 대상은 일반업종과 특별피해업종으로 분류된다.

## 112 소부장

소재·부품·장비의 줄임말이다. 2019년 7월 일본의 전략 수출품목 수출규제로 소재와 부품 산업의 원천기술 확보 문제가 대두되면서 최근 이에 대한 대규모 정부 지원이 결정되었다. 2021년 현재 선도국 대비 소재 분야 기술력이 80%까지 향상됐다고 평가한다.

## 113 인앱결제 In-app purchase

스마트폰 어플리케이션 안에서 결제하는 방식으로, 애플 앱스토어, 구글 플레이스토어에서 결제하는 경우를 예로 들 수 있다. 최근에는 유료 콘텐츠를 세부화해 콘텐츠 별로 결제하도록 유도하고 있어, 구글과 애플이 독자 플랫폼에서 시장지배적인 구조를 남용할 수 있다는 지적이 일고 있다.

## 114 OPAL세대

은퇴 이후에도 경제력을 바탕으로 활발한 소비활동을 하는 신노년층(Old people with Active Lives)을 뜻한다. 이들은 제2차 세계대전 태생으로, 현대적인 교육을 받고 고도성장기에 청년 시기를 보냈다. 이들은 부를 축적한 뒤 은퇴 이후 취미와 여가활동에 돈과 시간을 아낌없이 쓰고 있다. 최근 이들의 소비영향력이 강해지면서 이들을 겨냥한 문화콘텐츠가 대량 제작 및 유통되고 있다.

## 115 꼬리위험 Tail risk

정규분포에서 꼬리 부분에 해당하는 사건을 말하는 것으로, 발생 가능성은 낮지만 일단 발생했을 경우 시장에 큰 영향을 미치게 된다. 미중 무역전쟁 사태가 전 세계 경제에 꼬리위험으로 지목되어 왔으며 홍콩 사태도 꼬리위험으로 지목되고 있다.

## 116 불쾌한 골짜기

사람이 사람 아닌 존재를 볼 때 사람과 많이 닮아갈수록 처음에는 호감도가 높아지지만 일정 수준 이상으로 사람과 비슷해지면 오히려 불쾌감을 느끼게 되는 현상을 뜻한다. 이 불쾌감은 '살아 있는 것처럼 보이는 존재가 실제로 살아 있는 것인지, 그렇지 않으면 살아 있지 않아 보이는 존재가 실제로 살아 있는 것이 아닌지'에 대한 의심을 의미한다.

## 117 양자우위 Quantum supremacy

양자컴퓨터가 기존 방식의 슈퍼컴퓨터의 성능을 넘어서는 것을 의미한다. 2진수 기반의 정보처리를 하는 기존의 컴퓨터와 달리 양자컴퓨터는 '얽힘', '중첩'과 같은 양자역학적 현상을 활용하여 계산하며, 특정 종류의 문제에 대해 기존의 컴퓨터로 따라잡을 수 없는 속도로 연산이 가능할 것으로 예측되고 있다.

## 118 스피어 피싱

특정 개인이나 회사를 대상으로 한 피싱(Phishing) 공격을 뜻하며, 사전에 공격 대상에 관한 정보를 수집하고 분석해 공격 성공률을 높인다는 특징이 있다. 국내 기업을 대상으로 우체국을 사칭한 이메일에서 배송정보 문서로 위장한 악성 실행파일이 발견된 바 있어 주의가 요구된다.

## 119 가족친화인증

가족친화제도를 모범적으로 운영하고 있는 기업 등에 대하여 심사를 통해 여성가족부 장관의 인증을 부여해 혜택을 주는 제도를 말한다. 이 인증을 받으면 해당 기업은 '일하기 좋은 기업'으로 인정하고 정부 사업 참여 시 가산점, 우선권 부여, 대출 시 금리 우대를 적용하는 등 혜택을 주는 제도이다.

## 120 고용유지지원금

경영난에 처한 기업이 해고 대신 근로시간 감축, 유급 휴직 등을 통해 직원에게 수당을 지급하면 정부가 그중 일부를 지원하는 제도다. 경기 침체 시에 실업의 급증을 예방하는 효과가 있다. 정부는 최근 코로나19로 인한 충격을 완화하기 위해 여행업, 관광업에 대한 기존 지원 기간을 연장하기로 결정했다.

## 121 제론테크 Gerontech

노인학(Gereology)과 기술(Technology)의 합성어로서, 노인 세대를 위한 과학기술을 아우르는 개념이다. 건강, 주거, 노동 등 생활에서 노년층에게 필요한 기술을 신체적, 정신적 웰빙을 위해 접목한다. 특히 사물인터넷(IoT) 기술은 가정을 넘어 대중교통, 병원 등 '웰에이징'과 '스마트 리빙'을 실현하기 위해 삶 전반으로 확장되고 있다.

## 122 채널 홀 에칭 Channel Hole Etching

낸드 플래시 메모리 제조에 사용되는 기술로서, 최근 삼성전자가 이 기술로, 5세대 V낸드보다 단수를 40%나 높인 6세대 V낸드를 성공적으로 양산했다. 이와 같이 반도체 제조 시 칩크기를 줄이고 반도체를 수직으로 쌓아 효율을 극대화하는 방식이 사용되고 있다.

----

## 123 RED Reneable Energy Directive

유럽연합이 온실가스 감축을 위한 강력한 의지 천명의 일환으로 에너지효율지침(Energy efficiency directive)과 함께 재생에너지지침을 내놓았다. 2020년까지 재생에너지 비중을 20%까지 늘리는 것을 골자로 하고 있다. 최근에는 2030년까지 32%로 목표를 상향 조정하도록 개정되었다.

----

## 124 ZOOM

2011년에 설립된 화상회의를 위한 다대다 화상전송 솔루션 제공 업체이다. 코로나19 사태에 비대면 업무 및 원격수업이 필수가 되면서 전 세계적으로 사용자 수가 폭발적으로 증가하였다. 개인 정보 등이 중국으로 전송된다는 보안 논란이 제기되면서 각국의 공공기관과 기업들이 사용을 지양하려고 하고 있다.

## 125 DID

탈중앙화 신원증명(Decentralized Identify)의 약자로, 정부기관에 의해 통제되는 기존 신원증명 방식과 달리 개인들이 자신의 정보를 직접 관리하는 기술을 말한다. 블록체인 기술을 기반으로 신뢰성을 보장받으며, 이를 이용하면 개인 정보를 사용자의 스마트폰에 저장해 놓고 개인 정보 인증 때 필요한 정보만 골라서 제출하도록 할 수 있다.

----

## 126 로빈후드 효과

영국의 의적 로빈후드의 이름을 따 명명된 것으로, 소득 불평등을 해소하기 위해 부를 재분배할 경우 오히려 사회 전체의 부가 축소되는 현상을 뜻한다. 즉, '가진 자'의 것을 빼앗아 '없는 자'에게 나누어주면 일하는 사람이 줄어들어 결국 '없는 자'만 남게 된다는 것이다. '로빈후드 법칙'이라고도 한다.

----

## 127 메디치 효과

서로 다른 분야의 요소들이 결합할 때 각 요소들이 갖는 에너지의 합보다 더 큰 에너지를 분출하게 되는 효과를 말한다. 이탈리아 메디치 가문이 문학예술가, 철학자, 상인 등 다양한 분야의 전문가들을 교류시켜 르네상스라는 혁신을 주도했다는 점에서 메디치 효과라고 한다.

## 128 호르무즈 해협

이란과 아라비아반도 사이를 가로지르는 해협으로 산유국 사우디아라비아, 이란, 쿠웨이트의 중요한 석유 운송로 및 지정학적 요충지다. 2020년 미국의 요청에 따라 우리 정부가 군대를 파병하기로 했으며, 이후 이란 측 입장도 고려해 청해 부대를 독자 파병의 형태로 파견하기로 결정했다.

## 129 빈 어택 BIN attack

빈(BIN ; Bank Identification Number)은 은행이나 카드사의 고유번호를 뜻하는 카드 일련번호 16자리 중 앞 6자리를 가리킨다. 빈 어택은 카드사 고유번호를 알아낸 후 해킹 프로그램을 통해 무작위로 카드번호를 생성하는 해킹방식이다. 이렇게 확보한 카드번호는 다크웹 등에 팔려 마약 거래 등의 범죄에 이용된다.

## 130 팔라듐 Paladium

백금족 원소로 전성과 연성이 우수하며 대부분의 금속과 합금을 이룬다. 대표적으로 자동차의 배기가스용 촉매로도 중요하게 쓰인다. 전 세계적으로 자동차 배기가스 규제가 강화되면서 자동차 매연 저감장치 수요가 급증해 팔라듐의 가격이 백금보다 비싸졌다.

## 131 가산금리 Spread

기준금리에 신용도 등의 차이에 따라 달리 덧붙이는 금리를 가산금리(또는 스프레드)라고 한다. 예를 들어 은행이 대출 금리를 결정할 때 고객의 신용위험에 따라 조달금리를 추가하는 금리를 말한다. 한편, 만기가 길어지면 추가로 가산되는 금리를 기간 가산금리라고 하는데, 이것도 일종의 스프레드이다. 통상 신용도가 높으면 가산금리가 낮고, 신용도가 낮으면 가산금리, 즉 스프레드는 커진다.

## 132 가상통화 Virtual currency

가상통화는 중앙은행이나 금융기관이 아닌 민간에서 블록체인을 기반기술로 하여 발행·유통하는 '가치의 전자적 표시'로서 비트코인이 가장 대표적인 가상통화이다. 현재 비트코인 거래가 크게 늘어나고 가격도 급등한 가운데 비트코인 이외에 많은 신종코인도 출현하면서 이들 가상통화를 구분할 필요성이 발생하였다. 이에 따라 IMF 등 국제기구에서는 비트코인류의 가상통화를 '암호통화'로 부르면서 종래의 가상통화의 하위개념으로 분류하고 있다.

## 133 간접금융 / 직접금융

Indirect financing / Direct finanacing

경제에는 자금 잉여주체와 자금 부족주체가 존재하게 되는데 이들 사이에 은행이나 저축은행, 신용협동기구 등 금융기관이 개입하여 자금을 중개하는 방식을 간접금융이라고 한다. 즉 금융기관이 일반 대중으로부터 예금을 받아 이를 자신의 명의로 기업 등 다른 경제주체에게 대출해 주는 방식이다. 한편 주식, 채권발행의 경우와 같이 자금수요자가 금융기관을 통하지 않고 금융시장에서 직접 필요자금을 조달하는 방식을 직접금융이라고 한다.

## 134 간접세 / 직접세

Indirect tax / Direct tax

조세는 납세의무자와 실제로 세금을 부담하게 되는 조세부담자가 일치하는지 여부에 따라 간접세(indirect tax)와 직접세(direct tax)로 구분된다. 납세의무자와 조세부담자가 일치하여 조세부담이 전가되지 않는 조세를 직접세라고 하며, 소득세, 법인세, 상속세, 증여세, 종합부동산세 등이 있다. 이와 달리 납세의무자와 조세부담자가 일치하지 않고 조세의 부담이 타인에게 전가되는 세금을 간접세라고 하며, 부가가치세, 개별소비세, 주세, 인지세, 증권거래세 등이 있다.

## 135 고객확인절차

KYC ; Know Your Customer

고객확인절차는 고객의 신원을 식별하고 확인하는 업무절차를 뜻한다. 모든 회사는 대리인·컨설턴트 등과 업무를 시작할 때에도 이 절차를 거쳐야 한다. 이는 특히 은행·보험·수출금융 등 금융업무절차나 자금세탁방지 규제에서 자주 거론된다. 이 절차의 목적은 주로 은행이 자금세탁행위 등의 범죄요소로 악용되는 것을 예방하는 것이다.

## 136 고용보조지표

국제노동기구(ILO)에서는 노동공급과 노동수요가 일치하지 않아 일하고 싶은 욕구가 있음에도 불구하고 일을 하고 있지 못하는 노동력의 크기를 나타내는 고용보조지표를 새로이 확정한 바 있다. 우리나라 통계청 역시 공식 실업률만으로는 노동시장을 제대로 반영하는 데 한계가 있다고 판단하여 2014년 11월부터 새로운 고용보조지표를 발표하고 있다. 고용보조지표는 실업률을 추계하기 위한 공식적인 실업자 외에 아르바이트 등 단기근로를 하지만 재취업을 원하는 사람, 최근 구직활동을 안했지만 취업의사가 있고 취업 가능성이 있는 사람, 그리고 구직노력을 했으나 육아 등으로 당장 일을 시작하지 못하는 사람 등이 포함된다.

## 137 골디락스 경제 Goldilocks Economy

골디락스 경제는 경기과열에 따른 인플레이션과 경기침체에 따른 실업을 염려할 필요가 없는 최적 상태에 있는 건실한 경제를 가리킨다. 이는 영국의 전래동화인 골디락스와 곰 세마리에 등장하는 금발머리 소녀의 이름에서 유래했다.

## 138 녹색GDP Green GDP

일반적으로 녹색GDP는 한 나라의 국내총생산에서 생산활동 중 발생하는 자연자원의 감소나 환경피해 등의 손실액을 공제한 것을 말한다. 이는 기존 GDP가 재화와 서비스를 많이 생산할수록 커지는 반면, 생산활동 과정에서 발생하는 자원고갈, 환경오염 등으로 인해 국민의 후생이 떨어지는 부정적인 효과를 전혀 반영하지 못하는데서 대안으로 나온 것이다.

## 139 도드-프랭크법 Dodd-Frank Act

도드-프랭크법은 미국에서 2008년의 글로벌 금융위기가 발생한 이후 이러한 위기의 재발을 방지하기 위해 오바마 정부가 제안한 내용을 반영하여 2010년 7월에 제정되었으며 1930년대 대공황기의 금융개혁 이후 가장 광범위한 개혁방안을 담고 있다. 법안 내용 가운데 특히 은행의 자기계정투자를 금지하는 볼커룰을 포함하고 있어 1930년대 글래스-스티걸법의 부활이라는 평가를 받고 있다.

## 140 레그테크 Regtech

레그테크는 금융업 등 산업전반에 걸쳐 혁신정보기술과 규제를 결합하여 규제관련 요구사항 및 절차를 향상시키는 기술 또는 회사를 의미한다. 이는 금융서비스 산업의 새 영역이며, 일종의 핀테크이다.

## 141 리디노미네이션 Redomination

리디노미네이션 또는 '화폐단위 변경'이란 구매력이 다른 새로운 화폐단위를 만들어 현재의 화폐단위로 표시된 가격, 증권의 액면가, 예금·채권·채무 등 일체의 금액을 법정비율에 따라 일률적으로 조정하여 새로운 화폐단위로 표기 및 호칭하는 것을 의미한다.

## 142 마이크로 크레디트
Micro-Credit, 美少金融

마이크로 크레디트란 은행 같은 전통적인 금융기관으로부터 금융서비스를 받을 수 없는 빈곤계층에 소액의 대출과 여타의 지원 활동을 제공함으로써 이들이 빈곤에서 벗어날 수 있도록 돕는 소액대출사업을 말한다.

## 143  모기지대출 Mortgage loan

모기지대출은 은행이 대출 실행 시 담보물인 주택 등 부동산에 주택저당채권을 설정하고 이를 근거로 하는 증권을 발행, 유통시켜 대출자금을 회수하는 것을 의미한다. 주택저당증권은 주택저당채권을 기초로 발행되는 자산유동화증권을 의미한다.

## 144  볼커룰 Volcker rule

2010년 6월 미국 의회가 제정한 금융개혁법(도드-프랭크법)의 제619조의 내용으로, 전 연방준비제도이사회 의장이자 오바마 정부의 백악관 경제회복자문위원회 위원장인 폴 볼커의 제안이 대폭 반영되어 볼커룰이라고 부른다. 이 조항은 은행의 자기계정투자를 금지하고, 헤지펀드 및 사모펀드에 대한 투자를 제한하는 것이다.

## 145  분산원장기술
### Distributed Ledger Technology

분산원장기술은 거래정보가 기록된 원장을 특정기관의 중앙서버가 아닌 공유 네트워크에 분산하여 참가자가 공동으로 기록·관리하는 기술이다. 전통적 금융시스템이 중앙집중형 시스템으로 '제3의 기관'을 설립하고 해당 기관에 대한 신뢰를 확보하는 방식으로 발전한 반면 분산원장기술은 중앙기관 없이 모든 참여자가 공동으로 관리하여 신뢰를 확보하는 방식이다.

## 146  분수효과 Trickled-up effect

분수효과란 정부가 경제정책으로 저소득층과 중산층의 소득을 먼저 늘려주면 이들의 소비 확대가 생산과 투자로 이어지면서 전체 경제활동이 되살아나고 이로 인해 고소득층의 소득도 늘어날 수 있다는 주장이다. 분수에서 물이 아래에서 위로 솟아나는 것처럼 저소득층에서 시작된 소득과 소비 증대의 효과가 점차 상위 계층으로 확산되면서 전체 경제가 좋아질 수 있다는 것이다.

## 147  장단기금리차

장단기금리차란 일정 시점에서 장기금리와 단기금리의 차이를 의미한다. 장단기금리차는 다양한 만기의 지표금리를 이용해 산출가능하다. 장단기는 통상 1년을 기준으로 하기 보다는 비교하려는 만기의 상대성에 달려 있다. 장단기금리차가 줄어든다면 경제성장률이 떨어지고 실업률이 상승하는 등 향후 경제가 악화될 것으로 기대하고, 반대의 경우 경제가 좋아질 것으로 기대한다.

## 148 제로금리정책

Zero interest rate policy

금융기관 간에 여유자금과 부족자금을 빌리는 단기금융시장에서 거래되는 초단기 자금의 금리를 0%에 가까운 수준으로 떨어뜨리는 통화정책을 의미한다. 중앙은행이 단기금리를 제로 근처로 유도하는 것은 시중 유동성을 풍부하게 하여 금융경색을 억제하고 경기침체를 극복하기 위한 목적인 경우가 보통이다.

## 149 중개무역 / 중계무역

Merchandising trade / Intermediary Trade

중개무역은 수출입 양 당사자 간의 물품거래가 제3국 상인의 중개로 이루어지는 무역형태를 의미하며, 중계무역은 물품을 수입하되 이를 국내에 반입하지 않고 가공하지 않은 원형 그대로 직접 제3국으로 수출하는 형태의 무역거래를 의미한다.

## 150 크라우드펀딩 Crowd funding

크라우드펀딩은 온라인 플랫폼을 통해 다수의 개인들로부터 자금을 조달하는 금융서비스이다. 아이디어 기획자(자금수요자), 아이디어를 지원하고 전파하는 다수의 개인 혹은 집단(자금공급자), 이를 중개하는 조직(플랫폼)으로 구성된다. 금융중개기관을 거치치 않고 직접 자금공급자를 모집하는 새로운 방식의 자금조달 수단이다.

## 151 니트족 NEET

일하지 않고 일할 의지도 없고 교육, 고용, 훈련 등을 모두 거부하는 청년 무직자이다. 소득이 없는 니트족은 소비 능력도 부족하므로 니트족이 늘어날수록 경제 잠재성장력을 떨어뜨려 경제에 나쁜 영향을 주는 동시에 여러 가지 사회문제를 일으킬 가능성이 높다.

## 152 브렉시트 Brexit

영국을 뜻하는 Britain과 출구를 뜻하는 Exit의 합성어로 영국의 EU 탈퇴를 의미한다. 최근 영국에서는 보리슨 존슨 총리가 브렉시트 방안에 대해 EU와 합의해 2018년 3월 브렉시트를 단행하려 했으나 하원의 반대로 3차례 연기되면서 2020년 1월 31일로 결정되어 단행하였다.

## 153 기간산업 Key industry

한 나라의 경제 활동의 토대가 되는 중요한 산업이다. 자동차·철강·석유·조선·화학산업이 대표적이다. 기간산업은 일반제조업의 기초가 되고, 국가의 산업발전에 미치는 영향이 크기 때문에 개발도상국에서는 기간산업의 육성이 경제 성장의 우선 과제가 된다.

## 154 공유경제 Sharing economy

잉여자원을 IT 기술을 활용해 다양한 사람들과 공유해 사용하는 소비를 기본으로 하는 경제를 의미한다. 부동산, 자동차, 사무실 등의 잉여 공간을 다른 사람들과 공유함으로써 자원활용을 극대화하는 경제활동이다. 우버, 에어비앤비 등이 대표적이다.

## 155 글로벌 가치사슬
### Global Value Chain

생산과정을 비교우위에 따라 특화하여 전 세계가 분업하는 시스템을 의미한다. IT기술의 발달로 지식의 거래비용이 낮아짐에 따라 글로벌 가치사슬이 형성되어 상품과 서비스의 설계·생산·유통·사용·폐기 등 전 범위에 이르는 활동이 운송과 통신 발달로 인해 세계경제는 글로벌화되고 있다.

## 156 베이지북 Beige Book

미국의 중앙은행이 연간 8차례에 걸쳐 발표한 미국의 경제동향 종합보고서이다. 해당 보고서의 표지가 베이지색인 점에서 유래했다. 연방준비제도이사회(FRB) 산하 12개 지역 연방준비은행이 기업인과 경제학자, 시장 전문가 등의 견해를 담아내며, 각 지역의 산업생산활동·소비동향·물가·노동시장상황 등 모든 경기지표들을 분석한 자료도 포함된 종합보고서이다.

## 157 리브라 Libra

페이스북이 출시하기로 한 가상화폐로 그 가치의 변동이 발생하지 않는 스테이블 코인이다. 페이스북은 이를 위해 지난 5월 관리·감독을 위한 독립 기관인 '리브라 협회'를 스위스에 세웠다. 미국 정부와 세계 주요국가 중앙은행은 리브라가 중앙은행 중심의 통화발권 체계에 부정적인 영향을 미칠 것을 우려하고 있다. 이후 리브라 프로젝트를 추진해온 협회는 2020년 12월 1일 당초 가상화폐의 명칭이었던 리브라(Libra)를 디엠(Diem)으로 변경하고, 협회 이름도 종전 '리브라 협회'에서 '디엠 협회'로 개명했다고 밝혔다.

## 158  쇼루밍 Showrooming

소비자들이 오프라인 매장에서 제품을 자세히 살펴본 후 실제 구입은 보다 저렴한 온라인 쇼핑몰 등을 이용하는 쇼핑 행태를 말한다. 오프라인보다 온라인 구매가 가격경쟁력에서 우위를 차지하고, 모바일기기가 확산되면서 쇼루밍 현상은 증가할 것으로 예상된다.

## 159  오쿤의 법칙 Okun's law

미국의 경제학자 오쿤이 발견한 현상으로 실질 GDP와 실업률 간의 상관관계를 의미한다. 구체적으로 실업률이 1% 늘어날 때마다 국민총생산이 2.5%의 비율로 줄어드는 현상을 의미한다.

## 160  닥터둠 Dr. Doom

미국의 투자전략가 마크 파버가 1987년 뉴욕 증시 대폭락과 1997년 아시아 외환위기를 예견하면서 붙은 별칭이다. 최근에는 국제금융계에서 비관론을 펴는 경제학자를 부르는 용어로 쓰인다. 가장 최근에는 누리엘 루비니 미국 뉴욕대 교수로 2008년 금융위기를 예측해 주목받았으며 비관적인 경제 예측으로 '닥터 둠(Dr. Doom)'으로 불리고 있다.

## 161  구조화 효과 Framing effect

행동경제학 이론 중 하나로, 같은 문제라 할지라도 문제의 표현 방식에 따라 동일한 사건이나 상황임에도 불구하고 개인의 판단이나 선택이 달라질 수 있는 현상을 뜻한다. 이 효과는 마케팅 분야에 접목돼 널리 사용되고 있다.

## 162  그린북 Green Book

기획재정부가 발간하는 월간 경제동향보고서로 통계청의 조사를 기초로 한다. 미국에는 유사한 보고서로 베이지 북이 있다. 2005년 3월 4일 처음으로 발행됐고 민간소비·설비투자·건설투자·수출입 등 지출부문과 산업생산·서비스업 활동 등 생산부문, 고용·금융·국제수지·물가·부동산 등 총 12개 분야로 구성되어 있다.

## 163  디스인플레이션 Disinflation

인플레이션율이 점차 감소하는 현상을 의미한다. 인플레이션을 통제하기 위한 긴축적인 재정 및 금융정책을 의미하기도 한다. 점진적인 통화 수축으로 물가상승률은 낮아질 수 있다. 최근에는 '저물가가 장시간 지속되는 상태'를 지칭하는 의미로 많이 쓰인다.

## 164   핀셋 규제

특정 분야 및 지역만을 특정하여 규제하는 정책을 의미한다. 최근에는 부동산 대책에서 일부 특정 과열 지역만을 투기과열지구 등으로 지정해 수요를 억제하는 규제를 뜻한다.

## 165   예비타당성조사

사회간접자본(SOC), R&D, 정보화 등 대규모 재정 투입이 예상되는 신규 사업에 대해 경제성, 재원조달 방법 등을 검토해 사업성을 판단하는 절차다. 선심성 사업으로 인한 세금 낭비를 막기 위해 1999년 도입했으며, 최근에는 예비타당성조사 면제가 이뤄지고 있다.

## 166   테크핀 Techfin

2016년 중국 알리바바의 마윈 회장이 고안한 개념으로, IT 기술을 기반으로 새로운 금융 서비스를 제공하는 것이다. 핀테크가 금융에 IT를 결합한 개념이라면 테크핀은 IT에 금융을 결합한 개념이다.

## 167   통합재정수지

중앙정부가 집행하는 모든 수입과 지출을 합한 재정의 규모를 통합재정이라고 하며 그 수입과 지출의 차이를 통합재정수지라고 한다. 일반·특별회계뿐 아니라 공공기금 등 각종 기금의 수입과 지출이 모두 포함된다. 또 철도, 조달, 양곡, 통신 등 4개 공기업의 지출도 포함된다.

## 168   메르코수르 Mercosur

남미국가 간 무역장벽을 없애기 위해 1995년 창설된 경제 공동체이다. 남미국가인 '브라질', '아르헨티나', '우루과이', '파라과이'로 구성되어 있다. 영문 정식 명칭은 Southern Common Market이며, 사무국은 우루과이의 몬테비데오에 소재해 있다.

## 169   마가 MAGA

'마이크로소프트(M)', '애플(A)', '구글(G)', '아마존(A)'의 첫 글자를 따 만든 용어이다. 미국 IT산업을 이끌던 팡(FAANG : 페이스북, 아마존, 애플, 넷플릭스, 구글)을 대신할 신조어이다. 매출이 편중되어 있는 페이스북이나 트위터와는 달리 마가는 여러 사업 부문에서 골고루 매출이 발생하고, 미래를 위한 신성장 동력을 확보하고 있어 전망이 밝다는 평이다.

## 170 상환전환우선주 RCPS

약속한 기간이 되면 발행 회사에서 상환을 받거나 발행 회사의 보통주로 전환할 수 있는 권리가 붙은 우선주이다. 국제회계기준(IFRS)에서는 상환의무가 있는 RCPS를 부채로 분류하지만 회사가 상환권을 가지면 자본으로 인정받을 수 있다.

## 171 지대추구 Rent-seeking

인위적으로 공급을 억제하여 이득을 얻는 현상을 의미한다. 보다 구체적으로는 기득권의 울타리 안에서 자기 이익을 위해 비생산적 활동을 경쟁적으로 하는 현상을 뜻한다.

## 172 데스 밸리 Death valley

창업한 기업들이 3년쯤 지나면 자금난에 빠지는 현상을 일컫는다. 벤처기업들이 생존을 위해 견뎌야 할 가장 힘든 오르막길을 표현한다. 창업기업들은 사업화 과정에서 자금조달, 시장진입 등 어려움을 겪게 되어 통상 3~7년차 기간에 주저앉는 경우가 많은데, 이를 "데스 밸리"라 한다.

## 173 서브스크립션 커머스
### Subscription commerce

잡지 구독처럼 소비자가 일정한 금액을 부담하면 상품이나 서비스 등을 정기적으로 제공해주는 유통 서비스다. 신선식품을 중심으로 활발히 시행되고 있다.

## 174 긱 이코노미 Gig Economy

기업들이 필요에 따라 관련 있는 사람과 정규직보다 임시로 계약을 맺고 일을 맡기는 경제 형태다. 기존의 고용체계와 달리 그때 그때 발생하는 수요에 따라 초단기 계약 형태로 노동 공급자를 활용하는 방식이다.

## 175 메세나 Mecenat

문화·예술·스포츠·공익사업 등에 대한 기업의 지원활동을 총칭하는 프랑스어다. 기업 측에서는 기업의 사회적 책임이라는 기업 윤리의 실천과 함께 회사의 이미지를 높일 수 있는 홍보수단으로 활용한다.

## 176  빅 배스 Big bath accounting

빅 배스란 목욕을 해서 때를 씻어낸다는 뜻으로, 회사들이 과거의 부실요소를 한 회계 연도에 모두 반영하여 손실이나 이익규모를 있는 그대로 회계장부에 드러내는 것을 말한다. 이는 위험요인을 일시에 제거하는 회계기법으로 경영진 교체시기 혹은 마지막 분기에 많이 이루어진다.

## 177  안심전환대출

은행권 단기・변동금리 일시상환 주택담보대출을 장기・고정금리・분할상환 대출로 바꿔주는 대출상품이다. 연 2.5~2.6%대 금리의 전환대출용 상품으로 2015년 3월 판매됐다. 최근 서민형 안심전환대출이 출시됐고 신청대상은 2019년 7월 23일 이전에 실행된 대출이다. 대출한도는 최대 5억원 한도로 기존대출 잔액 내에서 이용가능하며 최저 1%대의 고정금리 대출로 변경가능하다.

## 178  비례세

간접세 형태의 세금을 의미한다. 소득 수준에 관계없이 누구에게나 같은 비율로 부과해 징수하는 세금이다. 소비에 부과되는 경우가 많고, 물건을 구입할 때 소득 수준을 고려하지 않고 누구나 똑같은 세금을 납부하는 부가가치세가 대표적이다.

## 179  포치 破七

금융시장에서는 '위안화의 가치가 달러당 7위안으로 떨어지는 것'을 의미하며, 포치는 중국어로 직역하면 '7이 무너진다'라는 의미로 중국 경제 분야에서는 '경제성장률 7% 붕괴'를 뜻하는 말로도 사용된다.

## 180  대차대조표 불황
### Balance Sheet Recession

가계와 기업의 부채가 증가하면서 이를 갚는 데 집중하다가 발생하는 경기침체다. 부채가 늘어나면서 과도한 빚을 진 경제주체들이 소비를 줄이고, 빚 갚기에 집중하면서 수요부진, 경기침체가 장기간에 나타나는 현상이다.

## 181  국책은행

정부가 특별법을 통해 특정목적을 위해 설립한 은행이다. '산업은행', '중소기업은행', '수출입은행' 등이 대표적이다. 국가경제를 위해 필요하지만 일반은행이 자금을 공급하기 어렵거나 유인이 없는 경우 국책은행이 대신하여 이를 수행한다.

## 182 통화스와프 Currency Swap

통화를 교환(Swap)한다는 뜻으로, 서로 다른 통화를 미리 약정된 환율에 따라 일정한 시점에 상호 교환하는 외환거래다. 상대국 통화를 사용하여 환시세의 안정을 도모하는 것이 목적이며, 단기적 환혜지보다 중장기적 환혜지의 수단으로 주로 이용된다.

## 183 국제결제은행

#### BIS ; Bank for International Settelements

1930년 1월 헤이그협정에 따라 설립된 중앙은행간 협력기구로, 현존하는 국제금융기구 중 가장 오래된 기구다. 1988년에는 바젤합의를 통해 은행 시스템의 건전성 확보와 국제적 감독 기준 마련을 목적으로 하는 'BIS기준'이라는 자기자본규제안을 발표하였다. BIS 자기자본비율은 위험가중자산에 대한 자기자본 비율을 의미하며 BIS기준은 위험가중자산의 최소 8%를 자기자본으로 보유토록 유도하고 있다.

## 184 포이즌 필 Poison pill

기업인수·합병(M&A)에 대한 방어전략의 일종으로 매수시도가 시작된 경우에 기존 주주에게 시가보다 싼값에 주식을 살 권리를 부여하는 조항으로, 적대적 M&A 시도자로 하여금 지분확보를 어렵게 하여 경영권을 방어할 수 있도록 하는 것이다.

## 185 트리플 위칭데이

#### Triple Witching Day

세 마녀인 선물, 주가지수 옵션, 개별주식 옵션 등 3개 파생상품 시장의 만기일이 동시에 겹치는 날을 말한다. 이날 주식시장에 어떤 변화가 일어날지 아무도 예측할 수 없다는 의미에서 3명의 마녀가 빗자루를 타고 동시에 정신없이 돌아다니는 것 같이 혼란스럽다는 뜻으로 트리플 위칭데이는 3, 6, 9, 12월 두 번째 목요일에 발생한다.

## 186 불황형 흑자

수입이 수출보다 더 줄어 무역흑자가 나는 현상이다. 국내 투자나 소비가 침체될 경우에도 수입이 줄어 수출에서 수입을 차감한 수지가 플러스를 기록할 수 있다. 우리나라의 불황형 흑자는 주로 높은 환율에 의해 나타나는 것으로 알려져 있다.

## 187 리디노미네이션 Redenomination

화폐의 액면가(디노미네이션)를 동일한 비율의 낮은 숫자로 변경하는 조치로서 화폐개혁이라고도 불린다. 리디노미네이션은 거래 편의 제고, 회계기장 처리 간소화, 인플레이션 기대심리 차단 등의 장점이 있으나 이는 화폐개혁이 온전히 성공했을 때에만 가능하며 화폐 단위 변경에 따른 불안, 부동산 투기 심화, 교환비용 확대 등의 단점으로 우리나라에서 실제 실행하기에는 시기상조다.

## 188  IR Investor Relations

기업이 자본시장에서 정당한 평가를 얻기 위해 주식, 채권 등 투자자를 대상으로 실시하는 일련의 정보 제공·홍보활동을 의미한다. IR은 기업의 장단점을 숨김없이 공개하여 투자 관계자들이 투자에 있어 객관적으로 기업을 파악할 수 있도록 하는 데 중점을 둔다.

## 189  박스권

주가가 등락을 반복하는 일정 범위를 의미한다. 매수·매도의 힘이 비슷하거나 많은 기관 투자자들이 개입할 때 나타나며 박스권 장세에서는 오늘 주가가 하락하더라도 내일 상승할 수 있으며, 그 다음날에는 하락할 수 있기 때문에 수익을 내기 어렵고, 시간이 지나면서 거래량은 점차 줄어든다.

## 190  펠리컨 경제

부리 주머니에 먹이를 담아 자기 새끼에게 먹이는 펠리컨처럼 국내 대기업과 중소기업이 함께 긴밀하게 협력해 한국의 경제를 협력시키는 경제로 한국의 소재 부품 장비산업의 자립도를 높이는 것을 의미한다. 핵심 부품과 소재를 일본에서 수입해 다른 나라에 수출하는 한국 경제의 구조적 취약점을 가마우지 고기잡이에 빗댄 것이다.

## 191  스크루플레이션 Screwflation

물가 상승과 실질임금 감소 등으로 중산층의 가처분 소득이 줄어드는 현상을 말한다. 돌려 조인다는 뜻의 '스크루(screw)'와 '인플레이션(inflation)'을 합성한 말이다.

## 192  양자컴퓨터

양자역학의 원리에 따라 작동되는 미래형 첨단 컴퓨터이다. 기존 컴퓨터는 정보의 단위를 비트(bit)로 쓰기 때문에 모든 데이터가 0 또는 1로 나타난다. 양자컴퓨터는 데이터가 0과 1을 동시에 쓸 수 있어 현재 슈퍼컴퓨터가 수백 년이 걸려도 풀기 힘든 문제를 몇 초 이내의 속도로 풀 수 있을 것으로 전망된다.

## 193  구독경제

일정액을 내면 사용자가 원하는 상품이나 서비스를 공급자가 주기적으로 제공하는 신개념 유통서비스를 의미한다. 구체적으로는 소비자가 기업의 회원으로 가입하고 매달 일정 금액을 지불하면 정기적으로 물건을 배송 받거나 서비스를 이용하는 경제 모델이다. 과거 신문이나 잡지에 한정돼 있던 서비스가 최근 자동차, 명품 의류, 가구, 식료품에까지 확장되고 있다.

## 194  중요사건법

직무분석 방법 중 하나로, 직무수행과정에서 종업원이 보였던 중요한 행동을 기록하여 이를 분석하는 기법이다. 직무를 성공적으로 수행하기 위해 필수적인 행위들을 분류하고 중요도에 따라 점수를 부여한다. 직무행동과 성과간의 관계를 직접적으로 판단할 수 있으나 시간과 노력이 많이 소요된다는 단점이 있다.

## 195  초광대역

매우 넓은 대역폭(3.1~10.6GHz)을 사용하는 무선통신 기술로 근거리 통신을 주목적으로 한다. 소비전력이 적으며 통신 속도가 빠르다는 장점이 있다.

## 196  헥시트  HK Exit

2019년 3월 '범죄인 인도법'에 반발해 시작된 홍콩시위가 격화됨에 따라 불안을 느낀 외국인 자본이 홍콩 금융시장에서 이탈하는 현상을 뜻한다. '홍콩(HK·Hong Kong)'과 '퇴장'(Exit)을 합쳐 만든 신조어이다.

## 197  디지털 세

최근 프랑스가 도입하여 미국이 크게 반발해 국가 간 무역분쟁이 발생한 세금유형이다. 구글, 아마존 등 온라인·모바일 플랫폼 기업의 자국 내 디지털 매출에 대한 과세이며, 현재 OECD를 중심으로 이에 대한 대책 기본구성이 논의 중에 있다.

## 198  전파사용료

주파수와 같은 전파지원 사용자에게 부과하는 이용료를 말한다. 전파 관리에 필요한 경비와 신기술 개발 재원을 마련하기 위해 무선국 운용 사업자에게 부과하는 것이다. 최근 과기부가 46개 알뜰폰 사업자의 전파사용료 면제 기간을 2020년 말로 1년 연장한 바 있다. 알뜰폰은 통신망을 직접 구축하지 않고 기존 이동통신사의 망을 빌려서 서비스를 제공하므로 요금을 저렴하게 책정할 수 있다.

## 199  캡티브 제품가격 전략

주된 제품과 연계해 사용해야 하는 제품이 있을 때, 주 제품은 저렴하게 판매하고 부수적인 제품은 고가에 판매하는 가격전략이다. 대표적으로 면도대는 저렴하게 판매하지만 면도날을 비싸게 설정함으로써 이익을 추구하는 형태가 캡티브 제품가격 전략에 해당한다.

## 200  팻 테일 리스크

일단 발생하면 경제 전체에 큰 영향을 줄 수 있는 위험을 의미한다. 경제에 미치는 충격의 확률분포곡선이 정규분포라고 가정한다면, 테일은 양 끝 꼬리 부분을 의미한다. 정규분포의 평균에 값들이 집중될 확률이 낮아지고 꼬리 부분이 두꺼워지는 경우, 이를 인식하지 못하면 예측이 잘 맞지 않는 위험이 발생한다.

## 201  빅블러 Big blur

사회 환경이 급격하게 변화하면서 기존에 존재하던 영역 간 경계가 모호해지는 현상을 의미한다. 최근 사물인터넷(IoT)이나 AI 등 혁신적인 기술이 발전하면서 빠르게 빅블러 현상이 나타나고 있다. 대표적인 사례로는 차량 공유 서비스인 우버와 정보기술(IT), 금융이 결합된 결제 시스템인 삼성페이 등이 있다.

## 202  회색코뿔소 Grey Rhino

충분히 위험이 예측 가능하고 위험 발생 시 그 파급력도 크다는 것을 알고 있으나 쉽게 간과하는 위험을 의미한다. 몸집이 큰 코뿔소는 멀리에서도 알아볼 수 있으나 코뿔소가 달려오면 두려움 때문에 적절히 대처하지 못해 큰 피해를 입는 것을 말한다.

## 203  민스키 모멘트 Minsky moment

경제학자 민스키의 금융 불안정성 가설을 기반으로 한 개념으로, 과도한 부채로 이룬 경기 호황이 끝난 뒤 잠복해 있던 위험 요인이 갑작스럽게 현실화하면서 자산 가격이 폭락하는 시점을 말한다.

## 204  바벨전략 Barbell Maturity

바벨전략이란 다양한 선택이 가능할 때 보수적 자산과 위험도가 높은 공격적 자산만으로 자산 배분을 하는 전략으로 투자 구조가 바벨과 유사하다는 점에서 유래되었다. 이는 위험도는 높지만 고수익을 노릴 수 있으며, 시장의 충격과 추가적인 상승을 모두 고려할 수 있다는 장점이 있다.

## 205  레몬법 Lemon law

자동차에 반복적으로 결함이 발생하면 제조사가 소비자에게 교환, 환불, 보상 등을 하도록 규정한 소비자보호법을 지칭한다. 레몬은 달콤한 오렌지(정상)인 줄 알고 구매했으나 매우 신 레몬(불량)이었다는 의미를 담고 있다. 정식 명칭은 매그너슨-모스 보증법이다.

## 206  확장실업률

공식 실업률과 체감 실업률 간 괴리를 줄이기 위해 마련된 지표를 말한다. 시간 관련 추가취업가능자와 실업자, 잠재경제활동인구의 합을 경제활동인구와 잠재경제활동인구의 합으로 나눠 구한다. 시간 관련 추가취업가능자란 근로 시간이 주당 36시간 이하인 추가 취업을 원하는 사람, 잠재경제활동인구란 구직활동 여부와 관계없이 취업하려는 사람을 말한다.

## 207  덤벨경제 Dumbbell economy

덤벨은 무게를 조정할 수 있는 아령의 일종으로, 덤벨경제는 건강이나 체력 관리를 위한 지출을 표현하는 용어다. 최근 건강에 대한 관심 증가와 삶의 질을 추구하는 풍조가 확산됨에 따라 스포츠 시설, 헬스 관련 앱, 운동 용품 등에 대한 소비가 증가하는 상황을 나타낸다.

## 208  스키밍 가격 전략
### Skimming Pricing Strategy

신제품을 출시할 때 진출 가격을 고가로 책정한 후 점차적으로 가격을 낮추는 전략을 말하며, 초기 고가 전략이라고도 한다. 저가의 대체품이 출시되기 전 투자금을 회수하고, 추후 가격을 낮춰 소비층을 확대하는 방식으로 이윤을 극대화한다.

## 209  임대업이자상환비율
### RTI ; Rent To Interest

부동산 임대업 이자상환비율로서 담보가치 외에 임대수익으로 어느 정도까지 이자상환이 가능한지 산정하는 지표이다. 산출방식은 「(상가가치 × 임대수익률) ÷ (대출금 × 이자율)」이다. 아파트 등 주택에 대한 RTI는 1.25배이고 오피스텔 등 비주택의 RTI는 1.5배이다.

## 210  틴버겐의 법칙
### Tinbergen's theorem

다수의 정책 목적을 달성하기 위해서는 같은 수만큼의 독립적인 정책 수단이 필요하다는 법칙이다. 통화당국이 상충되는 다수의 정책 목적을 동시에 달성하려 하다가 자칫 어느 하나도 제대로 달성하지 못하는 우를 범할 수 있음을 시사한다.

## 211  경기조정주가수익비율
### CAPE ; Cyclically Adjusted Price-to-Earnings ratio

노벨경제학상을 수상한 로버트 실러 교수가 창안한 주식가치 평가지표로, S&P500지수와 주당순이익 10년치의 평균값으로 산출한 주가수익비율이다. 주가가 지난 10년 간 평균 주당순이익의 몇 배인지를 보여주며 이 지표가 높을수록 주식시장이 과열됐다고 할 수 있다.

## 212  그로스 해킹 Growth Hacking

그로스 해킹은 성장(Growth)과 해킹(Hacking)의 합성어로 상품 및 서비스의 개선 사항을 점검하고 반영함으로써 사업 성장을 추구하는 마케팅 방법론이다. 드롭박스와 페이스 북 등이 이 방법론을 활용해 고객의 욕구에 맞춰 서비스를 제공한다.

## 213  언택트 마케팅 Untact Marketing

고객과 마주하지 않고 서비스와 재화를 키오스크(안내 단말기)·VR 쇼핑·챗봇 등의 첨단기술을 활용해 비대면 형태로 정보를 제공하는 마케팅을 말한다. 최근 코로나 19로 인해 접촉을 줄이고 싶은 소비자들의 소비성향으로 더욱 빠르게 확대되는 중이지만, 향후 일자리 감소와 언택트 기술에 적응하지 못하는 사람들이 느끼는 현상인 언택트 디바이드(Untact divide) 문제가 일어날 우려가 있다.

## 214  비트세 BEAT

세원잠식남용방지세(Base Erosion and Anti-abuse Tax)의 약자로 다국적기업이 해외 관계사와 거래를 통해 세금을 회피하는 것을 막고자 신설된 조세항목이다.

## 215  리테일테크 Retailtech

리테일테크란 소매 또는 소매점을 의미하는 리테일과 기술의 합성어로, 편의점·마트 등의 소매점에 첨단 정보통신기술을 접목한 것을 의미한다. 아마존의 무인점포 시스템 아마존 고, 알리바바의 슈퍼마켓 허마 등이 리테일 테크의 대표적 사례다.

## 216  킵웰 Keepwell

킵웰은 자회사가 채무불이행, 즉 디폴트에 빠졌을 때 모회사가 지급 능력을 보증해주는 약정을 말한다. 중국기업들은 역외 발행 채권에 외국인 투자자들을 끌어들일 목적으로 이를 활용해왔다. 최근 중국의 달러화 표시 채권 디폴트가 연이어 발생하면서 킵웰에 대한 신뢰도가 흔들리고 있다.

## 217  스티커 쇼크 Sticker shock

스티커 쇼크란 기대 이상의 비싼 가격으로 소비자가 받는 충격을 말한다. 최근 미국에서는 혁신도 없고 값만 비싸진 신형 스마트폰에 대한 소비가 줄고, 구형 휴대폰이나 기존 보유 휴대폰을 오래 사용하고자 하는 소비자가 크게 늘었다는 분석이 나왔는데 전문가들은 소비자들이 신형 휴대폰을 사지 않는 가장 큰 이유로 스티커 쇼크를 들었다.

## 218  네이키드 숏셀링

Naked short-selling

공매도는 주식을 갖고 있지 않는 상태에서 매도 주문을 하는 네이키드 숏셀링(무차입 공매도)과 제3자에게서 주식을 빌려 매도하는 커버드 숏셀링(차입 공매도)으로 구분된다. 우리나라에서는 네이키드 숏셀링을 법적으로 금지하고 있으며 주식을 확보한 뒤 거래하는 커버드 숏셀링만 허용하고 있다.

## 219  토지공개념

토지의 사유권은 인정하되 토지의 공공성과 합리적 사용을 위해 필요한 경우에 한해 정부가 토지 소유주에게 특별한 제한을 가하거나 의무를 부과하는 것을 뜻한다. 최근 정부가 발표한 헌법 개정안에 토지공개념이 포함돼 주목을 받았다.

## 220  씬 파일러  Thin Filer

씬 파일러는 직역하면 얇은 파일로 금융거래 정보가 거의 없는 사람을 가리키는 용어이다. 최근 2년간 신용카드 내역이 없고, 3년간 대출 실적이 없는 이들로, 주로 사회 초년생이 여기에 해당되며 현행 신용등급평가 방식으로 낮은 등급을 받을 가능성이 높아 시중은행 등의 저금리 대출을 받기 어렵다.

## 221  헝거마케팅  Hunger marketing

정해진 시간에 한정된 물량만 판매하는 마케팅 기법으로 소비자들을 배고프게 하거나 갈증나게 해 그들의 즉각적인 구매를 촉진하는 전략이다. 기업이 의도적으로 일정기간 동안 제품을 소량만 판매하거나 한정판을 출시하는 것이 대표적인 사례다.

## 222  트리클 다운  Trickle down

트리클 다운은 넘쳐흐르는 물이 바닥을 적신다는 뜻으로 경제 용어로 사용되면 고소득층, 대기업의 소득 증대가 궁극적으로 저소득층, 중소기업의 소득도 증가하게 되는 효과를 말한다. 적하효과, 낙수효과라고 말하기도 한다.

## 223  테이퍼 텐트럼  Taper tantrum

테이퍼 텐트럼이란 선진국의 양적 완화 축소 정책이 신흥국의 통화가치, 증시 등의 급락으로 이어지는 현상을 말한다. 2013년 당시 벤 버냉키 미국 연방준비제도(Fed) 의장이 테이퍼링(양적 완화 축소) 가능성을 시사하면서 신흥국의 통화, 채권, 주식이 급락하는 트리플 약세가 일어났으며 2015년 2차 테이퍼 텐트럼에 이어 최근 불거지는 3차 테이퍼 텐트럼 조짐이 자칫 신흥국 위기로 악화되는 것이 아닌가 하는 우려가 나오고 있다.

## 224 P플랜 Pre-packaged plan

법정관리와 워크아웃의 장점을 결합한 사전회생계획제도(Pre-packaged plan)의 줄임말로 법원이 강제 채무조정을 통해 해당 기업의 재무구조를 개선한 뒤 채권단이 필요한 자금을 지원하는 구조조정방식을 말한다.

## 225 블록딜 Block deal

블록딜은 기관이나 대주주가 주식시장에서 한꺼번에 대량의 주식을 매매하는 것을 말한다. 일반적으로 매도자나 매수자가 원하는 주식을 시장에서 대량으로 거래할 경우 해당 주식의 시장가격은 급등락할 수 있다. 따라서 주식을 대량으로 보유한 주주와 매수자는 시장가격에 영향이 없도록 시간 외 매매를 통해 거래한다.

## 226 징벌적 손해배상제도
### Punitive damages

잘못된 경영 활동으로 해를 끼친 만큼 보상하는 전보적 손해배상제와 달리 행위 자체에 대한 처벌적 성격과 재발 방지 목적을 가진 추가적 손해배상제도다.

## 227 스튜어드십 코드
### Stewardship code

집안일을 담당하는 집사(Steward)처럼 기관투자가도 고객의 자산을 선량하게 관리해야 할 의무가 있다는 뜻에서 생겨난 용어로 기관투자가의 의결권 행사를 적극적으로 유도하기 위한 자율 지침이다. 기업들의 배당 확대와 지배구조 개선을 통해 주주 이익을 극대화하자는 차원에서 도입했다.

## 228 비소비 지출
### Non-consumption expenditure

가계 지출 중 생활비(소비 지출) 이외의 지출을 말하는 것으로 소득세, 재산세, 자동차세와 같은 각종 세금과 건강보험료, 국민연금, 이자 지출 등이 포함된다. 비소비 지출의 비중이 높을수록 가계의 소비여력은 감소해 처분가능소득이 줄어든다.

## 229 파노플리효과 Panoplie effect

특정 제품을 소비하면 자신도 그 제품을 소비하는 집단과 동일해진다고 착각하는 현상을 의미한다. 일반 소비자가 유명 연예인이나 재벌들이 사용하는 옷을 사면 자신도 그들과 같은 계층이 될 수 있다고 착각하는 것이 대표적인 사례다.

## 230 선샤인 액트 Sunshine Act

미국 의약품 공급업체가 의사나 의료기관에 경제적 이익을 제공할 때 지출 내역을 공개하도록 한 법률이다. 최근 정부는 이 법에서 착안해 의료계 불법 리베이트나 불필요한 편익을 방지하고 의약품 시장의 투명성을 확보하는 관련법 개정안을 발표했다.

## 231 거버먼트 삭스 Government Sachs

미국 투자은행 골드만 삭스 출신 인물들이 정계 요직을 차지하는 현상을 말한다. 조지 W. 부시 정부 때 미국 경제정책이 골드만 삭스 출신 인사들에 의해 좌우된 현상을 지적하기 위해 뉴욕타임스가 처음 사용한 용어이다.

## 232 리코법 RICO Act

1970년대 미국 정부가 마피아 범죄를 척결하기 위해 제정했으며 기업이 스스로 적법성을 증명하지 못할 경우 국가가 이익을 몰수할 수 있도록 규정하는 법이다.

## 233 스트레스 금리

상승가능금리로서 고정금리가 아닌 변동금리로 주택대출 한도를 정할 때 금리 인상 가능성을 미리 염두하여 추가로 적용하는 금리를 의미한다. 대출 시점을 기준으로 3~5년간 금리 변동 폭을 예상하여 미리 금리상승에 대한 위험부담을 반영하는 것이다.

## 234 전월세전환율

전월세전환율은 보증금을 월세로 전환 시 적용되는 비율을 의미한다. 임대인은 요구수익률, 임차인은 전월세 선택 및 월세계약 시 기회비용을 계산하는 지표로 활용한다. 전월세전환율은 다음과 같이 계산된다.

$$\frac{월세}{전세금 - 월세보증금} \times 100$$

## 235 SDR Special Drawing Rights

국제통화기금(IMF)의 특별인출권을 의미한다. 특별인출권이란 1970년 발동된 국제준비통화의 한 종류로 금과 달러를 보완하기 위한 제3의 세계화폐를 의미한다. 급증하는 국제유동성을 금의 생산과 달러의 공급으로 해결하기에는 한계가 존재하기 때문에 이를 보완하고자 특별인출권이 생겼다. 가맹국은 자국의 국제수지가 악화되었을 때 국제통화기금으로부터 담보 없이 외화를 인출할 수 있는 권리를 갖는다. 특별인출권은 출자 없이 가맹국 간 합의에 의해 발행총액을 결정하고 IMF에서의 출자할당액에 비례 배분되어 특별히 인출할 수 있는 권리를 갖는다. 회원국이 환위기 등에 대응하기 위해 자국 보유의 SDR을 다른 국가에 양도하여 필요한 외화를 획득함으로써 위기를 극복하고, 그 대가로 이자를 통화제공국에 지급한다.

## 236 RBC Risk Based Capital

위험기준자기자본은 보험회사가 갖고 있는 다양한 리스크를 체계적·계량적으로 파악하여 이에 적합한 자기자본을 보유하게 함으로써 불확실성을 줄이고 재무건전성을 높이도록 만드는 건전한 규제를 의미한다. 구체적으로 보험회사가 보유하고 있는 총조정자본과 총필요자본액 간의 비율을 의미한다.

## 237 스윙계좌

스윙계좌는 보통예금이 일정 금액을 넘어섰을 때 그 초과분에 대해 더 높은 금리를 제공하는 계좌로 자동이체해 주는 상품이다. 연 5% 이상의 금리를 주는 증권사의 자산관리계좌 개설에 맞서 은행들이 고객 유출을 막기 위해 선보인 상품이다.

## 238 근린궁핍화 정책
### Beggar My Neighbor Policy

근린궁핍화 정책은 다른 국가의 경제를 궁핍하게 만들어서 자국 경제의 회복을 꾀하는 전략이다. 이는 '상대방의 카드를 빼앗아 온다(Beggar - my - neighbor)'는 트럼프 용어를 사용해 영국의 경제학자 로빈슨이 명명한 용어다. 환율인상, 임금인하, 수출보조금 지급, 관세율 인상 등이 대표적이다. 무역상대국으로부터 수입은 줄이고 자국의 수출량은 늘리는 형태라 할 수 있다. 하지만 근린궁핍화 정책으로 인해 무역상대국의 소득이 감소하면 수입량도 감소하기 때문에 근린궁핍화 정책은 그 효과가 오래갈 수 없다.

## 239 공유가치창출

CSV ; Creating Shared Value

마이클 포터가 제시한 공유가치창출은 기업의 경제적 가치와 공동체의 사회적 가치를 조화시키는 경영을 의미한다. 사회공헌활동이 단순히 지원하는 차원이 아니라 사회적 약자와 함께 경제적 이윤을 창출해 사회적인 가치를 높인다는 것을 핵심 내용으로 한다. CSR이 이해관계자들을 의한 활동을 위해 기업의 이윤을 사회에 환원하는 것으로 수익 추구와 무관하다면, CSV는 기업의 이윤추구와 지역 사회의 필요가 일치하는 지점에서 비즈니스 가치를 창출해 경제적·사회적 이익을 모두 추구한다는 점에서 차이가 존재한다.

## 240 디지털포렌식 Digital Forensics

디지털포렌식은 범죄수사에 적용되는 과학적 증거 수집 및 분석기법의 일종으로 디지털 정보를 분석해 범죄 단서를 찾는 수사기법을 의미한다. 우리나라 검찰은 2008년 10월 서울 서초동 대검찰청 옆에 디지털포렌식센터(Digital Forensic Center ; DFC)를 열고, 마약·유전자·위조문서·영상 등을 정밀 분석하는 장비를 갖추어 증거물 감정과 감식을 통해 사건을 해결하고 있다.

## 241 순환출자

순환출자란 그룹 계열사끼리 돌려가며 자본을 늘리는 것을 의미한다. 한 그룹 안에서 A사가 B에 출자하고, B사가 C사에 다시 출자하며, C사가 A사에 다시 출자하는 방식으로 자본을 늘리는 것이다. 현행법에서는 A와 B 두 계열사의 상호출자는 금하고 있으나 순환출자의 경우 규모나 내용을 파악하기가 쉽지 않아 별도 규정을 두고 있지는 않다. 순환출자는 상호출자의 편법인 셈이다. 순환출자를 규제하는 제도로는 출자총액제한제도 등이 있다.

## 242 팹리스 Fabless

팹리스란 반도체 제조 공정 가운데 설계와 개발이 전문화되어 있는 회사로, 제조 설비를 의미하는 패브리케이션(Fablication)과 리스(Less)의 합성어이다. 퀄컴과 브로드 컴이 대표적인 팹리스 기업이다.

## 243 웹루밍 Webrooming

매장에서 물건을 보고 온라인에서 구매하는 행위를 쇼루밍(Showrooming)이라고 하며, 쇼루밍족으로 인해 오프라인 매장이 모두 사라질 것이라는 예측도 존재했다. 웹루밍은 쇼루밍의 반대말로서, 온라인에서 상품정보와 가격을 확인한 후 오프라인 매장에서 구매하는 형태를 의미한다.

※ 참고 : 웹루밍 시대, 자연스런 연결을 만들어라

## 244 TIPS

Tech Incubator Program for Startup

TIPS란 정부가 민간 창업 전문기관과 공동으로 진행하는 창업지원 프로그램으로 엔젤투자사와 벤처캐피털 등 민간이 선발하고 투자한 창업기업에 대해 정부가 연구개발, 창업자금, 마케팅 등을 지원한다.

## 245 인구보너스와 인구오너스

Demographic Bonus / Demographic Onus

인구보너스는 생산가능인구(15~64세)의 비중이 증가하면서 노동력과 소비가 늘어 경제성장을 견인하는 현상을 의미하며, 인구오너스는 반대로 생산가능인구 비중의 감소로 경제성장이 지체되는 현상을 의미한다.

## 246 슈바베 지수 Schwabe Index

슈바베 지수는 가계의 소비지출에서 주거비가 차지하는 비중을 지칭하는 용어이다. 독일의 통계학자 슈바베의 이름을 따서 만들었다. 슈바베는 저소득층일수록 주거비 비중이 커져 주택 부담 능력이 떨어진다는 사실을 밝혔고, 이는 오늘날 엥겔지수와 함께 빈곤의 척도를 가늠하는 지표 가운데 하나이다. 주거비에는 집세, 상하수도비, 냉난방비, 주택 관리비 등이 포함된다.

## 247 투자자-국가소송제

ISD ; Investor-State Dispute

투자자-국가소송제는 외국인 투자자가 투자협정에 규정된 분쟁 해결 절차에 따라 직접 투자 유치국 정부를 상대로 제소할 수 있는 제도로 보통 투자자-정부제소권이라고 한다. 우리나라는 론스타에 이어 최근에는 아랍에미리트(UAE) 부호로 유명한 셰이크 만수르 빈 자이드 알 나하얀이 소유한 회사로부터 ISD를 제기받았다.

## 248 수익형 민간투자사업

Build-transfer-operate

수익형 민간투자사업은 민간사업자가 한 번에 큰 돈을 지출할 수 없는 정부를 대신해 시설물을 짓고 해당 소유권을 정부에 이관한 뒤 일정 기간 해당 시설물을 운영해 투입자금을 회수하는 방식이다.

## 249 근로소득장려세제

EITC ; Earned Income Tax Credit

근로소득장려세제는 국가가 빈곤층 근로자 가구에 대해 현금을 지원해 주는 근로 연계형 소득지원제도이다. 우리나라는 2009년 처음 실시했으며, 근로소득의 크기에 따라 근로장려금을 차등지급한다. 과거에는 근로장려금이 근로의욕을 저해하는 문제점을 갖고 있었으나, 다양한 기준에 의해 형평성 있는 근로장려금 지급이 가능하도록 설계되었다.

## 250 브리지론 Bridge Loan

브리지론은 부동산 개발에 대한 초기 자금 대출이라 할 수 있다. 부동산 개발에는 토지매입 대금, 공사대금 등 막대한 비용이 소요되기 때문에 금융기관의 대출이 반드시 필요하다. 하지만 시중은행은 최소한 사업부지의 매매와 시공사의 선정이 이뤄지지 않으면 PF 대출을 승인해주지 않는다. 따라서 브리지론은 시중은행의 본격적인 PF가 일어나기 이전에 토지 구입대금 목적(일반적으로 토지 구입 계약금)으로 사용되는 단기간 대출로서 본격적인 PF 혹은 2차 브리지론이 발생하면 해당 재원으로 상환할 것을 전제로 한다.

## 251 비콘 Beacon

비콘은 근거리 무선통신 장치로서, 봉화나 등대와 같이 위치 정보를 전달하기 위한 신호를 주기적으로 전송하는 기기를 의미한다. 비콘 그 자체는 위치를 알려주는 기준점의 역할을 하고 실제 정보의 전달은 블루투스나 적외선 등의 근거리 통신 기술을 기반으로 이뤄진다. 2013년 6월 애플의 비콘 기술인 아이비콘(iBeacon) 발표 이후부터는 블루투스 저에너지(BLE) 기반의 비콘 기술을 일반적으로 비콘이라고 부른다. 이 기술은 블루투스 4.0 기반의 프로토콜을 사용하는 근거리 무선통신 기술에 해당한다.

## 252 지니
### ZENY ; Zero-Yield to Negative Yield

'제로금리에서 마이너스금리'로 라는 의미이다. 즉, 선진국들의 국채 금리가 마이너스로 하락하는 현상을 의미한다. 글로벌 투자은행(IB)인 JP 모건이 최신보고서에서 이 개념을 처음 선보였다. 수익률이 제로이거나 마이너스를 나타내는 채권에 투자하게 되면 채권 보유기간 동안 단한 푼의 이자도 받지 못하거나 오히려 이자를 내야 하는 상황이 발생한다. 사실상 투자자는 채권발행 기관에 투자금을 단순히 맡기기만 해도 대가를 지급해야 한다는 뜻이다.

## 253 파이넥스

파이넥스 공법은 포스코가 보유한 제철 기술로 기존 용광로 공법에 비해 공정이 짧아 생산비용을 낮출 수 있다. 또한 황산화물과 질소산화물이 거의 나오지 않아 비산 먼지의 발생량도 용광로의 4분의 1 수준으로 환경 친화적이다.

## 254 카니발리제이션 Cannibalization

카니발리제이션은 동족 살해를 의미하는 '카니발리즘'에서 유래된 용어로, '제 살 깎아 먹기' 등으로 표현된다. 기능이나 디자인이 탁월한 신제품을 출시하면 자사의 기존 제품의 시장점유율 혹은 판매량 등이 감소하는 현상을 의미한다.

## 255  D의 공포 Deflation

D는 디플레이션의 약자이다. 디플레이션이 발생할 경우 자산 가격이 떨어지고 소비와 생산이 위축되어 경기침체가 장기화될 수 있다. 최근 들어 디플레이션은 인플레이션에 비해 훨씬 더 무서운 공포의 단어로 여겨지고 있다.

## 256  국제전자제품박람회
CES ; The International Consumer Electronics Show

국제전자제품박람회는 매년 미국 라스베이거스에서 열리는 세계 최대의 전자제품 전시회이다. 1967년에 시작되어 매년 1월 개최되면 미국 600여 소비재 전자산업 종사업체들의 모임인 가전제품제조업자협회(CEA)에서 주최하는 세계 최대의 전자제품 전시회이다. 전시기간은 4일 안팎이다.

## 257  슈퍼그리드 Super Grid

슈퍼그리드는 큰 전력 공급을 위한 대륙 규모의 광역 전력망으로 '메가 그리드(Mega-grid)'라고도 한다. 다국적, 다에너지원적 그리드로 기존의 전력망에 신재생에너지원 등이 대규모로 통합된 고도화된 전력망을 의미한다.

## 258  섀도보팅 Shadow Voting

섀도보팅은 정족수 미달로 주총이 무산되지 않도록 참석하지 않은 주주들의 투표권을 행사할 수 있도록 한 의결권 대리 행사제도이다. 찬성과 반대표의 비율만큼 자신의 의결권을 분리해 찬성과 반대 의사를 표시하는 것이다. 이는 정족수 확보수단으로 남용돼 주주총회의 형식화를 유발한다는 지적이 있다.

## 259  세일 앤드 리스백
Sale&Lease Back

세일 앤드 리스백은 기업이 소유하던 자산을 매각하고 자신은 이 자산을 다시 리스계약을 맺어 사용하는 형태를 의미한다. 소유권을 넘기는 대신에 목돈을 운용할 수 있다는 장점이 있다. 매수자의 입장에서도 초기 투자비용을 줄이고 적정 수익률을 보장받을 수 있다는 장점이 있다.

## 260  지급여력비율 Risk Based Capital

위험기준 자기자본 비율을 의미하는 것으로 보험사의 재정적 건전성을 유지하기 위한 최소한의 금액 또는 보험사가 계약자에 대한 모든 채무를 감내할 수 있는 능력 이외에 추가적으로 보유한 능력을 말한다. 100% 이상을 정상 기준으로 하며, 100% 미만이면 금융당국이 경영개선명령을 통해 퇴출조치를 내릴 수 있다.

## 261  영업이익

기업의 주된 영업 활동에서 생긴 매출 총이익
에서 판매비와 일반 관리비를 차감하고 남은
액을 말한다. '일반 관리비와 판매비'는 상품의
판매 활동과 기업의 유지 관리 활동에 필요한
비용으로서 급료, 세금, 각종 공과금, 감가상
각비, 광고 선전비 등을 들 수 있다. 영업이익
은 기업의 본래 활동 성과를 나타내기 때문에
수익성 지표로서 중시되고 있다. 한편, 영업외
수익은 주된 영업 활동 이외에서 발생한 수익
으로 반복적, 순환적(경상적)으로 발생하는 이
익을 말하는데, 금융상의 이익이 주종을 이룬
다. 예를 들면 이자 수익, 배당금 수익, 임대료,
유가증권 처분 이익 등이 여기에 속한다.

## 262  히든챔피언 Hidden Champion

히든챔피언은 대중에게 잘 알려져 있지 않지만
각 분야의 세계시장을 지배하는 우량 기업을 일컫
는 용어이다. 독일의 경영학자 헤르만 지본의 책
〈히든챔피언〉이라는 책에서 비롯된 용어이다.

## 263  테이퍼링

테이퍼링은 '끝이 뾰족해진다'라는 의미로 양
적완화 정책의 규모를 점차 줄여나가려는 출구
전략을 나타낸 표현이다. 테이퍼링이 본격화
되면 신흥국에서 달러 자금이 빠져 나가 일부
국가의 경우 외환위기에 직면할 위험이 있는
것으로 분석된다.

## 264  사일로 Silos 효과

원래는 곡식을 저장하는 원통형 창고를 뜻하는
용어로 부서 이기주의에 빠져 전체 조직을 위
기로 몰아넣는 현상을 일컫는다. 소니가 위기
에 처한 원인 중 하나로 사일로 효과와 같은
조직 문화가 꼽혔다.

## 265  헤일로 Halo 효과

인물이나 사물을 평가할 때 이미 알고 있는 대
상의 일부 특징이 다른 특징을 판단하는 데 영
향을 미치는 현상으로 후광효과라고도 한다.
예를 들면 어떤 사람의 외모에 호감을 느꼈을
때 그 사람의 지능이나 성품까지도 긍정적으로
평가하는 것이다.

## 266 에코플레이션

에코플레이션은 환경(Ecology)과 인플레이션(Inflation)을 합성한 말로, 기후변화 때문에 인플레이션이 발생하는 것을 말한다. 최근 지구 온난화 등으로 가뭄, 산불, 태풍과 같은 자연재해 규모가 커지고, 발생 빈도도 잦아져 원자재 가격이 상승하거나 생산설비를 운용하는 비용이 증가해 기업의 제품 원가가 상승했다.

## 267 BOP Bottom of Pyramid

BOP는 피라미드의 밑바닥, 최하소득계층을 뜻하는 말이다. 연간 3,000달러 미만으로 사는 BOP 계층은 세계 인구의 70%를 차지하며 소비시장 크기가 5조 달러에 이를 정도로 잠재력이 풍부해 최근 BOP 마케팅이 신흥시장 개척 수단으로 주목받고 있다.

## 268 플랫폼 노동

주업이 아니라도 남는 시간을 활용해 일할 수 있는 배달서비스가 대표적이며, 디지털 플랫폼에서 나타나는 노동을 의미한다. 자유롭게 일할 수 있고 틈새 부가가치를 창출한다는 장점이 있지만 노동자에 대한 열악한 처우와 사고위험이 단점으로 지적된다.

## 269 커버드콜펀드

주식을 보유하고 있으면서 현재 주식가격보다 큰 행사가격의 콜옵션을 팔아서 차익을 얻는 금융상품을 말한다. 주가가 급등하게 되면 일정 수익을 포기하지만 주가가 완만하게 상승하거나 하락할 때에는 콜옵션을 매도하여 추가 수익을 낼 수 있다.

## 270 마일스톤 징크스 Milestone Jinx

마일스톤(Milestone)은 중요한 단계, 이정표를 뜻하는데 마일스톤 징크스란 주가지수가 특정 분기점에 도달하기 직전에 투자자들이 차익 실현을 하면서 증시상승세가 꺾이는 현상을 말한다.

## 271 ETN Exchange Traded Note

거래소에 상장되어 주식과 같이 사고팔 수 있는 증권이라는 점에서는 ETF와 유사하며, 발행 시 약정한 조건에 따라 확정 수익률을 지급하는 ELS와는 다르다. 상장지수펀드에 비해 기초자산과 수익률 간 괴리가 작고, 운용 성과와 관계없이 발행 증권사가 파산하면 투자액 모두를 잃을 수 있다.

## 272 초다수결의제
Supermajority Voting

초다수결의제는 상법상에 규정된 특별결의 요건보다 더 가중된 요건을 정관으로 규정함으로써 적대적 M&A에 대하여 경영권을 방어하는 수단이다. 예를 들어 현행 상법에서는 정관의 변경에 대한 특별결의 요건으로 출석한 주주의 의결권의 3분의 2 이상과 발행 주식 총수의 3분의 1 이상으로 규정하고 있는데, 초다수결의제에서는 출석한 주주 의결권의 90% 이상, 발행 주식 총수의 70 이상 등의 방식으로 결의 요건을 높여 사실상 적대적 M&A가 이루어질 수 없도록 하는 것이다.

## 273 붉은 여왕 효과 Red Queen Effect

진화론이나 경영학의 적자생존 경쟁론을 설명할 때 유용하게 사용되는 이론이다. 어떤 대상이 변화하더라도 주변의 환경이나 경쟁대상 또한 끊임없이 변화하기 때문에 격차가 좁혀지지 않고 뒤처지거나 제자리에 머물게 되는 현상을 말한다.

## 274 로맨스 스캠 Romance Scam

기업의 이메일 정보를 해킹하여 무역 거래 대금을 가로채는 온라인 사기 수법인 '스캠'과 로맨스의 합성어로, 최근 사회관계망서비스(SNS) 등을 통해 접근하여 친분을 쌓은 뒤 돈을 뜯어내는 방식으로 사기가 일어나고 있어 이에 대한 주의가 요구된다.

## 275 키 테넌트 Key tenant

대형 쇼핑몰이나 상가에서 고객을 끌어들이는 핵심점포를 의미한다. 미국에서는 제너럴 머천다이즈 스토어, 백화점, 디스카운트 스토어 등의 대형 소매업이 키 테넌트에 해당된다. 키 테넌트의 존재로 쇼핑몰 전체 유동인구를 늘릴 수 있다는 점에서 상권 활성화의 중요한 요인으로 꼽히고 있다.

## 276 볼피피지수

JP모건은 도널드 트럼프 대통령의 트윗이 미 채권가격 등 금융시장에 미치는 영향을 반영한 지표이다. 구체적으로 JP모건은 트럼프 대통령의 트윗은 미 국채 2년물, 5년물의 금리 변동에 일정 정도 영향을 미친다고 지적했다.

## 277  링크세

일종의 저작권료이다. 유럽연합(EU)에서 구글, 페이스북 등 글로벌 플랫폼 회사들이 언론사 뉴스를 올릴 때 내야 하는 비용을 말한다. 구글은 EU가 이 규정을 도입하면 유럽에서 구글 뉴스를 전면 폐쇄할 것으로 예상된다.

## 278  FTSE Global All Cap

파이낸셜타임스와 런던증권거래소가 설립한 FTSE인터내셔널이 발표하는 글로벌 주가지수이다. 선진국 및 이머징마켓의 대표적인 종목 7400여 개 기업이 포함돼 있다.

## 279  PIIGS

2007년 금융위기 때 나온 유형이다. 유로존에 속한 5개국(포르투갈, 아일랜드, 이탈리아, 그리스, 스페인)을 지칭하며 재정적자 등으로 경제 위기를 겪은 공통점이 있는 국가들이다. 최근 이들의 경제상황 악화가 장기적으로 글로벌 금융시장에 악영향을 미칠 수 있다는 우려가 다시 재기되고 있다.

## 280  포워드 가이던스

미리 향후 정책에 대한 방향을 제시한다는 의미이다. 경제분야에서 중앙은행이 미래 정책 방향을 미리 외부에 알릴 때 쓰는 용어이다. 중앙은행이 경제상황을 토대로 향후의 통화정책 기조에 대한 정보를 시장에 제공하는 것이다. 2008년 글로벌 금융위기 이후 미국 등 선진국의 중앙은행이 도입했다.

## 281  헤지

가격 변동이나 환위험을 피하기 위해 행하는 거래로 '위험회피' 또는 '위험분산'이라고도 한다. 여기서 위험이란 가격의 변동을 의미하는데 가격 하락 시 손실과 가격 상승 시 이익도 포함하며, 헤지의 목적은 이익의 극대화가 아니라 가격변동으로 인한 손실을 막는 데 있다.

## 282  약관대출

약관대출이란 납입한 보험료 내에서 대출받는 것을 의미한다. '보험료 담보 대출'이라고도 한다. 계약자는 가입한 보험 해약 환급금의 70~80% 내에서 수시로 대출받을 수 있으며 대출 절차가 간편하고 이자도 상대적으로 낮다.

## 283 팻 핑거

살찐 손가락을 의미하는 것으로 증권 매매 담당자의 손가락이 자판보다 굵어 주문을 잘못 입력하는 실수를 가리키는 용어다.

---

## 284 호혜세

보복관세의 하나이다. 특정 국가가 미국산 제품에 부과하는 관세에 대응해 미국도 상대국에 같은 세금을 부과하는 방식의 관세이다.

---

## 285 인슈어테크

보험(Insurance)과 기술(Technology)을 합친 신조어로 데이터 분석, 인공지능 등의 IT 기술을 활용한 보험 혁신 서비스를 뜻한다. 보험사들은 인슈어테크의 일환으로 계약자의 건강상태를 반영해 보험료를 할인·할증하거나 건강상담을 해주는 서비스를 시행하고 있다.

## 286 투어리스티피케이션

Touristification

관광지화라는 뜻의 'Touristify(투어리스티파이)'와 '젠트리피케이션(Gentrification)'의 합성어로, 주거지역이 관광지화 되면서 거주민들이 관광객들로 인해 소음, 쓰레기, 주차문제 등을 이유로 이주하게 되는 현상을 말한다. 우리나라의 경우 대표적으로 서울 북촌 한옥마을 등에서 이 현상이 발생하여 주택가격·임대료 상승, 사생활 침해, 주민생활을 위한 기초편의 시설 감소, 주민 간 갈등에 따른 지역 공동체 약화의 문제가 있었다.

---

## 287 애자일

애자일은 2000년대부터 주목받기 시작한 소프트웨어 개발 방식이다. 계획이나 문서화 작업보다는 프로그래밍 과정에 초점을 두고 있다. 애자일은 시장의 변화에 유동적으로 반응할 수 있는 최적의 조직 운영 방식으로 평가받아 최근 기업들이 조직체계를 개편하고 운영하는 데 반영하고 있다.

## 288  추가경정예산(추경)

정부가 1년 단위로 편성한 국가 예산안이 국회에서 의결된 이후 새로운 사정으로 인해 소요 경비에 과부족이 생길 때 본예산에 추가 또는 변경을 가하는 예산을 말한다. 국가재정법은 '전쟁이나 대규모 재해가 발생한 경우'와 '경기 침체, 대량실업, 남북관계의 변화, 경제협력과 같은 대내·외 여건에 중대한 변화가 발생하였거나 발생할 우려가 있는 경우' 등을 추경 편성 사유로 규정하고 있다. 추경 편성은 경제 활력 제고를 위한 대책으로 활용되지만 재정건전성에는 부담으로 작용할 수 있다.

## 289  적정임금제

입찰과정 및 도급과정에서 발생할 수 있는 근로자의 임금 삭감을 방지하기 위해 발주자가 정한 금액 이상으로 임금을 보장하는 제도이다.

## 290  일자리안정자금

최저임금 인상에 따른 소상공인 및 영세 중소기업의 경영 부담을 완화하고 노동자의 고용 불안을 해소하기 위한 지원 사업이다. 30인 미만 사업장의 근로자에게는 1인당 최대 월 13만 원의 정부 보조금이 지급된다.

## 291  30-50클럽

1인당 국민소득이 3만 달러이면서 인구가 5000만 명 이상인 국가를 말한다. 우리나라의 1인당 국민총소득은 약 3만 달러이며, 우리나라는 2017년 전 세계에서 일곱 번째로 30-50 클럽에 가입했다.

## 292  신지급여력제도 K-ICS

신지급여력제도는 자산과 부채를 기존 원가 평가에서 시가평가로 전환해 리스크와 재무건전성을 평가하는 자기자본제도를 말한다. 이는 2021년 도입되는 보험업 국제회계기준(IFRS17)에 따라 개선한 제도다. 이 제도가 도입되면 보험사는 고객에게 지급해야 하는 보험금(보험부채)을 원가가 아닌 시가로 평가해야 하므로 부채가 증가해 재정건전성이 악화될 우려가 있다.

## 293  OTT

Over The Top의 약자이다. 인터넷으로 영화 등 콘텐츠를 볼 수 있는 서비스를 의미한다. 넷플릭스와 유튜브 등이 대표적인 OTT서비스이다.

## 294 일대일로 一帶一路

중국이 추진 중인 신 실크로드 전략을 의미한다. 구체적으로 내륙과 해상의 실크로드경제벨트를 지칭하는 것으로 2013년 시진핑 국가주석의 제안으로 시작됐으며, 중국과 주변 국가의 경제·무역 합작 확대의 길을 연다는 대규모 프로젝트다.

## 295 테크래시 Tech-lash

기술(tech)과 역풍(backlash)의 합성어로 대형 IT 기업들에 대해 정서적·물리적 반발이 나타나는 현상을 말한다.

## 296 KSM

한국거래소 스타트업 마켓(KRX Startup Market)의 약자로 우량한 스타트업 주식을 거래할 수 있는 장외시장이다. 스타트업 입장에서는 자금조달과 투자유치가 용이하다는 장점이 있다.

## 297 행복주택

대학생, 신혼부부, 사회초년생 등 젊은 층의 주거 안정을 위해 직장과 학교가 가까운 곳이나 대중교통 이용이 편리한 곳에 건설해 저렴한 임대료로 공급하는 공공임대주택이다.

## 298 랩 어카운트 Wrap Account

증권사에서 운용하는 종합자산관리 방식의 상품이다. '묶다(wrap)'와 '계좌(account)'의 합성어로 여러 가지 자산운용서비스를 하나로 묶어 고객의 기호에 따라 제공하는 개인별 자산종합관리계좌를 말한다. 선진국 투자은행의 보편적인 영업형태이며, 투자경향은 안정적인 편이다.

## 299 갭투자

갭투자란 매매가격과 전세가격 간 격차가 작을 때 그 차이만큼 돈만 가지고 집을 매수한 후 직접 살지는 않고 임대주택으로 공급하다가 집값이 오르면 매도해 차익을 실현하는 투자전략이다.

## 300 헬리콥터 머니 Helicopter Money

중앙은행이 가계에 직접 현금을 지급하는 극단적인 경기 부양책으로, 노벨경제학상 수상자인 밀턴 프리드먼이 1969년 저서에서 해당 정책을 헬리콥터에서 돈을 뿌리는 것에 비유하면서 붙여진 이름이다. 민간이 보유한 채권을 사들여 간접적으로 유동성을 키우는 양적완화와 달리 새로 발행한 돈으로 직접 국채를 매입하는 방식을 사용한다. 벤 버냉키 전 미국 연방준비제도(Fed·연준) 의장이 2002년 연설에서 디플레이션억제 수단으로 헬리콥터 머니를 언급하면서 '헬리콥터 벤'이라는 별명을 얻은 예가 있다.

※ 출처 http://exam.mk.co.kr/

# 매경TEST
# 히든노트
—— 적중 시사용어 ——
# 300선